データの法律と契約〔第2版〕

福岡真之介　松村英寿　［著］

商事法務

第 2 版はしがき

　本書の初版である『データの法律と契約』の初版が 2019 年 1 月に刊行されてから、はや約 3 年が経った。『データの法律と契約』は幸い好評を博し、第 2 版を刊行することができた。振り返れば、この 3 年間は社会という点でも、データという点でも激動の 3 年間であった。

　その一番大きな要因は、いうまでもなく新型コロナウイルスであり、いままでの社会や生活ががらりと変わった。新型コロナウイルスの感染拡大により、給付金の支給や感染者数の把握など、行政の対応において、デジタル化の遅れが明らかになった。そのため、行政のデジタル化が大きなテーマとなり、菅義偉元首相によってデジタル庁が設立されることになった。

　そして、法律面では、令和 2 年・令和 3 年個人情報保護法が成立し、パーソナルデータの取扱いに変更が加えられている。

　企業においても、「DX」という考えが浸透し、データを活用する動きが加速しており、データを利用したさまざまなビジネスの取組みが始まっている。

　いずれも 3 年前には考えられなかったことである。コロナによって、改革を怠ってきた従来のシステムの欠点が白日の下にさらされたため、データの利活用が加速することになったといえよう。

　われわれも、この 3 年間に多くのデータに関する案件を担当し、実際に案件を経験しなければ得られないような実務的な知見を得ることができた。本書は、そのような知見をできるだけ反映するように試みている。

　本書において、初版から基本的な考え方には変更はないものの、多くの情報を追加しており、主要な改訂としては以下がある。

- ・データ取引の契約に関する記述を整理・充実化させ、モデル契約の逐条解説をしている。モデル契約についても大幅な見直しを行った。
- ・パーソナルデータに関して、令和 2 年・令和 3 年改正個人情報保護法を反映した。
- ・金融商品取引法の章を設け、オルタナティブ・データなどの取扱いに

第 2 版はしがき

ついて取り上げた。
・データと M&A という章を設け、データ・デューデリジェンスについて取り上げた。
・DX と政策動向という章を設け、DX や政策動向について取り上げた。

最近、NFT（非代替型トークン）と呼ばれる、データと特定の者を紐づけて、改ざんできない形で流通させることができる技術が普及し始めている。このような動きが、将来、データの取扱いに関して大きなインパクトを与えることも想定される。次の3年後には、データの世界が、がらりと変わっているかもしれない。そうなれば、本書もまた改訂しなければならなくなるが、そのような世界が来ることもまた楽しみである。

本書は、データの法律と契約について、主要な論点はほぼ網羅していると思う。本書が、データを取り扱う方々のお役に立てれば、筆者らとしては望外の喜びである。

2021 年 11 月

福岡真之介

初版はしがき

　これからの時代、企業にとって、データの重要性がますます増していくことは間違いない。平成29年情報通信白書は、2017年が「ビッグデータ利活用元年」となる可能性があると述べている。

　近時、デジタル技術を活用して、企業のビジネスモデルやビジネスプロセスを変革していく「デジタルトランスフォーメーション」（DX）というコンセプトが唱えられている。ビッグデータとDXは一体的な関係にあり、DXを実現するためには、ビッグデータの活用が必要不可欠である。また、AIを開発するためには大量のデータが必要となる場合があることが認識されつつある。

　本書は、ビッグデータに関する法律について解説したものである。筆者が知る限り、ビッグデータの法律問題に関して体系的に整理した書籍は本書が初めてなのではないかと思う。

　法分野としては、すでに「情報法」という法分野があり、優れた文献が多数ある。しかし、情報法の文献は、企業法務の場面におけるデータ取引やスキームの構築といったビジネスの最前線の法律問題にはほとんど触れていない。それは情報法が、基本的人権としてのプライバシー権などの公法的な切り口で分析しているからであると思われる。林紘一郎教授は、『情報法のリーガル・マインド』（勁草書房、2017）の中で、情報法には何となく「モヤモヤ感」が残ると述べているが筆者も同感であった。本書に「モヤモヤ感」が残っているかは読者の判断に委ねたいが、少しでも「モヤモヤ感」がなくなるように努めたつもりである。

　筆者は、経済産業省「AI・データの利用に関する契約ガイドライン検討会」の構成員として、同検討会が2018年6月に公表した「AI・データの利用に関する契約ガイドライン」の作成に関与した（同検討会は、データ班とAI班に分かれており、筆者はAI班に属していたので、データ編の議論の詳細には関与していない）。本書では、同ガイドライン［データ編］の成果を大いに活用させていただいている。同ガイドライン［データ編］の作成についてのデータ班のメンバーの努力とその成果に対して、深い敬意

iii

初版はしがき

と感謝の意を示したい。読者の方々には、本書と合わせて、ぜひ「AI・データの利用に関する契約ガイドライン[データ編]」も併せて読んでいただければ幸いである（経済産業省のウェブサイトで公開され、また別冊NBL165号として書籍化もされている）。

　筆者らは、近年、第4次産業革命に関連する法分野についての検討を進めており、『IoT・AIの法律と戦略』（商事法務、2017）、『AIの法律と論点』（同、2018）という書籍を刊行してきた。今回、データを本格的にテーマとした本書を刊行することができ、第4次産業革命3部作がようやく完結したという思いを強くしている。本書を含めて、これらの書籍が、第4次産業革命に果敢に取り組む方々のお役に少しでも立つことがあれば幸いである。

　本書は、西村あさひ法律事務所の弁護士である松村英寿弁護士と筆者で執筆したものである。本書の内容のすべての責任は筆者らにあり、筆者らの属する西村あさひ法律事務所の見解ではない。

　本書の執筆に当たっては、知的財産法部分（第5章）については中山信弘先生（東京大学名誉教授）に貴重かつご丁寧なご指導をいただいた。中山信弘先生には心から感謝したい。

　また、本書の執筆に当たり、仁木覚志弁護士や秘書の越前愛莉さんと八木千尋さんには、多大なご協力をいただいた。本書の編集の労をとっていただいた㈱商事法務書籍出版部の吉野祥子氏に献身的な作業をしていただいた。この場を借りて厚く御礼申し上げたい。

2018年12月

執筆者を代表して　福岡真之介

●凡　　例●

■ 法令・ガイドライン等の略記

GL 外国第三者提供編	個人情報の保護に関する法律についてのガイドライン（外国にある第三者への提供編）
GL 確認記録義務編	個人情報の保護に関する法律についてのガイドライン（確認記録義務編）
GL 仮名・匿名加工情報編	個人情報の保護に関する法律についてのガイドライン（仮名加工情報・匿名加工情報編）
GL 通則編	個人情報の保護に関する法律についてのガイドライン（通則編）
割販	割賦販売法
刑	刑法
個人情報	個人情報の保護に関する法律（個人情報保護法）
個人情報則	個人情報の保護に関する法律施行規則
個人情報令	個人情報の保護に関する法律施行令
著作	著作権法
データ契約ガイドライン	経済産業省「AI・データの利用に関する契約ガイドライン 1.1 版［データ編］」（2019 年 12 月）
独禁	私的独占の禁止及び公正取引の確保に関する法律（独占禁止法）
不正アクセス	不正アクセス行為の禁止等に関する法律（不正アクセス禁止法）
不競	不正競争防止法
民	民法

■ 判例集の略語

下民集	下級裁判所民事判例集
知的裁集	知的財産権関係民事・行政裁判例集
判時	判例時報
判タ	判例タイムズ
民集	最高裁判所（大審院）民事判例集
無体集	無体財産権関係民事・行政裁判例集

凡　例

3　文献の略語

宇賀・逐条解説	宇賀克也『個人情報保護法の逐条解説〔第6版〕』（有斐閣、2018）
岡村・個人情報	岡村久道『個人情報保護法〔第3版〕』（商事法務、2017）
加戸・逐条講義	加戸守行『著作権法逐条講義〔6訂新版〕』（著作権情報センター、2013）
髙部・実務	髙部眞規子編『著作権・商標・不競法関係訴訟の実務〔第2版〕』（商事法務、2018）
田村・概説	田村善之『不正競争法概説〔第2版〕』（有斐閣、2003）
著作権コンメ(1)	半田正夫・松田政行編『著作権法コンメンタール(1)〔第2版〕』（勁草書房、2015）
中山・著作権法	中山信弘『著作権法〔第3版〕』（有斐閣、2020）
中山・特許法	中山信弘『特許法〔第3版〕』（弘文堂、2016）
日置ほか・しくみ	日置巴美・板倉陽一郎『個人情報保護法のしくみ』（商事法務、2017）
三山・著作権法詳説	三山裕三『著作権法詳説：判例で読む14章〔第10版〕』（レクシスネクシス・ジャパン、2016）

●目　　次●

第2版はしがき・*i*
初版はしがき・*iii*
凡例・*v*

第1章　データについての基礎知識

I　データの価値・特徴 ·· *1*
　1　データ利活用により何がもたらされるか・*1* ／2　データとは・*4* ／
　3　ビッグデータとは・*6* ／4　データの特徴・*8* ／5　データの価値・*10*

II　データの法的性質 ·· *13*
　1　データの法的性質・特徴・*13* ／2　データの分類・*19*

III　データのマネージメント ·· *24*
　1　データ・マネージメントの必要性・*24* ／2　データの棚卸し・*26*

IV　データの戦略 ··· *27*
　1　データのオープン・クローズ戦略・*27* ／2　データ・フォーマットの標準化戦略・*29* ／3　データのプラットフォーム戦略・*31*

第2章　データ法の体系

I　データの種類と法律 ·· *34*
　1　一般的なデータ・*36* ／2　契約によって利用方法等が定められたデータ・*36* ／3　営業秘密または限定提供データに当たるデータ・*37* ／4　知的財産権の対象となるデータ・*37* ／5　パーソナルデータ・*38* ／6　独占禁止法によって規律されるデータ・*38* ／7　金融商品取引法によって規律されるデータ・*39* ／8　不法行為法（民法）により保護されるデータ・*40* ／9　刑法・不正アクセス禁止法により保護されるデータ・*40* ／10　その他法律により規律されるデータ・*40*

II　データにおける契約とアーキテクチャの意義 ··················· *41*

目　次

第3章　データと契約法

Ⅰ　総論 ··· 44
Ⅱ　データ取引の類型 ·· 46
　　1　データ取引の3類型・46／2　データ取引の契約の性質・48
Ⅲ　権利関係 ··· 49
　　1　処分権者・49／2　利用条件・56／3　第三者提供・60
Ⅳ　品質保証 ··· 62
　　1　データの品質・62／2　データの品質と契約交渉・66／3　データの品質に関する提供者の契約責任・66／4　データの品質に関する不法行為責任・71
Ⅴ　対価・利益分配 ·· 71
　　1　データ取引の対価・利益分配の算出方法・71／2　データ取引の対価・72
Ⅵ　秘密保持 ··· 73
　　1　秘密情報の定義規定・74／2　秘密保持の例外の規定・75
Ⅶ　派生データ ··· 76
　　1　派生データの意義・76／2　利用条件・77／3　派生データのデータ提供者による利用・78
Ⅷ　損害賠償等の救済措置 ·· 79
　　1　損害賠償・79／2　当事者による違反・80／3　第三者に対する効力・81
Ⅸ　過去のデータとデータ取引契約 ·· 82
　　1　過去データの利用時に問題となる点・82／2　過去データの利用時のチェックポイント・83
Ⅹ　データ利用モデル契約の解説 ·· 85
データ利用に関するモデル契約【創出型】 ··· 87

第4章　データの知的財産に関する法律

Ⅰ　総論 ·· 124
Ⅱ　不正競争防止法 ·· 126
　　1　営業秘密・127／2　限定提供データ・134／3　技術的な制限手段・146／4　救済手段・148

Ⅲ　著作権法 ………………………………………………………………… *150*
　　1　データの著作物性・*151*／2　著作者および著作権者・*168*／3　共有・*169*／4　著作者人格権・*171*／5　データ提供者の派生データに対する権利・*172*／6　著作権の制限規定・*174*／7　救済手段・*184*
　Ⅳ　特許法 …………………………………………………………………… *186*
　　1　特許要件等・*186*／2　データ構造の特許・*187*／3　物の特許、方法の特許・*190*／4　ビジネス関連特許・*190*
　Ⅴ　不法行為法による保護 ………………………………………………… *191*

第5章　パーソナルデータに関する法律

　Ⅰ　基本的考え方 …………………………………………………………… *194*
　Ⅱ　個人情報保護法 ………………………………………………………… *197*
　　1　個人情報取扱事業者・*203*／2　個人情報・*204*／3　個人データ・*219*／4　保有個人データ・*241*／5　要配慮個人情報・*252*／6　匿名加工情報・*255*／7　仮名加工情報・*265*／8　個人関連情報・*276*／9　安全管理措置・*284*／10　トレーサビリティの確保・*288*／11　越境データの取扱い・*294*／12　域外適用・*312*／13　漏えい等の報告等・*312*／14　適用除外・*318*／15　罰則・*320*／16　個人情報保護マネジメントシステム（JIS Q 15001：2017）・*320*／17　令和3年改正法との条文対比表・*321*
　Ⅲ　パーソナルデータとプライバシー …………………………………… *324*
　　1　プライバシー権・*324*／2　プロファイリング・*326*／3　忘れられる権利・*327*／4　プライバシー・バイ・デザイン・*329*／5　これまでに問題となった事例・*336*
　Ⅳ　パーソナルデータの利活用 …………………………………………… *343*
　　1　個人情報保護法上の各手法の比較・*343*／2　情報銀行・*347*

第6章　データと独占禁止法

　Ⅰ　基本的考え方 …………………………………………………………… *350*
　　1　「行為×状況」・*350*／2　データの性質・特徴に基づく競争上の懸念点・*351*
　Ⅱ　独占禁止法に基づく分析・検討に当たっての考え方 ……………… *354*

1　市場画定・354／2　競争減殺効果・358
　Ⅲ　独占禁止法上問題となり得る行為類型 ………………………………… 362
　　　1　不当なデータ収集・363／2　データの不当な囲い込み（アクセス拒絶）・371／3　不公正なデータ取引の条件・373／4　カルテル・375／5　具体的な検討に当たって・382
　Ⅳ　企業結合審査 ……………………………………………………………… 385
　　　1　企業結合ガイドライン・385／2　届出基準を満たさない企業結合案件における任意の相談・387
　Ⅴ　デジタル・プラットフォーム事業者に関する規制 ………………………… 388
　　　1　特定デジタルプラットフォームの透明性及び公正性の向上に関する法律・388／2　取引デジタルプラットフォームを利用する消費者の利益の保護に関する法律・390
　Ⅵ　おわりに …………………………………………………………………… 392

第7章　データと金融商品取引法

　Ⅰ　データ取引において金融商品取引法が問題となる場合 ……………… 393
　Ⅱ　オルタナティブ・データに関する金融商品取引上の規制 …………… 394
　　　1　問題点・394／2　インサイダー取引規制・395／3　FDルール・396／4　法人関係情報の管理等の規制・397
　Ⅲ　AIによる取引と金融商品取引法上の規制 ……………………………… 398
　　　1　取引責任者は未公表重要事実を知っているが、アルゴリズム・AIに未公表重要事実が与えられていない場合・399／2　取引責任者は未公表重要事実を知らないが、アルゴリズム・AIに未公表重要事実が与えられている場合・400
　Ⅳ　まとめ ……………………………………………………………………… 401

第8章　データと刑事法

　　　1　刑法上の責任・402／2　不正アクセス禁止法の責任・405

第9章　データ・スキームの構築・運用

I スキーム構築の前提 …………………………………………………… *408*
II データ取得・取引のスキーム構築のポイント ……………………… *409*
　1　総論・*409*／2　パーソナルデータ・*409*／3　データ・スキーム構築の具体例・*414*
III データ・ジョイントベンチャーのポイント ………………………… *418*
　1　データJVの類型・*418*／2　データJVにおける留意点・*421*

第10章　データとM&A

I データ・デューデリジェンスの重要性 ……………………………… *424*
　1　M&Aにおけるデータ・デューデリジェンス・*424*／2　対象会社におけるデータの取扱いが問題となった事例・*426*
II データ・デューデリジェンスの実施方法 …………………………… *427*
　1　秘密保持契約の締結・*428*／2　チーム編成・*428*／3　資料請求・概要インタビュー・*428*／4　コンプライアンス状況の確認・*430*／5　M&A後にデータを利用できる範囲の確認・*433*
III M&A契約への反映 …………………………………………………… *435*
　1　買収価格への反映・*436*／2　表明保証・*436*／3　誓約事項・前提条件・*438*／4　補償・特別補償・*438*／5　解除・*440*／6　まとめ・*440*

第11章　データ共有プラットフォーム

I データ共有プラットフォームにおけるデータ流通 ………………… *442*
　1　データ共有プラットフォームの類型・*442*／2　データ連携基盤の整備・*445*
II モデル規約の解説 …………………………………………………… *448*
　1　プラットフォーム運営者・*449*／2　プラットフォームの参加者・*452*／3　目的・*455*／4　データの種類・範囲・*456*／5　データの提供・*460*／6　データの利用条件・*469*／7　データの削除権・*474*／8　データ提供者・利用者の義務等・*476*／9　プラットフォーム運営者の義務等・*481*／10　データ漏えい等の場合の対応・*488*／11　プラットフォームの中断・停止、廃止・

489／12　利用規約の変更・490／13　利用契約の終了・491／14　一般条項・494／15　検討ポイントのまとめ・494

第12章　ＤＸと政策動向

Ⅰ　DX（デジタルトランスフォーメーション）……………………………… *497*

　　1　ＤＸとは何か・*497*／2　ＤＸの必要性・*500*／3　日本企業におけるDXの課題・*500*／4　DXに関する政策・*503*

Ⅱ　データに関する政策・法制度の動向 ……………………………………… *511*

　　1　デジタル社会形成基本法の制定・*511*／2　デジタル時代の新たなIT政策大綱・*513*／3　データ戦略タスクフォース第一次とりまとめ・*514*／4　包括的データ戦略・*515*

おわりに

●巻末資料

資料①　データ利用に関する契約【創出型】…………………………………… *525*
資料②　データ利用に関する契約【提供型】…………………………………… *536*
資料③　データ共有プラットフォームモデル利用規約 ……………………… *547*

著者略歴 ……………………………………………………………………………… *562*
事項索引 ……………………………………………………………………………… *563*

第1章
データについての基礎知識

　本章では、データを考えていくに当たって有益な基礎知識として、以下を解説する。
　(1)　データの価値・特徴
　データを利活用することによって、どのような価値がもたらされるか。また、データはどのような特徴をもっており、その特徴により、どのような結果が生じるのか。
　(2)　データの法的性質
　データが無体物であることによる法的性質。例えば、データには所有権は生じず、所有権者は存在しないという性質がある。
　(3)　データのマネージメント
　データを利活用するためのマネージメントする手法。
　(4)　データの戦略
　データの戦略としての①オープン・クローズ戦略、②標準化戦略、③プラットフォーム戦略。

I　データの価値・特徴

1　データ利活用により何がもたらされるか

　古来から情報をうまく活用した企業や国家や企業が、競争において優位に立ってきた[注1]。そのことは情報がデータという形をとるようになった現代でも変わらない。
　もっとも、対象となるデータの規模とデータの利用方法は、現代で

注1)　競争の最たるものは戦争であるが、孫子は、紀元前500年頃の人であるが、「彼（敵）を知り己を知れば百戦危うからず」と、勝つための情報の重要性を述べている。

は、大きく異なる。その主たる要因の1つはインターネットの発展である。インターネットにより収集された膨大なデータが、マーケティングや広告などで威力を発揮することを目の当たりにして、人々は、データの威力と価値を認識し始めた。また、現在、AI技術の開発が競われているが、AIの精度を上げるためには大量のデータが必要となることが多く、AIの開発や利用をするために、データが重要な意味をもつことが認識されつつある。

そのような中、高速なネットワークインフラの整備、データストレージの低価格化、クラウドの普及といった技術の進歩の後押しによって、インターネットを通じて膨大なデータの収集と利用が現実に可能になっている。また、スマートフォンやIoT機器の普及に伴い、生成されるデータ量は爆発的に増大している。今後5Gの普及により、生成されるデータ量はさらに増加することが見込まれる。

主たる要因の2つ目として、データ量が爆発的に拡大する中で、データサイエンスやAI技術によるデータ分析・解析の技術が進んだことが挙げられる。このような技術により、大量のデータを分析・解析して、そこから有益な知見や成果を取り出すことが可能となった。データから有益な知見や成果を取り出すことができる企業は競争の勝者となり、それができない企業は敗者となることは何ら不思議ではない。

そこで、このような大量のデータ、いわゆる「ビッグデータ」と呼ばれるデータを利用することで、効率化やイノベーションの促進を図ろうとする動きが活発化している。データのもつ価値はますます増加し、「データは21世紀の原油である」ともいわれる[注2]。20世紀における原油のように、21世紀には、データがあらゆる産業における企業の競争力の源泉となるため、データを制する者が産業を制する時代が到来しつつある。

このように、企業にとって、データをうまく活用することが、今後の競争を勝ち抜くために必要不可欠である。データを活用することによって、

注2) 原油が精製しないと使えないように、データも何らかの処理を施さなければ利用できないのがこの格言の意味であるとの解釈が主張されることもある。どこにポイントを置くのかによってこの格言の解釈は異なるが、解釈の正解があるわけではなく、優れた格言は多義的であるという一例であろう。

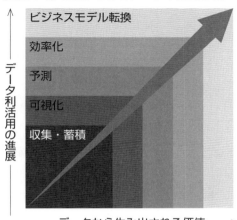

【図表1-1】企業におけるデータの利活用モデル

＊㈱三菱総合研究所「IoT時代におけるICT産業の構造分析とICTによる経済成長への多面的貢献の検証に関する調査研究報告書」(2016) 123頁。

　まず、把握していなかった部分の「見える化」が可能となる。「見える化」するだけでも有益な気付きを得られるが、データを分析・解析することによって、将来の予測や効率化が可能となる。さらに進んで、従来のビジネスモデルから新たなビジネスモデルへの転換が可能となる場合もある。そのモデルを示したのが【図表1-1】である。

　経済協力開発機構（OECD）編著・大磯一＝入江晃史監訳・齋藤長行＝田中絵麻訳『OECDビッグデータ白書──データ駆動型イノベーションが拓く未来社会』（明石書店、2018）では、製品、プロセス、市場を改善・育成するためにデータと分析を利用することを「データ駆動型イノベーション」と呼び、新たな成長の源泉と位置付けている。

　近時、デジタル技術を活用して、企業のビジネスモデルやビジネスプロセスを変革していく「デジタルトランスフォーメーション」（DX）が唱えられているが、データをどのように利用するかが、DXを成功させるための鍵となることはいうまでもない。

2 データとは

(1) データの定義

　「データ」とはそもそも何であろうか。新村出編『広辞苑〔第7版〕』（岩波書店、2018）によると、①立論・計算の基礎となる、既知あるいは認容された事実・数値、資料、与件、②コンピュータで処理する情報とされている。

　例えば、映画「マネーボール」は、弱小球団であったオークランド・アスレチックスのジェネラルマネージャーのビリー・ビーン（ブラッド・ピットが演じた）が、データを分析することで選手の評価や戦略を決定する手法を導入して、弱小チームを再生し、ついにはワールドシリーズ制覇を成し遂げるというサクセス・ストーリーである。このような「データ野球」の「データ」は前記①の意味で使われている。故野村克也監督の「ＩＤ野球」（ＩＤとはインポータント・データの略）におけるデータも前記①の意味で使われている。従来の「データ」とは前記①の意味で使われることが多かった。

　もっとも、ビッグデータの文脈において使われている「データ」の意味は、必ずしも事実や数値に限られず、コンピュータで処理することが前提になっており、前記②の意味で用いられている。情報をコンピュータで処理するためには、電子化されている必要がある。したがって、現代的な意味での「データ」とは、「コンピュータで処理するために電子化された情報」を意味していると考えられる。

　「データ」について法律が定義している例はあまり見当たらない。この点、「官民データ活用推進基本法」2条は、「官民データ」について、「電磁的記録に記録された情報であって、国若しくは地方公共団体又は独立行政法人若しくはその他の事業者により、その事務又は事業の遂行に当たり、管理され、利用され、又は提供されるものをいう」[注3]と定義している。この規定は、データそのものの定義ではないが、「データ」を「電磁的記録

注3）括弧内は省略している。
注4）他にも、「限定提供データ」（不競2条7項）や「個人データ」（個人情報2条6項）のように定義の中に「データ」を含む用語は存在する。

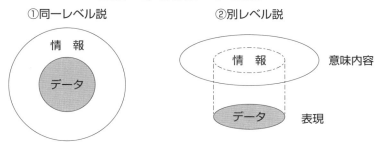

【図表 1-2】情報とデータの関係

に記録された情報」と定義している。その意味で、同法のデータの定義は、前記の広辞苑の定義のうち、前記②を採用しているといえよう[注4]。

また、多くの法令では、データ化された記録について「電磁的記録」という用語を使用している。例えば、民法および刑法では、電磁的記録について「電子的方式、磁気的方式その他人の知覚によっては認識することができない方式で作られる記録であって、電子計算機による情報処理の用に供されるものをいう」と定義し（民151条4項、刑7条の2）、コンピュータによって処理可能なデータに限って電磁的記録としている。

したがって、法律用語における「データ」とは、基本的に前記②の「コンピュータで処理する電子化された情報」の意味で利用されているといえる。

(2) データと情報の関係

次に、「データ」と「情報」との関係について考えてみたい。この点、データと情報を同一レベルのものと考えれば、「データ」は、「情報」の一部であり、情報の中には、電子化されているデータと、電子化されていないデータがあるという考え方となる（【図表1-2】の①）。

注5）西貝吉晃「コンピュータ・データへの無権限アクセスと刑事罰(1)」法学協会雑誌135巻2号（2018）374頁。

注6）林紘一郎『情報法のリーガル・マインド』（勁草書房、2017）20頁は、「データ」とは、ある情報に含まれる内容をビット列などの符号で表記したもので、人間の解釈を一旦捨象したもの、つまりシャノンの情報理論における構文的情報（syntax）に当たるとする。

これに対して、データと情報を別レベルのものと捉える考え方もある。その見解からは、情報は意味内容であり、データとは情報の表現であるとされる（【図表1-2】の②）[注5]・[注6]。例えば、知識、精神状態、思想、思考の内容が情報である。これに対し、データは符号や信号により構成され、情報に変換される。この考え方に立つと、情報とデータは、異なる次元にあるということになる。

データを検討するに当たっては、意味内容と表現のどちらが問題となっているのかを考えることが有益なこともある。

法律では、例えば、プライバシー侵害や個人情報保護法では、意味内容が問題であり、紙媒体か電子データかといった表現形式は問われない。他方で、不正アクセス禁止法では、データという表現形式をとっているものが保護対象となっており、データの意味内容については問われない。また、著作権法は、意味内容と表現を区別し、表現のみを保護するが、著作権の成立の要件として表現の創作性を要求しているため、意味内容についても考慮されている。

法律では、上記で挙げた各種法律のように、意味内容と表現を区別した規律していることが多いことから、データと情報を別レベルのものと捉える考え方に親和性があるといえる。

3　ビッグデータとは

ビッグデータとは、単に「大量のデータ」を意味するのではなく、①量（Volume）、②多様性（Variety）、③頻度（Velocity）を有するデータであるといわれている。これらの言葉の頭文字をとって、「3つのV」ともいわれる。なお、正確性（Veracity）を加えて、「4つのV」とすることもある。

前記のうち「多様性」とは、さまざまなデータが含まれていることを意味する。データに多様性がなければ、分析・解析しても新たな発見をすることは難しい。「頻度」とは、データが収集される頻度や更新される頻度が高いことを意味する。鮮度が落ちるデータを分析・解析しても、現在のビジネスに生かすことは難しい。「正確性」とは、データに誤りや不確実なものが含まれていないことを意味する。

4つのVは相互に関連している。高頻度に収集されるからこそ、大量

【図表1-3】ビッグデータの具体例

ソーシャル・ネットワーク情報
・SNS情報（Facebook、Twitter等）
・ブログ、コメント情報
・個人作成ドキュメント
・画像データ（Instagram、Flickr等）
・動画データ（Youtubeなど）
・インターネット検索
・携帯電話テキストメッセージ
・ユーザー地図情報
・Eメール情報

国連・欧州経済委員会による分類（2013年）

IoT活用によるデータ
・ホームオートメーション
・天候・公害センサー
・交通情報・リアルタイムカメラ
・科学センサー情報
・防犯・監視カメラ映像
・携帯位置情報
・自動車走行データ
・衛星画像
・コンピューターログ
・ウェブサイトログ

商業取引データ
・診療情報
・商取引記録
・銀行決済・株式売買記録
・eコマース
・クレジットカード

＊総務省統計委員会担当室「ビッグデータの統計的利活用に向けて」（2018年5月23日）。

のデータが蓄積され、その結果、データの多様性が生まれ、また間違ったデータを発見しやすくなるため正確性が確保できるようになる。

　平成29年版情報通信白書では、ビッグデータを主体に着目して以下の4つに分類している。

① 政府：国や地方公共団体が提供する「オープンデータ」
② 企業：暗黙知（ノウハウ）をデジタル化・構造化したデータ
③ 企業：M2M（Machine to Machine）から吐き出されるストリーミングデータ
④ 個人：個人の属性に係る「パーソナルデータ」

　このようにビッグデータと一口でいっても、さまざまな種類のデータを含んでおり、データの特性を踏まえた検討が必要な場合がある。

　ビッグデータの中身は、【図表1-3】のようにさまざまである。

　数年前では「ビッグデータ」という用語が盛んに用いられていたが、最近では「ビッグデータ」という用語を聞くことは少なくなった。それは、わざわざ「ビッグ」という形容詞を付さなくても、ビッグデータを取り扱

うことが当たり前となり、「ビッグデータ」という用語がその歴史的役割を終えたからかもしれない。そこで本書でも「ビッグデータ」という用語は基本的に用いない。

4　データの特徴

　無体物であるデータは、物理的制約に服しない。そのため、データは、以下のような特徴がある。
　①　データには、所有権や占有権が観念できない。
　②　データは、複数の者が同時に利用できる（排他性の不存在）。
　③　データは、複数の媒体に同時に存在することができる（同時存在性）。
　④　データは、コピーすることが容易であり、コピーによって内容が劣化しない（拡散容易性）。
　⑤　データは、一度外部に流出してしまうと、流出する前の状態に戻すことはできない（流通の不可逆性）。
　⑥　データは、違法な取得・利用を把握することが困難である。

　以下、個別に説明する。
　①データには、所有権や占有権が観念できない。データは無体物であり、同時に複数の者が全面的・包括的に支配することが可能なため所有権・占有権を観念することができない。
　②データは、複数の者が同時に利用できる（排他性の不存在）。したがって、データの利用により、データが摩耗・減少してしまうということはなく、データを他人に分け与えたからといって、自分が保有するデータが減ることもない。
　③データは、複数の媒体に同時に存在することができる（同時存在性）。その結果、多くの人が利用できる反面、データが盗用され、利用されても、元のデータ保有者は、盗用されたデータの所在や、違法行為を把握することが困難となる。
　④データは、コピーすることが容易であり、コピーによって内容が劣化しない。そのため、データは、オリジナルの価値が低い。また大量かつ広範にコピーが可能であることから、一度外部に流出してしまうと拡散して

しまう可能性がある（拡散容易性）。

⑤データは、一度外部に開示・流出してしまうと、開示・流出する前の状態に戻すことはできない（流通の不可逆性）。そのため、データが外部に一旦流出してしまうと、それをなかった状態に戻すことは困難であり、被害を回復することが困難である。

⑥データは、これら①〜⑤の特徴があるために、データの保護や無断利用などの違法行為の摘発は、有体物と比べると容易ではない。

世の中は情報であふれており、その大部分は、法的権利が成立していないため、誰もが利用することができる。そのため、多くの人は情報は無料で自由に使えると考え、実際に、ほとんどの情報を空気と同じような感覚で無料で自由に使っている。また、情報を他人に分け与えたからといって、自分が保有する情報が減るわけではないので、他人に利用されても、不都合が生じないことが多い。

情報をデジタル化したデータについても、情報と同様に無断利用が容易であり、たとえデータに法律上の権利があったとしても、無断利用に対する人々の道徳的ハードルは、残念ながら有体物の無断利用と比較すると低いのが実情である。

では、そのような状況において、データを保有している者は、データに対する利益をどのように守ることができるであろうか。

データに対する自らの利益を守る手段として、まずは法律によって守ることが考えられるが、後で述べる通り、データが著作権法などの法律によって保護される場合は限定的であり、法律に頼るだけでは不十分である。

この点、データに対する自らの利益を守る手段として、データを秘匿するという方法が古来からとられてきた。秘匿してしまえば、他人が利用することはできず、データを保護するには最も手っ取り早い。しかし、それでは、他人にデータを提供しないことを意味するから、データを広く活用することができなくなってしまう。

そこで、データを他人に提供する際に、契約で定めることで、データに対する自らの利益を守ることが考えられる。しかし、契約をしたとしても、契約の拘束力を第三者に及ぼすことはできない。また、データの受領者が

契約に違反して、データが外部に一旦流出してしまうと、情報には一度開示すると取り戻せない性質があるため、なかった状態に戻すことはできず、損害の回復は容易でない。このように、契約という手段にも一定の限界は存在する。

契約以外の手段としては、パスワードなどのアクセス制限や暗号化などの技術的手段によって、データに対する自らの利益を守ることも考えられる。技術的手段による保護は、その保護を突破する技術がないと情報を無断で入手できないことから、法律や契約と比べて、データに対する利益を保護する手段として強力な場合がある。

そこで、データを取り扱う者は、データに対する利益を保護する手段として、法律・契約だけではなく、技術的手段による保護も視野に入れておく必要がある。その意味で、データを取り扱う法律家は、単に法律について知るだけではなく、データを保護するための技術的手段についての知識を有しておくことが求められる。

5 データの価値

(1) データの価値の源泉

データのどの部分に価値があるのかについて、ここで改めて考えてみたい。われわれが「データ」という単語を使うときには、デジタル化されていることが念頭に置かれている。デジタル化されていることは、通信ネットワークで伝送したり、コンピュータで処理するためには必要不可欠である。紙の本に記載されている文字は、電子化されていないため、一般的にはデータとは呼ばれない。

データは、世にある事象をセンサーなどで計測することや、人間がSNSに文章を書いたり、写真をアップすることによって生じる。このデータを生データと仮に呼ぶとすると、生データ自体は、それだけでは何の価値をもたない。生データは、それを加工し、分析することで、何からの意味をもつ「情報」となる。この加工・分析は、かつては人間が行っていたが、現在はAIもできるようになってきている。そして、この「情報」は、利用することで、はじめて価値が生じる（【図表1-4】）。

逆に、データを利用するためには、まず、データ利用によって、どのよ

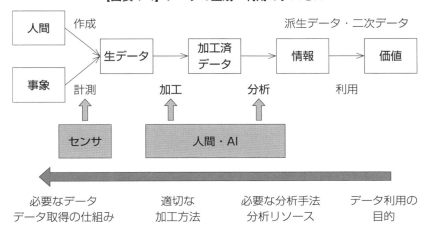

【図表1-4】データの生成・利用のプロセス

　うな「価値」を獲得したいかを特定し、そこから、データをどのように分析・解析すればよいのかを考え、それに適したデータを取得する仕組みを構築するのが合理的である。

　例えば、データを解析して、夏場のある地域のビールの売上げを予測し、販売機会のロスの防止や在庫コストの削減をするというプロジェクトを考えてみよう。このプロジェクトでは、売上げの増加や在庫コストの削減によって価値が生まれる。その価値を生み出すためには、まず、その地域のビールの需要（情報）を予測することが必要となる。

　ビールの需要を予測するためには、各店舗におけるビール販売量の過去データを収集することが考えられる。しかし、それだけでは、ビール消費量を正確に予測するには不十分なことから、温度、湿度、天気などといった、ビールの需要と関係ありそうなデータを収集することになる。また、人々の所得水準、人口構成、シーズン、曜日、祭りなどのイベント、人気テレビ番組の放映の有無などもビールの需要に影響する可能性がある。さらに、SNSに書き込まれた文章や写真と、ビールの需要との間に一定の関係が見つかるかもしれない。

　このように考え始めれば、欲しいデータの範囲はどんどん広がっていくことになる。

しかし、ありとあらゆるデータを入手するのは現実的ではなく、ビールの需要予測という目的に沿ったデータは何かを考えた上で、データを収集する必要がある。

もちろん、データセットから、当初想定していなかった成果が見出されることがあるので、幅広くデータを収集することが無意味なわけではない。しかし、データを収集・保存するにはそれ相応の費用がかかるし、分析するのにも時間とマシンパワーが必要となることからコストとのトレードオフの関係にある点に留意が必要である。

(2) データの利活用の課題

このようにデータは利活用してこそ価値が生じるが、データの利活用に当たっては以下の課題に直面することが多い[注7]。

(A) データ量

利活用するためには十分な量のデータを収集する必要がある。

(B) データの形式

データの形式がバラバラであることが多く、形式を統一する必要がある。

(C) データの正確性・公平性

データの中身に偏りやノイズ、バイアスが存在し得る。

(D) パーソナルデータにおける個人情報保護

パーソナルデータの取扱いについて、個人情報保護法等による規制を遵守する必要がある。また、法令を守ったとしても炎上するリスクがある。

(E) データホルダーへのインセンティブ設計

データホルダーからどのようにデータを提供してもらうのかについてのインセンティブ設計を考慮する必要がある。インセンティブ設計のためには、成果物の還元等が考えられる。また、データホルダーとの対話や信頼醸成が重要である。

(F) データ提供の継続性の確保

データホルダーが継続的にデータを提供する仕組みを構築し、データ提供の継続性を確保することが重要である。

注7) 総務省統計委員会担当室「ビッグデータの統計的利活用に向けて」(2018年5月23日)。

(G) プロジェクトを支える統計技術・先進的なツール

データを処理するためには、統計技術・先進的なツールが必要となる。

(H) プロジェクトのコーディネーション

プロジェクトが複数ある場合には、優先順位付けや、リソース投入の重複の回避が必要となる。

データを十分に利活用していくためには、これらの課題を1つずつ解決していくことが必要となる。

Ⅱ データの法的性質

1 データの法的性質・特徴

(1) データと所有権

データは、目に見えず、物理的な実体がない無体物である。無体物であるデータは、不動産や動産のように物理的な実体がある有体物とは異なった法的性質を有する。何が異なるかというと、データは、民法上、有体物を前提としている所有権や占有権、用益物権、担保物権の対象とはならず、所有権や占有権の概念に基づいてデータについての権利の有無を定めることはできない点において異なる（民206条・85条参照）[注8]。

所有権、占有権、用益物権、担保物権といった「物権」[注9]は、物を直接に支配する権利とされている。特に所有権は、対象たる物への全面的・包括的な支配権であるとされている。そのため、物の上に所有権が成立すると、同一の物の上に、さらに別の者の所有権が成立することはない。この排他性は、物権が支配権という本質を有することから出てくる当然の特質であるとされている[注10]。

これに対して、データには、同時に複数の者が全面的・包括的に支配することが可能なことから、データについて「所有権」を観念することはで

注8) データ契約ガイドライン14頁。
注9) 物権は人に対する請求権である「債権」と対比される概念である。
注10) 舟橋諄一＝徳本鎮編『新版注釈民法(6)物権(1)〔補訂版〕』（有斐閣、2009）7頁
　　　［舟橋諄一＝徳本鎮］。

きない。民法85条も「この法律において『物』とは、有体物をいう」と規定し、所有権の対象となる「物」の概念から無体物を除外している。

このように、現在の法制度では、データに所有権を認めるという制度にはなっていない。他方で、データはアクセスすることができないとそもそも利用ができないため、データを利用できる者は、現実的には、データにアクセスできる者に限られることになる。

以上まとめると、データには所有権が成立することはなく、原則として、そのデータにアクセスできる者は誰でも自由に使えることになる。

もっとも、データに、有体物に関する規定（例えば売買に関する規定）の類推適用をすることは可能な場合があるし[注11]、また、データの取扱いについて、所有権のアナロジーを使うことは、説明の便法としてはあり得る。しかし、所有権の類推適用やアナロジーの使用により、データにあたかも所有権があるかのような錯覚に陥ってしまい、本質を見過ごしてしまう誤りを犯さないように注意をする必要がある。

例えば、データの帰属について、「データが誰のものか」という議論がある。これが、「誰の所有物なのか」という意味であれば、前述の通り、データには所有権を観念することができないのであるから、データの所有権の帰属について論じることには意味がない。

それどころか、データに所有権があるかのように錯覚してしまうと、当事者の議論が、データの帰属に集中してしまうことや、あたかも1つの企業だけがデータの処分権限を持つことができるかのような誤解をしてしまうという弊害が生じる。しかし、データは、複数の者が同時に利用できることから、データの帰属というゼロサム的な議論をするよりも、各当事者がデータをどのように利用できるか、すなわちデータの利用条件を議論したほうがWin-Winの関係を築きやすく生産的である。

(2) データ・オーナーシップ論

データの所有権アナロジーの一形態として、「データ・オーナーシップ」

注11) 例えば、民法205条（準占有権）は財産権の行使について占有権の規定を準用している。ただし、法律や契約によってデータに物権に関する規定を適用したからといって、現実の世界において、物権と同じように取り扱えるかは別問題である。

論が挙げられる。この「データ・オーナーシップ」の意味については、確立したものはないが、一例として、著作権、営業秘密保護に係る権利、個人情報保護法に基づく権利等の法律上の権利、並びに、データに対するアクセス権、利用権、保有・管理に係る権利、複製を求める権利、販売・権利付与に対する対価請求権、消去・開示・訂正等・利用停止の請求権等の契約上の権利等を列挙して説明したものがある[注12]。

　「オーナーシップ」を「所有権」という意味で捉えた場合、データに「オーナーシップ」が成立しないことは前述の通りである。また、「オーナーシップ」という用語を使用した場合に、受け手が「所有権」と誤解し、弊害が生じるリスクがあることは「所有権」と同様である。

　この点、データ契約ガイドラインでは、データ・オーナーシップについて、「一般には、データに適法にアクセスし、その利用をコントロールできる事実上の地位、または契約によってデータの利用権限を取り決めた場合にはそのような債権的な地位」を指していることが多いとしており[注13]、データ・オーナーシップについて、「事実上の地位」または「債権的な地位」であるとして、所有権的な発想から脱却した見解を示している。「債権的な地位」とは、基本的に契約に基づいて相手方に請求する権利を有することを意味する。

　そして、データ契約ガイドラインにおいては、このような意味でのデータ・オーナシップの帰属について、データ創出への寄与度が判断要素となるものの、寄与度は事案によりさまざまであり、誰がデータ・オーナシップをもつべきかという一律の基準を見出すことは困難であるとしている。

　そのため、データ・オーナシップがいずれの当事者に帰属するのかというオール・オア・ナッシングで交渉するよりも、個別事案に応じて、「どのデータを、どちらの当事者が、どのような条件で利用できるのか」という利用条件をきめ細やかに調整し設定していくことが重要であると指摘し

注12）経済産業省商務情報政策局「オープンなデータ流通構造に向けた環境整備」（2016年8月29日）59頁参照。

注13）データ契約ガイドライン16頁。なお、債権的な地位ということは、人に対する請求権ということを意味するため、この考え方によると、データ・オーナーシップは、当事者との関係性において定まることになる。

ている。

　データの「オーナシップ」あるいはコントロールする権限について契約交渉する際には、このような視点に基づいた適切な調整をすることが、契約をスムーズに成立させるために必要である。

　なお、当事者が、契約書などで「データの所有権」という用語を使用している場合、これは誤った用語の使用法ではあるが、その意思を善解して、合理的に解釈すれば、上記のデータに適法にアクセスし、その利用をコントロールできる事実上の地位や債権的地位としてのデータ・オーナーシップ的な内容を意味していると解することになろう。

　また、契約書に「データの帰属先」という用語が用いられる場合がある。データにおいて、所有権的な意味での帰属は観念できないが、この帰属という言葉の意味は、一般的には、債権的地位としてのデータ・オーナーシップを帰属させるという趣旨であると解される。

　なお、本書では、ある者がデータを現に利用できる状態にある場合について、「保有」という用語を用いることがある。「所有」と混同しやすい「保有」という用語は避けたかったが、不正競争防止法などの法令においても「保有者」という用語が使用されていることから（不競2条1項7号）、「保有」という用語を使用することとした。ちなみに、データ契約ガイドラインでは、データに対して適法にアクセスできる事実状態を指す用語として便宜的に「保持」という用語を使っている[注14]。

　IT用語には、「管理者権限」という用語がある。管理者権限を有する者は、基本的に、データを含むシステム全体について、全面的にコントロールする権限を有している。これに対して、「ユーザ権限」は、管理者が利用者（ユーザ）に個別に与えた一定の権限である。例えば、ある者は、データを閲覧する権限は与えられるが、修正する権限までは与えられないといったものである。この場合、管理者もユーザも、データにアクセスできるという点では同じであるが、データ処理についての自由度は管理者権限を有する者のほうが圧倒的に広い。そのため、データに対して管理者権限を有する者は、データを「保有」しているといえるが、データを閲覧す

注14）データ契約ガイドライン11頁注9。

る権限しかないユーザは、「データを保有している」とまではいえないように思われる。このことはデータに対するアクセス権限を有していたとしても、データに対する権限には強いものから弱いものまでさまざまな態様があることを示唆している。

このように、一般的に、「保有」とは、データに対する自由度の高い処分権限を有しているという意味で用いられている。前記の「データに対するアクセス権、利用権、保有・管理に係る権利、複製を求める権利、販売・権利付与に対する対価請求権、消去・開示・訂正等・利用停止の請求権等の契約上の権利」がある場合には、データを保有しているといってよいと考えられる。もっとも、この権利からいかなる権利を除いたら、「保有する」といえなくなるかの境界は曖昧である。

このように、「保有」や「保持」などの用語を使う場合であっても、その概念はまだ固まっていないことから、それらの用語が具体的に何を意味しているかを意識しておく必要がある。

(3) コモンズの考え方

データの利用方法について参考になる考え方として、アメリカの法学者のローレンス・レッシグは、その著書『コモンズ』[注15]の中で概要次のように述べている。

「すべての社会は、自由なリソースと、コントロールされたリソースをもっており、自由なリソースは、誰が利用してもよいが、コントロールされたリソースは使う前に許可がいる。自由なリソースは、コモンズとも呼ばれる。

自由なリソースの典型例は公共の道路である。公共の道路は誰もが他の誰かの許可を得ずにアクセスできる。道路は自由に使えることによって、道路に隣接する土地の利便性を高め、社会に大きな価値をもたらしている。このようにリソースを自由に利用できることによって、イノベーション・創造性が促進され、人々に大きな価値をもたらされる。その典型例がイン

注15) ローレンス・レッシグ・山形浩生訳『コモンズ——ネット上の所有権強化は技術革新を殺す』(翔泳社、2002)。

第1章　データについての基礎知識

ターネットである注16)。逆に、リソースのコントロールを認めると、イノベーション・創造性が阻害される。

　自由なリソースは、イノベーション・創造性・民主主義にとって極めて重要である。多くのリソースは、生産・維持のために何らかのコントロールは必要であるが、リソースがコントロールされることによって創造性がゆがめられてしまうため、自由なリソースとすべきものもある。

　つまり、すべてのリソースがコモンズになるべきというものではなく、一部のリソースはコントロールされるべきであるが、一部は自由に提供されるべきである。その違いは、リソースの性質、リソースの供給のされ方によって生じる。

　リソースが競合的（ある人が消費すれば、他の人の消費分は減る）ならば、そのリソースがとりつくされないように、コントロールのシステムが必要である。他方で、リソースが非競合的なら、コントロールのシステムは、必ずしも適切でない。自由に提供されるべきリソースにコントロールのシステムを適用すると実害が生じるおそれがある。自由とコントロールをバランスさせることが重要である。」

　以上のレッシグの考え方は、データについても当てはまる。データにコントロールを及ぼせば、データの利活用を阻害して、社会がメリットを受ける機会を奪ってしまう可能性がある。したがって、データの権利を保護し、保有者のコントロール化に置くことは、そのようなデメリットをもたらすおそれがあることを十分に認識しておく必要がある。

　もっとも、データが秘密情報の場合、競合他社などに知られてしまうと、企業の競争上の地位の低下を招いたり、データそのものの価値が低下することが考えられる。その意味で、データが非競合的リソースであるとは必ずしもいえず、コントロールが必要な場合もある。また、個人に関するデータについては、誰もが自分のプライバシーに他人が土足で踏み込まれたくないであろうから、誰もが自由に利用できるのは必ずしも適切ではな

注16)　レッシグは、最近、インターネットがコントロールされ始めているため、イノベーションや創造性が阻害され始めていると警鐘を鳴らしている。

い。

　データを、自由に利用できるコモンズとするのか、誰かのコントロール下に置くのかを考える際には、レッシグの上記指摘が参考になるであろう。

　なお、データをコモンズとする動きとして、The Linux Foundation が2017年10月23日に公表した「Community Data License Agreement」（CDLA）がある。CDLAは、データをオープン化した際のライセンス条件を規定するものであり、OSS（オープン・ソース・ソフトウェア）ライセンスのデータ版であるということができる[注17]。

　なお、研究データについては、データ公開の適切な実施方法として、「**FAIR原則**」に基づく公開と共有が広がりつつある。FAIRは、「Findable（見つけられる）、Accessible（アクセスできる）、Interoperable（相互運用できる）、Reusable（再利用できる）」の略である。研究データという分野のデータについての話であるが、データの共有のあり方として参考となる。例えば、データプラットフォームを構築する場合には、FAIR原則に沿ったデータの取扱いをすることが考えられる。

2　データの分類

　データについてはさまざまな分類が可能であるが、法律的な観点からは以下の分類が重要である。

(1)　秘密情報が含まれるデータ・含まれないデータ

　秘密情報が含まれているデータについては、外部に漏洩しないように慎重に取扱いをする必要がある。秘密情報が含まれているデータが不正競争防止法における「営業秘密」に該当する場合には、同法によって保護をすることができる。秘密であれば当然に「営業秘密」に該当するものではなく、その要件の1つとして、企業側がそのデータを「秘密として管理」することが必要とされている。

　他方で、秘密情報が含まれていないデータについては、外部に開示することに支障がない場合が多い。そのようなデータは、「秘密として管理」されていないことから、そもそも不正競争防止法における「営業秘密」と

注17）データ契約ガイドライン4頁。

して保護されないことが多い。

データに秘密にしたい情報が含まれているか否かは、データの取扱いに大きな影響を与え、法律的観点からも重要である。

(2) ビッグデータ・非ビッグデータ

ビッグデータは、不正競争防止法における「限定提供データ」として保護される可能性がある。

不正競争防止法により保護されるデータの一類型である「限定提供データ」では、その要件の1つとして「相当量蓄積性」が必要とされている。「相当量蓄積性」とは、一定の規模以上のデータが蓄積されていることであり、まさにデータサイズの観点からのビッグデータを意味する。そのため、ビッグデータであれば、「相当量蓄積性」の要件を満たすこととなり、これに加えて他の要件を満たせば、「限定提供データ」として不正競争防止法により保護されることになる。他方で、相当量のデータが蓄積されていない非ビッグデータは、「相当量蓄積性」の要件を満たさないことから、「限定提供データ」として不正競争防止法により保護することはできない。

(3) 事実データ・非事実データ

事実についてのデータとしては、自然現象における温度・湿度や機械の回転数・振動数・波形といったデータや、顧客の購買履歴、ユーザの閲覧履歴といったデータが挙げられる。これに対し、人間が自ら書いた文章、撮影した写真、作曲・演奏した音楽のデータは、人間による創作物のデータである。

著作権法や特許法といった知的財産法を構成する法律は、人間による創作に独占権を与える法律であり、それによって人間の創作活動にインセンティブを与え、文化や産業の発展を促進することを目的としている。

事実データは人間による創作物ではないことから、著作権法や特許法といった知的財産法では保護されないのが原則である。他方で、データが著作物にあたる場合などには、知的財産法によってかなり強い保護がされる。

そのため、事実データについては、知的財産法の後ろ盾がない中で、いかに保護をしていくのかを考えることになる。他方、人間の創作活動によるデータについては、いかに知的財産法を活用して保護するかを考えることになる。したがって、知的財産権が成立しない事実データか、知的財産

【図表1-5】データ構造化のレベル

●典型的なデータ構造化のレベル

構造化
RDBに格納できるデータ	従来の顧客データなど
固定長データ	文字数などの上限が決まっているデータ
項目で区切られたデータ	CSVファイルなど
定型的なログデータ	Webサイトのアクセスログなど
階層が定義されたデータ	HTMLファイルやXMLファイルなど
非定型のテキストデータ	ブログの記事やプレスリリースなど
バイナリデータ	写真・動画・音声など

非構造化

＊小林孝嗣ほか『ビッグデータ入門――分析から価値を引き出すデータサイエンスの時代へ』（インプレスジャパン、2014）。

権が成立し得るデータかという区別は法律上は重要である。

(4) 構造化データ・非構造化データ

　構造化データとは、一定の観点から体系化されたデータである。顧客データや会計データのように、エクセルの表として列と行によって整理されているデータが典型例である。このようなデータは、体系化されているため、集計や分析を比較的簡単に行うことができる。

　これに対し、非構造化データとは、体系化されていないデータである。SNSに投稿された写真・映像・文書などが典型例であり、これらのデータは、形式も内容もばらばらである。

　非構造化データは従来のデータベースでは分析が困難であったため、従来は分析対象としては利用されなかったが、最近は非構造化データの分析手法が発展したため、利用されるようになってきている。

　もっとも、構造化データと非構造化データの間に明確な境界があるわけではなく、段階的である（【図表1-5】）。

　構造化データと非構造化データでは、法律的には以下の違いが生じる。

　第1に、個人情報保護法との関係である。個人情報保護法においては、情報を体系化すると事業者により重い義務が課される仕組みとなっている。

例えば、個人情報は体系化されると個人データとなり、第三者利用の提供について制約が生じる。また、匿名加工情報は体系化することにより、その取扱事業者には匿名加工取扱事業者としてのさまざまな義務が発生する。つまり、非構造化データよりも構造化データのほうが、個人情報保護法では、事業者の義務が重くなる。このような区別がされているのは、体系化されずにデータセットの中に個人情報が散在している場合と比べて、データセットにおいて個人情報が体系化され、個人情報がいつでも取り出せる場合の方が個人に対する権利・利益の侵害のおそれが高いからである。

第2に、著作権の関係である。著作権法では、データベースについて、その情報の選択または体系化によって創作性を有するものには、著作権が認められており（著作12条の2）、そのデータベースの無断コピーが禁止されるなどの保護がされる。

前述した通り、構造化データと非構造化データの境界は段階的であるので、明確に区別できるものではなく、どの段階にあれば、個人情報保護法や著作権法において体系化されたデータといえるのかは、個別に判断することになる。

(5) パーソナルデータ・非パーソナルデータ

データの中には、個人に関するデータを含んだパーソナルデータと、そのようなデータを含まない非パーソナルデータがある。パーソナルデータとしては、個人の氏名・住所や個人と紐付いた購買履歴・移動履歴などがある。パーソナルデータについては、個人情報保護法が適用される可能性があるため、それを考慮に入れる必要がある。

他方、工作機器の稼働データなどの産業データについては、個人の情報が含まれない非パーソナルデータが多い。

もっとも、産業データであってもパーソナルデータが含まれることもある。例えば、コネクティッドカーから収集される自動車の走行軌跡情報については、移動履歴から個人の行動が特定できる可能性があることから、パーソナルデータの取扱いが問題となることがある。

また、産業データについても、企業側に、ある機器のデータであることを特定されたくないというニーズがある場合には、データを流通させる際に、機器が特定されないように配慮するなど、パーソナルデータと同様の

【図表1-6】データの種類

- 顧客名簿
- 購買履歴
- 行動履歴　　　　　〉パーソナルデータ
- 信用情報
- 健康情報

- **機器データ**　　　←例：自動車のプローブデータ

- 設計データ
- 機器データ
- 生産データ
- 物流データ　　　　〉産業データ（非パーソナルデータ）
- 受発注データ
- 稼働データ
- 保守修理データ
- 環境データ

配慮が必要となることもある。

　取り扱うデータにパーソネルデータが含まれると、個人情報保護法等の法規制の遵守に加えて、個人に対する配慮等も求められることから、その取扱いについて考慮すべき事項が格段に増えることになる。

(6) リアルタイムデータ・非リアルタイムデータ

　リアルタイムデータとは、刻々と変化する状態についてのデータである。リアルタイムデータについては、データのリアルタイム性が重要であることから、過去のデータは、データとしての価値が大きく低下することが多い。情報の中には鮮度が重要なものがある。身近なものでいえば、ニュース、スポーツの試合結果、渋滞情報などは、時間が過ぎてしまうと多くの人は興味を失ってしまうのが通常であろう。それは情報としての鮮度が失われてしまったからである。

　リアルタイムデータは、無断コピーに対して、一定の耐性がある。なぜなら、無断コピーされ、配布される時点では、その情報は過去のものであり価値が低下しているからである。リアルタイムデータを無断コピーしようとする侵害者は、リアルタイムでデータを侵害し続けなければならない

が、これは容易ではない。

リアルタイムデータはすべて保存するとデータ量が膨大になり保存・管理コストがかかる一方で、過去データには価値が少ないことから、データが短期間で破棄されることも少なくない。

(7) メタデータ

メタデータとは、データの属性や内容に関する情報を記述したデータである。例えば、書籍における書面・著者名といった書誌情報はメタデータである。画像データであれば、撮影日時、撮影場所、撮影者、データ量、圧縮形式といったデータがメタデータとなり得る。メタデータをデータに付加することにより、データの検索・管理の際に、メタデータを参照することで、検索や管理を効率化することができる。

メタデータは、データベースの体系を示している。そのため、著作権におけるデータベース著作物の判断において、その体系的構成に創作性があるか否かが問題となるが、メタデータによってデータベースの体系的構成を把握することも考えられる。

Ⅲ　データのマネージメント

1　データ・マネージメントの必要性

データの収集範囲や量が膨大となっていることや、データを有効に活用する観点からには、そのマネージメントの重要性が認識されつつある。

データ・マネージメントについて、組織の観点からは、近時は、企業において、その責任者として、CIO（チーフ・インフォメーション・オフィサー）、CDO（チーフ・データ・オフィサー）といった地位を設ける企業も出てきている。世界の大企業では約4分の1がCDOに相当するポストを設けているといわれている。企業におけるデータの取扱いを統一的に進めることは有益であろう。また、パーソナルデータについての話であるが、GDPRは、パーソナルデータの処理、移転に関して管理・監督する責任者として、一定の場合に、DPO（データ・プロテクション・オフィサー）の設置を義務付けており、今後は日本企業でもこのような役職を設ける企業も増えるであろう。

従来、企業が重要なデータを外部に出すことはあまりなかった。外部に出さなければ、データの漏えいや悪用されるリスクは少ない。しかし、今後、データを利活用するためには、重要なデータを外部に出さなくてはならない状況が増えてくる。その場合に、どのような場合にデータを外部に出して良いのかの判断や、どのようにデータを守るのかという問題が生じる。これは、従来、データを外部に出すようなことがなかった部署にとっては、新しい体験であり、それゆえ判断に迷うことや間違うこともあろう。

　日本企業においては、大手企業ですらデータ偽装が頻発している。データ偽装が発生する要因としてはさまざまなものがあるが、データの管理が組織的になされていないことも要因の1つであることは間違いない。

　また、今後は、秘密管理やリスク管理という守りの視点に加えて、データをどう積極的に利活用していくかという攻めの視点から考える必要がある。個人情報への関心の高まりと、企業のビジネスにおいて個人情報を取り扱う場面が増えてきていることから、個人情報への対処の必要性も高まってきている。

　したがって、企業は、データをマネージメントするという発想を持ち、データを資産として認識し、これをマネージメントする体制とプロセスを構築することが必要である。

　例えば初歩的なことであるが、企業は、保有しているデータを外部に出すときの取扱いや、外部に出した後に外部での管理体制をフォローするための社内体制とプロセスを確立する必要性がある。データを外部に出す際のプロセスとしては、例えば、担当者の判断だけではなく、必ず部門長の許可を得るようにし、かつ、その判断が主観的なものにならないように、チェックリストに基づいて判断を求めるといった方法も考えられる。特に、パーソナルデータを外部提供する場合には、個人情報保護法についての検討が必要なため、法務部のチェックを必要とする業務プロセスを構築することもあるだろう。

　一度外部に出したデータについて、提供先の企業が問題のある使い方をしたために、提供元の企業に火の粉が飛んでくることもある。データの利用の適切性を担保するには、データを提供して終わりではなく、その後の提供先の利用状況についても適切性を確保するためのモニタリング等の措

置をとることが望ましい。

　データ・マネージメントについての具体的な手法については、国際的なものとして、DAMA インターナショナル（Data Management Association International）によるデータ・マネージメントの知識体系である DMBOK（Data Management Body of Knowledge）がある。DMBOK では、データ・マネージメントの中心概念として、「データガバナンス」という概念を提唱している。

　「データガバナンス」とは、データが適切にマネージメントされるように統制することである。DMBOK は、①データガバナンスを中心として、②データアーキテクチャ、③データモデリングとデザイン、④データストレージと運用、⑤データセキュリティ、⑥データ統合と相互運用性、⑦ドキュメントとコンテンツ管理、⑧参照データとマスタデータ、⑨データウェアハウスとビジネスインテリジェンス、⑩メタデータ管理、⑪データ品質という 11 の知識領域におけるデータ・マネージメントについてフレームワークを提示している。

　これらの各知識領域について、自社がどの程度のレベルに達しているのかを評価し（レベルとしては、ほとんど実施していない、プロセス化して実施している、会社横断的に実施しているといったものが考えられる）、より高いレベルに達するように改善を加えていくことが考えられる。

2　データの棚卸し

　データのマネージメントの前提として、まず自社がどのようなデータをどのように取得し、保有し、どのように活用しているかを把握する必要がある。そのような作業は「データの棚卸し」（あるいはデータ・マッピング）とも呼ばれる。

　例えば、現在、政府は、世界最先端 IT 国家創造宣言・官民データ活用推進基本計画（2017 年 5 月 30 日閣議決定）に基づいて、行政保有データの棚卸作業を行っている。このような政府の取組みは、民間企業においても参照できる部分があろう。

　政府における行政保有データの棚卸しは、各府省が行政手続等を通じて保有するデータの実態を把握するという棚卸作業を行い、その結果を踏ま

えて、各府省が保有する行政データをリスト化して、官民ラウンドテーブルの開催を通じて、オープンデータの取組みを推進するものとされている。

棚卸しの調査項目としては、①データの管理状況、②データの分類、③データの活用状況、④データの公開状況（オープンデータ、公開、非公開の別）、（ファイル形式、更新頻度）、⑤オープンデータ化未対応・非公開の理由が挙げられている。

オープンデータ化の議論に当たって官民ラウンドテーブルという外部者を取り入れているのも、当事者だけでは、オープン化の判断・推進が難しいとの発想によるものと考えられる。

Ⅳ　データの戦略

データに関する戦略として、①データのオープン・クローズ戦略、②データ・フォーマットの標準化戦略、③データのプラットフォーム戦略について解説する。

1　データのオープン・クローズ戦略

企業は、意識しないとデータを囲い込みがちである。それは、企業は、情報を外部に開示することが自らの競争力を低下させることを本能的・経験的に知っているからであろう。しかし、ビッグデータ時代において、データを囲い込むことが、本当に企業にとってメリットがあるのかについては再考する必要がある。

データは、集積すれば集積するほどより価値が生じるという傾向がある。ビッグデータ時代に、人間は大量のデータを処理・分析する能力を得た。そのため、より大量のデータをもっている企業が、競争において有利となる。

では、より大量のデータを入手するにはどうしたらよいのであろうか。Google、Apple、Facebook、Amazonのように大量のデータを取得する仕組みを確立してしまえば、日々大量のデータを入手できる。しかし、そのような仕組みを構築するのは容易ではない。また、一度、先行企業にそのような仕組みを構築されてしまうと、後行企業が追いつくことは難しい。

そこで、別の戦略として、単独でデータを収集するのではなく、複数企業でデータを持ち寄ることが考えられる。その場合には、他社のデータの入手は、自社がデータを提供することによって可能となることが多いため、大量のデータを入手するためには、それと引換えに自社のデータを提供することが避けられない。つまり、ビッグデータ時代において、競争に勝つためには、データを囲い込むのではなく、一定のデータを外部に提供することが必要となる。複数の企業がデータを持ち寄ることで大量のデータが集まれば、データ共有基盤ができあがる。そこには企業単体では集めることができないデータが集積するので、その利用により、生産性の向上やイノベーションが生まれる可能性も高まる。

他方で、データの囲い込みを続ける企業は、他社からのデータの提供を受けることができなくなるため、データ不足となり、ビッグデータ時代には取り残され、競争に敗れ去っていくことも十分考えられる。

もっとも、企業は、すべてのデータを外部に開示すればよいものではない。企業の中には、企業秘密があり、これをいたずらに開示すると企業の競争力が低下することになる。また、他社から守秘義務を課されて預かっているデータもある。

したがって、開示すべきデータは開示し、秘密にすべきデータは秘密にするという、「**データのオープン・クローズの戦略**」を検討する必要がある。なお、オープンの意味には2種類あり、一般公開して誰でも使えるようにするという意味でのオープンと、一定の関係者の間でデータを共有するという意味でのオープンがある。

「オープン・クローズ戦略」は、知的財産においてよく知られた戦略の1つであるが（【図表1-7】）、データのオープン・クローズ戦略は、データの特性を考慮して、一般的な知的財産とは異なった観点から考える必要がある。

データのオープン・クローズ戦略の策定に当たっては、企業の秘密情報であるデータもオープンにすることもあることから、経営トップの判断が必要であり、また全社的に取り組む必要がある。

データをオープンにすべきか否かの判断要素としては、例えば、以下が考えられる。

【図表 1-7】オープン・クローズ戦略

1．経営戦略としての知財・標準化戦略（オープン・クローズ戦略）

●新しい技術や優れた製品を速やかに普及させ事業の成功へとつなげるためには、知財戦略のみならず、標準化と知財を組み合わせたオープン・クローズ戦略が不可欠に。

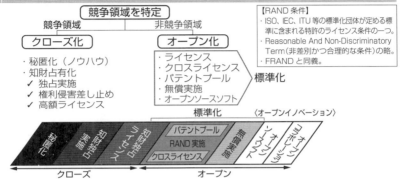

（資料）日本工業標準調査会第24回総会資料

＊経済産業省産業技術環境局基準認証政策課「第四次産業革命時代に向けた標準化体制の強化」（2017年2月）1頁。

- 企業の競争力の源泉か
- 秘密情報か
- データの価値
- データの集積度
- 開示することによって受けられるメリット・対価
- 開示することで、自社が利用できるデータが増えるか
- データ収集の仕組みが他社に真似できないものか
- 他社が容易に取得できるデータか
- 他社にとって有益な情報か
- プライバシーデータを含むか

2　データ・フォーマットの標準化戦略

　データを複数の他企業と共有する場合には、データのフォーマットが共通化している必要がある。フォーマットが異なれば、必要なデータを抽出するのに多くの手間を要することになり非効率的となる。

第1章　データについての基礎知識

　そこで、データのフォーマットの共通化が求められることとなるが、多くの企業が特定のフォーマットでデータを共有するようになると、データのフォーマットが標準化していくことになる。その結果、利便性に秀でた標準化されたフォーマットが、ますます多くの企業に利用されていくようになっていく。標準化されたフォーマットに関与する陣営は、データ・ビジネスのマーケットにおいて強い競争力をもつことになる。

　このように、「**データ・フォーマットの標準化**」は、データ利用の効率性の確保のみならず、データ・ビジネスの市場の拡大や競争力の確保につながる。そこで、データ・フォーマットを標準化することで、ユーザの利便性を高めるとともに、市場の拡大や競争力を高めるという戦略が生まれてくる。

　標準化には、デファクト標準、フォーラム標準、デジュール標準の3つの種類がある。

　「デファクト標準」とは、市場での競争に勝ち抜いて圧倒的なシェアをもつことにより、事実上の標準のことをいう。Microsoft社のOSのWindowsがこれに当たる。

　「フォーラム標準」とは、複数の企業などが集まって形成されたフォーラムが中心となって作成された標準のことをいう。Blu-Ray Discがこれに当たる。

　「デジュール標準」とは、標準化を公的に行う組織において定める手順に沿って作成された標準のことをいう。ISO規格やIEC規格がこれに当たる。

　なお、標準化も、業界レベルから、国家レベル、地域レベル、国際レベルまでさまざまな階層が存在する。標準化を国際レベルで展開することは国際標準化といわれる。

　データ・フォーマットの標準化の例としては、日本が主導したデジカメの画像データの標準化がある。デジカメやスマホで撮影した写真が、別のデジカメやスマホで見ることができるのは、画像データの規格が統一されているからこそである。もし、画像データの規格が統一されていなければ、異なるデジカメやスマホで見ることはできず、ユーザとしては非常に不便となる。

日本でも当初、デジカメの画像データの規格として、「CIFF」規格と「Exif/SEG細則」があった。日本のカメラ映像機器工業会は、各社の独自規格の乱立を防止するために、業界全体で、画像のファイルシステムを標準化して、ISO化した（ISO/IEC 10918-1）。これにより、ユーザは異なる機器の間でデータをやりとりできるようになり、デジタルカメラの市場が拡大した。日本のカメラメーカ各社はその恩恵を受けるだけではなく、画像データが国際標準規格化されていることから国際市場において有利な立場に立つことができた。

　このように、データのフォーマットが標準化されていることは、データの利用と市場の拡大という観点からは重要である。

　特に、データを共有する場合には、フォーマットが標準化されているほうが圧倒的に有利であるため、データを多数企業で共有する場合には、どのような標準化戦略を立案するのかも極めて重要になる。標準化は、日本国レベルではなく、国際レベルにすることにより、より大きなメリットを利用者も規格作成者も享受することができるようになる。

　そこで、データのフォーマットについて、国際化を見据えた標準化戦略も重要な選択肢となる。

3　データのプラットフォーム戦略

　データを集積するためには、データ提供者が多数参加することになるプラットフォームを構築することが効率的である。プラットフォーマはプラットフォームで流れるデータにアクセスすることができる。そのため、プラットフォーマの地位を狙っている企業は多いであろう。

　プラットフォームには、「ネットワーク効果」があることがよく知られている。ネットワーク効果とは、利用者が増えれば増えるほど、ネットワークの価値が高まり、利用者にとっての便益が増すことになり、その結果、さらに利用者が増加して、ネットワークの価値が高まる現象を意味する。ネットワーク効果を有するプラットフォーム・ビジネスは、利用者が多いほうが圧倒的に有利となり、1位となったものがそのビジネスすべてを支配する勝者総取りとなる傾向がある。

　もっとも、そのようなプラットフォーム・ビジネスにおいて1位にな

第1章　データについての基礎知識

【図表1-8】データプラットフォームの機能

①集中化機能	…データを集積化
②責任分離機能	…データに関する責任を提供者が直接的に負わない
③中立化機能	…データの中立的な利用
④スクリーニング機能	…データからセンシティブ情報をスクリーニング
⑤付加価値機能	…データの分析などによる付加価値の創出
⑥市場機能	…データ取引についての市場の提供

ることは容易ではなく、1位となるためにはさまざまな工夫をした制度設計が必要である。

　データに関するプラットフォームには、①集中化機能、②責任分離機能、③中立化機能、④スクリーニング機能、⑤付加価値機能、⑥市場機能があるが、そのうち①②は、データ・プラットフォームが本来的に備えている機能である。これに対し、③～⑥は、プラットフォーマが、どのように制度設計をするかによって決まる機能である。

　①集中化機能については説明するまでもないが、②責任分離機能とは、データ提供者とプラットフォーマが分離することにより、データ提供者が直接的は責任を負わなくてもよいようになることを意味する。

　③中立化機能とは、データ・プラットフォームを設立することで、特定の誰かのためにデータを利用することを防止する機能である。例えば、第三者や業界団体などが主導するデータ・プラットフォームであれば中立性が強まるが、特定の企業が主導する場合には、データ提供者は、主導する企業やグループ企業のためにデータが利用されてしまう懸念を持つことになる。

　④スクリーニング機能とは、データのやりとりにおいて、提供者と受領者の間にデータ・プラットフォームをはさむことで、共有すべきでないデータを除去したり、変形することができる機能である。

　例えば、データ提供者が、匿名であればデータを提供してもよいと考える場合には、データ・プラットフォームを通じてデータを提供することにより、データ提供者を匿名化することが可能となる。

　また、データ提供者が、生データすべてを提供する場合に、これをその

ままライバル企業に提供してしまうと、競争において不利となることを心配してデータ提供に消極的になることもあり得る。さらに価格情報などを共有する場合には独占禁止法違反のおそれもある。そこで、データ・プラットフォームが間に介在し、提供されたデータを除去・変形することにより、このような問題が生じることを避けることができる。

⑤付加価値機能とは、データ・プラットフォームが、受領した情報を専門性をもって分析・解析することによって、データに価値を加える機能である。この機能をもつためには、プラットフォーマが専門性を有する必要があるが、プラットフォーマは、データを大量に取り扱うことからそのような専門性を備えやすい。

⑥市場機能とは、データ・プラットフォームが、データ提供者とデータ受領者とのマッチングをしたり、取引を成立させることによりデータの価格発見や価格形成をする機能である。データ取引の仲介をするデータ・プラットフォームがその典型例である。

プラットフォーマを目指す企業は、前記①～⑥の機能をどのようにデータ・プラットフォームに実装するかが課題となり、その実装の内容が、利用者の利便性やデータ提供のインセンティブにつながり、ひいてはデータ・プラットフォームの成功に影響することになる。

第2章
データ法の体系

　本章では、データに関する法律を「データ法」と名付け、その体系について解説する。このデータ法の体系を理解することは、データに関する法律問題を取り扱う場合に、どのような視点・切り口で検討すればよいかを考える上で有益である。もっとも、データについて法は、「データ法」という1つの法律があるわけではなく、さまざまな法律によってパッチワーク的状に適用構成され、「データ法」の体系を構成している。
　(1)　データの種類と法律
　データの種類に応じてどのような法律が適用されるかを整理し、データ法の体系を明らかにする。
　(2)　データにおける契約とアーキテクチャの意義
　データ法においては契約が重要な意味をもつが、データのアクセス制御や暗号化などの技術的手段やシステムといったアーキテクチャも重要であり、これらの関係について解説する。

I　データの種類と法律

　データは、法律上は誰がどのように使っても自由であることが原則である。もっとも、例外として、契約、著作権法、不正競争防止法、個人情報保護法等により、ある者にデータをコントロールする権利が与えられている場合や一定のルールに従った取扱いが求められる場合がある。
　データの取扱いについて法律的な観点から整理すると、データは以下の通り分類される。なお、②～⑨は重複することもある。
　①　一般的なデータ（下記②～⑨以外のデータ）
　②　契約によって規律されるデータ

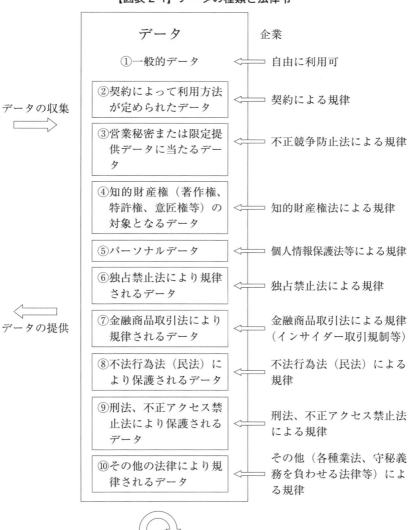

【図表2-1】データの種類と法律令

③　営業秘密または限定提供データに当たるデータ
④　知的財産権の対象となるデータ
⑤　パーソナルデータ
⑥　独占禁止法により規律されるデータ
⑦　金融商品取引法により規律されるデータ
⑧　不法行為法（民法）により保護されるデータ
⑨　刑法・不正アクセス禁止法により保護されるデータ
⑩　その他法律により規律されるデータ

　これらの法律や契約による規律の具体的内容については、次章以下で詳しく述べるが、以下に概要を述べる。

1　一般的なデータ

　一般的なデータとは、例えば、センサーが収集した温度・圧力・回転数・振動・周波数のデータなどが考えられるが、要は、前記②～⑨以外のデータのことである。

　これらのデータは、データについての原則的ルールが適用され、誰がどのように使っても自由である。ただし、自由に使えるといっても、現実問題として、データを使うことができるのは、データに現にアクセスが可能な者に限られる（なお、アクセスできる者が多数の場合もある）。データを保有する者の観点からは、この一般的なデータについては、誰にどのように利用してもデータに対する権利の主張ができないことになる。

2　契約によって利用方法等が定められたデータ

　データの取扱いについて、当事者が契約によって利用方法等を定めた場合には、当事者間でそのような合意をした以上、合意した内容に従った取扱いをすることが求められる。典型例としては秘密保持契約（NDA）の下で提供されたデータが挙げられる。契約による規律は、その内容を基本的に当事者が自由に設定できる点で前記③～⑨のデータとは異なっている。もっとも、契約は契約の当事者のみを拘束し、契約の当事者ではない第三者を拘束することは基本的にはできない。

　契約による規律は当事者の合意さえあれば成立するので、法律による規

律と比べて柔軟性が高い。

　なお、改正民法により、定型約款の不当条項については無効とされるなど、契約で定めた条項が、必ずしもすべて有効というものではない点には留意が必要である。

3　営業秘密または限定提供データに当たるデータ

　「営業秘密」および「限定提供データ」に該当するデータは不正競争防止法によって保護されている。

　「営業秘密」とは、①秘密管理性、②有用性、③非公知性を満たす情報である（不競2条6項）。したがって、データを営業秘密として保護したい場合には、利用者を限定したり、秘密保持契約書を締結するなどの秘密管理をすることが必要となる。

　しかし、データを広く利用してもらうために多数の者に提供するような場合には、データが、秘密管理性・非公知性の要件を満たさなくなり、営業秘密として保護できなくなることもあり得る。そこで、平成30年不正競争防止法改正（2019年7月1日全面施行）により、営業秘密に該当しないデータであっても、利用者が限定的されているビッグデータについては「限定提供データ」として、不正競争防止法による保護の対象とすることとされた。

　このように不正競争防止法によって保護されるデータについては、不正競争行為に当たる態様でデータを取得・使用・開示等をした者に対して差止請求や損害賠償請求をすることができる（不競3条・4条）。

　なお、不正競争防止法も一般的には知的財産法に含まれるが、営業秘密などの情報を不正なアクセスから保護する法律であり、情報そのものに著作権や特許権といった財産的権利を付与するものではない点で、著作権法や特許法とは異なる。

4　知的財産権の対象となるデータ

　知的財産権の対象となるデータについては、知的財産権法に基づく保護がされることになる。知的財産権法としてはさまざまな法律があるが、データとの関連では、著作権法、特許法が問題となることが多いことから、

本書は、これらの法律を中心に取り上げる。著作権のあるデータとしては、人が執筆した文章や撮影した写真などがある。また、データ自体に著作権がない場合であっても、データの集合物についてデータベース著作物として著作権が成立する場合がある。産業用データについてはデータ自体に著作権が成立しないことが多く、データベース著作物となるか否かを主に検討することになろう。著作権者は、著作物のコピー、改変、譲渡等についてコントロールする権利を有する。すなわち、著作権者以外の者は、著作権者に無断でこれらの行為をすることはできない。

もっとも、著作権法が著作権者の権利を制限している場合があり、第三者が著作権者の許諾を得ずに著作物を利用できる場合がある。

著作権は、小説や音楽などを念頭に立法されたという歴史的経緯から、著作権の成立に「創作性」を求めている。そのため、一般論としては、単なるデータについては、著作権が成立する要件である「創作性」がなく、著作権が成立しないことが多い。データを提供する立場からは、どんなに収集に労力を費やしたデータであっても、創作性のないデータには著作権は成立しない点に注意が必要である。

5 パーソナルデータ

個人に関する情報は、パーソナルデータとも呼ばれている。パーソナルデータの取扱いについては、個人情報保護法等による規律があり、利用目的の範囲内で利用することや、第三者に提供する場合に本人の同意などを取得する必要があるなど、自由に利用することはできない場合がある。

また、パーソナルデータについては、個人のプライバシーを考慮する必要があり、不適切な利用に対してはプライバシー権の侵害として民法の不法行為等が成立する可能性がある。

6 独占禁止法によって規律されるデータ

データの取扱いについて、独占禁止法によって規律されることがある。独占禁止法によるデータに対する規律は多面的である。

データの収集や利用自体は競争促進的な行為であり、競争政策上は望ましいと考えられる一方で、一定の行為により競争が制限される可能性もあ

る。基本的な視点としては「行為×状況」を意識しつつ、データの性質・特徴を踏まえた検討が必要となる。

　データを活用するビジネスにおいて、独占禁止法上問題となる主な行為として、①不当なデータ収集、②データの不当な囲い込み（アクセス拒絶）、③不公正なデータ取引の条件、④カルテルがある。これらの行為類型を検討するに当たっては、データの状況を具体的に検討しつつ競争上の影響の評価を行う必要がある。

　また、M&A などの企業結合をする場合において、データの希少性、代替性の有無等を踏まえた企業結合審査が行われるため、企業結合をする際にはこれに留意する必要がある。

　なお、デジタルプラットフォームを運営する場合には、プラットフォーム規制である「特定デジタルプラットフォームの透明性及び公正性の向上に関する法律」「取引デジタルプラットフォームを利用する消費者の利益の保護に関する法律」も問題となる。

7　金融商品取引法によって規律されるデータ

　近時、AI を使って生成されたモデルを用いて株式市場などの市況を予測し、投資の運用パフォーマンスを向上させるために、学習用データとして、従来の財務情報や経済統計等の伝統的なデータに限らず、人工衛星から収集された画像データ、気象情報、POS データ、新聞記事の記事データ、SNS のやりとり等のデータが利用されている。これらのデータは、財務データなどの伝統的なデータと区別されるものとして「オルタナティブ・データ」と呼ばれている。

　このようなオルタナティブ・データを上場企業等が提供することや、オルタナティブ・データに基づいて学習した AI を使って上場会社等の株式を売買することについては、金融商品取引法（以下、「金商法」という）が問題となる。なお、金商法上の問題が生じるのは、基本的に上場会社に関するデータである。

　金商法上、主に問題となり得る規制は、①インサイダー取引規制、②フェアディスクロージャールール（FD ルール）、③法人関係情報の管理等の規制がある。

8 不法行為法（民法）により保護されるデータ

データの不正な利用は、その態様によっては、不法行為（民709条）として損害賠償請求の対象となる。例えば、裁判例の中には、データのデッドコピーについて、不法行為による損害賠償責任を認めたものがある。この裁判例は、労力と費用を投下して作成したデータベースについて、民法の不法行為の規定により保護される可能性があることを示している。そこで、デッドコピーをした者に対しては、不法行為に基づく損害賠償請求をすることが考えられる。もっとも、著作権法で保護されないデータについては原則として損害賠償請求できないことを示唆した最高裁判決もあり、著作権のないビッグデータのコピーに対して、不法行為に基づく損害賠償請求が可能か否かについては議論がある。

なお、不法行為に基づく請求については日本法では金銭的賠償の原則がとられていること（民722条1項・417条）から、差止請求をすることは困難である。

9 刑法・不正アクセス禁止法により保護されるデータ

データに対して不正なアクセスを行った者に対しては、刑法・不正アクセス禁止法によって刑事罰が科されることがある。

また、不正競争防止法や著作権法によっても刑事罰の対象となることがある。

10 その他法律により規律されるデータ

以上で述べた法律がデータの取扱いに関して規律する法律であるが、前記の法律以外にも、データの取扱いについて規律している法律がある。例えば、金融機関、電気通信事業者、医師、弁護士は、業法によって守秘義務を負っている。したがって、それらの者が保有しているデータについては、これらの業法によって自由なデータ利用が制約されている。

Ⅱ　データにおける契約とアーキテクチャの意義

　以上の通り、データは、法律上は、原則として自由に利用することができるが、データの種類によっては法律によって規律される場合がある。
　データ法における原則的な考え方を整理すると以下の通りである。
① 　データは、アクセスができるのであれば、法律上は、誰でも自由に利用することができるのが原則である。
② 　データに知的財産権が成立する場合は限定的である。
③ 　したがって、データに対してコントロールを及ぼす法的手段としては、契約によることが最も効果的かつ現実的な手段である。
④ 　逆に、データにアクセスできなければ利用することはできないため、データに対してコントロールを及ぼす事実上の手段として、技術的方法によるアクセスコントロールも手段として考えられる。

　企業は、データを利用する立場と保有するデータを利用される立場の両方の立場に立つので、両方の視点から検討する必要がある。
　データは、アクセスができるのであれば、法律上は、誰でも自由に利用することができるのが原則であることから、データの利用と保護に当たっては、法律的な観点からの分析を行い、その分析に基づいたデータ利用のスキーム作りをすることが重要となる。データの利用と保護について適切なスキームを構築することは、コンプライアンスの観点や紛争の回避の観点から必要なことはもちろん、ブランド価値の向上・コスト削減・ビジネスの将来の発展可能性の確保のためにも必要である。そのような法的分析やスキーム作りを行うためには、データに関連する法律について幅広い知識が求められる。
　もっとも、法律によるデータの保護範囲は限定されているため（【図表2-2】）、データの保有者が外部に提供するデータを保護するためには、現状は、契約によることが最も効果的かつ現実的な手段である。データ取引についての契約を作成するためには、無体物ゆえの特性を考慮する必要がある。しかし、実際には、従来の有体物を対象とした契約（例えば売買契約）の発想から抜けきれていないため、適切でない契約が作成される場

第2章 データ法の体系

合も少なくない。そのようなことを防ぐためには、データ取引についての契約を作成する際には、データの特性を正しく理解することが求められる。もちろん、データ取引において特徴的な条項についての知識も必要となる。

また、データをコントロールするにはアクセス制御や暗号化などの技術的手段やシステムも重要である。これらは法律や契約ではないが当事者の行動を規定することになる。このようなものをアーキテクチャと呼ぶとすると、アーキテクチャの設計も重要である。

なお、契約とアーキテクチャとの関係を述べれば、契約に当事者の義務として記載されたものは、アーキテクチャを上書きする。例えば、ある当事者が、他方当事者にデータに対するアクセス権を付与するという規定を契約に設けた場合、その当事者は、アーキテクチャ上のアクセス権を付与する義務を負うことから、アクセス権を付与するアーキテクチャを構築しなければならないことになる。

他方、契約に何も記載がない場合には、アーキテクチャが当事者の行動を事実上制約することになる。このような状況で、一方当事者がアクセス権を主張してきた場合に、他方当事者がアクセス権を付与する義務を負うか否かが問題となる。この点、一般論としては契約にそのような義務を規定していない以上、当事者はアクセス権を付与する義務を負わないのが原則であると考えられるが、黙示の合意の主張も可能であることから、裁判所が最終的にどのような判断をするのかは個別事情に基づくケースバイケースの判断となり、法的には不安定とならざるを得ない。そこで、このような不安定さを確実に避けるためには、契約に他方当事者のアクセス権の有無を明記することも考えられよう。したがって、データ取引に関する契約については、データ取引では契約による規律をまずは考えるべきであるが、契約に記載しない場合（あえて記載しない場合も含む）にはアーキテクチャによりデータの取扱いが基本的に決まってしまうことから、契約作成者はアーキテクチャの理解なくして、適切なデータ取引契約書の作成することはできないといえよう。

【図表 2-2】データの不正使用等に対する主な法制度

	要件		民事措置		刑事措置	限定提供データとの比較
	保護されるデータ	不正行為	差止め	損害賠償	懲役/罰金	
データベース著作物 （著作権法第12条の2第1項）	データベースでその情報の選択又は体系的な構成によって**創作性を有するもの**	権利者の許諾のない複製等（態様の悪性は問わない）	○	○	○	創造性がないデータ（工場の稼働データ等）は保護されない
特許を受けた発明 （特許法第2条第1項、第29条）	①自然法則を利用した**技術的思想の創作**のうち高度のもの ②特許を受けたもの	権利者の許諾のない実施等（態様の悪性は問わない）	○	○	○	
営業秘密 （不正競争防止法第2条第1項第4号～10号）	①**秘密管理性** ②**非公知性** ③**有用性**	不正取得・不正使用等（**悪質な行為を列挙**）	○	○	○	他者に広く提供されるデータは保護されない
限定提供データ （不正競争防止法第2条第1項第11号～16号（新設））	①限定提供性 ②電磁的管理性 ③相当蓄積性	不正取得・不正使用等（**悪質な行為を列挙**）	○	○	×	―
不法行為 （民法第709条）	データ一般	故意／過失による権利侵害行為	×（人格権侵害は例外的に○）	○	×	原則として差止めができない
契約（債務不履行） （民法第415条）	データ一般（契約内容による）	契約違反行為	○（ただし契約当事者のみ）		×	契約当事者以外に適用できない

＊経済産業省知的財産政策室「不正競争防止法平成30年改正の概要（限定提供データ、技術的制限手段等）」8頁。

第3章
データと契約法

　本章では、データに関する契約法について解説する。契約において問題となる点を解説した後にモデル契約を用いて具体的な条項を用いて解説する。
　(1)　データ取引の類型
　データ取引の類体としては、データ提供型、データ創出型、データ共用型がある。
　(2)　契約における主要論点
　　①　権利関係
　　②　品質保証
　　③　対価・利益の分配
　　④　秘密保持
　　⑤　派生データ
　　⑥　損害賠償等
　(3)　モデル契約の解説
　データ創出型のモデル契約を例として、各条文ごとに契約上の論点に触れつつモデル契約を解説する。なお、巻末にデータ提供型とデータ創出型のモデル契約を掲載している。

I　総論

　データの取扱いについては、データに現にアクセスできる当事者は、法律上は自由にデータを利用できるのが原則である。そのため、データの利用をコントロールするためには、契約にどのように定めるかが重要な意味をもつことになる。

データの取扱いに関する契約は、新しい類型の契約と思われるかもしれないが、情報の取扱いについては従来から非常によく用いられている契約がある。それは秘密保持契約書である。
　秘密保持契約書は、一般的に、①当事者に受領した秘密情報について秘密保持義務を課す条項、②秘密情報の目的外利用を禁止する条項から構成されている。秘密保持契約書という名前から秘密保持にフォーカスが当てられがちであるが、秘密保持契約書は一般的に目的外利用禁止条項も含んでおり、この条項も重要である。
　従来のデータのやりとりでは、前記①②の条項を定めた秘密保持契約書を締結すれば十分であることが多かった。しかし、以下の理由により、データ取引に従来型の秘密保持契約書が十分対応できているとは必ずしもいいがたい。
　第1に、秘密保持契約書は、情報の開示を念頭に置いてはいるものの、データ取引を念頭に置いていない。
　第2に、秘密保持契約書は、情報提供者が任意に情報を開示することを念頭に置いており、情報提供者に情報の提供義務を課すことを念頭に置いていない。
　第3に、例えば、最近、複数当事者がデータの創出に関係する場合に、そもそも誰にデータの処分権限が帰属するかが問題とされることがあるが、従来の秘密保持契約書は、当事者の一方にデータが帰属することや処分権があることを暗黙の前提としており、データの処分権者を定めるような条項は特に設けられておらず、この問題の解決について明確な指針を示していない。
　第4に、データを分析した結果得られるデータや知見といった派生データに重要な価値があることが多いが、従来の秘密保持契約書は、当事者間でやりとりされた情報の取扱いにフォーカスを当てているため、元データから生成された派生データの取扱いについては明確に規定していないことが多い。
　第5に、従来の秘密保持契約書は、データの帰属や利用条件についての詳細な規定は設けられていない。
　第6に、従来の秘密保持契約書は、現在、問題になることが多い個人

情報の取扱いやデータ漏洩時の対処法について規定がない。

以上の通り、データ取引において、従来の秘密保持契約書では不適切・不十分である[注1]。

そこで、現代のデータ取引契約では、これらに対応した規定が必要である。具体的には、データの帰属、派生データの取扱い、データの利用条件、データ漏洩時の対処法、個人情報の取扱い等を定める必要がある。以下で、データ取引に関する契約に、どのような法律上の問題が生じ、どのように対処すべきかについて述べる。

II データ取引の類型

1 データ取引の3類型

データ取引についてはさまざまな形態があり得るが、データ契約ガイドラインは、データの出所や当事者の数に着目して、①データ提供型、②データ創出型、③プラットフォーム型の3つの類型に分類している。

(1) データ提供型

データ提供型とは、取引の対象となるデータを一方当事者（データ提供者）のみが保持しているという事実状態について争いがない場合において、データ提供者から他方当事者に対してデータを提供する際に、データに関する他方当事者の利用条件その他データ提供条件等を取り決める契約をする場合である。

例えば、独自に収集した顧客リストを、他社に提供する場合などがこの類型に当たる。

データ提供型の場合は、提供前のデータの処分権者については契約交渉の対象とはならず、提供後のデータの処分権者やデータ提供条件等が契約交渉の対象となる。

注1）もちろん従来の秘密保持契約書も、取引するか否かについて情報を開示するような一定の場合においては、複雑なデータ取引契約よりも使い勝手がよく、有益であることも多いであろう。要は、状況に応じてふさわしい契約のあり方が問われているということである。

【図表3-1】データ契約の3類型

① 「データ提供型」契約

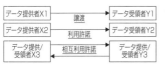

＜一方当事者から他方当事者へのデータの提供＞
- 取引の対象となる**データを一方当事者（データ提供者）のみが保持している**という事実状態について、契約当事者間で争いがない場合において、**データ提供者から他方当事者に対して当該データを提供する**際の契約

② 「データ創出型」契約

＜複数当事者が関与して創出されるデータの取扱い＞
- **複数当事者が関与することにより、従前存在しなかったデータが新たに創出される**という場面において、データの創出に関与した当事者間で、**データの利用権限について取り決める**ための契約

③ 「データ共用型」契約

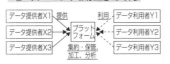

＜プラットフォームを利用したデータの共用＞
- **複数の事業者がデータをプラットフォームに提供**し、プラットフォームが当該データを集約・保管、加工または分析し、**複数の事業者がプラットフォームを通じて当該データを共用する**ための契約

＊出典：経済産業省「AI・データの利用に関するガイドライン（概要）」。

(2) データ創出型

データ創出型とは、複数当事者が関与することにより、従前は存在しなかったデータが新たに創出される場面において、データの創出に関与した当事者間で、データの利用条件について取り決める契約をする場合である。

例えば、後述する【図表3-2】のように、機器メーカーが、その販売する機器にセンサーを設置して、顧客が使用することによって生じる機器の稼働データを収集するような場合がこれに当たる。

データ創出型の場合は、創出したデータの帰属が契約交渉の対象となり得ることはもちろん、当事者間におけるデータの利用条件についても契約交渉の対象となり得る。

(3) プラットフォーム型

プラットフォーム型とは、複数の事業者がデータをプラットフォームに提供し、プラットフォームがデータを集約・保管、加工・分析し、複数の事業者がプラットフォームを通じてデータを共有する契約をする場合である。

例えば、サプライチェーンに連なる各事業者が、製品・商品の在庫・配送状況のデータをプラットフォームに提供することで、物流を効率化するような場合がこれに当たる。

プラットフォーム型の場合には、プラットフォームをハブとして、多数のデータ提供者・データ利用者が関与することになり、これらの多数の者とのデータの帰属・利用条件が問題となるが、その取決めは、当事者が多数となるために個別の契約交渉ではなく、利用規約などの一般的なルールが適用されることが一般的である。そして、関係者が多くなるため、その利害調整が複雑化することになる。プラットフォームは参加者が多いほど利便性が高まる傾向があるため、いかに参加者に魅力的なルールを提供できるかも、プラットフォームが成功するための重要な要素である。

前記①～③の各類型においては、問題となる契約の論点は基本的には同じであるが、①データ提供型においては、データを一方当事者のみが保持しているという事実状態について争いがないことから、データの帰属が問題とされることが少なく、③プラットフォーム型においては多数当事者が関与するために利害調整が複雑化する傾向にある。その意味で、②データ創出型が、データ取引契約の問題を考えていく上で最も適しているといえよう。そこで、本書では、データ取引について、データ創出型を念頭に論じるものとし、場合に応じてデータ提供型とプラットフォーム型について言及する。

2　データ取引の契約の性質

データ取引の契約は、無体物についての利用条件を定めるという点で、知的財産権のライセンス契約（利用許諾）に類似する。データの中には、知的財産権が成立している場合もあるので、知的財産権のライセンス契約との類似性があるのは自然といえる。特に、データ取引の契約において、データの処分権者を定め、その帰属主体が相手方当事者にデータの利用を許諾するという形式をとれば、知的財産権のライセンス契約と同様の構造をもつことになる。もっとも、データには知的財産権が成立していないことも多く、後述するように、知的財産権が成立していないデータの処分権

者については、法律によって定められるものではなく、当事者が合意することによってはじめて処分権者が設定される点に留意が必要である。

　他方で、契約において、データの処分権者を決めることをせずに、当事者間の利用条件を設定することも可能である。特に、データ創出型の場合には、処分権者について決めることが困難な場合もあることから、そのような契約をすることも選択肢の1つである。その場合には、データの処分権者を決めないため、ライセンスという概念とはなじまないが、当事者の合意によって利用条件を設定する合意をすること自体は可能であることからデータの処分権者を決めずに、利用条件のみを定める契約も認められることはいうまでもない。

　なお、有体物の譲渡の場合には、譲渡人は、譲渡後は、譲渡目的物を利用することはできなくなるが、同時に複数存在が可能であるデータについては、データをデータ受領者に移転したとしても、データ提供者は、手許にあるデータを利用することが可能である。したがって、データ取引において、データを「譲渡」[注2]し、データがデータ提供者からデータ受領者に提供されたとしても、データ提供者によるデータの利用が当然に禁止されるものではない。もし、当事者が、データの「譲渡」の後に、データ提供者によるデータ利用を許さないのであれば、契約書に、譲渡されたデータを破棄する条項やデータの利用を禁止する条項を定める必要がある。

Ⅲ　権利関係

1　処分権者

(1)　データの処分権者

(A)　問題の所在

　データ取引についての契約において、データが誰に帰属するのかが問題となる場合がある。例えば、機器メーカーが、ユーザに販売した機器から

注2）これは、データの「譲渡」における「譲渡」の意義の問題であるが、譲受人が譲渡対象のデータを利用してはならないという一般的なコンセンサスは形成されていないように思われる。

測定される稼働データを、ネットワーク経由で取得し、機器の保守管理や新型機の開発に利用する場合や、さらには、多数のユーザからのデータを収取して外部に販売するような場合に、稼働データは、ユーザと機器メーカーのいずれに帰属するのであろうか(【図表3-2】)。この場合に、機器メーカーは、ユーザの同意を得ないで、自由に稼働データを利用したり、第三者に販売することは可能なのであろうか。

この点について、ユーザとしては、機器メーカーが、稼働データを、機器の保守管理や新型機の開発に利用するだけであれば許容できることも多いであろうが、稼働データを他の目的で利用したり、第三者に提供することについては、かなりの抵抗を感じる場合もあるであろう。

この問題について、繰り返し述べてきた通り、基本的に[注3]、データに現にアクセスできる者は、法律上は、データを自由に利用できることから、契約に定めがない限り、データを自由に利用できることになる。

つまり、契約で何の取決めがない状態では、法的には、データは誰に帰属するものでもなく、処分権者はいないという結論に至ることになる。

【図表3-2】のケースでは、機器メーカーは、稼働データを取得・管理しており、稼働データに現にアクセスできる以上、契約に定めがない限り、法律上は、稼働データを自由に利用できることになる。

また、ユーザも、稼働データに現にアクセスできるのであれば、法律上は、契約に定めがない限り、稼働データを自由に利用できることになる。しかし、ユーザが稼働データにアクセスできない場合には、そもそも稼働データを利用することができない。この場合、ユーザが稼働データにアクセスするためには、通常、機器メーカーがユーザに対して稼働データのアクセスできるようなシステムを構築し、アクセス権を付与する必要がある。

では、ユーザにデータのアクセス権がない場合に、ユーザが、機器メーカーに対して、稼働データを引き渡せと請求することができるのであろうか。この問いに対しては、ユーザはデータに対する権利を有していない以

注3) **第2章**で述べた通り、一定の場合には法律による規律がなされる場合があるため、ここで「基本的に」と述べている。前述の通り、法律による規律がなされる場合は、すべてのデータの取扱いの中では一部であり、例外的である。以下では、「基本的に」と断りをいれずにこの見解を述べることがある。

【図表3-2】データの帰属

上、契約で定めていない限り、稼働データの引渡しを請求する法的権利は有しないというのが答えとなる。ユーザは、自分が機器を動かして生成され稼働データである以上、自分が権利者であるという気持ちを持つのが自然であろうが、法的にはこのような結論とならざるを得ない。

このように、データの無体物ゆえの特質から、有体物で権利関係を考えることに慣れている一般人の感覚からは、違和感が生じる結論となることがある。そのため、データ取引を巡る契約交渉において、有体物を前提とした誤解に基づく議論がされ、非生産的な時間が費やされたり、問題が起きたときに役に立たない契約が作成されてしまうことがある。データ取引をするに当たっては、データの特質を踏まえた上で、権利関係や契約条項を検討する必要がある。

ただし、上記の結論は、あくまで法的ロジックにすぎず、実際の社会においては、顧客獲得・満足度の向上、顧客とのトラブル防止、ユーザとの力関係といったビジネス的な理由や、世間からの批判を避けるといった社会的な理由から、契約に定めていなくても、機器メーカーがユーザに稼働データを提供せざるを得なくなる場合もあるだろう。

(B) **データの処分権者**

データの「処分権者」あるいは「帰属先」とは、対象物について一切の処分権限を有する者という意味で用いられていることが一般的であろう。

そして、データに関しては、一般的には、データに現にアクセスできる者を「処分権者」として考えられていることも多いと思われるが、これは事実状態と法的権利を混同しているものである。

確かに、データに現にアクセスできる者は、そのデータを自らの意思のみでコントロールできるという意味で、処分権者と同じような立場に立っ

第3章 データと契約法

ている。しかし、データを他者に開示した場合や、複数当事者が共同してデータが創出するような場合など、データに現にアクセスできる者が複数となった場合に、すべての当事者が処分権者であるという結論になる。これでは、一般的な意味で、処分権者を決定したことにはならない。

もっとも、このことはデータに処分権者が存在しないことを必ずしも意味するものではない。当事者間では、あるルールを合意すれば、そのルールに拘束されることから、データに現にアクセスできる者同士が契約をすることによって、データの処分権者を決めることが可能である。言い換えれば、契約で定めた場合にはじめて、データの処分権者という立場が生まれるのである[注4]。

契約によって処分権者を定めることは、データに限った話ではなく、特に珍しいことではない。有体物については、基本的には、契約前にすでに所有権者（＝処分権者）が存在しており[注5]、契約によって所有権の移転あるいは所有権者の確認をすることができる。しかし、無体物であるデータについては、そもそも所有権という概念はなく、また、契約前には、知的財産権が成立する場合などを除き、処分権者が決まっていないことから、契約によって処分権者を新たに創り出すという意味がある点で有体物と異なるといえる。

では、契約によって、データの処分権者を規定するということはどのような意味があるのであろうか。これは、契約の定め方次第ではあるが、一般的に、データの処分権者を規定するのは、データの処分権限・コントロール権限や収益を特定の者に集中させるという趣旨であることが多い。

データの利用の方法としては、使用・複製・改変・2次利用・目的内利用・目的外利用などさまざまな形態があり得るが、あらゆる事態を想定して利用形態のすべてを契約に網羅的に規定することは困難であり、また交渉対象が増えて手間もかかるため現実的ではない。特に、データ時代には、

注4）契約にデータの処分権者が規定されているのであれば、誰がデータの処分権者であるかは明確にされており、その点を議論する必要はないはずである。もし、議論が生じるとすれば、契約の文言に不備があったような場合に限られるであろう。

注5）有体物にも無主物はあるが、取引の対象となる時点で、無主物先占（民239条）により所有権が成立することになる。

当初には想定していなかった用途でデータが利用されることもあり、契約締結時に想定できない以上、契約に規定することは不可能である。

そこで、「ある者にデータを帰属させる」「ある者にデータの処分権を与える」と契約で定め、特定の者にデータについての包括的な処分権限・コントロール権限をもたせることで、将来、契約で規定していない事項について何らかの判断が必要となった場合には、その者に判断させることは、契約条項としては合理的である。他方で、特定の者にデータについての包括的な処分権限・コントロール権限を持たせることについては、特にデータ創出型契約の交渉においては当事者間で話がまとまらず、契約交渉が長引くというリスクがある。

そこで、データの処分権者について「当事者の協議によって定める」という方法もある。この協議方式は、当事者が納得しやすいというメリットがある反面、当事者の利害が対立する場合や当事者が不合理な行動をする場合には、デッドロックに陥る危険性があるというデメリットがある。

(C) データ・オーナーシップ論

データの帰属については、「データ・オーナーシップ」という議論がある。「データ・オーナーシップ」について、確立した定義はないが、例えば、「データが知的財産権等により直接保護されるような場合は別として、一般には、データに適法にアクセスし、その利用をコントロールできる事実上の地位、または契約によってそのようなデータの利用条件を取り決めた場合にはそのような債権的な地位を指して、『データ・オーナーシップ』と呼称することが多い」ものとされている[注6]。

このようなデータ・オーナーシップ論の背景として、IoTなどITに係る技術革新が進展し、データが競争力の源泉となる一方で、事業者は、競争優位を失いたくないことからデータを必要以上に囲い込む傾向にあるため、データの利活用が必ずしも進展していないという現状認識がある。この状況を打破するためには、データ創出に寄与した者によるデータの利活用権限の主張を公平の観点から認めることが必要であり、そのツールとして、「データ・オーナーシップ」を契約当事者間で明確化することが望ま

注6）データ契約ガイドライン16頁。

しいとされた[注7]。

しかし、「データ・オーナーシップ」という用語は、「オーナーシップ」の部分が「所有権」という概念と結びつきやすく、一般人には、データがあたかも有体物であるかのような誤解を招きやすいことから、本書では積極的には用いない。実際にも、契約交渉において、データ・オーナーシップを決めることから始めたために、議論が紛糾し、話が先に進まなくなった事例も散見される。もっとも、データを利活用するために、公平性の観点から「データ・オーナーシップ」を契約当者間で明確化することが望ましいという前記の考え方は有益な示唆を含んでいる。

実務上、データの処分権者について、契約に規定するか否かについて悩ましいことがある。データは、契約に規定しない限り、自由に利用できることから、逆に、契約に規定することは自らを縛ることにもなるからである。他方で、データ提供者の観点からは、まさに提供先に勝手に利用されることを懸念してデータ提供に消極的になる結果、データの利活用が妨げられることになる。そこで、そのバランスをどのようにとるかが、契約作成におけるポイントとなる。

(2) データの処分権者の決め方

以上の通り、データの処分権者の議論における問題の本質は、「データは誰に帰属するのか」ではなく、「契約において、データの処分権者をどのように決めるべきなのか」の問題といえる。もちろん、契約という当事者の合意で決める以上、どのようにデータの処分権者を決めるかについては、正解があるわけではないが、決める場合には、公平性の観点から決定することが、データの利活用という観点からは望ましい。

ところで、【図表3-2】のようにデータの創出に複数の者が関与する状況では、現時点では、データの帰属先を契約で決めることに困難が伴うことがある。その理由は、そのような場合の「データの処分権者」について世間で相場観が形成されていないことによることも大きい。将来的には、データ契約ガイドラインの普及などを通じて、データの処分権者について

注7) 経済産業省・産業構造審議会 商務流通情報分科会 情報経済小委員会 分散戦略WG「中間取りまとめ」(2016年11月) 29頁-30頁。

の相場観が形成されることが期待される。
　データの処分権者を決定するに当たって考慮される要素として下記が考えられる。
　①　データの性質
　②　データの創出に対する各当事者の寄与度
　③　データの利用により当事者が受けるリスク
　④　データ取引に関して支払われる対価の金額
　⑤　ある当事者をデータ処分権者とすることによって得られる社会的便益
以下これらの各要素について述べる。
(A)　**データの性質**
　データの性質は、データの処分権者を決定する要素となり得る。データの性質としては、①パーソナルデータを含むか否か、②アクセスの容易性などが考慮要素となる。
　パーソナルデータを含むデータの場合、個人情報保護法により第三者への提供が制限される場合があり、処分権者の決定に影響する。
　また、温度や湿度であっても、公共の場所における気温や湿度などアクセスが容易なデータか、工場の生産設備における温度や湿度などアクセスが難しく製造ノウハウに関係するデータかで取扱いは異なる。公共的なデータについては処分権者が問題になることが少ないであろうし、他方、企業秘密のデータについては処分権者については、企業秘密として保護したい者を処分権者とする方向に働くことになる。
(B)　**データの創出に対する各当事者の寄与度**
　データの創出に対する各当事者の寄与度は、データの処分権者を決定する要素となり得る。寄与度の考慮要素としては、①コスト負担、②センサーの所有権、③センサーの設置方法の策定者、④データの継続的創出のためのモニタリングの主体が挙げられる[注8]。
(C)　**データの利用により当事者が受けるリスク**
　データが、例えば、工場での生産ノウハウに直結するような秘密性の高いデータの場合には、これが外部に漏えいしてしまうと、データ保有者は

注8）データ契約ガイドライン58頁参照。

大きな損失を被ってしまうことになる。このような場合には、そのデータは、漏えいによるリスクを負う当事者を処分権者とすることが、当事者の納得を得られ、かつリスク管理上も望ましいことが多いと考えられる。

(D) **データ取引に関して支払われる対価の金額**

データ取引は、必ずしも対価を伴うものではないが、対価が支払われる場合には、帰属させるに足りるだけの対価を支払った者にはデータを帰属させる方向に働くことになる。実務的にはこれが最も影響力を有する考慮要素となるが、無償の場合には他の要素を考慮せざるを得ない。

(E) **ある当事者をデータ処分権者とすることによって得られる社会的便益**

データは、集積することによってより一層価値が生じる場合がある。そのような場合、ポジション的にデータを集積することができる者をデータの処分権者とすれば、そのデータを一層活用することができ、社会の効用を最大化することになる。そのような場合には、そのポジションを有する者をデータの処分権者とする方向に働くことになる。交渉の際に、この考慮要素の視点は抜け落ちがちなので自らに有利となる場合には積極的に活用することも考えられよう。

以上の考え方を【図表3-2】の例に当てはめてみると、もし、センサーの取付費用を機器メーカーが負担し、センサーの取付位置などの工夫も機器メーカーがしているのであれば、これらの事情は、データの処分権者を機器メーカーとする方向に働く。また、機器メーカーが多数のユーザから稼働データを得ることで、機器の改善に役立てることができる事情があれば、データの処分権者を機器メーカーとする方向に働くであろう。

他方で、それらの負担・工夫がユーザになされていたり、稼働データがユーザにとって秘密性が高いデータであれば、データの処分権者をユーザとする方向に働くことになる。

2　利用条件

(1) 利用条件

データの利用条件は、データの発生とともに自然発生的に決定されるものではなく、あくまで、当事者間において合意することによって利用条

件[注9]を決定するものである。データの利用条件を決定する際の考慮要素については、データの処分権者とほぼ同じ議論となる。利用条件は、帰属するかしないかという二者択一的な処分権者の決定と異なり、さまざまな選択肢の中から設定することができる柔軟性がある。

(2) 利用条件の決め方

データの利用条件について、契約においてどのように定めるかが問題となる。契約に利用条件を定めなければ、データについて現にアクセスできる当事者は、基本的には、利用条件に制約なく、自由に利用できると解釈することになる。

利用条件についても、データの処分権者と同様に、①データの性質、②データの創出に対する各当事者の寄与度、③データの利用により当事者が受けるリスク、④データ取引に関して支払われる対価の金額が考慮されることになるが、これらに加えて、⑤データ利用の必要性も考慮することになる。

利用条件については、主に以下の点について定めることになる。

① 対象となるデータ
② 利用目的
③ 利用方法
④ 利用期間
⑤ 利用対価(有償／無償)
⑥ 独占性(独占的／非独占的)
⑦ 第三者提供の可否
⑧ 契約終了後の利用の可否(消去・削除の必要性)

以下詳論する。

注9)「利用条件」という表現をしているが、データは、本来は、現にデータにアクセスできる者は自由に利用できるのであるから、データにアクセスできる者が利用条件を契約で定める場合には、本来は自由であった利用が制約されることになるので、「利用権限」よりも「利用条件」のほうがより正確な表現といえる。そのため、本書では以下「利用条件」という用語を用いる。もっとも、もともとはデータにアクセスできなかった者に対して、アクセスできる者がデータを開示し、データの利用を認める場合には、「利用権限」を付与するという表現には違和感はないであろうから、「利用権限」という用語を用いることは必ずしも否定されないであろう。

第3章 データと契約法

(A) 対象となるデータ

利用条件の対象となるデータを特定する必要がある。逆に、利用条件の対象となっていないデータについては、特に規定がない限り、当事者は利用条件を定めていないと解するのが当事者の合理的な意思解釈であろう。その場合には、対象データ以外のデータについて、その利用を禁じる旨の規定を設けない限り、アクセスできれば、自由に利用できることになる。

また、元データを加工・分析することにより生成される派生データについても、利用条件を設定するか否かを検討する必要がある。従来型の秘密保持契約書ではこの点が定められていないように、従来の契約書ではこの点に漏れがあるものが多いように思われる。しかし、元データよりも、加工・分析された派生データのほうに価値があることも多いため、派生データについての利用条件を定めておく必要性が高い。

(B) 利用目的

データの利用条件として利用目的を設けることが一般的である。データ取引に関する契約を締結する場合には、何らかの目的があるのが通常であり、利用目的の規定は、データの利用を目的の範囲内に限定するものである。この利用目的は、データ取引契約においては通常の契約以上に重要である。通常の契約では目的は理念を示した抽象的な規定であることが多いが、データ取引契約の利用目的は取引対象であるデータの利用範囲を画するものであることが多いからである。

利用目的が定められた場合、例えば、共同マーケティング目的で顧客データを提供する場合や機械の保守・改善目的で稼働データを提供する場合には、その目的の範囲内でデータを利用しなければならず、他の目的でデータを利用することは禁止されることになる。

ところで、利用目的の制限については、「本契約の遂行の目的に限るものとする」といった規定をする契約もある。そのような規定は慣用的に用いられているものをそのまま利用しているものも多いと推測されるが、利用目的の特定方法としては曖昧である。トラブルを避けるためには、取引の実情に沿ってできるだけ具体的に定めることが望ましい。

利用目的について契約に定めなければ、基本的には、どのような目的でも自由に利用できると解釈することになると考えられる。

なお、パーソナルデータを含む場合には、個人情報保護法は、個人情報の利用を個人に通知・公表した利用目的の範囲内に限定しているため、契約の規定にかかわらず、その制約にも服することになる。

(C) **利用方法**

　データの利用については、単にアクセスして閲覧するだけではなく、さまざまな利用方法がある。当事者に、これらの利用方法のうち、どのような利用方法での利用を認め、どのような利用方法での利用を禁止するのかを契約で定めることが可能である。

　データの利用方法としては、データへのアクセス、閲覧、複製、加工、分析、改変、消去、訂正、第三者提供、開示などがある。利用条件を定める場合には、これらの利用方法のうち、当事者にどのような利用方法が認められているのかを明確にすることが望ましい。

　特に、データ受領者によるデータの第三者提供を認めるか否かは検討対象となる。また、データ受領者による加工・分析や、元データを復元するリバースエンジニアリングを禁じることも考えられる。

　利用方法を契約に定めなければ、現にデータについてアクセスできる当事者は、基本的には、どのような利用方法でも自由に利用できると解釈することになると考えられる。

(D) **利用期間**

　データの利用については利用期間を定めることが可能である。通常は契約の有効期間を定め、その有効期間中はデータを利用できると定めることになるだろう。利用期間を契約に定めない場合には、裁判所が諸般の事情を考慮して当事者の合意内容を判断することになるが、基本的には、契約の有効期間を定めている場合にはその期間と解され、契約の有効期間を定めない場合には永遠に利用できると解される可能性が高いだろう。

(E) **利用対価**

　データの利用について有償とするか無償とするか、有償とする場合にその対価をいくらに設定するかを決めることになる。ビジネスの基本条件であるから利用対価の定めを失念することはないであろう。問題は利用対価をいくらに設定するかであるが、これについては後述する。

(F) 独占性

データについては、有体物と異なり、排他性がなく同時利用が可能である。そのため、データ提供者は、複数の相手に同時にデータを利用させることができる。したがって、データの受領者は、データを独占的に利用できるか否かが問題となり、利用条件の重要な一部を構成することになる。独占的にデータを利用できるのであれば、企業秘密の維持や競争優位を確保しやすい反面、データ利用の対価は高くなることになろう。

独占性があることを契約に定めない場合には、裁判所が諸般の事情を考慮して当事者の合意内容を判断することになるが、データに排他性がないことや独占的利用は少ないことから、基本的には、非独占的と解されることになろう。

(G) 第三者提供

第三者提供の可否については大きな論点であるので次項で解説する。

(H) 契約終了後の利用の可否（消去・削除の必要性）

データ取引契約について、利用期間が定められていることが通常である。有体物であれば利用期間が経過した場合には返還するのが通常であるが、データには排他性がないことから、返還は必然ではない。もっとも、秘密保持等の観点から、データ提供者としては、データ受領者にデータの消去や削除を求めることが考えられる。他方で、データ受領者としては、受領したデータを基に派生データを生成したり、他のデータと組み合わせて利用していることもあり、契約終了後も、すでに受領したデータを引き続き利用したいというニーズがあることも考えられる。そこで、契約が終了した後のデータの取扱いが問題となる。通常、特に契約に規定がなければ、データ受領者には、契約終了後にデータの返還・消去・削除の義務はない。他方で、データ受領者は、利用期間が定められた契約の終了後には提供されたデータを利用することはできなくなる。そこで、契約終了後のデータの取扱いについて規定しておくことが望ましい。

3 第三者提供

(1) 第三者提供の可否の考慮要素

データを第三者に提供することも考えられる。データは、無体物であり、

複数のデータが同時に存在することが可能なことから、有体物と比較すると第三者への提供は容易である。

データについて現にアクセスできる当事者は、基本的には、データを自由に利用できるから、契約上の規定がなければ、第三者提供も自由にできることになる。

もっとも、データ取引では、一般的に契約には秘密保持条項が設けられているため、その条項により、実際には第三者提供が制約されることが多いであろう。

また、データをやりとりする当事者間でのデータの利用を超えて第三者にデータを開示することは、当事者の想定に反したり、予想外の結果を引き起こす可能性もある。

そのため、データの第三者提供が想定される場合には、その内容を契約に定めておくことが望ましい。

このような、データの第三者提供を認めるか否かは、当事者の交渉次第であるが、データ提供者側としては企業秘密が流出することによって競争力が失われるリスクがある一方で、データを第三者提供を禁止するとデータの利用が阻害されるという問題がある。

データを第三者提供を認めるか否かについては、基本的には、第三者にデータを利用させることによって当事者が得られる利益と第三者がデータを利用することによって生じる当事者の不利益を比較衡量することによって決定し、具体的には以下の要素を考慮することが考えられる[注10]。

① データの性質（営業秘密、ノウハウを推測可能なものか、個人のプライバシー権を侵害するものではないか等）
② 営業秘密、ノウハウ流出等を防止するためにとられている方法（工場を特定する情報を削除する、同種の機器全体の統計情報として処理する等）
③ 提供先の第三者が競業者であるか否か
④ 提供先の第三者の利用に対してどのような制限を課すか（ただし、実効性を確保できるかについては慎重な判断が必要である）

注10) データ契約ガイドライン 59 頁-60 頁。

第3章　データと契約法

⑤　対価の額、利益の分配方法

(2) **実務的な問題**

　データの利活用という観点からは、データの第三者提供は望ましいが、データ提供者の観点からは、自らが提供したデータから得られた知見が外部に公開されると、自社の機密情報やノウハウが外部に流出することや、自社の競争力が低下することを懸念される。

　そこで、このような場合の対策としては、利用条件として、以下の対応が考えられる。

①　第三者の提供に当たり、データ提供者の競合他社には提供しないことを条件とする。

②　第三者に提供する知見等について、データ提供者が事前に確認する手続を設けることで、その知見等の第三者への提供が、データ提供者にとって不利益なものとならないことを納得してもらい、その懸念を払拭する。

　また、データ提供者に対して、そのような懸念を乗り越えてデータ提供をするインセンティブを与えるために、第三者提供によって得られる利益を何らかの形で配分することが有効な場合もあろう。

Ⅳ　品質保証

1　データの品質

(1) **データ品質の考え方**

　データの利用に当たり、データの品質もポイントとなる。データの品質に問題がある場合、そのデータを使った派生データや分析結果に連鎖的に悪影響が生じることになる。そのため、データの品質をいかに確保するかが重要となることがある。

　もっとも、データについて求められる品質は、その利用目的などによってさまざまである。利用目的によっては高い品質が求められるものもあれば、低い品質でも十分な場合もある。また、コストの観点から品質を妥協せざるを得ない場合もある。

　政府CIOポータルで公表されている「データ品質管理ガイドブック

（β版）」（2021年6月4日。以下、「データ品質管理ガイドブック」という）においては、データオーナーにとってのデータ品質を管理する意義として、以下が挙げられている（同7頁）。

・データ収集コストを低減できる。
・データ収集を迅速化できる。
・データ更新を容易にできる。
・データ更新にまつわる問題を回避できる。
・内部でのデータ活用を容易にできる。
・データ公開を容易にできる。
・利用者側でのデータ活用が進む。

(2) **データ品質の内容**

データの品質としては、主に、正確性、完全性、安全性、有効性がある。ここにいうデータの正確性、完全性、安全性、有効性とは、以下の意味を有するとされる[注11]。

正確性：時間軸がずれている、単位変換を誤っている、検査をクリアするためにデータが改ざんまたは捏造されているというような事実と異なるデータが含まれていないこと

完全性：データがすべて揃っていて欠損や不整合がないこと

安全性：データがウィルス等に感染していないこと

有効性：計画された通りの結果が達成できるだけの内容をデータが伴っていること

データ品質管理ガイドブックでは、データ自体の品質として、ISO/IEC 25012に沿って、より詳細に、以下の項目を挙げている（同11頁）。

1．正確性（Accuracy）
2．完全性（Completeness）
3．一貫性（Consistency）
4．信憑性（Credibility）
5．最新性（Currentness）
6．アクセシビリティ（Accessibility）

注11) データ契約ガイドライン33頁。

7. 標準適合性（Compliance）
8. 機密性（Confidentiality）
9. 効率性（Efficiency）
10. 精度（Precision）
11. 追跡可能性（Traceability）[注12]
12. 理解性（Understandability）[注13]
13. 可用性（Availability）[注14]
14. 移植性（Portability）[注15]
15. 回復性（Recoverability）[注16]

また、データの品質として、公平性も考えられる。データの公平性とは、データに差別的な結果を導くデータが含まれていないかというものである。例えば、人事採用AIの学習用データに人種や男女のデータが入っていると、生成されるAIモデルが人種差別・性差別を生み出す可能性がある。もっとも、この公平性については、価値観を含む概念であるし、データ自体の問題よりも利用方法によることも大きく、数値化することも難しいことから、契約で規定することが困難である。公平性については、当事者間で協議をして、公平性に問題があるデータを排除することが現時点では現実的な対応といえよう。

(3) データ品質保証の範囲と保証レベル

データの品質については、具体的に何をどの範囲で保証できるかまたはできないか（あるいは保証してもらう必要があるか）は、そのデータの種類や利用目的、データの取得方法によって異なり、個別に検討することになる。

データの品質は、生データの品質だけではなく、データを加工技術やラベリングによっても変わってくる。画像データであれば、カメラのピント

注12) データに疑義が生じたりした時に、データの原典などを参照できるかの指標。
注13) 利用者がデータについて理解できるかの指標。
注14) データが利用可能な状態になっているかの指標。
注15) データの移植のしやすさについてについての指標。
注16) データセンターなどで事故が起こった時に、そのデータが早急に復元されるかについての指標。

が合っておらず画像がぼやけていることは生データの品質の問題であるが、電柱を人と間違ってアノテーションすることはデータ加工の品質の問題である。最終的な品質は、データ提供者から提供されるデータが基準になるが、品質保証の対象を、例えば加工部分についてのみに限って保証するなど、分解することが可能な場合もある。

　データは、その性質上、正確性等について保証することが困難なものもある。例えば、田畑に設置された温度・湿度センサーなどは、泥や水をかぶるなど外部環境の影響を受けやすいことから、そのセンサーが収集したデータが、完全に正確であることや、まったく欠損がないことを期待することは困難である。IoT機器などは通信状態による影響を受けることもある。そのようなデータについては品質を保証することを求めることは難しい。そこで、データに誤り（外れ値）や欠損があることを前提に、これらの影響を除外する手法で対処することも考えられるであろう。

　他方で、完全にコントロールできる環境で取得できるデータについては、品質が保証できるデータもある。また、データを高額な価格で購入する場合には、買主としては、データの品質が高いことを求めることは自然であるといえよう。そのような場合には、データの提供者がデータの品質を保証することもあり得る。また、保証はしないとしても、データ提供者がデータの出所や取得方法についての情報提供をする義務を負うことも考えられる。

　なお、AIを政府情報システムや政府サービス等に利用する場合のデータの利用については、政府CIO補佐官が「AIシステムにおけるデータ利用の特性と取扱い上の留意点」を公表しており[注17]、データの品質の保証を考える上で参考となろう。

　この「AIシステムにおけるデータ利用の特性と取扱い上の留意点」では、AIの学習に用いるデータセットに品質に関わる要素として、①データソース（データの来歴）、②アノテーション、ラベリングの定義・検証（収集したデータに人が意味を持たせるラベリングの適切性）、③データクレンジング（モデルの精度を向上させるためのデータ処理や、不適切なデータの排

注17）　https://cio.go.jp/dp2020_01

除)、④データドメイン・バイアス（収集するデータの量や均一性）、⑤ AI の精度検証方法が挙げられている。

また、「AI システムにおけるデータ利用の特性と取扱い上の留意点」では、AI システムを適用する対象、用途および想定されるリスクに応じて学習に用いるデータの来歴および品質に求められる要件は異なるとして、AI システムを使用することによるリスクレベルに応じて学習データに求められる要件について【図表3-3】の通り整理している。

2　データの品質と契約交渉

契約交渉においては、データ提供者が、データの正確性・完全性・有効性・安全性を保証するか否かが論点の１つとなることがある。

データ提供者が品質保証するか否かは、交渉によって決まる事項であるが、①データ提供が有償か無償か、②データの性質から保証が可能なものか否か、③保証することによるデータ提供者のコストとリスク、④保証がない場合のデータ受領者のリスク（リスクの評価に当たってはデータの利用方法や流通範囲が考慮されよう）などが考慮要素として考えられる。

データ提供が無償の場合には、データ提供者としては、保証をすることによる責任の発生を避けたいと考えるのが通常であろうし、データ受領者も無保証を受け入れざるを得ないことも多いであろう。

データ提供が有償でされる場合には、データに関して保証することが無償の場合よりも多くなる。保証する場合、損害賠償額については、データ提供の対価を上限とするという条項を設けることも考えられる。

なお、データ提供者が、データの品質について一切責任を負わないという免責条項を定めた場合であっても、データ提供者が、データの不正確・不完全・無効・非安全であることについて故意・重過失がある場合には、裁判例上、かかる免責条項は無効となる可能性がある[注18]。

3　データの品質に関する提供者の契約責任

データが正確性・完全性・有効性・安全性などについて当事者の期待し

注18）東京地判平成 26・1・23 判時 2221 号 71 頁。

【図表 3-3】システムに求められる保証レベルとデータ要件

保証レベル データ要件	レベル 1	レベル 2	レベル 3-1	レベル 3-2
	AI を使用することによる影響が想定可能、且つ使用者に限定され許容可能である。	AI を使用することによる影響が想定可能であり、補償もしくは回復可能である。	AI を使用することにより倫理、公平性に問題が生ずる場合がある。	AI を使用することにより身体、社会権に影響を及ぼす可能性がある、若しくは補償、回復が困難である。
データソース	データの取得元、取得方法、取得方法が説明可能であること。	データの取得元、取得方法、取得方法が説明可能であること。	データの取得元、取得方法、取得方法を特定可能であり、説明可能であること。	データの取得元、取得方法、取得方法を特定可能であり、説明可能であること。
アノテーション、ラベリングの定義・検証	特定要件を設けない	アノテーションの仕様、作業者、評価者、評価方法が説明可能であること。	アノテーションの仕様、作業者、評価者、使用したツールなどが特定可能であり、説明可能であること。	アノテーションの仕様、作業者、評価者、使用したツールなどが特定可能であり、説明可能であること。
データクレンジング	特定要件を設けない	クレンジングの仕様、作業者、評価者、評価方法が説明可能であること。	クレンジングの仕様、作業者、評価者、評価方法、使用したツールなどが特定可能であり、説明可能であること。	クレンジングの仕様、作業者、評価者、評価方法、使用したツールなどが特定可能であり、説明可能であること。
データドメイン、バイアス	特定要件を設けない	データの分布が評価されており、説明可能であること。	データの分布が評価されており、評価方法、評価基準が示されていること。	データの分布が評価されており、評価方法、評価基準が示されていること。
AI の精度検証方法	使用者との合意に基づく	使用者との合意に基づく	精度検証に利用したデータと方式、および不測のケースへの対策が説明可能であること。	精度検証に利用したデータと方式、および不測のケースへの対策が説明可能であること。

＊出典：政府 CIO 補佐官等ディスカッションペーパー「AI システムにおけるデータ利用の特性と取扱い上の留意点」（2020 年 6 月）11 頁-12 頁。

ていた品質を満たしていない場合に、データ提供者が、データ受領者に対して、いかなる責任を負うかが問題となる。例えば、データが、①誤りがあるため不正確である、②定められたフォーマットを満たしていなかったり量が不十分なため不完全である、③契約の目的を達することができず有効でない、④ウイルスに感染しているため安全ではないといった場合である。

このようなデータの提供者に対しては、契約に基づく責任と不法行為に基づく責任を追及することが考えられる。契約責任については、契約にどのように定めているかが重要であり、基本的には、当事者の合意により権利義務を生じさせることができ、民法で定められているルールも当事者の合意により変更することもできる。

契約に基づく責任としては、①品質に関する合意に基づく責任、②表明保証責任、③契約不適合責任が考えられる。契約関係にある当事者間では、通常は、契約に基づく責任を追及することになる。これらの責任について次項以下で詳説するが、表明保証責任と契約不適合責任は、要件・効果について違いがある。

上記の①②の責任は、契約に積極的に規定することによりはじめて当事者間に権利義務が生じる。他方で、③の契約不適合責任については、契約に定めていない場合でも、契約不適合と判断される場合には、データ受領者は、契約の解除権や損害賠償請求権に加えて、追完請求権や代金減額請求権を有することになる。そのため契約不適合責任を免れたい当事者は、その旨を契約に規定する必要がある。つまり、契約に規定しないことの意味は、①②と③では正反対となる。

なお、契約に規定しない場合であっても、契約上の黙示の合意や、信義則違反といった法的構成により、データ提供者が責任を負う可能性はある。そのような責任が認められるか否かは、個別事情に応じてケースバイケースで判断される不安定なものであることから、データ提供者が責任を負わないことを明確にしたいのであれば、その旨を契約に明記すべきである。

(1) **品質合意に基づく責任**

契約において、データ提供者がデータの正確性・完全性・有効性・安全性について一定の基準を定めている場合には、その基準を満たしているこ

とが契約の内容となり、その基準を満たさないデータの提供者は、契約内容に違反することから債務不履行責任を負うことになる。その場合、契約において特に定めていなければ、データ受領者は、民法の一般的原則に基づいて、データ提供者に故意・過失がある場合には、契約の解除や損害賠償請求をすることができる。もちろん、契約に規定することで、それ以外の救済方法を定めることや無過失責任とすることも可能である。

(2) 表明保証責任

データの正確性・完全性・有効性・安全性を担保するために、データ提供者がそれらについて表明保証をすることが考えられる。

表明保証における「保証」とは、「債務を保証する」という際の「保証」とは異なる意味であり、一定の事項が真実かつ正確であることを相手方当事者に表明し、それが誤りであった場合には責任をとることを意味する。表明保証責任は、英米法の「Representations & Warranties」に由来する概念であり、日本法における法的性質については議論がある。表明保証責任は、契約に定めない限り生じることはないため、表明保証責任を規定する場合には、その要件・効果については契約に明確に定めておくことが望ましい。

表明保証責任に違反した場合の効果については、契約にいかに定めるかによるが、一般的には、相手方当事者が取引の解除や補償請求ができると定めることが多い。

争いはあるものの、表明保証責任は無過失責任であり、無過失であっても免責されないとするのが一般的な解釈である。

もっとも、データ提供者が正確性・完全性・有効性・安全性に問題があることを「知る限り」「知り得る限り」や「重要な」「重大な」といった限定文言を付すことにより、表明保証責任を負う場合を限定する方法もある。

また、代替案として、データの正確性・完全性・有効性・安全性の確保についてデータ提供者が最大限努力するという努力義務(ベストエフォート)の規定を設けることも考えられる。

データの品質に関する表明保証をしていない場合には、表明保証していない以上、基本的には、データ提供者は、データの品質について表明保証責任を負うものではない。

(3) 契約不適合責任

データの提供が有償で行われる場合、データの品質に問題があれば、民法上の契約不適合責任（民562条以下）の適用があり得る。

契約不適合責任とは、引き渡された目的物が種類、品質または数量に関して契約の内容に適合しないものであるときに、売主が負う責任である。民法562条1項は、「引き渡された目的物が種類、品質又は数量に関して契約の内容に適合しないものであるときは、買主は、売主に対し、目的物の修補、代替物の引渡し又は不足分の引渡しによる履行の追完を請求することができる。」と定めている。

旧民法における瑕疵担保責任（旧民570条）においては無過失責任とされていたが、契約不適合責任は債務不履行責任として、過失責任とされた。

民法562条以下の契約不適合責任を定めた規定は売買された目的物についての規定であるが、データの提供は、必ずしも売買とはいえない場合があるものの、民法559条が売買以外の有償契約についても準用していることから、有償のデータ取引には民法上の契約不適合責任の適用がある。

契約不適合責任は、上記の条文からわかるように、「目的物が種類、品質又は数量に関して契約の内容に適合しないものであるとき」に生じるものとされている。したがって、データの品質が契約の内容に適合しないと評価できるのであれば、データ提供者は契約不適合責任を負うことになる。もっとも、何が「契約の内容に適合しない」といえるかについては一義的に明確ではないため、求められるデータの品質について契約で明確にしておくことが望ましい。

そして、契約不適合責任が認められる場合には、買主は、契約の解除や損害賠償請求をすることができるほか（民564条参照）、追完請求（同法562条）や代金減額請求（同法563条）ができる。

契約不適合責任は任意規定であるから、その責任を負わないとする旨の免責規定を設けることは可能である。ただし、データの品質に契約不適合があることを知りながら告げなかった場合にはそのような免責規定に基づく責任を免れることはできない（民572条）。したがって、データを偽造した場合については、契約不適合責任の免責規定は適用されない。

4　データの品質に関する不法行為責任

データの不正確・不完全・無効・非安全について不法行為に基づく損害賠償請求（民709条）することも考えられる。この場合、不法行為責任の成立には故意・過失が要件とされていることから、データ提供者においてデータの不正確・不完全・無効・非安全について故意・過失がなければデータ受領者は、不法行為責任を追及することはできない。

一般論として、契約責任と不法行為責任が両立する場合には、主張立証責任や時効等の観点から、契約責任をメインに追及することが通常である。

V　対価・利益分配

1　データ取引の対価・利益分配の算出方法

データ取引を行う場合に、その対価や当事者間における利益分配が問題となることがある[注19]。その類型としては、①データ受領者にデータを提供することに対する対価や利益分配の問題と、②データ受領者が第三者にデータや派生データを提供する場合の、データ提供者への対価や利益分配の問題がある。

データ取引の対価・利益分配の金額については、個別具体的な事案ごとに検討される必要があり、一般化することは困難である。

データの価値の評価の手法として、一般論として、ⓘコストアプローチ、ⓘⓘマーケットアプローチ、ⓘⓘⓘインカムアプローチが考えられる。

ⓘコストアプローチは、データを取得するのに要した費用に基づいて算出する方法、ⓘⓘマーケットアプローチは、データをマーケットにおける取引価格等に基づいて評価する方法、ⓘⓘⓘインカムアプローチは、データを将来の経済的価値を見積もることより評価する方法である[注20]。

注19）ここで「対価」とは提供されたデータそのものに対して支払われる経済的利益を意味し、「利益分配」とは、提供されたデータから生み出された収益に対してなされる経済的利益の分配を意味している。

注20）知的財産戦略本部　検証・評価・企画委員会　知財のビジネス価値評価検討タスクフォース「知財のビジネス価値評価検討タスクフォース報告書」（2018年5月）36頁。

しかし、データについては、取得費用が必ずしもデータの価値を表しているものではないこと、データについては基本的に取引市場は存在していないこと、データは利用方法によって価値が大きく変わること、他のデータと統合することによって大きな価値が生じることもあることから将来の経済的価値を見積もることが容易ではないことなどから、前記のいずれのアプローチについても、データの価値評価として実用性に欠けることも多い。

また、データは、その特質上、開示してしまうと情報が流出してしまうため、取引前にはデータの全部または一部を買主候補に開示しないことも多い。そのような場合には買主候補はデータの中身を見てデータの価値を評価することができない。

そのような中で、何らかの方法で、データ取引の対価・利益分配を定めるとすれば、一般論としては、ⓐデータの種類、ⓑデータの利用範囲（地理的制限を含む）、ⓒデータが生み出す価値、ⓓ派生データの利用条件、ⓔ創出された知的財産権等の権利関係、ⓕ損害が発生した場合の責任分担、ⓖライセンスフィーやロイヤルティの設定、データ創出や管理に要する費用分担等を考慮して定めることが考えられる[注21]。

なお、データの価値は、データの有する特性から、有体物とは異なる場合もあることに留意が必要である。例えば、商品であれば、買主が大量に買えば、ボリュームディスカウントを受けることができ、1単位当たりの単価が下がることは一般的である。これは、大量に製造すれば製造コストが引き下げられるのが通常だからである。しかし、データの場合には、データが多いほうが、逆に1単位当たりの単価が上がるということはあり得る。なぜなら、データを分析するに当たっては、データが大量にあったほうが、より有益な知見を得られる可能性が高いこともあるからである。

2　データ取引の対価

前記1は、データ取引の対価として金銭を想定したものであるが、データのやりとりにおいては、必ずしもその対価が金銭で支払われるとは限ら

注21）データ契約ガイドライン25頁。

ない。

　データのやりとりにおいて金銭的対価が支払われない場合としては、①対価なしで提供する場合、②サービスの利用と引換えにデータを提供する場合、③データを提供する対価としてデータを受領する場合がある。前記②③は、一見して無償でデータを提供しているように見えるが、実はそうではなく、別の形で対価を支払っているともいえる。

　前記②の典型例として、検索サイトで検索する場合がある。利用者が検索サイトで検索する場合、検索サイト運営者に対して、検索されたワードやウェブの閲覧履歴のデータを提供している。検索サイト運営者はこれらのデータを分析して、広告などに利用している。つまり、利用者は、検索サービスの利用の対価として、自らの検索用語や閲覧履歴というデータを提供している。検索サイト運営者の視点に立てば、データ受領の対価として、サービス提供で支払っているといえる。

　前記③の典型例としては、共通ポイントカードなどにおける顧客購買履歴の共有などが考えられる。この場合、共通ポイントカードのメンバー企業は、自らの顧客の購買履歴を提供するのと引換えに、他のメンバー企業の顧客購買履歴を受領している。

　このように、データ取引の対価は、必ずしも金銭である必要はなく、サービスやデータなどが用いられることも多い。データ取引の対価は金銭に限られるという思い込みを捨てることによって、より柔軟なデータ取引を構築することが可能となる。

Ⅵ　秘密保持

　データ取引において、データが外部に流出してしまうと、データの価値が失われてしまうことが多く、また、企業の競争力が失われてしまうことからデータ取引契約においては、秘密保持条項が設けられることが多い。法的観点からは、秘密保持条項を定めることは、不正競争防止法における「営業秘密」としての保護を受けるための重要な要素となっている。

　世の中には秘密保持契約書が広く利用されていることから、データ取引においても一般的な秘密保持契約書が利用されることも多い。

しかし、一般的な秘密保持契約書では、秘密保持条項に関して、①秘密保持の対象となる秘密情報を定義する規定、②秘密保持の例外の規定が設けられているが、規定内容がそれらに限定されているため、データ取引に関する契約としては必ずしも適切ではなく、またデータ取引契約において、一般的な秘密保持条項をそのまま安易に用いることは以下の問題がある。

1　秘密情報の定義規定

秘密保持条項におけるスタート地点として、どの情報を保護の対象とすべきかという秘密情報の定義は重要である。

秘密情報の定義規定のパターンとしては、ⅰ当事者の開示した情報のすべてを秘密情報とするパターン、ⅱ当事者が別途秘密として指定した情報を秘密情報とするパターン（事後の一定期間内の秘密指定を認める場合もある）、ⅲ客観的に秘密と考えられる情報を秘密情報とするパターンが考えられる。

前記ⅰは、当事者がデータをお互いに開示する場合や、データ提供者の立場が強い場合などに比較的よく用いられる。しかし、データ取引が一方的な場合において、データ受領者の立場からすれば、取引対象のデータだけではなく、受領する情報すべてが秘密保持の対象となり、秘密保持義務の範囲が広くなってしまう。

前記ⅱは、当事者が秘密指定をするものであり、秘密情報の対象が明確になるというメリットがある反面、継続的にデータを提供する場合に、秘密指定することを忘れてしまうということが起こり得る。また、適切に秘密指定をするには管理コストがかかる。さらに、データについては、データそのものにマル秘をつけるわけにはいかないので、どのように秘密指定をするのかという技術的な問題も生じる。

前記ⅲは、何が客観的に秘密なのかが不明確であるという問題がある。

前記ⅰだと秘密情報の範囲が広すぎるが、前記ⅱだと狭すぎる場合に折衷的に使われることが多いが、その不明確さゆえにあまり用いられていないように思われる。

この点、データ取引においては、一般的な情報のやりとりとは異なり、

提供するデータが明確であることが多いことから、対象となるデータについては、例外なく秘密保持の対象とした上で（前記①と同様）、一定の場合に第三者提供を認める規定を用いることが多いと思われる。

また、派生データについても秘密保持条項の対象とすべきか検討をする必要がある。

なお、データ取引契約においては、対象データに関する秘密保持条項と、それ以外の一般的な情報に関する秘密保持条項を分けて規定することが多い。これは、対象データとそれ以外の一般的な情報では、秘密保持のレベルや、第三者提供を認める場合など、取扱いに差異を設ける必要があることが多いためである。

2　秘密保持の例外の規定

秘密保持の例外の規定として、一般的に、ⅰ開示を受けた時にすでに保有していた情報、ⅱ開示を受けた後、秘密保持義務を負うことなく第三者から正当に入手した情報、ⅲ開示を受けた後、相手から開示を受けた情報に関係なく独自に取得し、または創出した情報、ⅳ開示を受けた時にすでに公知であった情報、ⅴ開示を受けた後、自己の責めに帰しない事由により公知となった情報が規定される。

したがって、前記ⅰ～ⅴに該当する場合には、秘密情報ではなくなり、受領者は、第三者への提供や目的外の利用が可能となる。

このような幅広い例外規定が設けられているのは、一般的な秘密保持条項は、当事者間でやりとりされる情報（口頭でのやりとりも含まれ得る）について幅広く対象とする結果、秘密情報の対象が拡大するため、バランスをとる観点から、例外規定を広く認める必要性が高くなるからである。

しかし、例えば、自動運転のために、膨大な投資をして全国の道路周辺の3Dデータを作成し、このデータを取引した場合に、この3Dデータは、公共の場所の情報であるため、前記ⅳの公知情報に当たるとして、秘密情報でなくなってしまう可能性は否定できない。

このように、前記ⅰからⅴのような広い例外規定を認めることは、提供したデータの保護を弱めることになる。また、データ取引において、このような例外を認めることは果たして適切なのかも問題となる。データの場

合には、当事者間でどのようなデータをやりとりしているかを特定することが比較的容易であるため、例外規定を広く認める必要性は必ずしもない。

　データについて、例外なく秘密保持条項や目的外利用禁止条項を適用させるためには、従来の秘密保持条項をそのまま利用するのではなく、提供するデータの性質に応じたデータ独自の秘密保持条項や目的外利用禁止条項を設けることを検討する必要がある。そのため、後掲のモデル契約では、一般的な秘密保持条項を定めるものの、データ取引の対象となるデータについては一般的な秘密保持条項から除外し、別途の独自の保護規定を設けることしている。

Ⅶ 派生データ

1 派生データの意義

　データは、加工・編集・統合・分析・分析等することによって活用される。実際に経済的な価値を有するのは、元データそのものではなく、データを加工・編集・統合・分析等して得られたものであることも多い。そのため、データ取引を行う上では、元データから生じる2次データや知見について考慮することも重要である。このようなデータや知見を以下、「派生データ」と呼ぶことにする。

　派生データとしては、
① 元データを加工・編集・統合等したことによって得られる派生データ
② 元データを分析したことによって得られる派生データ
③ 元データをAI技術に基づいて生成した学習済みパラメータ、学習済みモデルが考えられる[注22]。

　派生データは、元データを加工・編集・統合・分析等していることから、元データと区別することは可能であるが、その内容はさまざまであり、元データとの同一性との程度も異なる。

　例えば、元データの欠損値を埋めたり、外れ値を除去するように加工し

注22）データ契約ガイドライン31頁参照。

【図表3-4】派生データと元データとの同一性

て作成された派生データについては、元データの原型がとどまっており、元データとの同一性は高いといえる。他方で、元データをAIに学習させて作成された学習済みパラメータのような派生データについては、もはや元データの原形はとどまっておらず、元データとの同一性は失われている。さらに、元データを分析した結果得られたノウハウや知見については、元データとの同一性はほとんどない。

なお、上記では、加工・編集・統合・分析とひとまとめに述べているが、「加工・編集・統合」と「分析」との間には、質的な違いがあることが多い。そのため、契約において、両者を分けて規定することが適切な場合がある（後述のモデル契約では、前者のデータを「加工データ」、後者のデータを「成果物」と分けて定義する例を紹介している）。

従来の秘密保持契約書では、秘密保持の対象が元データに限られていることを想定しており、元データとの同一性が高い派生データについてはカバーできているものの、元データとの同一性が低い派生データについては、明示的にカバーしているとはいいがたく、派生データの取扱いについて穴がある。

派生データの重要性に鑑みれば、データ取引契約については、派生データの取扱いについても、明確に規定しておく必要がある場合がある[23]。

2 利用条件

派生データについても、元データと同様に、その利用条件、すなわち利

注23) もっとも、派生データについて、契約交渉のアジェンダとすることにより、その問題が明確に認識され、交渉が難航するという事態も考えられるので、派生データの取扱いについて契約で明確に定めることについてはメリットとデメリットの双方がある。

用目的、利用範囲、第三者提供、利益分配、コスト負担、利用期間・地域等が問題となる。

派生データも、契約で定めない限りは、基本的には、現にアクセスできる者が自由に利用することができる。

この点、データ契約ガイドライン[注24]では、一般論として、派生データの利用条件に関する明確な合意がない場合には、①元データの性質、②元データを取得・収集する際の出費・労力、③営業秘密性、④元データの加工・編集・統合・分析等の程度・費用、⑤元データの全部または一部が復元可能なものとして派生データ等に含まれているか等を考慮して、派生データの利用条件がデータ受領者のみにあるのか、データ提供者にもあるのかを合理的に解釈していくことになるものと思われるとしている[注25]。

もっとも、そのような方法によると、結論が不明確とならざるを得ないことから、派生データの利用条件についても契約で明確に定めることが望ましい。

同じことは、元データを加工・編集・統合・分析等によって生じた知的財産権についてもいえる。ただし、知的財産権については、権利の帰属等については、契約の定めがなくても、知的財産権法に規定されているので、法律に従うことになり、その取扱いは比較的明確であるといえよう。

3 派生データのデータ提供者による利用

データ受領者が加工・編集・統合・分析等して生成した派生データについて、データ提供者も利用したい場合があることも想定される。

しかし、派生データは元データから生成されるものの、元データに知的財産権が生じている場合を除き、データ提供者に、派生データの利用権や派生データの引渡請求権が当然に生じるものではない。そのため、データ提供者は、派生データに現にアクセスできない場合に、派生データを利用するためには、データ受領者に対して派生データを提供するように契約で定めておく必要がある。

注24) データ契約ガイドライン31頁。
注25) これは、当事者の黙示の意思を合理的に解釈するものと考えられる。

なお、その際に、データ提供者が、データ受領者に対して、派生データの知的財産権の譲渡義務や独占的利用許諾の義務を課すことは、独占禁止法における不公正な取引方法として問題が生じるおそれがある点に留意する必要がある。

Ⅷ　損害賠償等の救済措置

1　損害賠償

　データ利用によって生じた損害については、データ受領者に損害が生じる場合と、第三者に損害が生じる場合が考えられる。

　まず、データ受領者に損害が生じる場合である。例えば、データ提供者から受領したデータが不正確であったため、機器が誤作動して不良品が製造されたような場合である。この場合には、データ受領者は、データ提供者に対して、データ提供に関する契約に基づいて損害賠償請求をすることが考えられる。もっとも、データ品質を保証していない場合など契約にデータ提供者を免責する規定がある場合などには、請求をすることができない。この場合の基本的な考え方は、本章Ⅳの項目に記載の通りである。

　次に、第三者に損害が生じる場合である。例えば、データ提供者から受領したデータを、データ受領者が加工・分析して派生データを作成して第三者に提供したところ、その派生データによって第三者に損害が生じた場合である。その場合に、その損害についてデータ提供者とデータ受領者のいずれが責任を負うことになるかが問題となる。

　別のパターンとして、データ提供者から受領したデータを、データ受領者が加工して機器に入力した結果、機器が誤作動して、第三者に損害が生じた場合に、その損害についてデータ提供者とデータ受領者のいずれが責任を負うことになるかが問題になることも考えられる。

　このように第三者が損害を被った場合に、データ受領者に対して責任を追及する方法としては、第三者とデータ受領者との間に契約があれば、データ受領者に対して契約に基づく債務不履行責任を追及することになろう。なお、データが製造物に組み込まれており、その誤作動により第三者に損害を与えた場合には製造物責任も問題となる。他方で、契約がない場

合には、第三者はデータ受領者やデータ提供者に対して、不法行為責任を追及することになる。

そして、データ受領者が第三者に対して何らかの責任を負うこととなった場合に、データ提供者とデータ受領者の間で、その責任をどのように分担するのか、換言すれば、データ受領者はデータ提供者に対して、どのような請求ができるのかが問題となる。

この点については、理論的には、まずはデータ受領者とデータ提供者の契約に基づいて判断することになるが、契約に明確に規定されていない場合には、第三者の損害に対して、それぞれがどの程度寄与したかということから判断することになる。契約で、責任分担について定めることも可能であるが、第三者にどのような損害が生じ、それに対する各当事者の寄与度を事前に予測できないため、契約において明確な責任分担を定めることは難しく、具体的な規定までは設けないのが通常であろう。

2　当事者による違反

データ取引契約に当事者が違反した場合には、違反された当事者はどのような救済措置を求めることができるのであろうか。

そのような場合、まずは、契約に違反した当事者に対して、契約の解除や損害賠償請求をすることが考えられる。また、提供されたデータが契約不適合の場合には、それらに加えて、追完請求や代金減額請求をすることも考えられる。

では、データを受領者が、契約に違反して目的外利用や第三者提供をした場合に、データ提供者は、違反した受領者に対して、データの利用や第三者提供について差止請求をすることは可能であろうか。

注26）目的外利用の禁止や、第三者提供の禁止は、データ受領者の不作為義務であるから、そのデータ提供者が不作為義務を内容とする債務名義を執行するに当たっては、データ受領者の不作為義務違反の行為が継続中であれば、間接強制（民執172条）の方法によることになる。現在違反行為がないが将来違反のおそれがある場合に、予防のための執行ができるか否かについては争いがあるが、通説は、不作為義務が履行されている以上、予防のための執行はできないとしている（奥田昌道編『新版注釈民法(10) I』〔有斐閣、2003〕588頁［奥田昌道＝坂田宏］）。

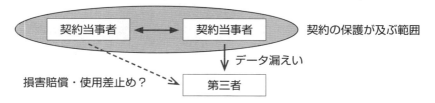

【図表3-5】契約が及ぶ範囲

　債務不履行の場合の救済手段として、民法414条が、「債務者が任意に債務の履行をしないときは、債権者は、その強制履行を裁判所に請求することができる」と定めていることから、この規定に基づいて、差止請求をすることができると解されている[注26]。

　この点、契約で明確に規定するという観点から、契約に差止請求に関する規定を設けて、違反した当事者に対してデータ利用・第三者提供の差止請求できることや、差止請求の範囲を規定することも考えられる。

3　第三者に対する効力

　例えば、契約に秘密保持条項があるにもかかわらず、データ受領者がデータを第三者に漏えいした場合、データ提供者は、第三者に対して、契約に基づいて何かを主張することができるのであろうか（【図表3-4】）。

　契約の秘密保持条項の効力は、契約の当事者ではない第三者には及ばない。したがって、秘密情報を取得した第三者に対して、契約違反を理由とした債務不履行責任を問うことはできない。

　しかし、第三者の行為態様によっては不法行為責任を追及することは考えられる。もっとも、不法行為に基づく場合には、金銭賠償が原則とされていることから（民417条）、差止請求をすることはできないと解されている。

　そこで、第三者に対して、データの不正利用の差止めや損害賠償を請求する方法として、不正競争防止法や著作権法によることを検討することになる。

　なお、データが外部に流出した場合に、データ保有者が、データの無断利用者に対して、無断利用により得た利益を不当利得として、不当利得返

還請求（民703条）をすることができるか否かについては、データは、契約に定められるか著作権等の財産的権利が法律によって定められていない限り、特定の誰かに帰属するものではないことから、データ保有者がデータの無断利用者に対して不当利得の返還請求をすることは困難であると考えられる。

IX 過去のデータとデータ取引契約

1 過去データの利用時に問題となる点

データの活用が進む中で、直面することのある問題の1つとして、過去に取得したデータ（「過去データ」）を取得時に想定していなかった新しいビジネスに使うことができるか、という問題がある。例えば、過去に顧客から受領したデータをAIに学習させて、別のビジネスや開発のために使いたいが、過去のデータを顧客の了解なしに利用してよいのかが問題となる。

これらの過去データに個人情報が含まれている場合には、個人情報は目的外利用が禁止されていることから、このような利用には制限があり、その点については**第6章**で解説する。過去データに個人情報が含まれていない場合であっても、契約によって過去データの利用が制限されている場合がある。典型例が、秘密保持条項が入った契約を締結した相手方から受領したデータである。このようなデータについて、データ受領当時はデータの活用やAIによる利用がまったく想定されていなかったケースも多く、そのデータの利用の可否が問題となる。

最も手っ取り早い方法は、契約の相手方の同意を得ることであるが、その場合には、相手方から何らかの見返りを求めてくることもあるので、同意を得ずに利用したいというニーズがある。

また、**第11章**で解説するデータ・デューデリジェンスにおいて、買収先の企業のデータが利用できるか、あるいは買収先が適切にデータを利用しているかを判断するためには、取引先との契約に違反していないか確認することが必要となる。この場合にも、データの利用が契約の範囲内か否かが問題となる。

2　過去データの利用時のチェックポイント

　この問題を検討するに当たっては、対象となる過去データと契約の条項を付き合わせて判断することになる。かかる判断において主にチェックすべきポイントは、①利用目的の条項、②秘密保持条項、③知的財産権の帰属に関する条項、④委託条項、⑤損害賠償規定である。

(1)　利用目的

　秘密保持契約では、利用目的を定めた上で、秘密情報の目的外利用を禁止する規定が設けられていることが多い。

　目的外利用を禁止する規定が設けられている場合、利用目的がどのように規定されているが重要となる。

　利用目的の記載がない場合、あるいは利用目的が広く記載されている場合には、過去データを他のビジネスに利用できる可能性が高い。他方で、利用目的が限定されている場合には、過去データを他のビジネスに利用できる可能性は低くなる。

　もっとも、利用目的が明確に記載されていない場合もある。例えば、「本契約の目的を達成するために」などと規定されている場合である。そのような場合は、契約から総合的に判断せざるを得ないが、古い契約の場合には結局は明確化できないことも多い。

　なお、そもそも目的外利用の禁止規定がなければ、そのデータを目的外利用ができることは言うまでもない。

(2)　秘密保持条項

　秘密保持条項については、過去データがそもそも秘密保持条項における「秘密情報」に該当するか否か問題となる。秘密情報に該当しないデータについては、そもそも秘密保持義務は生じないことになる。

　何が秘密情報に該当するかは契約の規定の仕方次第であるが、相手方から提供された情報のみが秘密情報とされている場合や、秘密指定がされている場合に限って秘密情報とされているような場合には、過去データがそもそも秘密情報に該当しないこともある。

　なお、グループ企業、委託先、専門家に対しては、同様の秘密義務を課すことで開示することが認められている条項がある場合もあり、そのよう

な場合には、かかる先に秘密保持義務に違反しないでデータを開示することが可能となる。

(3) 知的財産権の帰属に関する条項

データに著作権等の知的財産権があり、契約に知的財産権に関する規定が設けられている場合には、原則として契約の規定に従うことになる。例えば、成果物の開発を委託するような契約においては、成果物の知的財産権について定めが設けられていることが多い。

他方で、契約に規定がない場合には、知的財産権法の規律に従うことになる。一般的には、相手方が知的財産権を有するデータについては、自由に利用できず、相手方の許諾を得て利用する必要がある。

もっとも、例えば、著作権法では著作権者の権利が制限される場合があり、そのような場合に該当すれば、著作権者の許諾を得ないで、著作物を利用することができる。

(4) 委託条項

契約の中には、第三者に対して委託を認める規定が設けられている場合がある。第三者に委託することが認めらる場合については、必要がある場合や相手方の書面の同意があった場合などさまざまである。いずれにせよ、委託が認められている場合には、データの処理を委託先に委託することができる。

なお、委託が認められる場合には、委託に関する秘密保持条項も規定されるのが通常であろう。

(5) 損害賠償規定

契約違反の場合の損害賠償規定について、例えば、損害賠償の上限規定などが設けられている場合には、万が一、契約に違反してデータを利用したとしても、損害賠償リスクを見積もることができることになる。

上記の検討を踏まえた上で、契約上、過去データについて相手方の同意が不要な場合と必要な場合を判断することになる。もっとも、利用目的が明確に規定されていないなどグレーゾーンがある場合もあり、その場合には、どれだけリスクをとるかということを検討せざるを得ないであろう。

なお、データ提供者との契約が継続的契約の場合には、契約の更新時な

どに、過去データについても利用できるような契約に変更していくことで対応するという手法もある。

X データ利用モデル契約の解説

以下では、データ利用に関する契約を作成するに当たっての実務上のポイントを、データ利用に関するモデル契約【創出型】（以下、「モデル契約」という）に基づいて具体的に解説する。モデル契約の全文は、巻末【資料①】に掲載しているのでそちらも参考にして頂きたい。モデル契約は、一般的な取引を想定して作成したものであり、具体的な個別取引に合わせて修正されることを前提としている。

データ取引の契約の類型については、データ契約ガイドラインでは、取引の類型に応じて、ⓐデータ提供型、ⓑデータ創出型、ⓒプラットフォーム型の3つに分類しているが、データ提供型とデータ創出型は、検討すべき主要ポイントは共通しているため、本章ではデータ創出型について解説している。モデル契約は、データ創出型であることから、各当事者がそれぞれ相手方にデータを提供することを想定した規定となっており、例えば、甲乙の双方がデータの管理義務等を負う規定となっている。データ提供型の契約については、例えば、データの管理義務については、データを受領する当事者のみが負う規定に変更する必要がある。なお、データ提供型のモデル契約についても、参考として巻末【資料②】として掲載している。

モデル契約は、主に以下の規定から構成されている。
① 目的
② 定義
③ 対象データの取得・収集・提供方法
④ 対象データの利用条件
⑤ 派生データの利用条件
⑥ 対象データ・派生データの知的財産権
⑦ 対価・利益分配
⑧ 対象データ・派生データの保証
⑨ 対象データ・派生データの管理

第3章　データと契約法

⑩　個人情報の取扱い
⑪　対象データ・派生データ漏洩時の対応・責任
⑫　情報セキュリティ
⑬　第三者への委託
⑭　秘密保持義務
⑮　損害賠償・免責規定
⑯　一般条項

　データ利用に関する契約は、**第1章Ⅰ4**で述べたデータの特徴を考慮した契約である必要があり、有体物を前提とした所有権的発想では適切な契約書を作成することはできない。

　ところで、データ利用に関する契約は、標準的な書式が確立していない上に、データ取引も多種多様であり、ビジネスや技術の変化のスピードも速いために、契約書に規定がされていない事項があることも多い。

　契約書に規定がない場合には、まずは法律が定めるデフォルトルールに従うことになる。例えば、著作物であれば著作権の規定、債務不履行や損害賠償については民法の規定に従うことになる。判例法理が形成されている場合もある。もっとも、繰り返し述べる通り、データの取扱いについて法律の規定が適用される場面は限定的であり、データの性質から、データに現にアクセスできるものがデータを自由に利用できることになる。

　契約書を作成する場合に、想定される取引について、できるだけ抜け漏れないのない規定を設けようとすることが一般的であるが、契約交渉でもめそうな規定については、争点化を避けるためにあえて規定しない方法もある。例えば、派生データの取扱いやデータの保証・管理方法・知的財産権についての条項については、規定することが一般的とはいえず、規定しなくても相手方当事者がその条項が不存在であることに気が付かないこともある。

　契約に規定しない場合に、どのような帰結になるのかについては、法律・判例のデフォルトルールを正確に把握しておくことが必要になる。

　なお、データ提供について基本契約を締結した上で、対象となるデータや利用条件・対価については個別契約について定めるという方式もあり得る。

データ利用に関するモデル契約【創出型】

1　契約の目的（第1条）

> 第1条（目的）
> 本契約は、両当事者が○○○○事業（以下「本件事業」という。）により○○○○を行うことを目的（以下「本件目的」という。）とする。

　本第1条の目的条項は、当事者間が協業やサービス提供に関する契約を履行することにより目指すところを記載することになる。この規定は単に抽象的な目的を定めているだけでなく、データの利用条件や秘密保持義務における秘密情報の利用目的に紐付けられているため、当該のデータの利用条件や利用目的の範囲を画するものとして、重要な意味を有している。
　利用目的を広く規定すれば、データの利用範囲が広くなることになり、狭く定めればデータの利用範囲は狭くなる。そのため、この目的については、自らがどのようなデータ等の利用をすることを想定しているかという点を踏まえて検討する必要がある。

2　定義（第2条）

> 第2条（定義）
> 本契約において使用される用語は、以下の意味を有するものとする。
> (1)「対象データ」とは、本件事業により創出、取得又は収集されるデータをいい、その詳細は別紙1.1に定める。
> (2)「対象データ等」とは、対象データ及び［派生データ／加工データ］をいう。
> ［(3)「加工」とは、対象データを加工、編集、統合することをいう。］
> ［(4)「加工データ」とは、対象データを加工したデータをいう。］
> (5)「加工等」とは、対象データを加工、編集、統合、分析することをいう。
> (6)「派生データ」とは、対象データを加工等したデータをいう。但し、

第3章　データと契約法

　　派生データには、対象データと同一性又は同質性を有するデータは含まないものとする。
[(7)「本成果物」とは、対象データ等を分析することにより新たに得られたデータ及び知見をいう。]
(8)「利用」とは、利用、使用、加工、開示、利用許諾、移転、譲渡又は処分等することをいう。
(9)「売上金額」とは、[派生データ]を第三者に提供することによって、当該第三者から対価として受領した金額をいう。
(10)「個人情報等」とは、個人情報の保護に関する法律(以下「個人情報保護法」という。)に定める個人情報、[仮名加工情報、個人関連情報]及び匿名加工情報をいう。

別紙1　対象データ等
1. 対象データ及びその利用条件

	データ名	データ項目等	対象期間	甲の利用条件	乙の利用条件
1	○○○	【機器名・センサ名等のデータを特定するに足りる情報(量、粒度を含む)】	【○年○月○日〜○年○月○日】の期間に取得されたもの	【利用目的】【第三者提供(譲渡又は利用許諾)の可否】【加工等の可否】	【利用目的】【第三者提供(譲渡又は利用許諾)の可否】【加工等の可否】
2	○○○				

2. 対象データの取得・収集方法

【誰が、どのような方法で、どのデータを取得・収集するか】
【どのようなファイル形式で保存するか】
3. 対象データの提供方法
【どのような仕様・手段・方法で提供・共有するか】

　本第2条は定義規定である。テクニカルな規定もあるが、定義の仕方によって大きく契約の内容が変わる場合もあるので注意が必要である。

(1) 対象データ

　本契約の対象となるデータを「対象データ」として定義し、その詳細を別紙で定めることにしている。モデル契約では、対象データを「本件事業により創出、取得又は収集されるデータ」としているが、事案に応じて修正することになる。

　別紙では、対象データのデータ名、データを特定するに足りる情報、取得・収集方法、対象期間を記載するものとしている。

　対象データの範囲は、すでに一方当事者が保有しているデータであれば比較的容易に特定できるが、これからデータを取得・創出する場合には、どのような項目のデータを収集するかは明確にしておく必要がある。

　また、対象データの粒度も重要になる場合がある。すなわち、共有するデータの中には、営業秘密やノウハウが含まれている場合もあることから、それらが意図せずに相手方や第三者に提供されてしまうことのないように、オープン・クローズ戦略の観点から、必要に応じてデータの粒度を粗くすることも考えられる。なお、個人情報が含まれる可能性があるデータを収集する場合には、個人情報保護法との関係でデータ利活用の自由度が変わってくるため、どの程度の範囲・粒度でデータを収集するかも慎重に検討する必要がある。

　さらに、収集するデータの量・形式についても規定しておくことも考えられる。収集したデータを加工・分析して成果を上げるためには、一般的にはデータ量は多ければ多いほど望ましい。そのため、必要なデータ量が収集できるだけの一定の期間にわたってセンサ等を設置してデータを収集する必要がある。

　データのフォーマットが揃っていない場合（例えばファイル形式の違う映像等の非構造化データ）には、効果的な分析はできず、データの整理に多くの時間と費用を費やしてしまうことにもなりかねない。したがって、収集したデータを効果的に利用するために、データのフォーマットも契約当事者が使用できる形式に統一しておくことも重要となる。

(2) 派生データ

　対象データを加工、編集、統合、分析した結果、生成されるデータを「派生データ」と定義している。

第3章　データと契約法

　もっとも、「加工、編集、統合」と「分析」は質的な差異がある場合がある。また、「加工、編集、統合」により生成される派生データは、派生データの中に元データが識別される形で残っていることが多いのに対し、分析することによって生成される派生データは、派生データの中に元データが識別される形で残っていないことも多い。したがって、事案によっては、「加工、編集、統合」と「分析」を分けて規定することが適切な場合もある。

　その場合、対象データを「加工、編集、統合」したことにより生成されるデータを「加工データ」とし、対象データを分析することにより生成されるデータを「本成果物」と定義して、それぞれ異なる規律に服させることが考えられる。例えば、対象データからノイズを除去したり、形式を整えたデータは「加工データ」とし、対象データを分析して作成したレポートや、AIに学習させることで生成された学習済みパラメータは「本成果物」として、取扱いを分けることも考えられる。

　そこで、モデル契約では、参考として、加工データや本成果物を定義する規定も記載した。この定義における、派生データ、加工データ、本成果物の関係は、【図表3-6】の通りである。

　次に、派生データの定義に、元データである対象データを含むか否かが問題となる。対象データを除外しない場合には、派生データと対象データを一緒に取り扱うことになる。対象データと派生データの取扱いを別にしたい場合には、派生データの定義から対象データを除外する必要がある。例えば、派生データを生成した者に対して、対象データについては利用に制限を設けるが、派生データを自由な利用を認めるような場合には、対象データと派生データの利用条件が異なるため、派生データの定義から対象データを除外する必要が生じる。

　モデル契約では、派生データの定義から対象データが除外されることを明確するため、「但し、派生データには、対象データと同一性又は同質性を有するデータは含まないものとする。」という文言を加えている。

(3)　**加工データ**

　モデル契約では、対象データを「加工、編集、統合」したことにより生成されるデータを「加工データ」と定義している。加工において膨大な費

【図表 3-6】対象データ、派生データ、加工データ、本成果物の関係

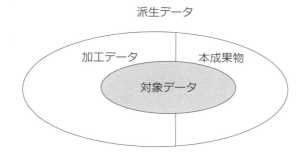

用と労力や高度なノウハウが必要となることもあり、加工データに独自の価値が生じることもある。そこで、加工データについて、対象データと異なる取扱い（例えば、加工者に対して知的財産権を付与するなどのインセンティブを与える）ことも考えられる。その場合には、対象データと加工データを別途に定義する必要がある。

なお、加工データの中には、対象データが識別される形で残っていることが通常であり、加工データから対象データを除外した場合に独自の価値を持つことは考えにくいため、モデル契約では、派生データとは異なり、加工データの定義から対象データを除外していない。

この点、加工データの定義を「元データに対し技術的に復元困難な加工が施されたデータ（元データと同一性が認められないものとみなす。）」とする例もある[注27]。この定義は、加工データは、その創出者の自由な利用に委ねることが適切との考え方に基づいて、対象データと加工データを異なる取扱いをするために、加工データの定義から対象データを除外したものである。

注27) 齊藤友紀ほか『ガイドブック AI・データビジネスの契約実務』（商事法務、2020）169頁以下。同書は「技術的に復元困難」といえるかは、当事者の合意内容や当事者の業界の技術常識に左右される可能性が高く、元データと加工データの間に一義的な境界を設けることは事実上困難と指摘する。

(4) 対象データ等

対象データおよび派生データまたは加工データを、まとめて取り扱うことがあることから、「対象データ等」としてまとめて定義している。

3　対象データの収集・取得方法（第3条）

> 第3条（対象データの取得・収集方法等）
> 甲および乙は、甲が運営する○○○○において、乙が提供する○○○○を使用することにより、対象データを取得・収集するものとし、その詳細は別紙1.2に定める。

データの取得・収集方法についての規定である。対象データの取得・収集方法を定めるか否かは、事案によって異なり、必ずしも規定する必要がない場合もあるが、取集・取得方法が重要な場合には定めることになろう。

本第3条では、対象データの取得・収集方法の詳細は別紙で定めることとしている。別紙では、①誰が、②どのような方法で、③どの情報を取得・収集するかを具体的に定めておくことが望ましい。

データの品質の確保やコンプライアンスの観点から、データ受領者が、データの入手先の開示や確認を求めることがある。そのような場合には、本第3条やその他の条項において、入手先や入手方法の情報を具体的に規定することも考えられる（契約外で別途開示することもあり得る）。

4　対象データの提供方法（第4条）

> 第4条（対象データの提供方法）
> 甲及び乙は、本契約の有効期間中、相手方に対して、対象データを別紙1.3に定める仕様及び提供方法により提供する。

本第4条は、対象データを保有しておらず、アクセスできない当事者に対して、アクセス権を付与する条項である。

データについては、さまざまな提供方法が考えられることから、対象データの提供方法について別紙において定めることとしている。データ提供の方法としては、具体的には、記録メディアなどに保存して物理的に引

き渡す方法、メールでファイルを送付する方法、サーバにアクセスしてダウンロードする方法、APIによりデータの提供をする方法などがある。

5　対象データの利用条件（第5条）

第5条（対象データの利用条件）
1. 甲及び乙は、対象データの種別に応じて、相手方に対して、<u>別紙1.1</u>において定める利用条件により、対象データ（それに係る知的財産権を含む）を利用することを許諾する。
2. 甲及び乙は、前項により認められた各当事者の利用条件に反して、対象データを利用してはならないものとする。

(1)　対象データの利用条件の規定方法

　対象データの利用条件について、本第5条では、対象データごとに利用目的、加工等の可否、第三者提供（譲渡または利用許諾）の可否について別紙で定めることとしている。なお、第三者提供については第7条で別途定めることとしている。

　定めるべき利用条件の項目としては、**本章Ⅲ2**において詳述した通り、以下が挙げられる。

① 利用目的
② 利用方法
③ 利用期間
④ 利用対価（有償／無償）
⑤ 独占性（独占的／非独占的）
⑥ 第三者提供の可否

　なお、対象となるデータが複数ある場合には、各データごとに利用条件を定めることも考えられる。

　また、状況によっては地理的範囲（日本限定や全世界）を指定することも考えられる。データは国境を容易に超えるため地理的範囲を指定する意味が問題となるが、対象データが知的財産権を含む場合には、知的財産権は各国ごとに成立することや、個人情報を含む場合には外国第三者への提供が問題となることもあることから、地理的範囲を指定する必要がある場

合がある。

次に、利用条件の設定をどのようにするかについては、**本章Ⅲ 1 (2)**において詳述した通り、主に以下の要素を考慮して定めることになる。

① データの性質
② データの創出に対する各当事者の寄与度
③ データの利用により当事者が受けるリスク
④ データ取引に関して支払われる金額
⑤ データ利用の必要性

上記②の寄与度の考慮要素としては、ⅰコスト負担、ⅱセンサーの所有権、ⅲセンサの設置方法の策定者、ⅳデータの継続的創出のためのモニタリングの主体が挙げられる[注28]。

これらの要素を踏まえて当事者間で利用条件が決定された場合において、利用条件は有するものの、自らが対象データを収集する主体でない当事者、すなわち自らの手元に自動的に対象データが収集されない当事者には、アクセス方法または引渡しや共有方法も定めておく必要がある。例えば、「乙は［ファイル形式］の電子ファイルを甲のサーバにアップロードし、乙が適宜当該サーバから当該電子ファイルをダウンロードすることにより提供する」といった定め方が考えられる。

(2) **本条の規定内容**

本第5条1項では、いずれかの当事者に包括的な利用権限やデータ・オーナーシップを帰属させた上で、相手方に使用許諾するという形式をとらず、直接的に、各当事者に各データについて利用条件を定めている。データ創出型の場合にはいずれかの当事者に包括的な利用権限やデータ・オーナーシップを帰属させるような形式では、その部分が理由で、当事者間の協議が進まなくなることもあり得るからである。本第5条は、データの帰属やデータ・オーナーシップを定めなくても、データ利用に関する契約を作成することができることを示している。

ちなみに、本第5条に基づき対象データを利用することが認められている当事者は、当該対象データを保有していなくても、相手方が保有して

注28) データ契約ガイドライン58頁参照。

いる当該対象データ等にアクセスする権利が認められると考えるのが契約の合理的意思解釈であろう。

次に、本第5条2項は、別紙1.1で定めた利用条件に反して対象データを利用することを禁止している。このような規定では、自己が従来から保有していたデータなどを提供する場合であっても、そのデータを対象データとした場合には、別紙1.1で定めた利用条件の制約がかかってしまうことに留意が必要である。このような規定にしたのは、モデル契約が創出型を想定していることによる。もし、相手方から受領した対象データのみについて利用条件を定めなかった場合に利用禁止としたい場合には、本第5条2項の規定は、「甲及び乙は、前項により認められた各当事者の利用条件に反して、相手方から受領した対象データを利用してはならないものとする。」との規定にすることになる（下線部が変更箇所）。

別紙1.1の記載方法からして、利用条件が定められていない対象データは存在することは想定しがたいが、万が一、そのような対象データがある場合に備えた規定を設ける場合には、そのような対象データについては、いずれかの当事者のみ、あるいは当該対象データを保有する者のみが利用できるという規定を設けることが考えられる。その場合の規定は、「対象データのうち、別紙1.1に定めのないものに関して、［甲／乙／当該対象データを保有する者］のみが当該対象データを利用することができるものとする。」あるいは「対象データのうち、別紙1.1に定めのないものに関して、当事者の協議によって利用条件を定めるものとする。」とすることが考えられる。

なお、「利用」については、本第2条8号において、データを利用、使用、加工、開示、利用許諾、移転、譲渡又は処分等することと定義されている。したがって、一方当事者のみ利用できると規定した場合であっても、その当事者の判断で、他方当事者に利用させることは可能である。

(3) 独占禁止法上の留意点

製造販売業などのサプライチェーンにおいて優越的な地位にある事業者が、その地位を利用して、下請業者から一方的に製造機器等のデータを取得したり、一方的なデータの利用条件を定めたりすることは、独占禁止法上の優越的地位の濫用（独禁2条9項5号）に該当する可能性がある点に

は注意が必要である。また、下請法上不当な経済上の利益の提供要請（下請4条2項3号）にも該当し得る。

6 派生データ等の利用条件（第6条）

第6条（［派生データ／加工データ］の利用条件）
1. ［派生データ／加工データ］に係る利用条件の内容は、［派生データ／加工データ］の種別に応じて、別紙2において定めるとおりとする。
2. 甲及び乙は、前項により各当事者に認められた利用条件以外の態様で［派生データ／加工データ］を利用してはならないものとする。
［2. 甲及び乙は、前項において利用条件が設定されていない［派生データ／加工データ］を制約なく利用できるものとする。］

別紙2　派生データの利用条件

	データ名	対象データ	対象期間	甲の利用条件等	乙の利用条件等
1	○○○	○○及び○○【別紙1を引用する等して特定する】	【○年○月○日～○年○月○日】の期間に取得されたもの	【利用目的】【第三者提供（譲渡又は利用許諾）の可否】【加工等の可否】【著作権】	【利用目的】【第三者提供（譲渡又は利用許諾）の可否】【加工等の可否】【著作権】
2	○○○				

(1) 派生データ等の利用条件

　対象データを加工等した派生データについても、対象データと同様に、契約の定めがない限りは、原則として現にアクセスできる者が自由に利用することができることになる。したがって、この点も契約で明確にしておくことが考えられる。

　派生データについて定めのない契約も散見されるが、その場合の帰結として、別途、口頭での合意や黙示の合意が認められない限り、派生データについて、原則として現にアクセスできる者が自由に利用することができることになる。そのため、敢えて派生データについて規定しないという選択肢も考えられるが、相手方からの口頭での合意や黙示の合意の成立の主

張を排除するためには可能であれば完全合意条項を入れておくべきであろう。

派生データについて、定めるべき利用条件の項目として、対象データと同様に、以下が挙げられる。

① 利用目的
② 利用方法
③ 利用期間
④ 利用対価（有償／無償）
⑤ 独占性（独占的／非独占的）
⑥ 第三者提供の可否

派生データの利用条件については、本章Ⅶ2において述べた通り、主に以下の要素を考慮して決定することになる。

① 元データ（対象データ）の性質
② 元データを取得・収集する際の費用・労力
③ 営業秘密性
④ 元データの加工・編集・統合・分析等の程度・費用・労力
⑤ 元データの全部または一部が復元可能なものとして派生データに含まれているか

派生データの利用条件を定めるに当たっては、元データである対象データを考慮する必要がある。

本第6条1項においては、派生データごとに別紙で定めることとしているが、必ずしも考え得るすべての派生データを列挙できるわけではない。また、派生データについては交渉が難航することも考えられるため、別紙に特段の定めがないものについては、両当事者で別途合意した上で、当該派生データの利用条件を定めることとしている。安易に将来の協議・合意に委ねることは、将来の紛争の種を残すことにもなりかねないため、できるだけ避けるべきであるが、実際に派生データが生成されてみないと前記①～⑤の考慮要素すらもわからないということも少なくない。そのため、このような規定もやむを得ない場合もあろう。

(2) 派生データ等の利用禁止

本第6条2項では、当事者に認められた利用条件以外の態様で派生デー

タを利用することはできないと規定している。そのような規定を設ける場合は、合意ができない限り、どちらも派生データを利用できないことになるので、何らかの条件で合意するインセンティブはある。例えば、派生データを生成した者が自由に利用できるが、第三者提供により得られた金額の一定割合を相手方に支払うこととする、あるいは、派生データの第三者提供も可能だが、相手方にも無償で利用することを許諾する等といったような利用条件であれば相手方にも一定のインセンティブはあると考えられる。

　派生データについて利用条件を定めた場合であっても、すべてを網羅的に定めることは困難であり、カバーされていない部分が生じることが想定される。そこで、本第6条2項では、当事者が想定していない利用方法を禁じるという趣旨から、契約で定めた利用条件以外の態様で派生データを認めないという規定を設けている。この点、逆に、派生データの利用を促進するため、利用条件が設定されていない派生データを制約なく利用できるという規定を設けることも考えられるので、その旨の規定も併記している。

(3) 独占禁止法上の論点

　データ取引の文脈ではないが、公正取引委員会の指針では、ソフトウェア開発等の情報成果物作成の委託取引において、取引上優越した地位にある委託者が、受託者に対し、当該成果物が自己との委託取引の過程で得られたことまたは自己の費用負担により作成されたことを理由として、一方的に、これらの受託者の権利を自己に譲渡（許諾を含む）させたり、当該成果物、技術等を役務の委託取引の趣旨に反しない範囲で他の目的のために利用すること（2次利用）を制限する場合などには、不当に不利益を受託者に与えることとなりやすく、優越的地位の濫用として問題を生じやすいと指摘されている[注29]。かかる指摘に鑑みると、データ取引当事者間で取引上の依存関係等の優越的な地位を有している者が、他方当事者の生成した派生データに係る権利を一方的に自己に譲渡等させる場合には、優越的地位の濫用の問題になり得る点には留意が必要であろう。

注29）公正取引委員会「役務の委託取引における優越的地位の濫用に関する独占禁止法上の指針」（2011年6月23日改正）第2の7「情報成果物に係る権利等の一方的取扱い」。

7　第三者提供（第7条）

> 第7条（第三者への提供等）
> 1. 甲及び乙は、対象データ等の全部又は一部を第三者に提供し又は当該第三者に利用をさせる場合（以下「第三者提供等」という。）には、あらかじめ相手方に対して、第三者提供等の対象となるデータ及びその条件を書面により通知するものとする。
> 2. 甲及び乙は、第三者提供等をする場合には、提供先となる第三者との間で、本契約において自らが負う秘密保持義務、データの管理・保管義務その他のデータの取扱いに関する義務と同等の義務を負わせる契約を締結しなければならないものとする。但し、相手方の事前の書面による承諾なく、第三者提供等を受けた第三者に対して、加工等及び更に第三者提供等をする権限を与えることはできないものとする。

　対象データ等の第三者への開示・提供を認めるか否かは、実際には、**本章Ⅲ3**において述べたように、第三者にデータを利用させることによって当事者が得られる利益と第三者がデータを利用することによって生じる当事者の不利益を比較衡量して決定することになり、具体的には、以下の要素を考慮することが考えられる[注30]。

① 　データの性質（営業秘密、ノウハウを推測可能なものか、個人のプライバシー権を侵害するものではないか等）
② 　営業秘密、限定提供データ、ノウハウ流出等を防止するためにとられている方法（工場を特定する情報を削除する、同種の機器全体の統計情報として処理する等）
③ 　提供先の第三者が競業者であるか否か
④ 　提供先の第三者の利用に対してどのような制限を課すか（ただし、実効性を確保できるかについて慎重な判断が必要である）
⑤ 　対価の額、利益の分配方法

　上記①～⑤について検討した上で、対象データ・派生データの第三者提供を認めるか否かを判断し、第三者提供を認める場合には、その条件や手

注30）データ契約ガイドライン59頁-60頁。

続を定めておくことになる。特に、対象データ等を第三者に提供することによって得られた対価の一定割合を相手方に分配することを定めている場合には、どのようなデータが第三者に提供され、どのような対価を得ることになるのかを相手方が知っておく必要がある。また、提供された対象データ等を第三者に適切に扱わせる必要もある。

なお、第三者提供は原則として認めないものの、親会社や子会社などのグループ会社に限って共有することはできるという規定を設けることもある。ただし、その場合には、グループ会社ではなくなった場合（例えば、子会社株式の売却により子会社ではなくなった場合）にデータの廃棄・消去等の措置も併せて定めておく必要がある。

本第7条では、第三者提供が認められる場合において、第三者提供をする対象データ等およびその条件を相手方に通知すること、および、第三者に秘密保持義務やデータの管理・保管義務を負わせることを定めている。また、第三者提供を受けた第三者が、さらに第三者提供をすることができるとしてしまうと、際限なく広がってしまうため、その場合には相手方の承諾が必要としている。

対象データ等を不正競争防止法上の限定提供データとして保有することを企図している場合には、相手方に第三者に対する非開示義務を負わせることも考えられる。他方で、相手方に第三者に対する秘密保持義務を負わせてしまうと営業秘密に該当し、限定提供データに該当しなくなってしまうこともあるため、対象データ等を秘密保持義務の対象からは除外しておくことも考えられる。このように、対象データ等を限定提供データとしたい場合には慎重な検討を要する。

8　対象データ等の知的財産権（第8条）

第8条（対象データ等に係る知的財産権）
1. 対象データに係る著作権（データベースの著作物に関する権利を含むがこれに限られない。著作権法第27条及び第28条の権利を含む。以下同じ。）は、甲及び乙が従前から有するもの及び本契約の範囲外で創出、取得又は収集したものを除き、［甲／乙に帰属するもの／甲

及び乙の共有］とする。
2. ［派生データ／加工データ］に係る著作権の帰属は、［派生データ／加工データ］の種別に応じて、<u>別紙2</u>において定めるとおりとする。但し、［派生データ／加工データ］のうち<u>別紙2</u>に特段の定めのないものについては、甲及び乙で別途合意した上で、当該［派生データ／加工データ］に係る著作権の帰属を定めるものとする。
3. 甲及び乙は、対象データ等の利用について、相手方及び正当に権利を取得又は承継した第三者に対して、著作者人格権を行使しないものとする。
4. 対象データ等に基づいて新たに創出した特許権その他の知的財産権（但し、著作権は除く。以下「特許権等」という。）は、当該特許権等を創出した者が属する当事者に帰属するものとする。
5. 甲及び乙が対象データ等に基づいて共同で新たに創出した特許権等については、甲及び乙の共有（持分は貢献度に応じて定める。）とする。この場合、甲及び乙は、共有に係る特許権等につき、それぞれ相手方の同意なしに、かつ、相手方に対する対価の支払いの義務を負うことなく、自ら実施することができるものとする。
6. 甲及び乙は、前項に基づき相手方と共有する特許権等について、必要となる職務発明の取得手続（職務発明規定の整備等の職務発明制度の適切な運用、譲渡手続等）を履践するものとする。
7. 甲及び乙は、相手方に対し、対象データ等に係る知的財産権を、本契約の有効期間中、本契約の定めに従って利用することを許諾する。但し、甲及び乙は、本契約に明示したものを除き、相手方に対し、対象データ等に関する何らの権利も譲渡、移転、利用許諾するものではないことを相互に確認する。

(1) **本条の基本的考え方**

対象データおよび派生データについて、著作権等の知的財産権が生じることもある。そのため、本第8条では知的財産権についての定めを設けている。これらの知的財産権の帰属や利用についてどのように定めるかは、対象データの種類や知的財産権の内容により大きく異なるので、ケースバ

イケースである。

　例えば、事実に関するデータについては、**第4章**で述べる通り知的財産権が成立する場合が限定的であるため、対象データ等に知的財産権が生じないことが明らかな場合には、知的財産権に関する条項を設けないことも考えられる。

　本第8条では、著作権（主にデータベース著作権を想定している）と著作権以外の知的財産権（主に特許権を念頭に置いている）を分けて規定している。

　その理由は、著作権は無登録で発生することと、データに関して生じる知的財産権としては著作権が最も可能性が高いのに対し、特許権等は必ずしも発生するものではないことから、取扱いを分けることが実務上は都合がよいことが多いからである。もっとも、規定を簡略化するために、両者を1つにまとめて「知的財産権」として規定することも考えられる。

(2)　**本条の内容**

　本第8条は、著作権については、対象データに係る著作権は、両当事者の共有としている。著作権に限らず知的財産権を各当事者の単独保有とするか、共有とするかについては、選択的な記載としている。著作権を共有することにはさまざまなデメリットがあるが、データ創出型の場合にはどちらか一方に権利を帰属させるという議論になると話がまとまらないこともあるので共有も選択肢として挙げた。もっとも、各当事者が、以前から有していた著作物や、契約外で創出した著作物については、共有の対象から除外している。

　派生データの著作権の帰属については、別紙に記載するものとしている。規定しない場合には、著作権の規定（主に翻案権〔著作27条〕や二次的著作物の利用に関する権利〔同法28条〕）による規律を受けることになる。

　「派生データ」を「加工データ」と「本成果物」に分けて規定した場合には、本成果物の利用条件についても、本第6条1項と同様の規定を設けることになるが、分析結果のレポートなど著作物的性格が強いものについては、本第8条2項に入れ込むことや、あるいは新たに「本成果物に伴い生じた知的財産に関する著作権（著作権法27条及び第28条の権利を含む。）は、〇又は第三者が従前から保有していた著作物の著作権を除き、

□に帰属する。」との規定を設けることも考えられる。
　特許権等については、創作した者に権利が帰属すべきという発明主義に基づいて、単独で発明した場合には創作した当事者が単独で有するものとし、共同で発明した場合には共有とする規定としている。

9　対価・利益分配（第9条）

> 第9条（対価・利益分配）
> 1. 本契約に基づく対象データ等の利用の対価は、別途定める場合を除き、無償とする。
> ［1. 本契約に基づく対象データ等の利用の対価及び支払条件は別紙○に定めるとおりとする。］
> 2. 甲及び乙は、前条の規定に基づき対象データ等を第三者提供等する場合には、相手方に対して、当該第三者提供等に係る利益の分配として、売上金額の○％に相当する額（以下「分配利益額」という。）を支払うものとする。
> 3. 甲及び乙は、本契約に基づき対象データ等を第三者提供等する場合には、○か月毎（以下「計算期間」という。）に第三者提供等によって生じた売上金額その他の重要な事項に関する報告書を作成し、各計算期間の末日の属する月の翌月○日までに、相手方に対して提供するものとし、同月○日までに、当該報告書に記載された売上金額に係る分配利益額を支払うものとする。
> 4. 甲及び乙は、前項の報告書に記載すべき事項に関して適切な帳簿を作成し、保存・保管しなければならない。
> 5. 甲及び乙は、自ら又は代理人をして、本契約の有効期間中、合理的な事前の通知を行うことにより、相手方の営業時間内において、相手方が保管する当該帳簿の閲覧・謄写を行うことができる。

　対価・利益分配の算出方法のアプローチは**本章Ⅴ**において述べた通りであるが、いまだ一般的なプラクティスも確立されておらず、また、個々の案件の対象データ等も異なることから、個別の案件において対価等を決定するのは容易ではない。とはいえ、データ取引がより活発になり、データ

の利活用が促進されるためには、適切な利益の分配がなされることが必要であり、データ取引契約において、対象データ等の利用等の対価や第三者提供に関する利益分配の有無・支払方法等についても規定しておく必要がある。

当事者の一方がすでに対象データを保有している場合や一方だけが対象データの取得が可能な場合には、固定料金や従量課金（提供するデータ量に応じた課金）とすることも考えられるが、双方の技術やノウハウ等がなければデータが創出されない場合には、お互いに対象データに関しては無償で利用できるとすることもあり得る。

本第9条1項では、双方が対象データの創出に貢献していることを前提として、対象データ等の利用について、対価を支払わないとしている。

他方で、同条2項では、双方が貢献して創出された対象データまたはそれを加工等した派生データを第三者に提供し、利益を得た場合には、当該利益の一定割合を相手方に分配することとしている。また、このような利益分配の場合には、知的財産権のライセンスにおけるロイヤリティと同様に、一定割合の基準となる売上金額を正確に把握する必要がある。そのため、同条3項以下では、分配額の計算の報告、帳簿の作成・保存義務や、閲覧・謄写を行う権利を定めている。

なお、対象データ等の利用について有償とする場合もあり得ることから、その場合の規定も参考として［　］で示している。

また、対象データ（等）の利用対価を定める場合の具体的規定は、①従量課金、②固定料金、③売上配分に応じて以下のものが考えられる。以下の条項は、提供型において対象データの利用の対価について定める場合を想定している。

【①従量課金の場合】
1. 乙は、対象データを利用する対価として、甲に対し、別紙の1単位あたり月額●円（消費税別）を支払うものとする。
2. 前項の対象データの利用の対価の計算は、月の初日から末日までを1月分として計算し、乙による対象データの利用可能な期間が月の一部であった場合、対価は利用可能な期間の日割り計算によるものと

する。
3. 甲は、毎月月末に［甲が提供した／乙が利用した］単位数を集計し、その単位数に応じた対価を翌月●日までに乙に書面（電磁的方法を含む。以下同じ。）で通知する。
4. 乙は、本契約期間中、第１項に定める金額に消費税額を加算した金額を、前項の通知を受領した日が属する月の末日までに甲が指定する銀行口座に振込送金の方法によって支払うものとする。なお、振込手数料は乙の負担とする。

【②固定料金の場合】
1. 乙は、対象データを利用する対価として、毎月月末までに月額●円（消費税別）を甲が指定する銀行口座に振込送金の方法によって支払うものとする。なお、振込手数料は乙の負担とする。
2. 前項の対象データの対価の計算は、月の初日から末日までを１月分として計算し、乙による対象データ等の利用可能な期間が月の一部であった場合、対価は利用した期間の日割り計算によるものとする。

【③売上配分の場合】
1. 乙は、本契約の有効期間中、各計算期間（［４月１日から翌年３月31日まで］の期間とする。）における●によって生じた売上金額その他甲の指定する事項に関する報告書を作成し、当該計算期間終了後［15］日以内に甲に対して提出しなければならない。
2. 乙は、●によって生じた売上金額の●％（消費税別）を、対象データ等を利用する対価として、第１項に定めた報告書を提出した日の翌月末日までに、甲が指定する銀行口座に振込送金の方法によって支払うものとする。なお、振込手数料は乙の負担とする。
3. 乙は、第１項に定める報告書に記載する事項に関して適正な帳簿を作成し、これを本契約の有効期間中、保存・保管しなければならない。甲またはその代理人は、本契約の有効期間中、乙に対して事前の通知を行うことにより、乙の営業時間内において、当該帳簿の閲覧及び検

査を行うことができる。
4. 甲は、前項における帳簿の閲覧及び検査により知り得た乙の機密事項を第三者に開示又は漏えいしてはならない。また、甲は、帳簿の閲覧及び検査により知り得た乙の機密事項を前項以外のいかなる目的又は用途にも利用してはならない。

10　対象データの保証／非保証（第10条）

第10条（対象データ等に係る保証）
1. 甲及び乙は、それぞれ相手方に対して、本契約に基づき相手方に提供した対象データ（以下「提供対象データ」という。）の正確性、完全性（提供対象データに瑕疵又はバグが含まれていないことを含む。）、安全性（提供対象データがウィルスに感染していないことを含む。）、有効性（提供対象データの本件目的への適合性を含む。）その他の品質及び第三者の知的財産権その他の権利を侵害しないことに関し、いかなる保証もせず、一切の責任［(契約不適合責任を含むがこれに限られない。)］を負わないものとする。
2. 甲及び乙は、提供対象データに第三者の知的財産権の対象となるデータが含まれる場合その他の相手方の利用について制限があり得ることが判明した場合には、速やかに相手方と協議の上、協力して当該第三者のからの利用許諾の取得又は当該データを除去する措置その他の相手方が利用できるための措置を講じるよう努力するものとする。
3. 前二項の規定にかかわらず、甲及び乙は、以下のいずれかの事由を原因として、相手方に損害を被らせた場合には、当該損害を賠償する責任を負うものとする。
   (1) 対象データの全部又は一部を改ざんして、相手方に提供した場合
   (2) 提供対象データの正確性、完全性、安全性、有効性のいずれかに問題があること、又は、当該提供対象データが第三者の知的財産権その他の権利を侵害していることを、故意若しくは重大な過失により相手方に告げずに提供した場合

(3) 違法な方法によって取得された提供対象データを相手方に提供した場合

⑴ 品質保証をしない場合

データがどのような品質を有するべきかについては、当事者の合意内容による。品質問題が訴訟で争われる場合には、裁判所は、当事者の合意内容を契約書の記載等により認定するが、必ずしも、契約書の記載に限られず、仕様書やサービスの説明パンフレット、当事者間のやりとりなども考慮される。もっとも、当事者間のやりとりは多義的・不明確なことも多く、裁判所は、契約書の記載を重視する傾向があることはいうまでもない。

データの品質問題（責任問題）や実務上の問題点については、**本章Ⅳ**で解説したところであるが、データの品質のデータ取引における重要性に鑑みて、契約に品質保証について規定しておく必要性が高い。データの品質としては、主に、正確性、完全性、安全性、有効性が挙げられるが、必ずしもそれに限られるものではない。

データの品質に関する規定として、①品質に関する合意、②表明保証、③契約不適合責任に関する規定、④品質に関して一切の保証をしないことが考えられる。なお、①〜③の規定を設けることは排他的ではなく、重ねて規定することは可能である。

本第10条では、④の規定としている。すなわち、本第10条では、どちらか一方が取得・保有するデータを相手方に提供するのではなく、両者で新たにデータを取得する場合を念頭に、対象データの正確性、完全性、安全性、有効性についてはお互いにいかなる保証せず、一切の責任を負わないことを規定している。

①品質に関する合意と②表明保証は契約に積極的に規定しない限り、データ提供者が表明保証責任を負うことがないが、③契約不適合責任に関しては本第10条により、同責任の適用を排除されることになる。ただし、データ提供の対価を無償とする場合には、契約不適合責任は生じない（民559条）ことから、契約不適合責任の免責規定を設ける必要はない。

なお、本第10条ではいかなる保証もせず、一切の責任を負わないとしていることから、条文中に挙げられている正確性、完全性、安全性、有効

性、第三者知的侵害権の非侵害は例示である。第三者知的侵害権の非侵害を同一条文中に規定しているが、品質の問題ではないので、別の条文に規定することも考えられる。

データ取引の性質によっては、データの品質について保証することも考えられる。本第10条では、データ品質について細かく規定していないが、データの品質が重要な場合には、より詳細な規定をすることも考えられる。

また、取引の性格やデータの性質によっては、保証はしないものの正確性等を確保する努力義務や、データの出所についての保証を規定することはあり得る。努力義務の規定を設けた場合、対象データが正確でなかったことのみで債務不履行責任が問われるものではないが、正確性等に疑義が生じている中で漫然と提供したような場合には、債務不履行責任が問われることになる点に注意が必要である。

ただし、正確性等を保証しない場合であっても、担保責任の免責特約は故意・重過失の場合には無効とされ得ることに鑑み、本第10条3項では、データを改ざんした場合、正確性等に問題があることを知りながら悪意・重過失で告げなかった場合、データを違法な方法で取得した場合には、相手方が被った損害を賠償することとしている。

当事者が、提供するデータの精度が低いことを知っている場合にこれに該当するかが問題となるが、本(2)号では精度が低いことについて「告げなかった場合」に責任が生じるとされていることから、相手方に精度が低いことを説明していれば本(2)号の責任を負うことはない。データの精度が低いのであれば、通常は、事前に相手に説明すべきであるから、本(2)号の規定は当事者に過度の負担を課すものではないと考える。

なお、正確性等の保証は、相手方に提供するデータについて問題になるものであり、自らが保有し利用するデータについては保証は問題にならないことから、保証の対象は相手方に提供するデータに限定するため、「提供対象データ」という定義を設けている。

(2) **品質保証をする場合**

本第10条とは異なり、データの品質保証をする場合には、①品質に関する合意をする、②表明保証をする、③契約不適合責任に関して積極的な規定を設けることが考えられる。

① 品質に関する合意をする場合については品質の内容についてできるだけ具体的に特定することが望ましい。
② 表明保証については、表明保証の対象をどのように規定するか、また表明保証違反があった場合の救済方法の規定（補償条項等）が問題となる。表明保証条項については、表明保証条項がよく用いられるM&A契約の表明保証条項の議論が参考になる。
③ 契約不適合責任については、契約で排除しない限り、契約に明示しなくても民法の規定により、当事者には、損害賠償請求権、解除権、追完請求権、代金減額請求権が救済手段として認められる。もっとも、何が契約不適合なのかは一義的に明確にはならないことが多いため、契約で何が契約不適合となるのかを定めることが望ましい。また、救済手段について、より詳細な規定を設けたり、修正を加えることは考えられる。

11 対象データ等の管理（第11条）

第11条（対象データ等の管理）
1. 甲及び乙は、善良な管理者の注意をもって、相手方から受領した対象データ等（以下、「受領対象データ等」という。）を自らが保有する他のデータと識別可能な状態で、適切な管理手段により管理・保管しなければならないものとする。
2. 甲及び乙は、本契約に別途定めがある場合を除き、相手方の事前の書面による承諾なく、受領対象データ等を第三者に対して開示、提供又は漏えいしてはならず、自己の営業秘密と同等以上の管理措置を講じるものとする。甲及び乙は、受領対象データ等を、本契約に定める範囲内で、本件事業を遂行するために合理的に知る必要のある自己の役員及び従業員に対してのみ開示することができる。
3. 甲及び乙が自ら保有する対象データ等の管理・保管費用については、各自の負担とする。
4. 甲及び乙は、相手方が保有する対象データ等の管理状況について、相手方に対して、合理的に必要な範囲で、書面（メールその他の電磁

的方法を含む。以下同じ。）による報告を求めることができる。当該報告に関して、甲又は乙は、相手方において対象データ等の漏えい又は喪失のおそれがあると判断した場合には、相手方に対して対象データ等の管理方法・保管方法の是正を求めることができる。
5. 前項の報告又は是正の要求がなされた場合、相手方は速やかにこれに応じなければならない。
6. 甲及び乙は、本契約が終了したときは、対象データ等のうち契約終了時における廃棄又は消去するものとして別紙3に定めたものについて、速やかに廃棄又は消去するものとする。
7. 甲及び乙は、前項に基づき廃棄又は消去する義務を負うデータ以外の対象データ等について、本契約に定める利用条件で引き続き利用できるものする。

別紙3　契約終了時に廃棄又は消去されるデータ

	データ名	対象データ／加工データ	対象期間
1	○○○	○○【別紙1又は2を引用する等して特定する】	【○年○月○日～○年○月○日】の期間に取得されたもの
2	○○○		

　対象データ等についての管理の規定も重要な規定である。モデル契約では、対象データ等についての管理に関して以下の規定を設けている。
　第1に、対象データ等とその他のデータの混同（コンタミネーション）を防止するために、分別管理をしておく必要がある場合がある。そのため、本第11条1項で相手方から受領した対象データ等について、分別管理をする規定を定めている。
　第2に、本第11条2項では、相手方から受領した対象データ等の第三者開示・提供を原則として禁じる規定を設けている。第三者開示・提供の禁止については、どのようなレベル感で設定するかが検討対象となる。
　対象データ等を不正競争防止法上の営業秘密として保護したい場合には、相手方にも「自己の営業秘密と同等以上の管理措置」を講じることを求めることが考えられ、本第11条1項もそのような規定としている。もし、

対象データ等を不正競争防止法上の限定提供データとして管理する場合には、この部分は「限定提供データとしての管理措置」を講じることを規定することになる。ただし、契約にそのように規定したからといって、必ずしも営業秘密や限定提供データの要件を満たすわけではなく、事実状態としてそれらの要件を満たすことが必要であり、契約書にそのような規定を設けることは当事者の認識を確認する意味と、裁判になった場合の補強材料にすぎないことについて留意が必要である。

　第3に、対象データ等の保管・管理の方法も事案によってさまざまなパターンが考えられる。例えば、もともと一方の当事者が有していた設備・システム等を利用してデータを収集する場合には、当該設備・システムの維持・運用の費用を一方当事者だけが負担することにもなりかねない。そのような場合には、利用条件の設定や対象データ等の利用に係る対価の支払等で調整されることが多いと思われるが、管理・保管の費用負担についても明示的に規定しておくことが望ましい。この点、本第11条3項では、当事者双方が自らの管理・保管費用を負担することとしている。

　第4に、継続的に相手方の対象データ等の管理方法・保管方法をチェックするため、本第11条4項・5項で、状況の報告を求め、必要に応じて是正要求をすることができる旨を定めている。なお、対象データ等が外部に漏洩・喪失すれば双方に損失が生じる可能性があることから、相手方から受領したデータか否かにかかわらず、対象データ等の管理について報告義務・是正義務を定めている。

　第5に、契約終了後の対象データ等の取扱いを定める必要がある。契約については終了することが想定されていることから、その場合の対象データ等の取扱いを定めておくことは重要である。

　契約終了時にデータを破棄・消去するか、あるいは引き続き利用等を続けることができるかについては、対象データ等の性質や取得方法によって異なり、ケースバイケースである。本第11条6項・7項では、契約終了後に対象データ等をすべて破棄・消去するのではなく、明示的合意したものだけを破棄・消去するものとし、それ以外は、引き続き契約に定めた利用条件で利用できるという規定にしている[注31]。その理由は、データは他のデータと統合や分析して利用する結果、元データに関連するデータを契

約終了後に全て破棄・消去することは事実上困難であり、またデータ利活用を阻害するおそれがあることによるものである。

なお、本第11条の規定については、本契約の終了後も存続するものとされている（第22条1項）。これは、モデル契約では、契約の終了後も対象データ等の利用を認めていることから、対象データ等の管理義務を存続させることを想定しているからである。もっとも、これもケースバイケースであり、もし、契約の終了後も対象データ等の利用を認めないような場合には、契約終了後は対象データ等の管理義務は消滅すると規定するのが通常であろう。また、契約の終了後に利用できる対象データ等の性質によっては、契約終了後は本第11条のような厳格な管理義務を課さずに、より緩い規定や秘密保持義務の規定（第17条）を適用することも考えられる。データの消去には一定の時間がかかることもあることから、契約終了後すぐに消去するという規定ではなく、一定期間までに消去するという規定も設けることも考えられる。

12　委託（第12条）

第12条（委託）
1. 甲及び乙は、本契約に定める利用条件に予め規定されている場合、又は本契約の他の当事者（以下「相手方」という。）の事前の書面による承諾を得た場合を除き、本契約遂行のための業務（以下「本業務」という。）を第三者に委託してはならない。
2. 甲及び乙が本契約に定める利用条件に従って又は前項に基づく相手方の承諾を得て本業務を第三者に委託する場合は、十分な個人情報の保護水準を満たす委託先を選定するとともに、当該委託先との間で本契約と同等の内容を含む契約を締結し、その写しを相手方に提出しなければならない。この場合、甲及び乙は本契約に基づき自らが負担する義務を免れない。

本第12条は委託に関する規定である。実際にも、委託先からデータが

注31）逆に、引き続き利用できる対象データ等のみを列挙することも考えられる。

流失したり、外部企業に委託したことによりトラブルが生じた例もあり、おろそかにできない規定である。

対象データ等については第三者提供・開示を制限していることを前提に、業務を委託する場合には相手方当事者の同意を必要とするものとしている。

また、委託する場合であっても、委託先に秘密保持義務等を負わせることや、委託先の責任を負うことを規定している。

13　個人情報の取扱い（第13条・14条）

第13条（個人情報の取扱い）
1. 甲及び乙は、相手方に提供する対象データ等に個人情報の保護に関する法律（以下「個人情報保護法」という。）に定める個人情報等が含まれる場合には、別紙4に定める区分に従い、相手方に対して、あらかじめその旨を明示しなければならない。
2. 甲及び乙は、別紙4に定める区分に従い、対象データ等の生成、取得及び提供等に際して、個人情報保護法に定められている手続を履践していること保証する。
3. 甲及び乙は、自らが保有する対象データ等に個人情報等が含まれる場合には、個人情報保護法を遵守し、個人情報等の管理に必要な措置を講じるものとする。

第14条（対象データ等の訂正及び利用停止）
1. 甲及び乙は、対象データ等の内容について、個人情報等によって識別される特定の個人（以下「利用者」という。）からの請求に基づく訂正、追加又は削除（以下「訂正等」という。）を行った場合は、訂正又は追加された対象データ等を相手方に提供し、また、削除された対象データ等の項目を相手方に通知し、当該通知を受けた相手方は速やかに当該対象データ等の訂正等を行うものとする。
2. 甲及び乙は、対象データ等について、利用者からの請求に基づく利用停止又は消去（以下「利用停止等」という。）を行った場合には、利用停止等された対象データ等の項目を相手方に通知し、当該通知を

受けた相手方は速やかに当該対象データ等の利用停止等を行うものとする。
3. 前二項にかかわらず、対象データ等について甲又は乙が訂正等及び利用停止等を行った場合であっても、訂正等及び利用停止等を行うことが困難かつ利用者の権利利益を保護するために必要な代替措置を講じる場合については、相手方は訂正等及び利用停止等を行わないことができる。

別紙4　個人情報の手続履践

	データ名	第11条第1項に基づく明示及び第2項に基づく保証をする当事者
1	甲の従業員に関する個人情報	甲
2	乙の顧客に関する個人情報	乙

　対象データ等に個人情報保護法上の個人情報が含まれる場合には、同法が定める個人情報等の取得時の通知・公表、安全管理措置、第三者提供の制限等を遵守する必要がある。
　そこで、本第13条1項では、まず対象データ等に個人データ等が含まれているか否かについて、相手方が認識できるように、対象データ等に個人情報等が含まれる場合には相手方に明示するものとしている。
　その上で、両当事者が個人情報保護法を遵守すべきことを規定している（第13条2項・3項）。
　本モデル契約では規定を設けていないが、責任の所在を明確にするため、個人情報保護の責任者を明記しておくことが望ましい場合もあるだろう。
　また、個人情報保護法において、個人データに関する本人の訂正、追加、削除、利用停止権が認められている趣旨に鑑みて、本第14条で、原則として、これに応じる規定を設けている。ただし、個人情報保護法においても本人の訂正、追加、削除、利用停止に応じない場合として認められている「訂正等及び利用停止等を行うことが困難かつ利用者の権利利益を保護するために必要な代替措置を講じる場合」については、訂正等・利用停止等をしなくてもよいと規定している。

14　情報セキュリティ等（第15条）

> 第15条（情報セキュリティ等）
> 甲及び乙は、本契約の有効期間中、対象データ等を取扱うに当たり、漏えい、滅失、毀損等のリスクに対し、必要かつ適切な安全管理措置を講じるものとする。

　データビジネスにおいては情報セキュリティの確保は重要である。どの程度の情報セキュリティのレベルを求めるかについては、取り扱うデータの性質にもよる。もっとも、業界における標準程度の情報セキュリティは確保しておくことは望ましく、本条はその旨を規定している。より高度のセキュリティを求める場合には、セキュリティの仕様を記載することも考えられる。

15　対象データ等の漏えい時の対応・責任（第16条）

> 第16条（対象データ等の漏えい時の対応及び責任）
> 1. 甲及び乙は、対象データ等の漏えい、喪失、利用条件を越えた利用、加工等その他の本契約に違反する対象データ等の取扱い（以下「対象データ等の漏えい等」という。）を発見した場合、又は、対象データ等の漏えい等が合理的に疑われる場合には、直ちに相手方に対してその旨を通知しなければならない。
> 2. 前項の場合には、当該通知をした甲又は乙は、自己の費用と責任において、直ちに対象データ等の漏えい等の事実の有無を確認するための調査をしなければならない。当該調査によって対象データ等の漏えい等が確認された場合には、速やかにその原因を究明した上で合理的に必要となる再発防止策を策定し、相手方に対して報告しなければならない。
> 3. 前項に基づき再発防止策を報告した甲又は乙は、当該再発防止策を適切に実施するものとする。

　対象データ等の管理・取扱方法だけでなく、漏えいや契約違反の利用があった場合の対応・責任についても規定しておくことが望ましい。

漏えい等に対処するためにはまずは状況を正確に把握する必要があることから、本第16条1項では、漏えい等が発生した場合における相手方に対する通知義務を定めている。次に2項および3項では、通知後の事実確認、原因の調査と再発防止策の策定と実施を規定している。

16　秘密保持義務（第17条）

第17条（秘密保持義務）
1. 甲及び乙は、本契約に関して相手方から開示を受けた情報（但し、受領対象データ等を除く。以下「秘密情報」という。）を厳に秘密として保持し、これを本件目的のためのみに利用するものとし、本件目的の達成に必要な範囲内で、自己の役員・従業員又は弁護士、税理士、公認会計士その他の専門家に対して開示する場合を除き（但し、甲及び乙は、これらの者に対して秘密情報を開示する場合に、当該秘密情報の開示を受ける第三者が法律上守秘義務を負う者でないときは、当該秘密情報の取扱いについて本契約に定める秘密保持義務と同一の義務をこれらの者に負わせるものとする。）、相手方の書面による承諾なく、第三者に開示、提供、漏えいしてはならない。
2. 前項の規定にかかわらず、次の各号のいずれかに該当する情報は、秘密情報にはあたらないものとする。
   (1) 相手方から開示された時点で、既に公知となっているもの
   (2) 相手方から開示された後で、自らの責に帰すべき事由によらず公知になったもの
   (3) 相手方から開示された時点で、既に自ら保有していたもの
   (4) 相手方から開示された後に、正当な権限を有する第三者から開示に関する制限なく開示されたもの(5)相手方から開示された秘密情報を使用することなく自らが独自に開発・認知した情報
3. 第1項の規定にかかわらず、甲及び乙は、法令、規則又は司法・行政機関等による規則若しくは規制又は司法・行政機関等により秘密情報の開示が要請される場合には、当該要請に応じるために必要な範囲で、秘密情報を開示することができる。但し、かかる場合には、秘密

> 情報を開示しようとする当事者は、相手方に対して、事前に（但し、緊急を要する場合には、開示後速やかに）、開示する秘密情報の内容を書面により通知するものとする。
> 4. 甲及び乙は、相手方から開示された秘密情報の返還又は破棄の要請がなされた場合には、当該要請に従い、相手方から開示された秘密情報に関する文書、電子メール、電子記憶媒体その他の物及びそれらのあらゆる形態の写しを返還又は破棄するものとする。
> 5. 本条に基づく義務は、本契約が終了した後も〇年間存続する。

　秘密保持については**本章Ⅵ**において詳述した通り、秘密保持義務を負うこととなる「秘密情報」の定義と、その例外規定が主に問題となる。本第17条1項では、秘密情報の定義は、相手方から開示を受けた情報という最も広い範囲としている。

　もっとも、対象データ等の秘密保持義務については、第三者提供や管理に関連して、第5条・第6条・第11条等で別途定められているので、本条の「秘密情報」から相手方から受領した対象データ等を除外している。

　また、本第17条1項および3項では、秘密情報を例外的に開示することができる場合として、ごく一般的に定められているものと同様に、役員・従業員・専門家に開示する場合と司法・行政機関等から要請された場合を定めているが、これに加えて、親会社や子会社などのグループ会社には、同等の秘密保持契約を締結することを前提に開示することができるという取扱いにすることも考えられる。

　なお、本第17条に基づく秘密保持義務については、第5項で有効期間を契約書の有効期間と別途定めている。これは、契約終了後においても秘密保持義務を当事者に負わせる必要性があることと、他方で、比較的広汎に定義されている秘密情報については、管理の観点から秘密保持義務を永久に負わせるのは過大な負担となることから一定の期限を設けたものである。

17　損害賠償・免責（第18条・19条）

第18条（損害賠償）
1. 甲及び乙は、自らの本契約の違反に起因又は関連して相手方が被った一切の損害、損失、又は費用（合理的な弁護士費用を含み、以下「損害等」という。）を、相手方に対して賠償する責任を負うものとする。
2. いずれの当事者（以下、補償を行う義務を負う当事者を「補償当事者」といい、補償を受ける当事者を「被補償当事者」という。）も、対象データ等の利用に起因又は関連して第三者との間で紛争、クレーム又は請求（以下「紛争等」という。）があった場合、これらに関する損害の補償を本条に基づき請求するときには、速やかに当該紛争等の内容を補償当事者に対して書面により通知するものとし、補償当事者は、その費用と責任で紛争等を解決する。被補償当事者は、補償当事者の事前の書面による承諾なく、紛争等につき第三者の主張を認め又は和解若しくは請求の認諾等をしてはならないものとする。

第19条（免責）
1. 前条の規定にかかわらず、本契約の有効期間中において、天災地変、戦争、暴動、内乱、自然災害、停電、通信設備の事故・クラウドサービス等の外部サービスの提供の停止又は緊急メンテナンス、法令の制定改廃その他甲及び乙の責めに帰すことができない事由による本契約の全部又は一部の履行遅滞若しくは履行不能については、甲及び乙は責任を負わないものとする。
2. 甲及び乙は、相手方による対象データ等の利用に関連する、又は対象データ等の利用に基づき生じた発明、考案、及び営業秘密等に関する知的財産権の利用に関連する一切の損害等に関して責任を負わないものとする。

(1)　損害賠償規定

　本第18条では、契約違反の場合の一般的な損害賠償責任を定めている。本規定では、損害賠償の範囲を通常損害に限定していないが、通常損害に

限定することも考えられる。

また、本規定では損害賠償の上限規定を設けていないが、上限規定を設けることも考えられる。その場合には、利用対価が有償の場合には利用対価を基準として（例えば〇か月分の利用料金）上限額を定めることが一般的である。

(2) 免責規定

免責規定として、本第19条を設けているが、天災地変等だけでなく、通信設備やクラウドサービス等の外部サービスの停止や法令改正等による場合にも、不可抗力免責を認めることとしている。さらに、相手方による対象データ等に関する知的財産権の利用に関連する一切の損害等については責任を負わないことを明記している。

本第19条1項は、不可抗力の場合の免責規定を定める規定であり、第2項は、データ受領者のデータの利用についてデータ提供者の免責を定める規定である。

いずれも、データ提供者側の故意・過失は問題になることは考えにくいことから、データ提供者が故意・重過失の場合に免責規定の例外とする旨の規定は設けていない。

モデル契約は、事業者間でのデータ取引を想定しているので、消費者契約法の適用はないが、消費者が相手方となる場合には、消費者契約法が適用される。消費者契約法では、全部免責規定は無効とされ（同法8条1項）、故意・重過失がある場合には一部免責規定も無効とされる（同条2項）。言い換えると、行為者に故意・重過失がある場合には、全部免責規定・一部免責規定のいずれも無効となる。行為者に軽過失がある場合には、全部免責規定は無効となるが、一部免責規定は有効となる。そのため、消費者が当事者の一方となる場合には、消費者契約法に対応した免責規定を設ける必要がある[注32]。

また、事業者間でのデータ取引であっても、データ提供者が故意・重過

注32) 消費者との交渉に有利にするために、消費者契約法で無効であるにもかかわらず、全部免責規定を利用規約に規定する実務もあるが、本書はそのような立場をとらない。

失の場合の免責規定は、裁判例上[注33]、無効となる可能性がある点に留意する必要がある。

18　有効期間（第20条）

> 第20条（有効期間）
> 本契約の有効期間は、本契約の締結日から〇年間とする。但し、当該有効期間の満了日から〇か月前までに当事者のいずれかから書面による契約終了の申し出がないときは、本契約と同一の条件で、さらに〇年間継続するものとし、以後も同様とする。

本第20条は、当初の有効期間を一定期間に区切りつつ、両当事者から終了の申出がない時は、同一条件で自動更新する旨の規定としている。当初の有効期間をどの程度にすべきかは、ケースバイケースであるが、初期投資やデータ収集のための機器・設備の耐用年数、目的とするデータを取得するのに要する期間等も踏まえて検討されることになる。また、終了の申出がどの程度事前にされるべきかは、当該契約を終了させることによるインパクト、他の契約相手を見つける必要がある場合にはその準備に要する期間等も踏まえて決定することになるであろう。

19　一般条項（第21条以下）

本第21条以下は一般条項である。本章での記載は省略しているので、条項例は巻末のモデル契約を参照していただきたい。

(1) 解除条項

本第21条では、1項で通常の解除条項を規定していることに加えて、2項で、契約違反等はないものの、相手方が反社会的勢力と関係があった場合に即時に契約解除できるように、一般的な反社会的勢力排除条項を規定している。1項の解除条項については、通常の契約の解除事由として規定されるものを列挙しているが、それに加えて、データは競争力の源泉となることから、自らの事業と競合する第三者に相手方が買収された場合な

注33）前掲注18）東京地判平成26・1・23。

どを解除事由として規定しておくこと（いわゆるチェンジオブコントロール条項）も考えられる。

(2) **存続条項**

本第22条では、契約終了後にも存続する条項を定めている。一定の規定は契約終了後も効力を残す必要があるので、このような規定を設ける必要がある。モデル契約では、契約の終了後も対象データ等の利用を認めているので、対象データ等の管理義務も存続するという規定にしている。契約の終了後も対象データ等の利用を認めない場合には、契約終了後は対象データ等の管理義務は消滅すると規定するのが通常であろう。

(3) **準拠法**

本第25条では準拠法を日本法としているが、相手方当事者が外国企業の場合には、交渉によっては外国法とせざるを得ない場合もあるであろう。そのような場合には、データの取扱い、特に個人情報については国や地域によって大きく異なり得ることから、準拠法となる現地の法律事務所の適切なアドバイスを受けることが望ましい。

(4) **完全合意条項**

データに関連する過去の契約が存在する場合や、関連契約を締結する場合もあり得るため、完全合意条項は設けていない。

20 検討ポイントのまとめ

以上のデータ利用契約を検討するに当たって主なポイントを一覧にまとめると、【図表3-7】の通りであるが、実際の案件で契約条項を作成するに当たっては、多角的な観点から検討・確認する必要がある。

すなわち、経営企画や営業等のビジネスの担当者、データを共有するシステムの技術担当者、法務担当者それぞれが意図しているところが異なっていることもあるため、ビジネスサイドの要望を踏まえて、技術的にどのようなものが可能か、それを法的に契約条項として規定するとどのような文言となるかを検討して契約書案を作成し、ビジネスサイド、技術者サイドの意図するところが正確に反映されているかをそれぞれが確認しながら作成していくことが望ましい。

【図表3-7】データ利用契約の検討のポイント

	項　目	概　要
①	目的	➤データ取引の目的・範囲
②	対象データ等の定義	➤対象データ（項目、粒度、量、ファイル形式等） ➤加工データ・派生データ
③	対象データの取得・収集方法・提供方法等	➤対象データ取得・収集の主体・方法・スキーム ➤提供方法・共有方法
④	対象データの利用条件	➤対象データごとの利用条件（利用目的、加工等の可否、第三者提供（譲渡または利用許諾）の可否）の配分 ➤アクセス方法等
⑤	派生データの利用条件	➤派生データの利用条件 ➤アクセス方法等
⑥	第三者提供の可否	➤第三者提供の禁止または提供可能な方法・範囲（グループ会社等への提供の可否）
⑦	対象データ等の知的財産権	➤対象データの知的財産権の帰属 ➤派生データの知的財産権の帰属
⑧	対価・利益分配	➤対象データ等の提供・利用の対価 ➤第三者提供から生じる利益の分配 ➤売上金額等の報告、帳簿の作成・保存・閲覧等
⑨	対象データの保証／非保証	➤正確性・完全性・安全性・有効性 ➤第三者の権利の非侵害 ➤悪意・重過失の場合の取扱い ➤対象データの取得・利用の適法性
⑩	対象データ等の管理	➤区分管理 ➤善管注意義務 ➤第三者への非開示義務 ➤営業秘密・限定提供データとしての管理 ➤管理状況の報告・是正要求 ➤契約終了時の対象データ等の取扱い
⑪	委託	➤第三者への委託の可否
⑫	個人情報の取扱い	➤個人情報保護法の手続の履践 ➤匿名加工情報を提供する場合はその明示 ➤安全管理措置

⑬	対象データ等の訂正及び利用停止	➤個人から訂正・利用停止等の請求があった場合の対応方法
⑭	情報セキュリティ	➤情報セキュリティのレベル
⑮	対象データ等の漏えい時の対応・責任	➤相手方への通知 ➤原因調査・再発防止策
⑯	秘密保持義務	➤秘密情報の定義（秘密情報から除外される情報） ➤例外的な開示事由
⑰	損害賠償・免責	➤損賠賠償の制限 ➤第三者との紛争の対応 ➤不可抗力免責
⑱	有効期間・解除	➤当初の有効期間 ➤更新の条件 ➤解除事由・残存条項
⑲	一般条項	➤費用負担 ➤権利義務の譲渡禁止 ➤準拠法・紛争解決（裁判管轄） ➤誠実協議

第4章
データの知的財産に関する法律

> 本章では、データについて、知的財産法においてどのように取り扱われるかについて解説する。本章で取扱う知的財産法は以下の通りである。
> (1) 不正競争防止法
> データは「営業秘密」や「限定提供データ」として不正競争防止法により保護される場合がある。
> (2) 著作権法
> データが著作物に該当する場合には著作権法で保護される。そこで、どのようなデータが著作物に該当するのか、またどのように保護されるのかについて解説する。
> (3) 特許法
> データに関して特許権が成立する場合がある。どのような場合に特許権が成立するのか等について解説する。

I 総論

 データについては知的財産法によって保護される場合があるため、その利活用に当たっては知的財産法の知識が必要となる。また、すでに**第3章**において、データに関する契約について説明をしたが、データに関する契約をするに当たっても、知的財産に関する条項が設けられることもあることから、知的財産法を知っておくことは重要である。
 データを収集・加工するためには多くの労力や費用を投下することが必要となる場合が多い。そのため、データを作成・保有する者としては、データをどのように保護するかが問題となる。
 知的財産法は、知的活動によって生み出された財産的価値のある情報のうち一定のものを法的に保護している[注1]。もっとも、知的財産法という

【図表 4-1】知的財産（権利）型と秘密（利益）型の対比

区　分	知的財産（権利）型	秘密（利益）型
情報の公開性	公開して守る	秘匿して守る
排他性と要式性	事前に禁止権（許諾権）を付与 著作権を除き方式主義	保護利益の侵害から事後的に救済。権利ではないので手続は不要だが、事後的に裁判所から「利益」として認めてもらう必要がある。
法的効力	世間一般に対して（対世効）	原則として関係当事者間において
排他性の限界あるいは自己責任	保護期間の有限性、強制許諾（特許権）・公正使用（著作権）など	法的な排他権がないので、情報保有者に秘密を管理する責任が生ずる
救済、抑止手段	損害賠償、差止め、刑事罰	損害賠償、（ごく一部について）刑事罰、差止めは原則不可

＊林・後掲注3）91頁。

名前の法律があるわけではなく、知的財産に関するさまざまな法律の総称である。個別の法律としては、特許法、実用新案法、著作権法、商標法、意匠法、種苗法、半導体回路配置法[注2]、不正競争防止法などがある。これらの法律によって保護される対象が知的財産である。

　知的財産法により定められた権利や法律上保護される権利や利益は、知的財産あるいは知的財産権と呼ばれるが、知的財産や知的財産権を有していれば、原則として、自らが独占的に利用でき、それを侵害する者に対し

注1）知的財産基本法では「知的財産」は「発明、考案、植物の新品種、意匠、著作物その他の人間の創造的活動により生み出されるもの（発見又は解明がされた自然の法則又は現象であって、産業上の利用可能性があるものを含む。）、商標、商号その他事業活動に用いられる商品又は役務を表示するもの及び営業秘密その他の事業活動に有用な技術上又は営業上の情報」と定義され、「知的財産権」は「特許権、実用新案権、育成者権、意匠権、著作権、商標権その他の知的財産に関して法令により定められた権利又は法律上保護される利益に係る権利」と定義されている（同法2条1項・2項）。

注2）正式名称は、「半導体集積回路の回路配置に関する法律」である。

て差止請求や損害賠償請求をするなどの措置をとることができる。

　逆に、データを利用する側の観点からすれば、データを利用する際に他人の知的財産や知的財産権を侵害しないようにしなければならない。データを受領する場合、特にプラットフォーム運営者の場合には、第三者の著作物の可能性があるデータを取り扱う場合に、そのデータの利用について、著作権者の許諾を得なくてはならないかが問題となる。その場合、まず、データが著作物かが問題となり、次に、著作物であったとしても、著作権法により著作権者の許諾を得なくても利用できるかが問題となる。

　現行法における情報の保護方式は、「知的財産型」（事前の権利付与型）と「秘密型」（事後の利益救済型）とに分かれている（【図表4-1】）[注3]。著作権法・特許法は知的財産型であり、不正競争防止法は秘密型である。

　以下、データに関する知的財産法のうち主要なものと考えられる①不正競争防止法、②著作権法、③特許法を解説する。次に、データの不正アクセス・不正利用からの刑事法による保護に関して、④不正アクセス禁止法、⑤刑法について解説する。

II　不正競争防止法

　不正競争防止法は、他人の技術開発、商品開発等の成果を無断で利用する行為（フリーライド）等を不正競争として禁止している。不正競争行為者に対して、差止請求や損害賠償請求をすることや、刑事罰を科すなど、不正競争防止法による法的保護を受けることができる。

　不正競争防止法は、著作権法や特許法などのように知的財産に物権的な権利を付与するという方法ではなく、営業秘密を不正の手段により取得・使用・開示する行為などの一定の行為を不正競争行為として規制することによって知的財産等を保護しようとするものであり、行為規制タイプの法律である。

注3）林紘一郎『情報法のリーガル・マインド』（勁草書房、2017）73頁。なお、不正競争防止法等は侵害のおそれのある行為も差止対象としており、予防的差止めが可能であることから、事前の救済方法がまったくないわけではないが、実務的には事後の救済が中心であるとはいえるであろう。

不正競争防止法によって保護されるデータとしては、「**営業秘密**」のデータと、平成30年改正により新たに追加された「**限定提供データ**」がある。なお、暗号化などによって技術的にプロテクトされたデータのプロテクトを外す装置・プログラム・サービスを提供する行為も不正競争とされており、技術的なプロテクト手段も不正競争防止法により保護されている。

不正競争防止法は、成果を開発するインセンティブを保護するために営業秘密を保護している。そこで、開発者が相応の努力を払って秘密管理をしている場合に、この秘密管理体制を突破しようとする行為を禁止している[注4]。限定提供データの保護や、技術的制限手段の回避行為を禁止するのも同じ理由によるものと考えられる。

不正競争防止法を使わなくても、契約で秘密保持条項を設けることで、相手方の秘密漏えいに対して差止請求や損害賠償請求をすることは可能である。しかし、契約の効力は契約の当事者ではない第三者には及ばない。これに対して、不正競争防止法であれば、第三者に対しても差止請求や損害賠償請求等ができることなどから、データ保有者としては、データを「営業秘密」や「限定提供データ」として、不正競争防止法によって保護することに独自の意味がある[注5]。

1　営業秘密

「営業秘密」を保有する者[注6]は、窃取・詐欺・強迫等の不正の手段により「営業秘密」を取得する行為[注7]や、不正の手段により取得した営業秘密を使用または開示する行為等に対して、差止請求、損害賠償請求、信用回復措置請求をすることができる（不競3条・4条・14条）。また、そのような行為をした者は刑事罰の対象となる（同法21条1項・3項）。

注4）田村・概説326頁。
注5）商品形態のデッド・コピー規制（不競2条1項3号）については、有体物に対してのみ適用され、無体物であるデータには適用されないため（東京高判昭和57・4・28判時1057号43頁）、データ保護に利用することはできない。
注6）正確には、不正競争によって営業上の利益を侵害され、または侵害されるおそれがある者である。
注7）不正競争防止法2条1項4号で「営業秘密不正取得行為」と定義される。

第 4 章　データの知的財産に関する法律

(1)　営業秘密とは

「**営業秘密**」とは、「秘密として管理されている生産方法、販売方法その他の事業活動に有用な技術上又は営業上の情報であって、公然と知られていないもの」（不競 2 条 6 項）であり、①**秘密管理性**、②**有用性**、③**非公知性**の 3 要件を満たすことが必要である。

そのため、データを営業秘密として保護するためには、前記 3 要件を満たす必要がある。このうち②の「事業活動に有用な技術上又は営業上の情報」という要件は、少なくとも法的な保護を検討する必要のあるデータは満たしているのが通常であるため[注8]、以下では、①秘密管理性と③非公知性の要件について述べる。

(A)　秘密管理性（要件①）

(i)　秘密管理性要件

不正競争防止法において、営業秘密について秘密管理性の要件が求められる趣旨について、次のように考えられる。

そもそも、情報を利用すること自体は、その情報が知られていなくても、何ら不正な行為ではなく、不正な手段を用いて秘密管理体制を突破して入手した情報を利用するからこそ、情報の利用行為を不正と評価することができる[注9]。言い換えれば、不正競争防止法は、秘密情報の利用行為そのものを禁じているのではなく、あくまで、不正な手段を用いて秘密管理体制を突破する行為を禁じている。それゆえ、不正競争防止法違反を問うためには、秘密管理体制があることが前提となる。

経済産業省作成の「営業秘密管理指針」[注10]は、秘密管理性が求められる理由として、そもそも情報自体が無形で、その保有・管理形態もさまざまであり、公示制度もないことから、従業員や取引相手先にとって、ある情報が法によって保護される営業秘密であることを容易に知り得ないことが想定されるところ、企業が秘密として管理しようとする対象を明確にす

注 8）過去に失敗した研究データや製品の欠陥情報等のネガティブ・インフォメーションも間接的な価値があるものとして有用性が認められる。

注 9）田村・概説 329 頁。

注 10）経済産業省「営業秘密管理指針」（2003 年 1 月 30 日〔全部改訂 2019 年 1 月 23 日〕）。

ることで、営業秘密に接した者が事後に不測の嫌疑を受けることを防止し、従業員等の予見可能性、ひいては経済活動の安定性を確保する必要があることを挙げている。そのため、秘密管理性の要件を満たすためには、企業がその情報を秘密であると単に主観的に認識しているだけでは不十分であり、企業が秘密管理措置をとることで、秘密として管理する意思を従業員等に対して明確に示し、従業員等が秘密として管理する意思を認識することができる必要があるとしている。

秘密管理性要件については、裁判所サイドからは、①当該情報にアクセスした者に当該情報が営業秘密であることを認識できるようにしていることと、②当該情報にアクセスできる者が制限されていることが必要であるという見解が示されている[注11]。

これに対して、「営業秘密管理指針」では、企業が秘密として管理しようとする対象が従業員や取引相手先に対して明確化されていれば、アクセス制限が必ずしもされていなくても秘密管理性要件を満たすとしている[注12]。「営業秘密管理指針」では、「アクセス制限」と「認識可能性」は別個独立した要件ではなく、「アクセス制限」は「認識可能性」を担保する1つの手段であるとされている。そのため、情報にアクセスした者が秘密であるとの認識可能性がある場合に、十分なアクセス制限がないことを根拠に秘密管理性が否定されることはないとされている。

もっとも、裁判所サイドの①秘密の認識可能性と②アクセス制限の2点が必要という見解も、この要件を硬直的に捉えるべきではないとし、過去の裁判例も、情報の性質、保有形態、情報を保有する企業等の規模等の諸般の事情を総合考慮し、合理性のある秘密管理措置が実施されていたか否かという観点から判断されてきたとする[注13]。情報の内容がさまざまであることから、諸般の事情を総合考慮するという裁判所のアプローチも合

注11) 髙部・実務492頁。東京地判平成12・9・28判時1764号104頁。
注12) 奥邨弘司「人工知能における学習成果の営業秘密としての保護」外川英明ほか編『土肥一史先生古稀記念・知的財産法のモルゲンロート』(中央経済社、2017) 218頁。
注13) 髙部・実務492頁。

第4章　データの知的財産に関する法律

理性があろう。もっとも、前記のように秘密管理性の要件については、さまざまな見解があることから、実務的な観点からは、秘密の認識可能性とアクセス制限の双方を満たすように制度設計をすることが望ましい。

(ii)　**必要な秘密管理措置の内容・程度**

「**秘密管理措置**」とは、具体的には、営業秘密を営業秘密でない一般情報と合理的に区分した上で、その情報が営業秘密であることを明らかにする措置のことである。その具体的な方法としては、マル秘の表示、アクセス制限、就業規則や秘密保持契約において守秘義務を課すこと、営業秘密である情報の種類・類型のリスト化などが考えられる。

秘密管理措置の内容・程度は、一律に決まるものではなく、企業の規模、業態、従業員の職務、情報の性質その他の事情によって異なり、企業における営業秘密の管理単位における従業員がそれを一般的に、かつ容易に認識できるものである必要があるとされている。また、秘密管理性要件については、企業が、相当高度な秘密管理を網羅的に行った場合にはじめて認められるものではなく、リスクの高低、対策費用の大小も踏まえた効果的・効率的な秘密管理をしていれば足りるとされている。もっとも、例えば、大規模な会社においてデータへのアクセスについて単にIDとパスワードを付与しただけでは、従業員に対して秘密であることの明示がされていないことから、秘密管理措置がとられたと解されない可能性が高い。

なお、営業秘密を他の企業と共有する場合には、秘密管理性の有無は、法人ごとに判断され、別法人内部での情報の具体的な管理状況は、自社における秘密管理性には影響しないと考えられている。

(B)　**非公知性（要件③）**

「**公然と知られていない状態（非公知性）**」とは、営業秘密が一般的に知られていない状態、または容易に知ることができない状態である。具体的には、その情報が合理的な努力の範囲内で入手可能な刊行物に記載されていない、公開情報や一般に入手可能な商品等から容易に推測・分析されないなど、保持者の管理下以外では一般的に入手できない状態のことを意味する。

秘密として管理されている情報が公然と知られている場合には、秘密管理者はそれにより他の競業者に対して優位な地位を得ているわけではなく、

保護すべき財産的価値は存在していない。また、一般に知られてしまった情報は、法的保護を受ける情報なのか不明なものとして流通しており、これに秘密情報としての保護を与えることは、情報の自由な利用を妨げることになり妥当ではない[注14]。

そこで、営業秘密として保護される要件として、非公知であることが求められている。なお、秘密管理性の要件と非公知性の要件は、秘密として管理することで非公知性が保たれるという関係があるので、相互に密接に関連している。

どのような場合に非公知といえるかについては、秘密管理者が他の競業者に対して有する優位性が失われていない場合には、非公知性の要件が満たされていると解される[注15]。したがって、以下の場合には非公知であるといえる。

公知の情報の組合せであっても、その組合せが知られていないために、財産的価値が失われていないものは、非公知である[注16]。

特定の者しか知らない情報について、その者に守秘義務がなくても、事実上秘密を維持していれば非公知である。

保有者以外の第三者が同種の営業秘密を独自に開発したとしても、その第三者が秘密に管理していれば、非公知である。

ある情報が外国の公刊物に記載されていたような状況であっても、その情報の管理地においてその事実が知られておらず、その取得に時間的・資金的に相当のコストを有する場合には、非公知である。

(2) **対象となる行為類型**

営業秘密について不正競争行為とされるのは、以下の行為である（不競2条1項4号～10号。【図表4-2】）。

① 不正取得類型（4号）

権原のない外部者が、窃取・詐欺・強迫等の不正の手段により営業秘密を取得、使用、開示（第三者提供）する行為

② 信義則違反類型（7号）

注14) 田村・概説 332 頁。
注15) 田村・概説 333 頁。
注16) 田村・概説 333 頁。

営業秘密を正当に取得した者が、不正の利益を得る目的または営業秘密保有者に損害を加える目的（図利加害目的）で、営業秘密を使用、開示する行為

③　転得類型（取得時悪意重過失型、5号・8号）

取得時に営業秘密について不正行為が介在したことを知って、または知らないことに重過失がある者が、当該不正行為にかかる営業秘密を取得、使用、開示する行為

④　転得類型（事後的悪意重過失型、6号・9号）

取得時に営業秘密について不正行為が介在したことを知らずに取得した者が、その後、不正行為の介在を知って、または知らないことに重過失があって、取得した営業秘密を使用、開示する行為

⑤　不正使用行為生成物の譲渡等（10号）

前記①～④の行為のうち、技術上の秘密[注17]を使用する行為によって生じた物を譲渡、引渡し、展示、輸出、輸入、電気通信回線を通じて提供する行為。ただし、その譲り受けた時に当該物が不正使用行為により生じた物であることを知らず、かつ、知らないことにつき重大な過失がない者が譲渡等する行為については除外される。

(A)　**不正取得類型**

この類型に当たるものとしては、例えば、第三者が営業秘密であるデータを不正に取得したり、不正に取得したデータを利用・開示する行為が挙げられる。なお、開示には秘密を保持しつつ特定の者に示すことも含む。

(B)　**信義則違反類型**

この類型に当たるものとして、例えば、データ受領者が、ライセンス契約に基づいて提供された営業秘密であるデータを、図利加害目的をもって、ライセンス契約に違反して、営業秘密を使用したり、第三者に開示する行為が挙げられる。

もっとも、ライセンス契約がある場合には、その違反行為に対して差止請求や損害賠償することが可能であるから、あえて不正競争防止法を使う必要性は低い。この類型を禁止する意味は、契約に明示の規定がない場合

注17）営業上の秘密の使用は含まれない。

【図表4-2】営業秘密にかかる不正取得・使用・開示の行為図

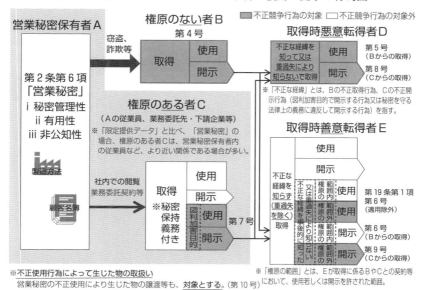

* 経済産業省 知的財産政策室「不正競争防止法平成30年改正の概要（限定提供データ、技術的制限手段等）」9頁。

に、黙示の契約を立証しなくても、データ受領者の図利加害目的による営業秘密の不正利用行為を禁止し得ることにある[注18]。また、例えば、契約交渉中にノウハウを開示したが、結局、契約締結に至らなかったような場合にも意味がある。

(C) **転得類型（取得時悪意重過失型）**

この類型に当たるものとして、例えば、営業秘密であるデータを他の者から受領した者が、そのデータが不正行為によって取得・利用・開示されたことを知っているにもかかわらず、そのデータを取得・使用・開示をする行為が挙げられる。

この類型では「重大な過失」があることも不正競争行為となる要件の1つとされている。「重大な過失」とは、取引上要求されている注意義務

注18) 田村・概説341頁。

を尽くせば、容易に不正開示行為等が判明するにもかかわらず、その義務に違反する場合をいう。

(D) **転得類型（事後的悪意重過失型）**

この類型に当たるものとして、例えば、データを正当に取得したと思っていたが、その後に、営業秘密が不正取得された者からデータの利用停止を求める警告状が届き、それにもかかわらず、そのデータを使用・開示する場合が挙げられる。

なお、不正に取得された営業秘密であっても、データ取引の取引安全を保護する観点から、その営業秘密を善意・無重過失で取得した者は一定の範囲で保護される。すなわち、取引によって営業秘密を取得した者が、取得時に営業秘密不正開示行為であることや、営業秘密不正取得行為・営業秘密不正開示行為が介在したことを知らず、かつ、知らないことにつき重大な過失がない場合には、その取引によって与えられた権原の範囲内においてその営業秘密を使用し、または開示する行為については、不正競争防止法に基づく差止請求・損害賠償請求等ができない（不競19条1項6号）。

(E) **不正使用行為生成物の譲渡等**

この類型に当たるものとして、例えば、不正に取得した営業秘密である技術上のデータを使って製造した製品を販売することが挙げられる。

また、不正に取得した営業秘密である技術上のデータを使って、AIの学習済みモデルを作成した場合には、その学習済みモデルの譲渡も不正競争行為となる。

なお、差止請求権が消滅した後に営業秘密を使用する行為により生じた物を譲渡等する行為についても、不正競争防止法に基づく差止請求・損害賠償請求等ができない（不競19条1項7号）。

2　限定提供データ

第三者と共有するデータについては、秘密管理性や非公知性を満たさないために、営業秘密として保護されない場合もあり得る。例えば、商品として広く会員にデータが提供される場合や、秘密保持義務のない緩やかな規約に基づきコンソーシアム内でデータが共有される場合には、秘密管理性や非公知性が失われ、営業秘密として保護されない[注19]。

【図表 4-3】限定提供データの位置付け

```
□ 損害賠償請求権＋差止請求権あり
■ 今般措置する内容（現行法では民法不法行為に基づく損害賠償請求権のみ）
```

【営業秘密】 （秘匿）	【限定提供データ】 （共有）	【著作権】 （公開）
秘密として管理される非公知な情報	他者との共有を前提に一定の条件下で利用可能な情報	創作性が認められる情報
例：設計図、顧客名簿	例：自動走行用地図データ、POSシステムで収集した商品毎の売上げデータ	例：写真・音楽などのコンテンツ

＊経済産業省 知的財産政策室「不正競争防止法平成30年改正の概要（限定提供データ、技術的制限手段等）」5頁。

　そのため、データ保有者が、データを広く共有することに消極的になり、データの流通や利活用が十分になされない要因となっているとの指摘がされていた。

　そこで、平成30年改正法により、価値あるデータのうち、ID・パスワード等の管理を施した上で事業として提供されるデータについて、「限定提供データ」という新たなカテゴリーを設けて、その悪質性の高い不正取得・使用等を不正競争行為と位置付けることにより、これに対する差止請求権等の民事上の救済措置を設けることとなった（【図表4-3】）。なお、限定提供データについては、その不正競争行為に対して刑事罰は設けられていない。

　限定提供データとして保護されるデータとしては、プラットフォームにおいて多数の者に提供されるデータが想定される。一対一で提供されるデータについては、営業秘密として保護することが想定されるが、多数に提供するデータについては営業秘密として保護することは困難であることから、限定提供データとして保護することが考えられる。

　限定提供データの具体例としては、機械稼働データ、車両の走行データ、

注19）産業構造審議会 知的財産分科会 不正競争防止小委員会「データ利活用に向けた検討中間報告」（2018年1月）5頁。

消費動向データなどを多数であるが特定の関係者に提供して、新規ビジネスや道路状況の把握、商品開発・販売戦略に役立てるといった事例が挙げられている（【図表4-4】）。

限定提供データとして保護することを意図する場合には、データが限定提供データとしての要件を満たすように、データを取り扱う必要がある。特に、利用者が多数のデータ・プラットフォームを運営する場合には、データを営業秘密として保護することは困難であるため、限定提供データとして保護することが考えられる。その場合、利用規約の作成やデータの取扱いについて、これらの要件を満たすように注意する必要がある。

なお、限定提供データについては、そのガイドラインとして、経済産業省「限定提供データに関する指針」（2019年1月23日）が策定・公表されており、実務的に参考になる。

(1) 限定提供データ

この「**限定提供データ**」という用語は、平成30年改正法によって初めて導入されたものである。その意味について、不正競争防止法2条7項は、「『**限定提供データ**』とは、**業として特定の者に提供する情報として電磁的方法**（電子的方法、磁気的方法その他人の知覚によっては認識することができない方法をいう。次項において同じ。）により**相当量蓄積され、及び管理されている技術上又は営業上の情報**（秘密として管理されているものを除く。）をいう。」と定義している。

したがって、「限定提供データ」として不正競争防止法上の保護を受けるためには、①**限定提供性**、②**電磁的方法による管理性**、③**電磁的方法による相当量の蓄積**、④**技術上または営業上の情報**（ただし、秘密として管理されているものを除く）を満たすことが必要となる。以下、各要件について述べる[注20]。

(A) 限定提供性

限定提供データの要件として、「業として特定の者に提供する情報」であることが挙げられている。すなわち、データ提供者が、特定の者に選

注20) 以下の解説は、経済産業知的財産政策室「不正競争防止法平成30年改正の概要」コピライト689号（2018）39頁-43頁および「限定提供データに関する指針」を参照している。

【図表 4-4】限定提供データの具体例

●第三者提供禁止などの一定の条件の下で、データ保有者が、できるだけ多くの者に提供するために電磁的管理（ID・パスワード）を施して、提供するデータ。

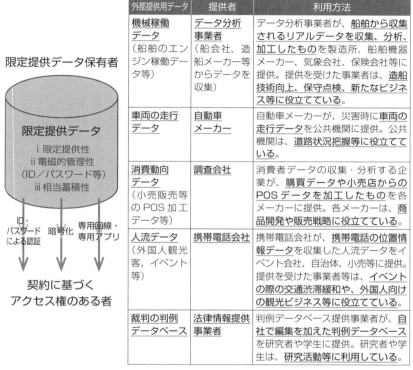

外部提供用データ	提供者	利用方法
機械稼働データ（船舶のエンジン稼働データ等）	データ分析事業者（船会社、造船メーカー等からデータを収集）	データ分析事業者が、**船舶から収集されるリアルデータを収集、分析、加工したもの**を製造所、船舶機器メーカー、気象会社、保険会社等に提供。提供を受けた事業者は、**造船技術向上、保守点検、新たなビジネス等**に役立てている。
車両の走行データ	自動車メーカー	自動車メーカーが、災害時に**車両の走行データ**を公共機関に提供。公共機関は、**道路状況把握等**に役立てている。
消費動向データ（小売販売等のPOS加工データ等）	調査会社	消費者データの収集・分析する企業が、**購買データや小売店からのPOSデータを加工したもの**を各メーカーに提供。各メーカーは、**商品開発や販売戦略**に役立てている。
人流データ（外国人観光客、イベント等）	携帯電話会社	携帯電話会社が、**携帯電話の位置情報データ**を収集した人流データをイベント会社、自治体、小売等に提供。提供を受けた事業者等は、**イベントの際の交通渋滞緩和や、外国人向けの観光ビジネス等**に役立てている。
裁判の判例データベース	法律情報提供事業者	判例データベース提供事業者が、**自社で編集を加えた判例データベース**を研究者や学生に提供。研究者や学生は、**研究活動等**に利用している。

＊経済産業省 知的財産政策室「不正競争防止法平成30年改正の概要（限定提供データ、技術的制限手段等）」7頁。

択的に提供するデータである必要がある。例えば、事業者が、IDとパスワードが付与されている者に対してのみデータを提供することは、この限定提供性の要件を満たすこととなる。

「**業として**」とは、データ保有者が、データを反復継続的に提供している場合をいう。実際に提供していなくても、反復継続して提供する意思が認められる場合には「業として」に該当する。

「**特定の者**」とは、一定の条件の下でデータ提供を受ける者のことをい

第 4 章　データの知的財産に関する法律

う。多数の者であっても特定の者にデータを提供するのであれば、本要件を満たす。具体例として、会費を払えば誰でも提供を受けられるデータについて会費を払って提供を受けられる者が挙げられる。

　本要件があることから、データを限定提供データとして保護したいのであれば、データの提供方法として、特定の者に対してのみデータを提供しなければならない。これは、契約の規定の仕方だけで決まるものではなく、データへのアクセスについての設計（アーキテクチャー）で決まることでもあるので、データを限定提供データとして保護しようとするには、契約書や利用規約を見るだけでは不十分であり、データへのアクセスについての設計をチェックする必要がある。

(B)　**電磁的方法による管理性（電磁的管理性）**

　限定提供データは、電磁的方法により相当量蓄積され、かつ管理されている必要がある。すなわち、データが電子的に蓄積され、かつ、パスワードなどによるデジタル的なアクセス制御手段によって管理されているという管理性が要件となっている。

　電磁的方法とは、電子的方法、磁気的方法その他人の知覚によっては認識することができない方法をいう。

　紙媒体でのみ保存されているデータは、デジタル的に蓄積・管理されていないため、本要件を満たさない。通常、データは、デジタル化されてサーバなどに蓄積・管理されているから、この点は問題とならないであろう。

　デジタル的に管理されているか否かという点については、データが ID とパスワードにより管理されていれば、この要件を満たしている。もっとも、ID とパスワード以外の方法でもよく、例えば、顔認証、指紋認証もこの要件を満たす。

　この電磁的管理性の要件が設けられたのは、データ保有者がデータを提供する際に、限定された「特定の者」に対してのみ提供するものとして管理する意思が、外部に対して明確化されることによって、外部者の予見可能性や経済活動の安定性を確保するためである。

　そのため、この要件を満たすためには、データ保有者が、特定の者に対してのみ提供する者として管理する意思を有していることについて、第三

者が認識できるような措置がとられていることが必要である。電磁的管理性の具体的内容や程度については、企業の規模・業態、データの性質やその他の事情により異なってくるが、第三者が一般的にかつ容易に認識できる管理である必要がある。

(C) **電磁的方法による相当量の蓄積**（相当蓄積性）

限定提供データは、「相当量」蓄積されていなければならず、一定の規模が必要とされている。「**相当量**」とは、個々のデータの性質に応じて、データが電磁的方法により有用性を有する程度の量が存在していることを意味する。どれくらいのデータ量であれば「相当量」といえるかについて、不正競争防止法は規定を設けていないため、解釈に委ねられている。

この点、「相当量」とは、個々のデータの性質に応じて、データが電磁的方法により蓄積することによって生み出される付加価値、利活用の可能性、取引価格、収集・解析に当たって投じられた労力・時間・費用等が勘案されるとされている。

なお、データの一部が提供される場合には、その部分について、蓄積されることで生み出される付加価値、利活用の可能性、取引価格、収集・解析に当たって投じられた労力・時間・費用等を勘案して、価値が生じている場合には、相当蓄積性があるものと判断される。

(D) **技術上または営業上の情報**（ただし、秘密管理情報を除く）

「技術上又は営業上の情報」には、利活用されている（または利活用が期待されている）情報が広く該当する。一般論として、不正競争防止法による保護が問題となるようなデータは、技術上または営業上の情報に該当するであろう。なお、営業秘密と異なって、限定提供データでは「有用性」が要件とされていない。

この要件で問題となるのが、定義に、「但し、秘密として管理されているものを除く」と規定されている点である。その結果、秘密として管理されているデータは、限定提供データとしては保護されないことになる。このような除外規定が設けられたのは、営業秘密との重複を避けるためとされている。

したがって、データ保有者が、限定提供データとして保護しようと考えていたところ、秘密として管理していたために、限定提供データとしての

要件を満たさず、限定提供データとして保護されないことも考えられる。この場合、そのデータには秘密管理性があることになるが、非公知性の要件を満たさない場合には、営業秘密として保護されないため、必ずしも営業秘密として保護されるとは限らない。データを限定提供データとして保護する場合には、このような穴が生じることを防ぐためには、契約や利用規約などにおいて、秘密として管理しないデータであることを明確にすることが考えられる。少なくとも、契約や利用規約に、秘密管理性を根拠付けることになる秘密保持条項を設ける場合には注意が必要である。

　また、別の方法としては、データについて、まずは営業秘密としての保護を図り、次に、秘密管理性が認められなかった場合に備えて、限定提供データとして保護されるような2段構えのスキームを作ることが考えられる。秘密管理性の要件以外の要件について、営業秘密の要件と限定提供データの要件の双方を満たすようなスキームを構築すれば、そのようなことが可能となる。

　このように、データに秘密管理性があるか否かは、限定提供データとして保護されるか否かに影響するため、実務上、どのような場合に秘密管理性があるのかが問題となる。

　この点、「限定提供データに関する指針」は、限定提供データについて、同じデータであっても状況に応じて異なる判断がされる可能性があるとする。また、ID・パスワード等による電磁的管理、提供先に対する「第三者開示禁止」の義務を課している場合の秘密管理性の有無について、これらの措置が、対価を確実に得ること等を目的とするものにとどまり、その目的が満たされる限り誰にデータ知られてもよいという方針の下で施されている場合には、これらの措置は、秘密として管理する意思に基づくものではなく、当該意思が客観的に認識できるものでないため、秘密管理性はないと考えられるとしている[注21]。この考え方によれば、「第三者開示禁止」の義務を課す場合には、目的と方針次第によって秘密管理性が認められることもあり得るということになり、運用に当たって注意が必要である。

注21）限定提供データに関する指針13頁。

(E) 無償で公衆に利用可能となっていないこと

相手を特定・限定せずに無償で広く提供されているデータについては、そのデータの自由な利用を推進するという観点から、そのデータと同一の限定提供データを取得・使用・開示する行為は、不正競争防止法の差止請求・損害賠償請求等の適用が除外されている（不競19条1項8号ロ）。

ここでの「無償」とは、データの提供を受けるに当たり金銭の支払が必要ない場合を想定しているが、金銭の支払が不要であっても、データの提供を受ける見返りとして自らが保有するデータを提供することが求められる場合など、データの経済的価値に対する何らかの反対給付が求められる場合には、「無償」には該当しないと考えられている。

他方で、利用において、金銭の授受はないものの一定の義務（例えば、出典の明示）が課されているにすぎない場合には、「無償」に該当するとされている[注22]。

しかし、何が「無償」といえるのか明確でない場合もあり、今後の検討が必要となろう。

(2) 対象となる行為類型

不正の手段により限定提供データを取得したものとして不正競争行為となるのは、典型的には、IDとパスワードを付与された者しかアクセスできないデータベースに、外部者がIDとパスワードを盗んでアクセスして限定提供データをダウンロードするような行為である。

限定提供データについて不正競争行為とされるのは、以下の行為である（不競2条1項11号～16号。【図表4-5】）。

① 不正取得類型（11号）

　権原のない外部者が、窃取・詐欺・強迫等の不正の手段により限定提供データを取得、使用、開示（第三者提供）する行為

② 著しい信義則違反類型（14号）

　限定提供データを正当に取得した者が、不正の利益を得る目的またはデータ提供者に損害を加える目的で、限定提供データを、横領・背任に相当するような態様で使用する行為、または開示する行為

注22）限定提供データに関する指針15頁。

第 4 章　データの知的財産に関する法律

③　転得類型（取得時悪意型、12 号・15 号）

取得時に限定提供データについて不正行為が介在したことを知っている者が、当該不正行為にかかる限定提供データを取得、使用、開示する行為。なお、「営業秘密」とは異なり、入手経路への注意義務が転得者に課されないよう、重過失の者は対象外となっている。

④　転得類型（事後的悪意型、13 号・16 号）

取得時に限定提供データについて不正行為が介在したことを知らずに取得した者が、その後、不正行為の介在を知った場合に、データ提供者との契約の範囲を超えて、限定提供データを開示する行為。重過失者が対象とならないことは前記③と同様である。

(A)　**不正取得類型**

この類型に当たるものとして、例えば、正規会員の ID・パスワードをその会員の許諾なく用いて、データ提供事業者のサーバに侵入し、正規会員のみに提供されているデータを自分のパソコンにコピーする行為が挙げられる[注23]。

(B)　**著しい信義則違反類型**

この類型に当たるものとして、例えば、データ提供者のための分析を委託されてデータ提供を受けていたにもかかわらず、その委託契約において委託された業務の目的外の使用が禁じられていることを認識しながら、無断で、そのデータを目的外に使用して、他社向けのソフトウェアを開発し、不正の利益を得る行為が挙げられる。

この類型では、取得した限定提供データを使用または開示する行為が不正競争となるためには、図利加害目的（不正の利益を得る目的、またはデータ保有者に損害を加える目的）があることが必要である。図利加害目的の有無の判断に当たっては、限定提供データの使用または開示行為がその保有者から許されていないことが当事者双方にとって明らかであって、それを正当取得者が認識していることが前提となる。

したがって、契約解釈に争いがあり、裁判等で最終的には契約違反に該

注 23)　産業構造審議会知的財産分科会不正競争防止小委員会「データ利活用促進に向けた検討中間報告」（2018 年 1 月）8 頁-9 頁。以下に挙げる例は、同資料による。

【図表 4-5】限定提供データにかかる不正取得・使用・開示の行為図

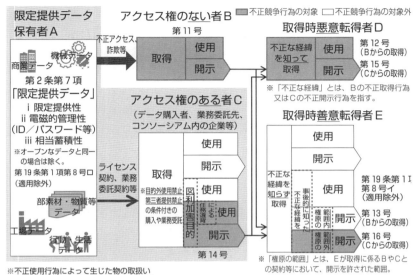

＊経済産業省「不正競争防止法等の一部を改正する法律案　不正競争防止法改正の概要」（2018年4月）4頁。

当すると判断される場合であっても、①使用等または開示が許される範囲について、契約解釈上争いがある場合、②契約終了後や契約更新の取扱いについて、契約解釈上争いがある場合、③契約締結交渉中の行為の場合、④義務の認識を欠く場合、⑤過失によって違反する場合、⑥限定提供データ保有者のために行う場合、⑥取得したデータの使用または開示行為に正当目的がある場合などについては、原則として図利加害目的がないと考えられている[注24]。

また、この類型における限定提供データの不正「使用」行為については、「その限定提供データの管理に係る任務に違反して行うものに限る」という加重要件が課されており、不正競争に該当する場合が限定されている（なお、不正「開示」行為にはこの加重用件はない）。この類型においては、

注24）限定提供データに関する指針27頁-30頁。

データの取得自体は正当に行われているため、データの流通を確保する観点から、取得者の事業活動への萎縮効果が及ばないように配慮する必要性が高いことから、不正競争とする行為を謙抑的に規定するため、横領・背任に相当する悪質性の高い行為に限る趣旨でこのような加重要件が設けられている[注25]。

(C) 転得類型（取得時悪意型）

この類型（取得時悪意型）に当たるものとして、例えば、不正アクセス行為によって取得されたデータであることを知りながら、当該行為を行ったハッカーからそのデータを受け取る行為や、その後、自社のプログラム開発に当該データを使用する行為が挙げられる。

この類型では、「悪意」が要件とされているが、悪意があるというためには、①限定提供データ不正取得行為または限定提供データ不正開示行為の存在と、②限定提供データ不正取得行為または限定提供データ不正開示行為が行われたデータと転得したデータが同一であることの両者について認識していることが必要である[注26]。

(D) 転得類型（事後的悪意型）

この類型（事後的悪意型）に当たるものとして、例えば、データ流通事業者が、データを仕入れた後において、そのデータの提供元が、不正取得行為を行ったという事実を知ったにもかかわらず、その後も、自社の事業として、当該データの転売を継続する行為がこれに当たる。

ちなみに、限定提供データ取得後に不正取得行為等を知った場合において、「使用」する行為は不正競争行為とはされておらず、問題とされるのは「開示」行為のみである。

取得時に不正行為の介在を知らずに限定提供データを取得した転得者の取引の安全を保護する観点から、取引によって限定提供データを取得した者が、取得時に限定提供データの不正開示行為に関して悪意に転じる前に、契約等に基づいて取得した権原の範囲内で開示する行為については、不正競争防止法に基づく差止請求・損害賠償請求等ができないとされている

注25) 限定提供データに関する指針 32 頁。
注26) 限定提供データに関する指針 37 頁-38 頁。

(不競19条1項8号イ)。

したがって、例えば、悪意に転じる前に、その提供元と結んだ契約において、1年間の転売が認められていた場合、悪意に転じた後も、契約期間1年間の終了までの間は、その転売行為は、権原の範囲内の行為なので、差止請求・損害賠償請求等の対象とならない。

(3) 限定提供データと営業秘密における不正競争行為の相違点

前記(A)から(D)は、営業秘密における不正競争行為とおおむね同じであるが、以下の点が異なる。

第1に、著しい信義則違反類型(限定提供データを正当に取得した者が、不正の利益を得る目的またはデータ提供者に損害を加える目的で、限定提供データを使用する行為)において、限定提供データの使用は、限定提供データの管理にかかる任務に違反する横領・背任に相当するような著しい信義則違反の態様のものに限って、不正競争行為となる。

なお、横領・背任に相当するような態様としては、例えば、以下のような行為が考えられている[注27]。

① データ提供者が商品として提供しているデータについて、もっぱら提供者のための分析を委託されてデータ提供を受けていたにもかかわらず、その委託契約において目的外の使用が禁じられていることを認識しながら、無断で当該データを目的外に使用して、他社向けのソフトウェアを開発し、不正の利益を得る行為

② コンソーシアムやプラットフォーマー等のデータ提供者が会員にデータを提供する場合において、第三者への提供が禁止されているデータであることが書面による契約で明確にされていることを認識しながら、当該会員が金銭を得る目的で、当該データをデータブローカーに横流し販売し、不正の利益を得る行為

第2に、限定提供データの転得者については、不正競争行為とされるのは、不正行為が介在していたことを知っていた場合に限られ、知らなかったことについて重過失があった場合は含まれない。

第3に、転得者が、事後的に不正行為が介在していたことを知った場

注27) 産業構造審議会知的財産分科会不正競争防止小委員会・前掲注23)9頁-10頁。

第4章 データの知的財産に関する法律

合には、限定提供データの使用は不正競争行為とならない。また、その場合、限定提供データを開示する行為は不正競争行為となるが、その行為がデータ提供者との契約の範囲を超えなければ、差止請求等の対象外とされている。

　第4に、営業秘密では、営業秘密を使用することにより生じた物の譲渡も不正競争とされている（不競2条1項10号）が、限定提供データを使用することによって生じた物の譲渡については、不正競争行為とされていない（営業秘密における不正競争防止法2条1項10号と同様の規定が設けられていない）。これは、限定提供データを使用することによって生じる物の価値に対する限定提供データの寄与度等が現時点では判然としないためであるとされている。そのため、例えば、不正取得した限定提供データである生データから作成された学習用データセットやAIの学習済みモデルを譲渡する行為は、不正競争行為とはならない。もっとも、学習用データセットから生データが判別できる場合には、不正取得した生データの譲渡として不正競争行為となる。

　なお、前述の通り、不正競争防止法19条1項8号ロには、「その相当量蓄積されている情報が無償で公衆に利用可能となっている情報と同一の限定提供データを取得し、又はその取得した限定提供データを使用し、若しくは開示する行為」には、同法の差止請求、損害賠償請求等の救済規定が適用されないと規定されている。したがって、公衆が無償で利用できるデータは、形式的には限定提供データに該当するが、同法の保護を受けることができない。

3　技術的な制限手段

　不正競争防止法は、音楽、映像、ゲームソフト等のデジタルコンテンツについて、無断視聴や無断コピーを制限するための技術的手段（「**技術的制限手段**」）を保護しており、このような技術的制限手段を妨害する装置・プログラム・サービスの提供行為を不正競争行為とし、民事措置・刑事罰を設けている（不競2条1項17号・18号）。

　平成30年改正法により、技術的制限手段を妨害する不正競争行為について、以下の改正がされた。

【図表 4-6】営業秘密と限定提供データの客体と対象行為の比較

		営業秘密	限定提供データ
客体	要件	秘密管理性、有用性、非公知性	限定提供性、電磁的管理性、相当蓄積性
	除外規定	—	秘密として管理されているものを除く
		—	オープンなデータと同一のものを除く
外部者 (権原のない者)		窃取、詐欺等の不正な手段による取得行為	
		不正取得後の使用行為	
		不正取得後の開示行為	
正当取得者 (権原のある者)		—	
		不正な利益を得る目的または損害を加える目的(図利加害目的)での使用行為	図利加害目的かつ、横領・背任に相当する態様での使用行為
		図利加害目的での開示行為	
転得者 (取得時悪意)		不正な経緯について、知って(悪意)または重過失による取得行為	不正な経緯について、知って(悪意)による取得行為
		不正取得後の使用行為	
		不正取得後の開示行為	
転得者 (取得時善意)		—	
		不正な経緯を知った後、または重過失により知らなかった場合における、取引時の権原の範囲外の使用行為	—
		不正な経緯を知った後、または重過失により知らなかった場合における、取引時の権原の範囲外の開示行為	不正な経緯を知った後、取引時の権原の範囲外の開示行為
侵害品		営業秘密の不正使用により生じた物の譲渡行為	—

＊経済産業省 知的財産政策室「不正競争防止法平成 30 年改正の概要(限定提供データ、技術的制限手段等)」11 頁。

　第 1 に、平成 30 年改正法前では、CD や DVD のコピーガードなど、影像・音・プログラム等の視聴等を制限するための暗号等の技術的な制限手段が保護対象となっていたが、人が視聴できないデータは保護対象外であった。しかし、人が視聴できないデータであっても、その技術的な制限手段を保護する必要があることから、技術的な制限手段を妨害する行為の保護対象について、従来の影像・音の視聴、プログラムの実行に加えて、

電子計算機による処理に供するためのデータの処理が追加された（不競2条9項）。電子計算機による処理に供するためのデータとは、例えば、AIソフトウェアに学習させるための学習用データや、自動走行のために機器が読み取る3D地図データが挙げられる。その結果、例えば、機器の制御や不具合の解析などのために用いられるデータに施されている暗号を無効化するプログラムの提供販売は、不正競争行為となる。

第2に、技術的制限手段の定義について、アクティベーション方式等による技術的制限手段が含まれることが明確化された（不競2条1項17号・18号・2条8項）。

第3に、技術的制限手段を無効化するシリアルコードや暗号解除キーを提供するなど、技術的制限手段を無効化に直接寄与するような符号を提供する行為も不正競争行為とされた（不競2条1項17号・18号）。

第4に、技術的制限手段を無効化する装置の譲渡等に加えて、そのようなサービスを提供する行為についても不正競争行為とされた（不競2条1項17号・18号）[注28]。

したがって、コンピュータ処理するためのデータを暗号化や難読化によって技術的にプロテクトしている場合には、そのプロテクトを回避する装置・プログラム・サービスの提供に対して、不正競争防止法に基づく対抗措置をとることができる。

4　救済手段

不正競争行為に対しては、差止請求、損害賠償請求などをすることができる。また、刑事罰などの対象となる。

(1)　差止請求

不正競争によって営業上の利益を侵害され、または侵害されるおそれがある者は、その営業上の利益を侵害する者または侵害するおそれがある者に対し、その侵害の停止または予防を請求することができる（不競3条1項）。また、侵害行為を組成した物（侵害の行為により生じた物を含む）の

注28）ただし、試験・研究目的で行われる無効化サービス等の提供については「不正競争行為」から除外されている（不競19条1項9号）。

【図表 4-7】平成 30 年改正著作権法による技術的制限手段に関する改正の内容

4-1. 技術的制限手段の効果を妨げる行為に対する規律の強化の概要
（第2条第1項第17号・18号、第2条第8項、第19条第1項第9号）

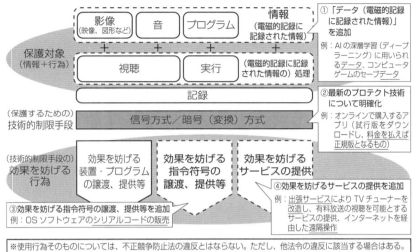

＊経済産業省 知的財産政策室「不正競争防止法平成30年改正の概要（限定提供データ、技術的制限手段等）」13頁。

廃棄、設備の除却など侵害の停止または予防に必要な行為を請求することができる（同条2項）。

　廃棄請求には、侵害の行為により生じた物を含むとされていることから、不正競争行為によってデータを使用した結果、作成された派生物も対象となり得る。そのような派生物としては、データの分析結果を記載した報告書、AI用の学習用データセット・学習済みパラメータが考えられる。もっとも、派生物の廃棄等を請求するに当たっては、原告は、まず対象物を特定することが必要であり、かつ、侵害の行為により生じたものであることを主張立証する必要があることから、その範囲には事実上、一定の限界はあろう。

　なお、前述したが、限定提供データを使用することによって生じた物（例えば、AIの学習済みモデル）の譲渡は不正競争行為とされていない。

(2) 損害賠償請求

故意または過失により不正競争を行って他人の営業上の利益を侵害した者に対しては、損害賠償請求をすることができる（不競4条）。

過失の推定については、特許権と異なり（特許103条）、規定がない。もっとも、損害額の推定については規定が存在する（不競5条）。

また、生産方法等の技術上の秘密について、営業秘密を取得する不正競争行為があった場合に、その営業秘密を使用する物の生産等をしたときは、営業秘密を使用する行為をしたものと推定される（不競5条の2）。

(3) 刑事罰

不正競争行為のうち一定の行為に対しては刑事罰がある。例えば、不正の利益を得る目的で、詐欺行為・窃取・施設への侵入などにより営業秘密を取得した者に対しては、10年以下の懲役もしくは2000万円以下の罰金、またはこれを併科した刑が科される（不競21条1項1号）。

かつては、不正競争防止法上の刑事罰は親告罪であったが、平成27年改正により、営業秘密侵害罪は非親告罪とされた。

なお、限定提供データの不正競争行為については、刑事罰の導入を求める意見もあったが、データの取引の実績が必ずしも十分でない中で刑事罰を導入すれば、データの利活用が委縮するおそれが大きいことも考えられたことから、平成30年改正では刑事罰は導入されなかった。

Ⅲ 著作権法

データが、著作物として認められれば、著作物を創作する者は著作権者として著作権および著作者人格権を享有することができ（著作17条）、著作権法による法的保護を受けることができる。著作権は、原則として誰に対しても主張可能である。ただし、第三者が独自に偶然同じ著作物を作成した場合には、その第三者に対して自らの著作権を行使することはできない（相対的排他権と呼ばれる）。逆にいえば、第三者が独自に創作した表現であれば、先行者と同一の表現であっても、著作権侵害にはならない。

著作権は、創作によって発生し、出願や登録が不要である無方式主義がとられている。

1 データの著作物性

(1) 著作物の要件

データが著作権法で保護されるためには、著作物であることが前提であるため、データが著作物であるか否かが問題となる。

著作物とは、「思想又は感情を創作的に表現したものであつて、文芸、学術、美術又は音楽の範囲に属するもの」とされている（著作2条1項1号）。つまり、著作権法により保護されるためには、①思想または感情（を内容とするものであること）、②創作的、③表現、④文芸、学術、美術または音楽の範囲に属するものであることを要する。以下、前記①〜④の各要件について詳述する。

(A) 思想・感情

「思想又は感情」とは、著作者の精神的活動であれば足り、哲学的、思想的または文学的であることまで要求するものではなく、「人の考えや気持ち」くらいの広い意味に捉えるべきものと解されている[注29]。

「人の考えや気持ち」を一義的に確定することは困難であるため、この要件は、①事実それ自体、②雑報・時事報道、③契約書案等、④スポーツやゲームのルール、⑤技術的思想の体現といったものについて、思想または感情を表現するものではないことを理由に、著作物から除外するという消極的役割を担っている[注30]。

(B) 創作性

著作権法は、文化的所産たる創作的なるものを保護するための法律であることから、著作物に**「創作性」**があることを求めている。表現が、膨大な汗と労力、投資によってなされても、そこに創作性が認められなければ、著作権法上著作物として保護されることはない[注31]。

著作権法には、創作性についての定義規定はないため解釈の問題となる。創作性の有無の判断において、あらゆる創作は先人の業績の上に成り立っているものであることから、独創性や高度の学術性・芸術性までは求めら

注29) 著作権コンメ(1)17頁［金井重彦］。
注30) 中山・著作権法50頁以下。
注31) 著作権コンメ(1)25頁［金井重彦］。

れていない[注32]。創作性は高度のものでなくても、著作者の個性が何らかの形で表れていればよい。素人が書いた小説や水彩画であっても創作性は認められる。もっとも、誰が表現しても同じような表現となるようなありふれた表現については、創作性は認められない[注33]。

創作性が要求されるのは表現についてであって、内容についてではない。内容について創作性が認められても、表現に創作性が認められなければ、創作性は認められない[注34]。

著作権法は、小説・絵画・音楽といった古典的な著作物を念頭に立法されているので、創作性の有無については、それらの著作物を念頭に、創作者の思想または感情が流出した何らかの「個性」が表れているかで判断されてきた。

この「個性」の表れが認められるかの判断基準について、裁判所は以下の点を総合的に判断している[注35]。

① 用語の選択、全体の構成の工夫、特徴的な言い回しの有無等の当該作品の表現形式
② 当該作品が表現しようとする内容・目的に照らし、それに伴う表現上の制約の有無や程度
③ 当該表現方法が、同様の内容・目的を記述するため一般的にまたは日常的に用いられる表現か否か

もっとも、このような「個性」を判断基準とする考え方に対しては、近時の著作権法が、プログラム著作物のような小説・絵画・音楽などの古典的な著作物とは異なる性格の著作物（機能的著作物）をカバーするようになったため、そのまま維持できるのかについて疑問が呈されるようになった。プログラムは、ある機能を実現するために作成されるものであるため、プログラムの記述（表現）方法は、多種多様な表現方法がある古典的な著

注32) 中山・著作権法66頁-67頁。東京高判昭和62・2・19判時1225号111頁（当落表予想事件）、東京地判平成16・6・30判時1874号134頁（コンピュータソフトウェアProLesWeb事件）。
注33) 東京地判平成19・5・28D1Law28131353（租税論事件）。
注34) 著作権コンメ(1)25頁［金井重彦］。
注35) 髙部・実務34頁。

作物と比べるとかなり限定されており、一般的にプログラマが人格の流出としての個性としての「創作性」を発揮する余地は狭いと考えられる。

そこで、創作性の有無の判断において、情報の豊富化という著作権法の趣旨から、前記のような思想・感情の流出物としての個性ではなく、「表現の選択の幅」を基準とすべきとする考え方が有力に主張されている[注36]。この考え方によれば、ある作品に著作権を付与しても、なお他の者には創作を行う余地が多く残されている場合に、創作性があると考えるものとされ、作品それ自体のみで創作性を判断すべきものではなく、他者の行為可能性との関連において判断されるべきであるとされる。言い換えれば、この「選択の幅」とは、創作者の主観的な面からの創作性判断ではなく、マーケットや社会といった客観的な面からの創作性を判断するものであり[注37]、競争者にとっての選択の幅の有無を問題にすることから、競争法的な選択の幅の概念であるといえる。ここでの「競争法」とは、独占禁止法に限定された意味ではなく、後進に対して残された部分がどれ位あるかという意味であるとされている[注38]。

そして、この「選択の幅」は、たくさん選択の幅があるうちの1つを選んだというものではなく、何かを創作・表現してみた結果、後からみると残された部分があまりなかったのか、あったのかで判断するというものであり、その判断において、残された部分が5つなら選択の幅がなく、7つであれば選択の幅があるというようなものではなく、社会通念上、経験上、他の者の創作活動を著しく邪魔をしないという程度のものであれば選択の幅があるとされている[注39]。

データは、主として解析などの目的のために収集・生成されたデータ集合物であることから、小説・絵画・音楽などの古典的な著作物のように創作者の個性を表現するものではなく、一定の機能を果たすためのものであ

注36) 中山・著作権法71頁。裁判例においても表現の選択の幅の考え方を述べているものも多い。例えば、東京高判昭和60・11・14無体集17巻3号544頁(アメリカ語要語集事件)、東京地決平成13・6・13判時1761号131頁(サイボウズ事件)。
注37)「シンポジウム『創作性』討論」著作権研究28号(2001)42頁[中山発言]。
注38) 中山信弘「創作性についての基本的考え方」著作権研究3号(2001)10頁。
注39)「シンポジウム『創作性』討論」著作権研究3号(2001)45頁[中山発言]。

る。事実としてのデータが収集・生成されたデータ集合物である場合もある。また、データにおいては、データの豊富化という観点や、競争者によるデータの創出の余地の有無を考慮する必要性が高い。さらに、データについて創出者の「個性」を基準として創作性を判断することは困難なことが多く判断基準として機能しない。そのようなデータにおける創作性の判断基準については、従来型の思想・感情の流出物としての個性を判断基準とするのではなく、「表現の選択の幅」を基準とすることが、判断基準としてより適していると考えられる。

(C) **表現**

著作権法の保護を受けるためには「表現」である必要がある。著作権法上、思想または感情は、具体的な表現物となってはじめて著作物となる。

逆にいえば、思想(アイデア)それ自体は、著作権法の保護の対象とされていない。著作権法が、思想自体を保護せずに表現を保護することについては、思想・表現二分論と呼ばれており、著作権法の基本的枠組みである。

著作権法が、思想・表現二分論に基づいて、表現だけを保護するのは以下の理由による。第1に、アイディアまで保護されてしまうと、例えば、ある学説が発表されると、それ以後の者は同じあるいは類似の学説を発表できなくなり、表現の自由や学問の自由といった近代社会が有している基本的な価値が守れなくなってしまうおそれがある。

第2に、思想を誰もが利用可能な利用可能な領域(パブリックドメイン)としてとどめておくことが情報の豊富化に役立ち、文化の発展という著作権法の趣旨に合致する[注40]。

もっとも、実務的には、どこまでが思想で、どこまでが表現かという明確な線引きができない場合もある。著作物が多種多様となっている現在、二分論においても、すべての著作物にわたる共通基準を定立することは困難であり、思想と表現の境界確定は著作物の種類によっても異なった判断がされ、現在、確固たる統一的な基準が隔離しているわけでもなく、事例ごとに判断し、その事例の積み重ねを待つことになるとの指摘もされてい

注40) 中山・著作権法62頁。

る[注41]。

　なお、著作物は、映画を除き（著作2条3項）、表現が物体に固定されている必要はなく、データがメモリやハードディスクに保存されていなくても著作物として認められる。

(D)　文芸、学術、美術または音楽の範囲に属するもの

　「文芸、学術、美術又は音楽の範囲に属するもの」という要件の該当性については、文芸・学術・美術・音楽をそれぞれ区分けして、どの分野に属するかという考え方ではなく、文芸学術美術音楽という知的・文化的な包括概念に属するもの、というように幅広く解されている[注42]。したがって、この要件の充足性が問題となるケースは多くはない。

(2)　データの著作物性

(A)　個別データの著作物性

　以上を踏まえて、データが著作物に当たるかについて検討すると、以下の通りである。

　まず、事実それ自体は、所与の客観的存在であり、人の精神的な活動の所産ではないため、「思想・感情」を表現したものとはいえない。いかに大量の資金・労力を投入して見つけ出したものであるにせよ、それは事実としてすでに存在しているものないし存在していると考えられるものであり、その事実自体は著作物たり得ない[注43]。また、事実自体に独占を認めると、表現の自由や学問の自由などに対する重大な弊害となり得るので、独占を認めるべきではないとされている[注44]。

　事実が著作権法の対象とならないことは、著作権法10条2項が、事実の伝達にすぎない雑報および時事の報道は、著作物に該当しないとしていることからもうかがうことができる。

　したがって、データが、センサーが収集した気温・湿度・圧力・回転数・振動・周波数など、事実そのもののデータであれば、「思想又は感情」の表現でないため、著作物に当たらない。

注41）中山・著作権法65頁。
注42）加戸・逐条講義24頁。
注43）中山・著作権法51頁-52頁。
注44）中山信弘「著作権法における思想・感情」特許研究33号（2002）8頁。

裁判例においても、例えば、京都大学博士論文事件では[注45]、「実験結果等のデータ自体は、事実又はアイディアであって、著作物ではない」と判示している。

また、自動車部品データ事件では[注46]、自動車部品メーカー等の会社名、納入先のメーカー別の自動車部品の調達量・納入量、シェア割合等の調達状況や相互関係のデータをまとめたものについて、客観的な事実ないし事象そのものであり、思想または感情が表現されたものではないとして、著作物性を否定している。

他方、データが、人間が書いた文章や撮影した写真のデータであれば、人間の思想・感情を創作的に表現したものとして、一般論としては、著作物に当たる。もっとも、写真であっても、機械が自動的に撮影したような写真については、カメラの設置や撮影方法に人間の工夫がされていれば別途考慮の余地はあるが、そうでなければ、人の思想または感情や創作性がないため、著作物に当たらない。

(B) データ集積物の著作物性

一口にデータといっても、さまざまな段階がある。【図表4-8】のように、元データに対して、何らかの加工をした上で、データを利用することが考えられる。また、データの加工の方法もさまざまであり、加工の程度も、元データが判別できるものから、抽象化されて、元データが判別できないものもある。人間の知的活動の関与の程度は、データが抽象化していくに従って大きくなる傾向があるが、前述した通り、著作権法ではアイディアは保護されないので、データが抽象化されてアイディアにまでなってしまうと、もはや著作権の保護対象ではなくなってしまう。

一定規模の集積したデータは、分析・解析のために、何らかの加工がされることが通常である。

この点、素材の選択または配列によって創作性を有する編集物は、編集著作物として、著作権法により保護される（著作12条1項）。

また、データを集積させて、コンピュータによって検索することができ

注45) 知財高判平成17・5・25裁判所ウェブサイト。
注46) 名古屋地判平成12・10・18判タ1107号293頁。

【図表 4-8】派生データと元データとの同一性（再掲）

るように体系的に構成され、データの情報の選択または体系的な構成によって創作性を有しているものであれば、データベース著作物として、著作権法により保護される（著作12条の2）。

そこで、集積したデータについて、編集著作物またはデータベース著作物として著作権が認められるか否かについても問題となる。

著作権法の条文としては、編集著作物が先に規定されているが、データは、コンピュータで処理されることから、通常は、まずはデータベース該当性を検討することになろう[注47]。そして、データベース著作物に該当しない場合に、編集著作物に該当するかを検討することになる。

(3) データベース著作物

「データベース」について、著作権法は、「論文、数値、図形その他の情報の集合物であつて、それらの情報を電子計算機を用いて検索することができるように体系的に構成したもの」と定義している（著作2条1項10号の3）。そして、「データベースで、その情報の選択又は体系的な構成によつて創作性を有するものは、著作物として保護する」と規定している（同法12条の2第1項）。

したがって、集積したデータが、データベース著作物として保護されるためには、①情報の集合物をコンピュータで検索できるように体系的に構成されていること、②情報の選択や体系的な構成について創作性を有することが必要である（著作12条の2第1項）。

(A) データベースの意義

データベース著作物として保護されるには、まずは著作権法上の「デー

注47)「編集物」の定義から「データベース」は除外されていることから（著作12条1項括弧書）、論理的順番としても、データベース該当性を先に検討するのが適切であろう。

タベース」に該当していること、すなわち、「情報の集合物をコンピュータで検索できるように体系的に構成したもの」であることが必要となる。

　データベースは、おおむね編集物の一種であるが、従来の編集物と異なる性質を有することから、編集物とは別に規定が設けられた[注48]。データベースは、情報とコンピュータ検索システムの複合体であるという点や[注49]、作成の際に、データの体系付け、情報の抄録化、キーワードの選定・付加といった編集著作物と異なる創作行為が加わる点が編集物と異なるとされている。

　データベースは利用者の求めに応じて情報の検索結果を出すものであるために、データベースの中での情報の配列はほとんど意味をもたず、それに代わり利用者の求めに応じて効率的に検索を可能とする体系的構成が意味をもつ[注50]。そのため、編集著作物では、素材の配列に創作性があれば著作物性が認められるが、データベース著作物は、配列ではなく、体系的構成に創作性がある場合に著作物性が認められる。

　そして、データの集合体がデータベースに該当することになれば、編集物の定義には該当しなくなり（著作12条1項）、編集著作物は成立しない[注51]。

　データベースとして、典型的なものは、顧客データベースや文献データベースであるが、例えば、機械の稼働データを集積したデータは、著作権法上の「データベース」の定義に該当するのであろうか。

　第1に、集積したデータが情報の集合物であることは問題なく認められよう。

　第2に、「情報をコンピュータで検索することができるように」なっているか否かという点については、機械の稼働データを集積したデータは、

注48）加戸・逐条講義133頁。
注49）中山・著作権法163頁。
注50）中山・著作権法163頁-164頁。
注51）著作権法12条1項の条文の文言上、編集著作物からデータベース著作物が除外されているのではなく、編集物からデータベースが除外されている。そのため、データベースに創作性がないなどの理由により、データベース著作物に該当しない場合であっても、データベースである以上は、編集物にはもはや該当せずに、編集著作物に該当しない。

顧客データベースのように情報を検索することを目的として作成されたものではなく、情報を解析する目的で作成されたものである。もっとも、解析目的であっても、体系的に構成されていれば、検索することは「可能」であろう。この点について、立案担当者は、機械的に入力しさえすればコンピュータにより、その中の情報を調べて探し出せるように統一的・系統的な整理がされているものを意味するとしており[注52]、「可能」であればよいと解される[注53]。したがって、この「検索することができるように」という要件が「可能」であると解せば、情報解析目的のデータであっても、この要件を満たし得ることになる。

第3に、「体系的な構成がされているか」という点については、構造化データであれば、体系的な構成があるといえる。他方で、非構造化データは、体系的な構成があるとはいえず、非構造化データについては、データベースに該当しないことが多いであろう。

もっとも、データベースに該当しない場合であっても、「編集物」として編集著作物として保護される余地はある。ただし、体系的な構成に欠けるためにデータベースに該当しないようなデータについては、そもそも「編集物」に該当しないものとして、編集著作物としても保護されないことになろう。

(B) データベース著作物の創作性

データが、データベース著作物として保護されるためには、情報の選択または体系的な構成のいずれかについて創作性を有することが必要である（著作12条の2第1項）[注54]。

この著作権法12条の2第1項におけるデータベース著作物の「創作性」とは、前述した同法2条1項1号における「創作性」と同一の意味を有すると考えられることから、その判断の枠組みについては、前述した

注52) 加戸・逐条講義48頁。
注53) 三山・著作権法詳説133頁も、「データベースで重要なことは、収集されたデータがコンピュータによって検索可能なシステムになっていること」としている。
注54) 編集著作物とデータベース著作物とは創作性の判断において同様の規定が設けられているので、データベースの創作性を判断するに当たっては編集著作物の創作性判断を参考にすることができる（著作権コンメ(1)670頁[小川憲久]）。

第4章 データの知的財産に関する法律

議論と同じことが問題となる。

データベースの「創作性」の程度については、旅行業システム事件[注55]では、裁判所は、「データベースにおける創作性は、情報選択又は体系的構成に、何らかの形で人間の創作活動の成果が表れ、制作者の個性が表れていることをもって足りる」と判示している。

そして、「情報の選択」の創作性とは、いかなる情報をデータベースの対象とするのかを決定し、情報を選別して選択すべき情報を決定することに創作的な精神活動が認められることをいうとされている[注56]。「情報の選択」の創作性について、裁判所は、旅行業システム事件において、情報の選択における創作性があるというためには、一定の収集方針に基づき収集された情報の中からさらに一定の選定基準に基づき情報を選定することが必要であるとしている。

また、「体系的な構成」における創作性とは、コンピュータによるデータ検索のための論理構造における創作性を意味するとされている[注57]。「体系的な構成」の創作性について、裁判所は、旅行業システム事件において、体系的な構成に創作性があるというためには、収集・選択した情報を整理統合するために、情報の項目・構造・形式等を決定して様式を作成し、分類の体系を決定するなどのデータベースの体系の設定が行われることが必要であるとしている。

NTTタウンページデータベース事件[注58]では、裁判所は、職業別電話帳であるタウンページについて、その職業分類体系は、検索の利便性の観点から、個々の職業を分類し、これらを階層的に積み重ねることで全職業を網羅するように構成されたものであり、原告独自の工夫が施されているから、体系的な構成によって創作性を有するとした。

他方、翼システム事件[注59]では、裁判所は、情報選択については、デー

注55) 東京地判平成26・3・14D1Law28221348。なお、控訴審につき知財高判平成28・1・19D1Law28240469。
注56) 著作権コンメ(1)672頁［小川憲久］。
注57) 著作権コンメ(1)676頁［小川憲久］。
注58) 東京地判平成12・3・17判時1714号128頁。
注59) 東京地中間判平成13・5・25判時1774号132頁。

タベースに収録されている情報項目が、自動車検査証に記載する必要のある項目と自動車の車種であったことから、その情報項目が通常選択される項目であって特有のものが認められないとして創作性を否定した。また、体系的構成については、型式指定等の古い順に並べた構成は他の業者のデータベースにおいても採用されているとして、創作性を否定している[注60]。

これらの裁判例からは、体系的な構成における創作性の判断基準は、体系的構成に独自の工夫があるか、効率的な検索ができるように作成されていて、ありふれたものではないか、他のデータベースにも同様の体系的構成を有するものが存在しないか、という点を見出すことができる[注61]。

したがって、データベースについて創作性が認められるために高度な知的作業が求められるものではないが、誰もが考えるような一般的な体系的で構成されたデータについては創作性は認められない。例えば、顧客を50音順に並べた顧客名簿や、時系列順で並べただけの産業用データは、情報の選択や体系的構成に創作性がないものとして、データベース著作物としては認められない。

また、一定のカテゴリーに属する情報を網羅的にすべて収録するようなデータベースは、そもそも情報を選択しておらず、選択の方法としてもありふれた方法であるから、情報選択に創作性は認められない[注62]。

汎用的データベースプログラムを基本として構築されたデータベースについては、その体系的な構成が汎用的データベースプログラムに依存するため、創作性はデータベースの一部ではないプログラムにあり、データベースの体系的な構成に創作性は認められない。また、データベースの中には、検索エンジンによってランダムに蓄積された情報を抽出する方式のデータベースでは、検索のための体系的構成が存在しないために、体系的構成に創作性を見出すことができない場合があると指摘されている[注63]。

注60) 他業者のデータベースにおいても採用されていることを創作性を否定することについては批判がある（上野達弘「判批」判評529号〔判時1806号〕〔2003〕21頁）。
注61) 著作権コンメ(1) 682頁〔小川憲久〕。
注62) 東京地判平成22・12・21裁判所ウェブサイト（住宅ローン金利比較事件）。
注63) 著作権コンメ(1) 678頁〔小川憲久〕。

第4章　データの知的財産に関する法律

　以上、データベースの創作性の判断についてさまざまなケースを取り上げたが、データベースのような機能的著作物については、作成者の個性の有無によって創作性を判断することは困難であり、基準として十分に機能していないように見受けられる。むしろ、選択の幅の有無によって創作性を判断するほうが基準として明確であると考えられる。

　ところで、データは、一般論としては、情報の選択や体系的構成に独自性があると、汎用性が低下して使い勝手が悪くなるため、独自性を排除して、汎用性をもつようにする傾向が強いと考えられる。そのような汎用性をもったデータは、創作性がないものとしてデータベース著作物としては保護することが難しくなるといえる。

(C)　データの著作物性
　(i)　データの収集方法に独自性がある場合

　機械のセンサーの取付位置を工夫したり、データの収集方法に工夫がある場合に、「情報の選択」に創作性があるといえるであろうか。

　収集したデータの項目に独自性があれば、創作性は認められるが、データの収集方法に独自性があったとしても、収集したデータの項目がありきたりなものであれば、創作性は認められないことになろう。情報の収集行為は選択の前提行為であるが、情報の選択そのものではないから、選択の創作性とは無関係である[注64]。

　また、情報選択の方針や体系的構成の方針そのものは、アイディアであるから、どんなに素晴らしいものであっても、著作権法によっては保護されない。あくまで、それらの方針によって収集されたデータの集合物が表現されてはじめて著作権法の保護の対象となる。

　他方で、取得するデータの項目に独自に工夫して、その項目に関する情報を収集したのであれば、情報の選択に創作性が認められることになろう。

　(ii)　データの加工方法に独自性がある場合

　データについては、分析をする前の段階で、データのフォーマットの整形、不要なデータの削除、欠損したデータの補充などの前処理がされることがある。このような加工には、データを処理する者の知的作業が必要で

注64）著作権コンメ(1) 675頁［小川憲久］。

ある。このような加工がされたデータには、創作性が認められるのであろうか。

加工作業によって「情報の選択や体系的な構成」がされ、それに創作性があるのであれば、そのデータには、著作物性が認められるであろう。しかし、これも加工作業そのもの創作性が評価されるのではなく、加工作業の結果としてのデータの表現の創作性が評価されているものである。

(iii) **自動収集されたデータ**

機械によって自動収集されたデータについては、「情報の選択や体系的な構成」について創作性は認められるのであろうか。この点について、以下の指摘がされている[注65]。

第1に、情報の選択について、情報の収集自体は、自動的・機械的にされるとしても、世の中に膨大な情報が存在する中でどのような種類の情報が自動集積されるようにするかという設定の段階、あるいは、自動集積された情報に対する加工の段階で、創作的な選択が行われたと評価できる可能性がある。

第2に、体系的な構成についても、どのような分類項目で情報が自動集積されるようにするかという設定の段階、あるいは、自動集積された情報に対する加工の段階で、創作的な選択が行われたと評価できる可能性がある。

第3に、自動集積される大量の情報について、情報の選択や体系的な構成を、人間ではなく、コンピュータが行ったと評価される場合は、著作物には当たらない。もっとも、コンピュータが道具として用いられたとしても、あくまで人間が情報の選択や体系的な構成を行ったと評価でき、結果として著作物として認められる場合はあり得る。

(D) **データベース著作物を構成するデータに著作権がある場合**

データベース著作物を構成する個々のデータが著作物である場合には、個々のデータの著作権とデータベース著作物の著作権の両方が成立することになる（著作12条の2第2項）。したがって、個々のデータの利用に

注65) 上野達弘「自動集積される大量データの法的保護」パテント70巻2号（2017）31頁。

ついては、その著作権者の許諾が必要となり、データベース著作物全体を利用する場合には、著作権法の権利制限規定（後述）に該当しない限り、データベースの著作権者と個々のデータの著作権者の両者の許諾が必要となる。

(E) データベース著作物の侵害

データベース著作権の保護は、情報の選択または体系的構成の創作性が利用される場合にのみ及び、データベースを構成する個別データが個別に利用されたとしても、個別データの著作権侵害の問題が生じるか否かは別として、データベース著作権の侵害とはならない。

すなわち、情報の選択や体系的構成により創作性が認められるデータベース著作物については、複製権の侵害とされる場合には、複製物の中に創作性のある情報の選択や体系的構成が反映されていなければならず、データベースの中の個別データを複製しても、情報の選択や体系的構成が反映されていなければ複製権の侵害とはならない[注66]。

したがって、例えば、他人のデータベースから体系的な構成を模倣することなく、相当量のデータだけを抽出し、自己の体系を構築するような場合、利用した情報のかたまりに情報の選択という観点からデータベース作成者の創作性があれば著作権侵害となり、創作性がなければ著作権侵害とならないことになる[注67]。

(4) 編集著作物

(A) 編集著作物の意義

編集物で、その素材の選択または配列によって創作性を有するものは、著作物として保護されている（著作12条1項）。ただし、データベースに該当するものは編集物から除外されている（同項括弧書）。

編集著作物は、材料を収集し、分類し、選別し、配列するという一連の行為に知的創作性を認めて、著作物としている[注68]。

編集著作物には、文学全集、記念論文集、百科事典のような著作物の編

注66) 著作権コンメ(1) 690頁［小川憲久］。
注67) 中山・著作権法 174頁。
注68) 加戸・逐条講義 132頁。

集物（古典的編集物）と、電話帳、辞書のように事実・データを集めた編集物（事実的編集物）の2種類がある。

編集著作物は、編集物であることが前提であるから、データを単に寄せ集めたものは、編集がされていないため、編集著作物たり得ない。

(B) 素材

編集物は、素材によって構成されるが、この「素材」とは何かが問題となる。何が素材かについて、裁判例には、編集物の用途、実際の表現形式等を総合して判断すべきとするものがある[注69]。

ウォール・ストリート・ジャーナル事件では、新聞記事の紙面の要約を配信した者に対する編集著作権侵害が問われたが、裁判所は、その素材について、記者が作成した記事原稿だけではなく、記者が伝達しようとした出来事自体も素材であると認定している[注70]。

したがって、データ集合物を構成する個別のデータが素材であることはもちろんであるが、そのデータの背後にある事実も素材となり得る。

(C) 編集著作物の創作性

編集著作物は、素材の選択または配列によって創作性を有することが必要である。そこで、編集著作物における創作性とはどのようなものであるかが問題となる。

編集著作物における創作性が問題となった四谷大塚事件[注71]では、裁判所は、中学校の入試対策用のテスト問題が編集著作物の創作性について、「従前見られないような選択又は配列の方法を採るといった高度の創作性を意味するものではなく、素材の選択又は配列に何らかの形で人間の創作活動の成果が顕れていることをもって足りる」と判示し、テスト問題の編集著作物としての著作物性を認めている[注72]。

このように編集著作物の創作性については、高度の創作性は求められないが、例えば、母集団のすべての素材を選択している場合には、素材の選択について取捨選択行為がないから、選択行為に創作性はなく、編集著作

注69) 東京地判平成12・3・23判時1717号140頁。
注70) 東京地判平成5・8・30知的裁集25巻2号380頁。
注71) 東京地判平成8・9・27判時1645号134頁。
注72) 高部・実務37頁。

物にはならない[注73]。

　また、五十音順電話帳について、既存の情報を基に特段の工夫もなしに、単純に氏名・住所・電話番号を並べたようなものは、その配列につき、知的活動を要せずして作成されたものなので、編集著作物にはならない[注74]。

　編集著作物についての通説的見解は、具体的な編集物に具現化された編集方法を保護するものであって、具体的な編集対象物を離れた編集方法それ自体をアイディアとして保護するものではなく、具体的な編集対象物を離れた体系的な構成は、編集著作物として保護されることはないとされている[注75]。

　この考えによれば、素材がまったく異なれば編集著作物の著作権は働かないこととなり、仮に、東京都職業別電話帳の編集方法を採用して、大阪府職業別電話帳を作成しても、前者の編集著作権侵害にはならないことになる[注76]。

　もっとも、この考え方に対しては、分類体系それ自体を1個の独立した編集著作物と観念し、分類体系に類似性が認められれば、編集著作権侵害の成立を認めるべきであるとする見解もある[注77]。この見解からは、東京都職業別電話帳の分類体系を採用して、大阪府職業別電話帳を作成した場合には、編集著作権侵害が成立することになる。

　(D)　素材に著作権がある場合

　データベースと同様に、編集著作権が成立しても、編集物を構成する素材の著作者の権利に影響は及ばない（著作12条2項）。したがって、編集著作物についても、素材が著作物である場合には、著作権が多層的に存在することになるので、編集著作物を利用する場合には、編集著作物の著作権者と素材の著作権者の両者の許諾が必要となる。

　(E)　編集著作物の侵害

　編集著作物を構成する素材が個別に利用されたとしても、素材の著作権

注73)　三山・著作権法詳説 119 頁。
注74)　加戸・逐条講義 133 頁。
注75)　高部・実務 38 頁。
注76)　加戸・逐条講義 133 頁。
注77)　著作権コンメ(1) 659 頁［横山久芳］。

侵害の問題が生じるか否かは別として、編集著作権の侵害とならないことや、ある程度まとまった素材の利用が編集著作権の侵害となり得ることについては、データベース著作物と同様である。

(5) プログラム著作物

データは、コンピュータのプログラムに読み込まれて利用されることも多い。そのような場合、データがプログラム著作物として扱われる可能性がある。

著作権法においてプログラムとは、「電子計算機を機能させて一の結果を得ることができるようにこれに対する指令を組み合わせたものとして表現したもの」とされている（著作2条1項10号の2）。

データが、プログラム著作物に該当するか否かについては、以下の裁判例がある。

IBFファイル事件[注78]では、ハードディスクにインストールするアプリケーションソフトのファイル情報を記載したデータファイルについて、著作権上のプログラムに該当するかが争われた。この事件では、裁判所は、データファイルについて、電子計算機に対する指令の組合せではなく、著作権法にいうプログラムに当たらないとした。

他方で、電車線設計プログラム事件[注79]では、裁判所は、プログラム部分によって読み込まれる情報を記載した単なるデータについて、独立性がなく、個別的に利用することができないものであったとしても、「データ部分を読み込む他のプログラムと協働することによって、電子計算機に対する指令を組み合わせたものとして表現したものとみることができるのであるから」、著作権法2条1項10号の2所定のプログラムに当たるとした[注80]。

このように、単なるデータであっても、プログラムと協働することでコンピュータに対する指令となるものとして、著作権法上のプログラムに当たると評価される場合もある。

注78) 東京高決平成4・3・31知的裁集24巻1号218頁。
注79) 東京地判平成15・1・31判時1820号127頁。
注80) もっとも、裁判所は、本事件のデータについて、プログラムに当たるとしても、創作性がないとして、著作物性を否定した。

第 4 章　データの知的財産に関する法律

したがって、プログラムと協働するデータの部分に創作性があれば、そのデータについても、プログラム著作物となる。

データがプログラム著作物に該当する場合には、著作権法 15 条 2 項（プログラム著作物の職務著作）、30 条の 4（プログラム著作物の権利制限規定）[注81]等の適用を受けることになる。

2　著作者および著作権者

(1)　著作者・著作権者の意義

データの創出には、複数の者が関わることも考えられる。

著作権法は、著作権を有する主体である著作者を、「著作物を創作する者」と定義している（著作 2 条 1 項 2 号）。著作者は、著作権と著作者人格権を原始的に取得する（同法 17 条 1 項）。したがって、創作直後の段階では、原則として、著作者＝著作権者である。

もっとも、著作権は、物権類似の財産権であることから契約に基づいて譲渡することが可能である（著作 61 条 1 項）。著作権が譲渡されれば、著作者と著作権者は異なることになる。

著作者は、創作したことによって決まるので、著作者たる地位そのものを契約によって譲渡することはできない。また、著作者人格権は一身専属の権利とされているので、譲渡することはできない（著作 59 条）。この意味で、著作者は必ずしも著作権者とイコールではない[注82]。

著作者とされるためには、創作的な表現に実質的に関与する必要がある。したがって、①表現の前段階での関与、②表現の中の非創作的部分への関与、③表現の外の周辺部分の関与は、いずれも創作ではないとされている[注83]。

したがって、創作に対して動機を与えたり、指示を出しただけの者や、単にヒントを提供した者、単に著作者の指示の下に手足となって労力を

注 81)　なお平成 30 年改正前は 47 条の 3。
注 82)　なお、「法人」が著作者になる職務著作（著作 15 条）は、法人等の業務に従事する者による創作を要件として、その者によって創作された著作物が法人に原始的に帰属するという建付けとなっている。
注 83)　三山・著作権法詳説 169 頁。

提供した者、資金や情報を提供した者、創作を依頼しただけの者は、創作的表現に関与しているとはいえないため、著作者とはならない[注84]。また、著作物の素材を提供したにすぎない者も著作者とはならない[注85]。

創作的表現への関与の有無の判断は、実質的に判断されるため、一義的に明確でないこともある。プラットフォーム型のようにデータの創出に多数の者が関与する場合には、誰が著作権者となるかについて契約で定めないと、紛争が生じることが予想される。そのため、著作権をめぐる紛争を防止するためには、契約により、著作権者となる者を明確に規定することが重要である。

(2) データベース著作物・編集著作物の著作者

データベースの著作物の著作者については、データの選択や体系構築を創作的に行った者であり、その方針に従って手足となってデータを収集した者は、創作的行為をしていないことから、著作者にはならない[注86]。

3 共有

データの生成に多数の者が関与した結果、著作者が複数となることがあり得る。

著作権法は、「2人以上の者が共同して創作した著作物であつて、その各人の寄与を分離して個別的に利用することができないもの」を共同著作物と定義しており（著作2条1項12号）、共同著作物についての著作権の法律関係は準共有となり、著作権法に特別の規定がない限り、民法の共有の規定が適用される[注87]。なお、この場合、各著作者の共有著作権に対する持分は、各人の寄与度により決定されるが、持分が明らかでなければ、持分は均等と推定される（民250条）。持分割合は契約で定めることもできる。

また、単独著作物であっても、著作権の持分の一部が譲渡されることな

注84) 中山・著作権法237頁。
注85) 東京地判平成10・10・29判時1658号166頁、知的裁集30巻4号812頁（スマップ大研究事件）。
注86) 中山・著作権法240頁。
注87) 中山・著作権法270頁。

どにより、著作権が共有されることもある。

共有著作権[注88]について特に気を付けなければならないのは、共有著作権の権利行使には全員の合意が必要とされており（著作65条2項）、他人への利用の許諾だけでなく、自らが利用することについても共有者全員の合意が必要となる点である[注89]。つまり、共同著作物については、著作権者であっても、他の共有者全員の合意がなければ、自分が利用することも禁止されてしまう。この点は、特許権の場合では、各共有者は、他の共有者の合意がなくても自己実施できることと正反対である。

もちろん、他の共有者と合意すれば権利行使できるので、共有者間で契約することで対応できる。しかし、契約で正確に定めていない場合には、権利行使が大きく制約されることになる。そのため、著作物を共有にすることについては慎重な検討が必要である。

なお、権利行使についての共有者の合意については、正当な理由がない限り、合意を拒むことができない（著作65条3項）。どのような場合に「正当な理由」があるかについては、裁判例は、著作物の種類・性質、具体的な内容のほか、諸般の事情を比較考量した上で、共有者の一方において権利行使ができないという不利益を被ることを考慮してもなお、共有著作権の行使を望まない他方の共有者の利益を保護すべき事情が存在すると認められるような場合に「正当な理由」があるとしている[注90]。しかし、共有者と紛争になる場合には、正当な理由の有無についても争われることになるであろうから、この著作権法65条3項に過度に期待することはリスクがある。

注88）共有著作権とは「共同著作物の著作権その他共有に係る著作権」と定義されている（著作65条1項）。

注89）また、共有著作権の持分は、他の共有者の同意がなければ、譲渡・質権設定をすることはできない（著作65条1項）。この同意についても、正当な理由がない限り、合意を拒むことができない（同条3項）。なお、共有著作権の差止請求と自己の持分に対する損害賠償請求については、各共有者が単独ですることができる（同法117条1項）。

注90）東京地判平成12・9・28コピライト477号52頁（戦後日本経済の50年事件）。

4　著作者人格権

　著作者は、著作者の人格的利益を守る権利として、著作者人格権を有する。著作者人格権の具体的内容としては、①公表権（著作18条）、②氏名表示権（同法19条）、③同一性保持権（同法20条）、④名誉・声望を害する方法で著作物を利用されない権利（同法113条11項）がある。

　著作者人格権は、著作者に一身専属し、譲渡することはできない（著作59条）。著作者人格権は放棄もできないと考えられているので、実務では、著作者人格権の不行使を合意する契約を結ぶなどの対応がとられている。

　法人についても、著作者とされる場合があることから（著作15条1条）、著作者人格権を有することになる。これに対しては、自然人ではない法人に著作者人格権を認めるべきでないという考えもあり、少なくとも、著作者人格権を譲渡不能な権利としている現行法の解釈としては、法人に著作者人格権を認めることに対しては謙抑的な解釈をするべきであろう[注91]。

　データとの関係で著作者人格権が最も問題となり得るのは、同一性保持権である。同一性保持権とは、著作者が自己の著作物とその題号について、その意に反して、改変を受けない権利である（著作20条1項）。同一性保持権は、沿革的には、著作者の名誉・声望や、著作へのこだわりを保護するためのものであった。小説・絵画・音楽であれば、作品へのこだわりを保護する必要性も理解できるが、例えば、産業用データに関する著作物のような機能的著作物に対して著作者の名誉・声望やこだわりを保護すべきなのかは疑問の余地があり、これについても、謙抑的な解釈をするべきであろう。

注91）　中山・著作権法589頁。
注92）　4号の規定については極めて厳格に適用すべきであるとする見解があり（加戸・逐条講義178頁）、厳しく解釈するのが従来の多数説・判例であったが、情報化時代における情報利用に対応するために、いたずらに厳格に解すべきではないという見解もあり（中山・著作権法637頁）、裁判例でも4号を適用する判決が増えつつある（東京地判平成11・8・31判時1702号145頁〔脱ゴーマニズム宣言事件〕）。また4号には触れずに、権利濫用のような一般法理を援用して改変を合法とした裁判例もある。

著作権法は、「著作物の性質並びにその利用の目的及び態様に照らしやむを得ないと認められる改変」について、同一性保持権の規定は適用されないとしている（著作20条2項4号）[注92]。この規定により、著作物の改変が認められることもあり得る。

5　データ提供者の派生データに対する権利

データは、元データを加工・分析することによって生成される派生データに価値がある場合がある。データ時代には、データを分析することによって派生データを得ることを目的としており、派生データに大きな価値があることが多い。

この派生データに対する権利については、元データの提供者と、元データから派生データを作成したデータ受領者との権利主張が激しく対立する場合がある。

元データの提供者は、派生データは自らの元データから生じたものであるとして、自らに派生データに対する権利があると考える傾向がある。他方、データ受領者からすれば、自らの専門性と労力等によって加工・分析して派生データを生成したのであるから、自らに派生データに対する権利があると考える傾向がある。

そこで、派生データが著作物である場合に、データ提供者とデータ受領者のいずれが著作権を有するのかが問題となる。データ提供者が派生データに自らの権利を主張するために考えられる理論構成としては、①二次的著作物に対する原著作物の著作権者の権利と、②共同著作物があり、以下で分けて検討する。データ提供者の著作権が派生データに及ばない場合には、それぞれ別個の著作物となり、それぞれの著作権者が権利を有することになる。

(1)　二次的著作物に対する原著作物の著作権者の権利

データ提供者の主張としてまず考えられるものとして、「派生データは元のデータを翻案した二次的著作物であり、自らの著作権が及ぶ」というものがある。

著作権法は、著作物を翻訳、編曲、変形、脚色、映画化するなど翻案することにより創作した著作物を二次的著作物とし（著作2条1項11号）、原

著作物の著作権者の権利が二次的著作物にも及ぶとしている（同法28条）。

この点、そもそも、元データが著作物でない場合には、その提供者が著作権を有していない以上、派生データに対して、著作権を主張することはできない。

次に、元データが著作物である場合、例えばデータが写真などの著作物である場合やデータベース著作物である場合には、元データの著作権者が、派生データについて二次的著作物の原著作物の著作権を主張できるのかが問題となる。

この点、「翻案」の意味については、江差追分事件最高裁判決[注93]は、「既存の著作物に依拠し、かつ、その表現上の本質的な特徴の同一性を維持しつつ、具体的表現に修正、増減、変更等を加えて、新たに思想又は感情を創作的に表現することにより、これに接する者が既存の著作物の表現上の本質的な特徴を直接感得することのできる別の著作物を創作する行為をいう」としている。

すなわち、元データの著作権者は、元データが著作物であることを前提として、派生データが、①元データに依拠している、②元データと派生データの表現上の本質的な特徴が同一である、③派生データに元データの表現の本質的な特徴を直接感得できるという3要件を満たす場合に限って、派生データに対して、二次的著作物の原著作物の著作権を主張することができる。

逆に、データ受領者側としては、前記②と③のいずれか1つを満たしていないので、データ提供者側の権利は認められないと反論することになろう（前記①の依拠性は基本的には認められるであろう）。例えば、元データと派生データとの間に表現上の同一性（あるいは類似性）がなく、両データの権利は別個のものであるという反論が考えられる。

(2) 共同著作権者

次に、データ提供者の主張として考えられるものとして、「データを提供したことによって、派生データは、データ提供者とデータ受領者の共同著作物であり、自らにも著作権がある」というものがある。

注93) 最判平成13・6・28民集55巻4号837頁。

この点については、前述した通り、単にデータを提供するだけでは、派生データの創作的表現に関与したとはいえず、著作者になることはない。

もっとも、データ提供者が、データ提供を通じて派生データの生成のための共同作業をするなど、派生データの創作的表現に関与したのであれば、共同著作者となる余地がある。

6 著作権の制限規定

データの利用に当たって、企業が自ら作成したデータを利用する場合には著作権法的には特段の問題は生じない。また、第三者が有するデータを利用する場合であっても、その第三者との間の有効な合意に基づいて行う限り、著作権法的には特段問題は生じない。

他方で、例えば、ウェブ上にアップロードされている大量の画像データを収集して分析する場合には、これらの画像に対しては誰かが著作権を有している可能性があるため、これらのデータをダウンロードしてストレージに保存する行為は「複製」（著作2条1項15号）に該当し、著作権者の有する複製権（同法21条）の侵害になる可能性がある。

もっとも、一定の場合には、著作権者の権利が制限され、著作権者の許諾なくして、著作物の利用が可能となる。これは、著作権法は創作者に情報の独占的利用権を与えているが、その目的はあくまでも文化の発展のためであり、著作者の経済的利益と情報を利用する社会との調和を図る必要があるためである[注94]。そこで、著作権法は、その第2章第3節第5款に「著作権の制限」という規定を設け、著作権が制限される場合を規定している。これがいわゆる「権利制限規定」といわれるものである。

平成30年改正著作権法においては、AIやデータを活用したイノベーションにかかわる著作物の利用ニーズのうち、著作物の市場に大きな影響を与えないものについて、相当程度柔軟性のある著作権を制限する規定を整備し、著作物の利用の円滑化を図るものとされた。

すなわち、平成30年改正著作権法は、権利者に及び得る不利益の程度に応じて、①通常、権利者の利益を害さない行為類型（第1層）、②権利者

注94) 中山・著作権法347頁。

【図表 4-9】権利制限規定に関する 3 つの層

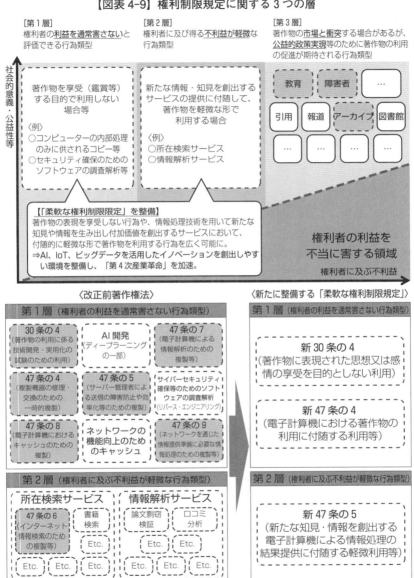

＊文化庁「著作権法の一部を改正する法律案　概要説明資料」(2018 年 3 月 19 日) 6 頁・8 頁。

第 4 章　データの知的財産に関する法律

に与える不利益が軽微な行為類型（第 2 層）、③著作権の市場と衝突する行為類型（第 3 層）に分類し、①と②については、柔軟性のある権利制限規定を設け、③については、「私益（権利者の利益）」と「公益」との調整に関する政策判断を要するため、一義的には、利用の目的ごとに民主的正当性を有する立法府において制度の検討を行うものとされた（【図表 4-9】）。

　前記①（通常、権利者の利益を害さない行為類型）としては、著作物に表現された思想または感情の享受を目的としない利用（著作 30 条の 4）や、電子計算機における著作物の利用に付随する利用等（同法 47 条の 4）がある。

　前記②（権利者に与える不利益が軽微な行為類型）としては、著作物の所在検索サービスや情報分析サービス等、コンピュータによる情報処理の結果の提供の際に、著作物の一部を軽微な形で提供する行為がある（著作 47 条の 5）。

(1)　著作権法 30 条の 4

(A)　趣旨

著作権法 30 条の 4 は、著作物に表現された思想または感情の享受を目的としない利用について、著作権者の許諾なく利用できるとしている。そして、そのような利用の例示として、①著作物利用に係る技術開発、②情報解析、③人の知覚による認識を伴わない利用を挙げている。

著作権法 30 条の 4 の条文は以下の通りである（太字は筆者による）。

第 30 条の 4（著作物に表現された思想又は感情の享受を目的としない利用）
　著作物は、**次に掲げる場合その他の当該著作物に表現された思想又は感情を自ら享受し又は他人に享受させることを目的としない場合**には、その必要と認められる限度において、**いずれの方法によるかを問わず、利用することができる**。ただし、当該著作物の種類及び用途並びに当該利用の態様に照らし著作権者の利益を不当に害することとなる場合は、この限りでない。
　一　著作物の録音、録画その他の利用に係る技術の開発又は実用化のための試験の用に供する場合
　二　情報解析（多数の著作物その他の大量の情報から、当該情報を構成する言語、音、影像その他の要素に係る情報を抽出し、比較、分類その他の解析を行うことをいう。第 47 条の 5 第 1 項第 2 号において同じ。）の用に供する場合

> 三　前2号に掲げる場合のほか、著作物の表現についての人の知覚による認識を伴うことなく当該著作物を電子計算機による情報処理の過程における利用その他の利用（プログラムの著作物にあつては、当該著作物の電子計算機における実行を除く。）に供する場合

　著作物が有する経済的価値は、通常、市場において著作物の視聴等をする者が、その著作物に表現された思想または感情を享受して、その知的、精神的要求を満たすという効用を得るために対価の支払をすることによって現実化されている。そのため、著作物に表現された思想または感情の享受をしない行為については、著作物に表現された思想または感情を享受しようとする者からの対価回収機会を損なうものではなく、著作権法が保護しようとしている著作権者の利益を通常害するものではないと評価できる。

　そこで、著作権法30条の4において、実質的に通常は権利者の対価回収機会を損なわないものの、形式的には権利侵害となってしまう一定の行為を広く権利制限の対象としている。

　この点、平成30年改正前著作権法47条の7においても、「電子計算機による情報解析……を行うことを目的とする場合」には、必要な限度において、著作権者の許諾なしに、著作物を記録媒体に記録することと翻案をすることが許されると規定されていたが[注95]、譲渡や公衆送信については認められていなかった。著作権法30条の4は、コンピュータによる情報解析（AIによる機械学習を含む）について、権利制限の範囲を拡大し、譲渡や公衆送信も対象範囲となった。

(B)　「享受」の意味

　著作権法30条の4により、著作物に表現された思想または感情の享受を目的としない利用については、著作権者の許諾なく利用できるが、どのような行為が「享受」に該当するかについては、著作物等の視聴等を通じ

注95) この規定が設けられたのは、情報解析は、著作物を構成する断片的な情報を利用するものにすぎず、著作物の表現そのものの効用を享受する実質を備えるものではなく、また、情報解析を行った後に、その著作物が外部に提供等されることも予定されていないため、著作権者の利益が害される程度が低いと考えられたことによる（加戸・逐条講義370頁）。

て、視聴者等の知的または精神的要求を満たすという効用を得ることに向けられた行為か否かという観点から判断される。

このように、著作権法30条の4における「享受」は、人が主体となることを念頭に置いている。

ところで、著作権法30条の4第2号においては、著作物に表現された思想または感情を享受することを目的としない行為の例示として、①著作物利用に係る技術開発、②情報解析（多数の著作物その他の大量の情報から、当該情報を構成する言語、音、影像その他の要素に係る情報を抽出し、比較、分類その他の解析を行うこと）、③人の知覚による認識を伴わない利用が挙げられている。

AIを使ってデータを学習させる行為は、一般論として、②「情報解析」に当たると考えられる。なお、平成30年改正前著作権法47条の7では「統計的な解析」とされていたところ、改正後は、単に「解析」とされており、「代数的」「幾何学」的な解析も含むことが明確になった。また、コンピュータによらない情報解析も許容される規定となっている。

AIを学習させるために著作物を含むデータを利用したとしても、一般的には、著作物に表現された思想または感情を享受することにはならない。したがって、著作物を、AIの開発のための学習用データとしてサーバ等に保存する行為は、著作権法30条の4の適用により、原則として、著作権者の許諾は不要である。

もっとも、AIによる情報処理の結果として、著作物を一般公衆に視聴させる場合には、通常、視聴者等の知的、精神的要求を満たすという効用を得ることに向けられるものと評価できるので、権利制限規定の適用は受けず、著作権者の許諾が必要となると考えられる。

(C)　利用方法

著作権法30条の4は、著作権者の許諾なく利用できる範囲について、「いずれの方法によるかを問わず」としており、利用方法に限定は付されていない。利用方法の限定がないのは、著作物に表現された思想または感情を享受しない利用が、通常、権利者の利益を害しない利用類型（第1層）であることから、利用方法を限定する必要がないからであるとされている。なお、どのような行為が、これに該当するのかを明確にし、予測可

【図表4-10】著作権法30条の4の構造

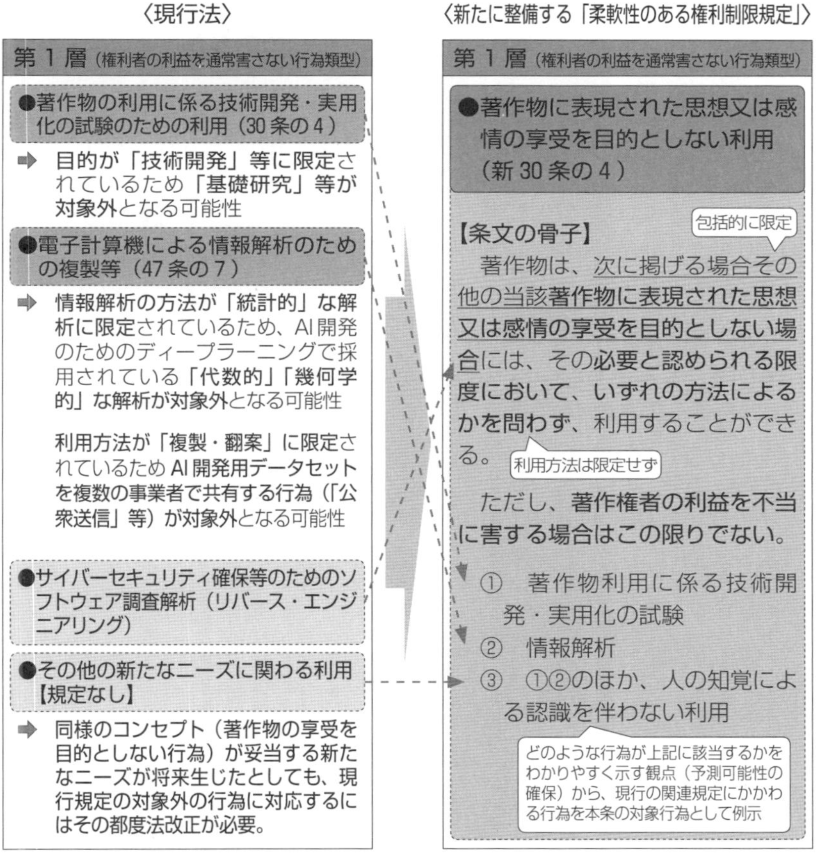

〈現行法〉

第1層（権利者の利益を通常害さない行為類型）

- ●著作物の利用に係る技術開発・実用化の試験のための利用（30条の4）
  ➡ 目的が「技術開発」等に限定されているため「基礎研究」等が対象外となる可能性
- ●電子計算機による情報解析のための複製等（47条の7）
  ➡ 情報解析の方法が「統計的」な解析に限定されているため、AI開発のためのディープラーニングで採用されている「代数的」「幾何学的」な解析が対象外となる可能性

  利用方法が「複製・翻案」に限定されているためAI開発用データセットを複数の事業者で共有する行為（「公衆送信」等）が対象外となる可能性
- ●サイバーセキュリティ確保等のためのソフトウェア調査解析（リバース・エンジニアリング）
- ●その他の新たなニーズに関わる利用【規定なし】
  ➡ 同様のコンセプト（著作物の享受を目的としない行為）が妥当する新たなニーズが将来生じたとしても、現行規定の対象外の行為に対応するにはその都度法改正が必要。

〈新たに整備する「柔軟性のある権利制限規定」〉

第1層（権利者の利益を通常害さない行為類型）

- ●著作物に表現された思想又は感情の享受を目的としない利用（新30条の4）

【条文の骨子】　〔包括的に限定〕

著作物は、次に掲げる場合その他の当該著作物に表現された思想又は感情の享受を目的としない場合には、その必要と認められる限度において、いずれの方法によるかを問わず、利用することができる。〔利用方法は限定せず〕

ただし、著作権者の利益を不当に害する場合はこの限りでない。

① 著作物利用に係る技術開発・実用化の試験
② 情報解析
③ ①②のほか、人の知覚による認識を伴わない利用

〔どのような行為が上記に該当するかをわかりやすく示す観点（予測可能性の確保）から、現行の関連規定にかかわる行為を本条の対象行為として例示〕

＊文化庁「著作権法の一部を改正する法律案概要説明資料」（2018年3月19日）9頁。

能性を確保するという観点から、同条1号〜3号に例示として利用類型が示されている。したがって、1号〜3号に該当しないものであっても同法30条の4本文の要件を満たせば、権利制限規定の適用を受ける。以下、1号〜3号を個別にみてみる。

（i）1号・試験的利用

1号は、改正前30条の4を引き継いだものであるが、未公表著作物が含まれるようになった。

第4章 データの知的財産に関する法律

1号に該当するものとしては、例えば、カメラやプリンターの開発のために、美術品を複製等する場合や、センサーによる認識およびこれに基づいた出力機能の試験のために利用されることが想定される。

(ii) 2号・情報解析のための利用

2号は、情報解析について利用されることが想定されていた改正前47条の7を引き継いだものである。従前は「統計的な解析」とされていたところ、AI開発で用いられる、「代数的」「幾何学的」な解析も含むよう単に「解析」とされている。また、コンピュータによらない情報解析も許容されるような書き振りとなっている。

平成30年改正前著作権法47条の7では、その適用は、記録媒体への記録と翻案に限定されており、譲渡や公衆送信については適用範囲外であった。著作権法30条の4によって、権利制限規定が適用される範囲が広がり、譲渡や公衆送信も可能となった。

したがって、AI用の学習用データセットを第三者に対して提供する行為も、AIの開発という目的に限定されている限りは、著作物に表現された思想または感情を享受することを目的としないものとして、その利用方法を問わず、著作権法30条の4が適用され、著作権者の許諾は不要である。例えば、第三者に情報解析を目的とする著作物を譲渡や公衆送信等を行うことにより、情報解析を委託したり、共同で情報解析したりするようなことが可能となる。

もっとも、適法性を確保するためには、学習用データセットの提供に当たって、提供者は受領者に対して、著作物に表現された思想または感情を享受を目的として使用されることがないようにあらかじめ確認することが望ましい。

(iii) 3号・知覚の認識を伴わない利用

3号は、新たに設けられた例示規定である。バックエンドで行われる著作物の利用を広くカバーすることを想定した規定であり、権利制限範囲を広く解釈し得るものとなっている。もっとも、「人の知覚による認識を伴うことなく」の意味については明らかでなく、ケースバイケースで判断せざるを得ないと考えられる。

(D) 著作権者の利益を不当に害する場合

著作権法30条の4ただし書は、「著作権者の利益を不当に害することとなる場合」には、権利制限規定が適用されないとしている。

そのような場合としては、平成30年改正前著作権法47条の7でも権利制限規定の例外とされていた「情報解析を行う者の用に供するために作成されたデータベース著作物」が考えられる。このようなデータベースについては、それを提供する市場が存在しており、無許諾での利用は、市場と衝突して著作権者の利益を不当に害すると考えられる。

また、著作権者と著作物の利用についての契約を締結して、一定の条件の下で著作物の利用についての許諾を得ている場合に、契約に違反する著作物を利用する行為は、著作権者の利益を不当に害する場合に該当すると評価される可能性が高いといえよう。

(2) 著作権法47条の4

著作権法47条の4は、コンピュータにおける著作物利用に付随する利用について、権利者の利益を通常害さない類型（第1層）として、著作者の権利制限について、柔軟性の高い規定を設けている。

この規定が設けられたのは、デジタル化、ネットワーク化の進展により生じているコンピュータによる著作物の付随的な利用は、著作権者は主たる利用行為に関して対価を回収することができるため、主たる利用行為から独立したものではない付随的な利用について著作権者に対価を回収させる必要はなく、通常は権利者の利益を害するものではないと考えられることから、権利制限の対象とされたものである[注96]。

第1に、「著作物の電子計算機における利用を円滑又は効率的に行うために当該電子計算機における利用に付随する利用に供することを目的とする場合」には、著作物を必要と認められる限度において、利用方法を問わず、著作権者の許諾なく利用できるとしている。

このような場合としては、①コンピュータにおけるキャッシュのための複製、②サーバ管理者による送信障害防止等のための複製、③ネットワー

注96) 水田功「著作権行政をめぐる最新の動向について」コピライト691号（2018）16頁。

クでの情報提供準備に必要な情報処理のための複製等が例示されている。ただし、著作権者の利益を不当に害する場合には、著作者の許諾は必要となる。

第2に、「著作物の電子計算機における利用を行うことができる状態の維持・回復を目的とする場合」には、著作物を、その必要と認められる限度において、利用方法を問わず、著作権者の許諾なく利用できるとしている。

このような場合としては、①複製機器の保守・修理のための一時的複製、②複製機器の交換のための一時的複製、③サーバの滅失等に備えたバックアップのための複製が例示されている。ただし、著作権者の利益を不当に害する場合には、著作者の許諾が必要となる。

(3) 著作権法47条の5

著作権法47条の5は、新たな知見・情報を創出する電子計算機による情報処理の結果の提供に付随する軽微利用等について、権利者に与える不利益が軽微な行為類型（第2層）として、著作者の権利制限について、柔軟性の高い規定を設けている。

すなわち、コンピュータを用いた情報処理により新たな知見または情報を創出する以下の①～③の行為を行う者で、政令に定める基準に該当する者は、公衆への提供・提示が行われた著作物を、行為の目的上必要と認められる限度において、利用方法を問わず、著作権者の許諾なく、軽微な利用ができるとしている。ただし、著作物の種類・用途・軽微利用の態様に照らして著作権者の利益を不当に害する場合には、著作者の許諾が必要となる。

① 所在検索サービス（求める情報を特定するための情報や、その所在に関する情報を検索する行為）
② 情報解析サービス（大量の情報を構成する要素を抽出し解析する行為）
③ 前記①②のほか、コンピュータによる情報処理により新たな知見・情報を創出する行為であって国民生活の利便性向上に寄与するものとして政令で定めるもの

本条により権利制限の対象となる著作物は、公衆に提供または提示された著作物のうち、公表または送信可能化された著作物に限られる。

【図表4-11】著作権法47条の4の構造

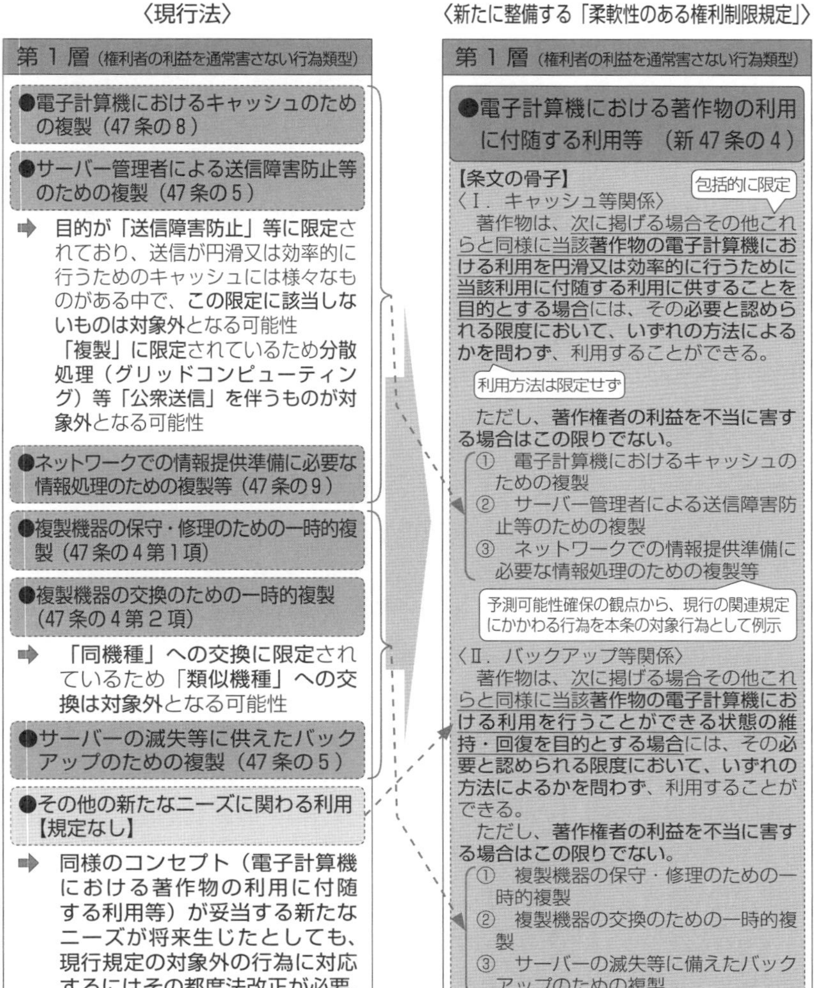

〈現行法〉

第1層（権利者の利益を通常害さない行為類型）

- 電子計算機におけるキャッシュのための複製（47条の8）
- サーバー管理者による送信障害防止等のための複製（47条の5）
  - ⇒ 目的が「送信障害防止」等に限定されており、送信が円滑又は効率的に行うためのキャッシュには様々なものがある中で、この限定に該当しないものは対象外となる可能性
  「複製」に限定されているため分散処理（グリッドコンピューティング）等「公衆送信」を伴うものが対象外となる可能性
- ネットワークでの情報提供準備に必要な情報処理のための複製等（47条の9）
- 複製機器の保守・修理のための一時的複製（47条の4第1項）
- 複製機器の交換のための一時的複製（47条の4第2項）
  - ⇒ 「同機種」への交換に限定されているため「類似機種」への交換は対象外となる可能性
- サーバーの滅失等に供えたバックアップのための複製（47条の5）
- その他の新たなニーズに関わる利用【規定なし】
  - ⇒ 同様のコンセプト（電子計算機における著作物の利用に付随する利用等）が妥当する新たなニーズが将来生じたとしても、現行規定の対象外の行為に対応するにはその都度法改正が必要。

〈新たに整備する「柔軟性のある権利制限規定」〉

第1層（権利者の利益を通常害さない行為類型）

- **電子計算機における著作物の利用に付随する利用等（新47条の4）**

【条文の骨子】　〈包括的に限定〉

〈Ⅰ．キャッシュ等関係〉
　著作物は、次に掲げる場合その他これらと同様に当該著作物の電子計算機における利用を円滑又は効率的に行うために当該利用に付随する利用に供することを目的とする場合には、その必要と認められる限度において、いずれの方法によるかを問わず、利用することができる。

〈利用方法は限定せず〉

　ただし、著作権者の利益を不当に害する場合はこの限りでない。
　① 電子計算機におけるキャッシュのための複製
　② サーバー管理者による送信障害防止等のための複製
　③ ネットワークでの情報提供準備に必要な情報処理のための複製等

〈予測可能性確保の観点から、現行の関連規定にかかわる行為を本条の対象行為として例示〉

〈Ⅱ．バックアップ等関係〉
　著作物は、次に掲げる場合その他これらと同様に当該著作物の電子計算機における利用を行うことができる状態の維持・回復を目的とする場合には、その必要と認められる限度において、いずれの方法によるかを問わず、利用することができる。
　ただし、著作権者の利益を不当に害する場合はこの限りでない。
　① 複製機器の保守・修理のための一時的複製
　② 複製機器の交換のための一時的複製
　③ サーバーの滅失等に備えたバックアップのための複製

＊文化庁「著作権法の一部を改正する法律案概要説明資料」（2018年3月19日）10頁。

「軽微な利用」とは、利用される著作物の割合、量、表示の精度等を総合考慮の上で判断するものとされている。

前記①～③は限定列挙である点には留意が必要である。

前記③の政令については、将来のニーズに対応できるように設けられたものであり、明確性・法的安定性の確保と対応の迅速性の観点から政令に委任された。

また、前記①～③の準備を行う者は、軽微利用の準備のために必要と認められる限度において、複製・公衆送信を行い、または複製物による頒布を行うことができる（著作47条の5第2項）。ただし、著作物の種類・用途および複製・公衆送信・頒布の部数・態様に照らして著作権者の利益を不当に害する場合には、著作者の許諾が必要となる。

7　救済手段

著作権を侵害する行為に対しては、民事的手段として、差止請求や損害賠償請求をすることができる。刑事的手段としては、刑事罰が設けられているが、著作権者は刑事告発等を行い処罰を求めることができるが、処罰は司法の手に委ねられることになる。

民事的手段として、自らの有する著作物について、相手方に著作権侵害行為があれば、その相手方に対する差止請求は認められるが、損害賠償請求が認められるのは、相手方に故意・過失があり、かつ損害が発生している場合に限られる。

著作権侵害訴訟においては、特許権と異なり（特許103条）、過失の推定についての規定がなく、著作権者が主張立証しなければならない。もっとも、損害額については推定規定が存在する（著作114条1項-3項）。

刑事罰については、著作権等侵害罪に該当する場合には、10年以下の懲役もしくは1000万以下の罰金が科される（著作119条1項）。なお、著作権等侵害罪については原則として親告罪とされているが（同法123条1項）、財産上の利益を受ける目的または有償著作物等の提供もしくは提示により著作権者等の得ることが見込まれる利益を害する目的で行った行為のうち一定の要件を満たす場合には、非親告罪とされている（同条2項）。

【図表 4-12】著作権法 47 条の 5 の構造

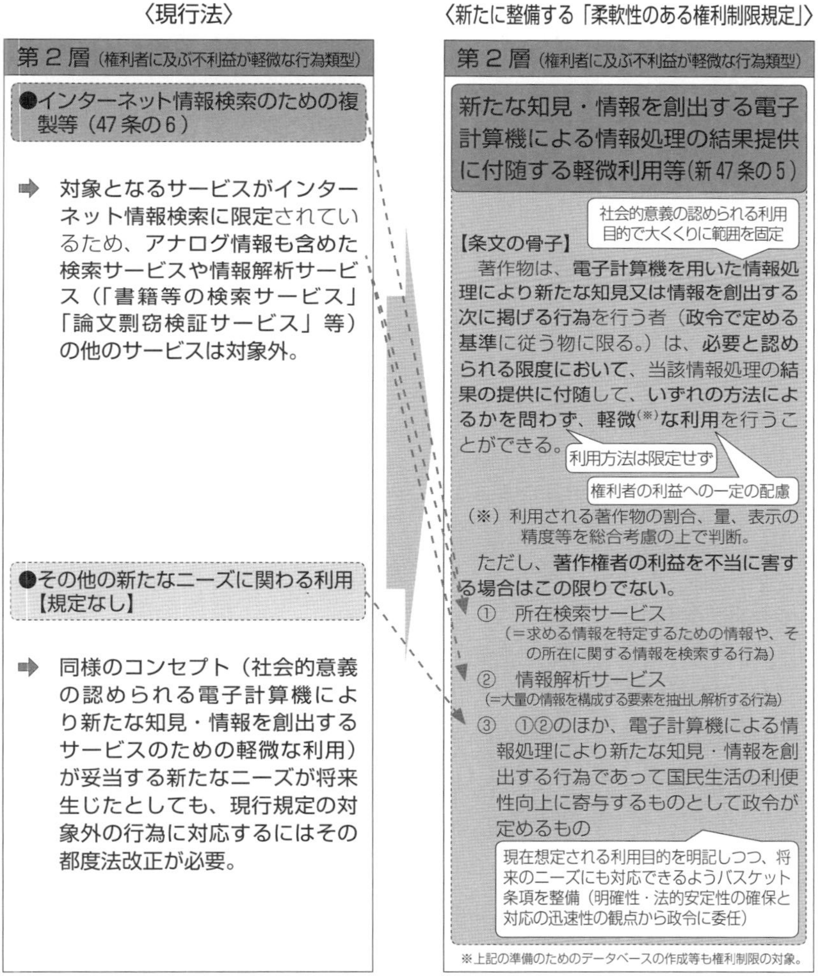

〈現行法〉

第 2 層（権利者に及ぶ不利益が軽微な行為類型）

● インターネット情報検索のための複製等（47 条の 6）

⇒ 対象となるサービスがインターネット情報検索に限定されているため、アナログ情報も含めた検索サービスや情報解析サービス（「書籍等の検索サービス」「論文剽窃検証サービス」等）の他のサービスは対象外。

● その他の新たなニーズに関わる利用【規定なし】

⇒ 同様のコンセプト（社会的意義の認められる電子計算機により新たな知見・情報を創出するサービスのための軽微な利用）が妥当する新たなニーズが将来生じたとしても、現行規定の対象外の行為に対応するにはその都度法改正が必要。

〈新たに整備する「柔軟性のある権利制限規定」〉

第 2 層（権利者に及ぶ不利益が軽微な行為類型）

新たな知見・情報を創出する電子計算機による情報処理の結果提供に付随する軽微利用等（新 47 条の 5）

〔社会的意義の認められる利用目的で大くくりに範囲を固定〕

【条文の骨子】
　著作物は、電子計算機を用いた情報処理により新たな知見又は情報を創出する次に掲げる行為を行う者（政令で定める基準に従う物に限る。）は、必要と認められる限度において、当該情報処理の結果の提供に付随して、いずれの方法によるかを問わず、軽微(※)な利用を行うことができる。〔利用方法は限定せず〕〔権利者の利益への一定の配慮〕

（※）利用される著作物の割合、量、表示の精度等を総合考慮の上で判断。

　ただし、**著作権者の利益を不当に害する場合はこの限りでない。**

① 所在検索サービス
（＝求める情報を特定するための情報や、その所在に関する情報を検索する行為）

② 情報解析サービス
（＝大量の情報を構成する要素を抽出し解析する行為）

③ ①②のほか、電子計算機による情報処理により新たな知見・情報を創出する行為であって国民生活の利便性向上に寄与するものとして政令が定めるもの

〔現在想定される利用目的を明記しつつ、将来のニーズにも対応できるようバスケット条項を整備（明確性・法的安定性の確保と対応の迅速性の観点から政令に委任）〕

※上記の準備のためのデータベースの作成等も権利制限の対象。

＊文化庁「著作権法の一部を改正する法律案概要説明資料」（2018 年 3 月 19 日）11 頁。

第4章 データの知的財産に関する法律

Ⅳ 特許法

データについて特許権を取得すれば、特許権者は、業として特許発明の実施をする権利を専有することができ（特許68条）、特許法による法的保護を受けることができる。特許権も、著作権と同様に、原則として誰に対しても主張可能である。特許権は、著作権と異なって、第三者が独自に偶然同じ発明をした場合であっても、原則としてその第三者に対して特許権を行使することができる（絶対的排他権と呼ばれる）。

そこで、データについても、特許権で保護することが考えられる。

もっとも、特許権を取得するためには、特許庁に特許出願をし、審査官によって特許法の要件を満たす発明であると査定され、特許として登録される必要がある。この点は、著作権が、創作によって発生し、出願や登録が不要である無方式主義であることと大きく異なる。

1 特許要件等

(1) 発明該当性

特許を受けることができる発明とは「自然法則を利用した技術的思想の創作のうち高度のものをいう」とされている（特許2条1項）。

例えば、経済法則、ゲームのルールなどの人為的取決め、数学上の公式、人間の精神活動といったものは、自然法則を利用していないものとして、発明に該当しない。

また、情報の単なる提示は、技術的思想ではないものとして、発明に該当しない[注97]。したがって、データの単なる提示も発明に該当しない。

(2) 特許要件

発明が特許を受けるためには、産業上の利用可能性[注98]、新規性、進歩性があることが要件とされている（特許29条）。

注97) ただし、情報の提示（提示それ自体、提示手段、提示方法等）に技術的特徴がある場合には、その提示手段等が発明となり得る。例えば新曲を収録したCDというだけでは単なる情報の提供で発明とはならないが、CDに技術的特徴があれば、そのCDは発明となり得る。

新規性とは、①公然に知られた発明、②公然に実施された発明、③刊行物の記載等がされた発明のいずれかに該当しないことである（特許29条1項）。

進歩性とは、特許出願前にその発明の属する分野における通常の知識を有する者（当業者）が既存の発明に基づいて容易に発明することができた発明でないことである（特許29条2項）。

2 データ構造の特許

(1) 考え方

特許法においては、前述の通り、情報の単なる提示であるデータは技術的思想ではなく、発明に該当しないとされているので、データそのものは特許の対象とならない。

もっとも、特許法上、プログラムの発明に対しても特許（ソフトウェア特許）の取得が認められているところ（特許2条3項1号）、プログラムでなくても、コンピュータによる処理の用に供する情報であって「プログラムに準ずるもの」については特許の取得が可能である（同号・4項）。

そして、構造を有するデータとデータ構造は、データの有する構造がコンピュータによる情報処理を規定するという点でプログラムと類似する性質を有することから、「プログラムに準ずるもの」として特許の対象とされている。

なお、データ構造とは「データ要素間の相互関係で表される、データの有する論理的構造」のことを意味する[注99]。

特許庁の審査基準においては、データ構造の特許発明該当性については、以下の基準が示されている[注100]。

① 審査官は、「構造を有するデータ」および「データ構造」がプログラムに準ずるもの、すなわち、データの有する構造がコンピュータの

注98) 何らかの産業において利用可能性があればよく、その意味において「産業上の利用可能性」は、特許要件として問題となることは少ない（中山・特許法115頁）。
注99) 特許庁「特許・実用新案審査基準」附属書B「特許・実用新案審査基準」の特定技術分野の適用例（以下、「審査基準」という）第1章2頁。
注100) 審査基準第1章24頁。

処理を規定するものという点でプログラムに類似する性質を有するものであるか否かを判断する。「構造を有するデータ」および「データ構造」がプログラムに準ずるものである場合には、これらはソフトウエアと判断され、「構造を有するデータ」および「データ構造」であっても、プログラムに準ずるものでない場合には、これらはソフトウエアと判断されない。

② ソフトウエアである「構造を有するデータ」(「構造を有するデータを記録したコンピュータ読み取り可能な記録媒体」を含む)および「データ構造」が、「自然法則を利用した技術的思想の創作」に該当するか否かについては、審査官は、以下の判断手順に基づいて判断する。

ⅰ 審査官は、請求項に係るソフトウエア関連発明が「自然法則を利用した技術的思想の創作」であるか否かを検討する。

ⅱ 審査官は、請求項に係るソフトウエア関連発明が「自然法則を利用した技術的思想の創作」であるか否かの判断がされる場合は、「ソフトウエアの観点に基づく考え方」[注101]による検討を行わない。

ⅲ そうでない場合は、審査官は、「ソフトウエアの観点に基づく考え方」による判断を行う。

ⅳ 審査官は、これらの判断に当たっては、請求項の一部の発明特定事項にとらわれず、請求項に係る発明が全体として「自然法則を利用した技術的思想の創作」であるか否かを検討する。

③ ソフトウエアである「構造を有するデータ」および「データ構造」に関しては、「ソフトウエアの観点に基づく考え方」において、データの有する構造が規定する情報処理が、ハードウエア資源を用いて具体的に実現されているか否かにより、審査官は、「自然法則を利用した技術的思想の創作」の要件を判断する。

(2) **事例**

データ構造の事例として、特許庁が示している「音声対話システムの対話シナリオのデータ構造」の請求項を示すと、【図表4-13】の通りである[注102]。

注101) 審査基準第1章の2.1.1.2(同18頁)にその考えが示されている。
注102) 審査基準第1章97頁-98頁。

【図表 4-13】データ構造の特許の請求項の例

【請求項1】
クライアント装置とサーバからなる音声対話システムで用いられる対話シナリオのデータ構造であって、対話シナリオを構成する対話ユニットを識別するユニットIDと、ユーザへの発話内容および提示情報を含むメッセージと、ユーザからの応答に対応する複数の応答候補と、複数の通信モード情報と、前記応答候補および通信モード情報に対応付けられている複数の分岐情報であって、前記応答候補に応じたメッセージおよび前記通信モード情報に応じたデータサイズを有する次の対話ユニットを示す複数の分岐情報と、を含み、前記クライアント装置が、
（1）　現在の対話ユニットに含まれるメッセージを出力し、
（2）　前記メッセージに対するユーザからの応答を取得し、
（3）　前記ユーザからの応答に基づいて前記応答候補を特定するとともに、前記クライアント装置に設定されている前記通信モード情報を特定し、
（4）　当該特定された応答候補及び通信モード情報に基づいて1つの分岐情報を選択し、
（5）　当該選択された分岐情報が示す次の対話ユニットをサーバから受信する処理に用いられる、対話シナリオのデータ構造。

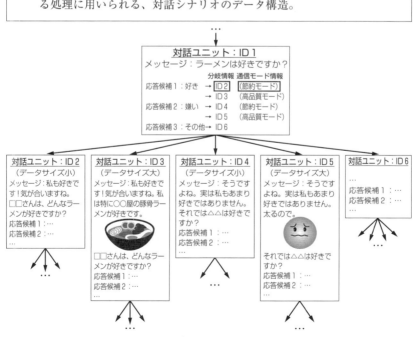

この事例の請求項について、特許庁は、種々の変動条件と補正ルールに基づいて売上実績を予測するという、使用目的に応じた特有の情報の演算または加工が、複数の記憶手段と、記憶手段からのデータの読み出し・選択等を制御する手段という、ソフトウェアとハードウェア資源とが協働した具体的手段によって実現していると判断できることから、この請求項に係る発明は、自然法則を利用した技術的思想の創作であり、発明に該当するとしている。

他方で、「氏名、住所、電話番号からなるデータ要素が一のレコードとして記憶、管理される電話帳のデータ構造であって、コンピュータが、氏名をキーとして電話番号検索するために用いられるデータ構造」という請求項については、データ構造が含むデータ要素の内容や順序を定義したものにすぎず、人為的な取決めにとどまるものであり、自然法則を利用した技術的思想の創作ではないことを理由として、発明該当性が否定されている注103)。

3　物の特許、方法の特許

データを取り扱う装置に特徴がある場合には、その装置について、物の特許をとることが考えられる。

また、データの取扱方法に特徴がある場合に、方法の発明として特許をとることが考えられる。例えば、データの通信方法に特徴がある場合などである。

4　ビジネス関連特許

情報通信技術（ICT）を利用してビジネス方法を実現する発明は、「ビジネス関連発明」と呼ばれているが、ビジネス関連発明についても特許取得が可能である。

もっとも、ビジネス方法すべてについて特許を取得できるわけではない。ビジネス方法の多くは、自然法則の利用をしていなかったり、技術的思想でないため、発明に該当しない。しかし、ビジネス方法が、情報通信技術

注 103)　審査基準第 1 章 25 頁。

を利用して実現された発明（ビジネス関連発明）については、ソフトウェアによる情報処理がハードウェア資源を用いて具体的に実現されているなど、自然法則を利用した技術的思想の創作であれば、特許の対象となる。

ビジネス方法特許として著名なものとして、Amazon のワンクリック特許や、プライスラインの逆オークション特許がある。ビジネス関連発明の特許出願件数は、2000 年頃急増したが、その後、大きく減少した。もっとも、最近は、IoT・AI の発展により増加傾向にある。また、特許査定率も 2000 年の出願に対しては 10％を下回っていたが、近年は他の技術分野と同等の 65％〜70％程度で推移しており[注104]、特許権化が狭き門ではなくなっている。

そこで、データの収集方法や利用方法について、情報通信技術を利用して実現された発明であれば、ビジネス関連発明として、特許取得をすることも考えられる。

V　不法行為法による保護

データの保有者としては、データを無断で利用した者に対して、民法の不法行為に基づく損害賠償請求をすることも考えられる。なお、不法行為責任に基づく場合には、金銭賠償が原則とされていることから（民 722 条 1 項・417 条）、差止請求をすることはできないと解されている。

過去の裁判例においては、著作物に該当しないデータベースの無断コピーについて、民法 709 条に基づく不法行為として損害賠償請求を認めた事例がある。

そのような事例として、翼システム事件[注105]では、裁判所は、自動車約 12 万台に関する情報を収録したデータベースについて、データベースの創作性を認めず著作権による保護を否定したが、データベースのデッドコピーについて、不法行為による損害賠償請求をすることを認めた。同事件では裁判所は、情報収集等に労力と費用が投下されていたことや競合会

注104）特許庁「ビジネス関連発明の最近の動向について」（ウェブサイト）。
注105）前掲注59）東京地中間判平成 13・5・25。

第4章　データの知的財産に関する法律

社がデータベースをデッドコピーしていたことを指摘し、著しく不公正な手段を用いて他人の法的保護に値する営業上の利益を侵害する場合には不法行為が成立するとした。

もっとも、北朝鮮映画事件[注106]において、最高裁は、「著作物に該当しない作品の利用行為は、著作権法が保護しようとしている利益と異なる法的に保護された利益を侵害するなどの特段の事情がない限り、不法行為とはならない」と判示した。この最高裁判決は、著作権法で保護されない権利については、原則として不法行為が成立しないとしたものといえる。

したがって、この最高裁の判断枠組みによれば、データベース著作物ではないデータベースをデッドコピーする行為も、原則として不法行為が成立せず、例外として、著作権が侵害されたと主張する者が、著作権法の保護する利益と異なる法的利益が侵害されたことなどの特段の事情を立証できた場合に、著作権侵害が認められることになる。

そして、その後の下級審裁判例においても、この最高裁判決の後に結論として不法行為の成立を認めたものは公刊されている限り見当たらないとされている[注107]。

もっとも、この最高裁判決については、2時間を超える映画のうち合計2分8秒を放送したにすぎなかったことから不法行為の成立を認めなかったとか、あくまで著作権法6条各号所定の著作物に該当しない著作物について判示したものにすぎず、著作物でないものについては、同判決の射程外と考えるべきとの見解もあり[注108]、この最高裁判決の射程距離については議論がある。

そもそも不法行為が成立するか否かは、その行為が不法と評価できるか否かについて、諸事情から総合的に考慮される性質のものであり、著作権の有無だけで判断できるものではない。いずれにせよ、データベース著作物に該当しないデータベースの無断利用について不法行為が成立するかについては、ケースバイケースによるといえよう。

この点、自動集積されたデータのような著作物でないものは、それが知

注106)　最判平成23・12・8民集65巻9号3275頁。
注107)　上野・前掲注65) 32頁。
注108)　上野・前掲注65) 33頁。

的財産権法によって保護されないものであっても、他人が多大な費用は労力を投下して作成した大量の情報をデッドコピーして安価に販売して競業するような行為が不法行為に当たるとされる可能性は、なお残されるとの指摘もある[注109]。

注109) 上野・前掲注65) 32頁。

第5章
パーソナルデータに関する法律

本章では、パーソナルデータの利活用に当たって必要となる知識として、以下について解説します。
(1) 基本的考え方
パーソナルデータを含む集積されたデータを用いるビジネススキームを構築するに当たって把握しておく必要のあるルール等の基本的な考え方について概観する。
(2) 個人情報保護法
パーソナルデータに適用のある法律として、データのカテゴリーごとに取得、保管、利用等の場面ごとに適用される個人情報保護法について解説する。
(3) プライバシー
個人情報保護法上は問題とならない場合であっても、プライバシーの観点からも検討する必要があることから、プライバシー権の考え方や実務上の対応について解説する。
(4) パーソナルデータの利活用
以上を踏まえて、パーソナルデータを利活用するビジネススキームを検討する際の具体的な考え方の例を示す。

I 基本的考え方

データ駆動型社会といわれる現代においては、個人に関する情報は世の中の至るところに存在し、ビジネスを行うに当たって避けては通れない。これは何も、AI、IoT などの先端技術を使用している企業や、B to C ビジネスを行っている企業に限った話ではない。B to B ビジネスだけを行っている企業や先端技術を用いていない企業でも、従業員や取引先の

担当者のパーソナルデータは必然的に扱うことになるだけでなく、B to B to C ビジネスのように、直接の取引先の顧客の個人情報が問題となる場面も少なくない。

　また、AI や IoT を用いたビジネスでは、パーソナルデータが、カメラやセンサー等によって自動的に収集され記録されることもある。例えば、交通系 IC カードやスマートフォンを利用して個人の位置情報、移動履歴を記録したり、ドライブレコーダーを搭載した自動車やコネクテッドカーでは、移動履歴だけでなくアクセル・ブレーキの作動状況やエンジンの回転数などのプローブデータも記録することができる。ヘルスケアアプリやウェアラブル端末では個人の生体情報が記録され、AI スピーカーやスマートホームでは家電の稼働状況も把握できる。このように集積されたデータは、個人の移動履歴を災害時の避難対策に役立てたり、車の移動経路や所要時間を解析することで交通状況を改善したり、生体情報を用いて健康状態を分析するなど、社会全体にとって非常に有益な情報である。

　しかし一方で、個人の立場からすれば、自分の行動が監視されているようで不愉快に感じる人もいる。そのため、個人に関する情報（パーソナルデータ）については、その取扱いに配慮が必要となる。また、収集したパーソナルデータを AI を用いて処理する場合において、個人の監視システムやプロファイリングによる個人の思想調査など、使われ方次第ではより大きなプライバシーの侵害が発生することも考えられる。

　ここで、個人に関する情報を「パーソナルデータ」と呼ぶのは、個人情報保護法で定義されている「個人情報」との混同を避けるためである。個人情報保護法で定義される「個人情報」は相当に広範な概念ではあるものの、生存者の情報に限られるなど、一定程度限定された概念である。そこで、本書では、個人に関する情報一般を「パーソナルデータ」と呼ぶことにする。

　パーソナルデータの取扱いについては、日本の法制度としては、個人情報保護法などのルールが定められている。また、行政機関などによって、個人情報保護のためのさまざまなガイドラインが設けられている。さらに、法律に明確に規定されてはいないが、これまでの裁判の蓄積により、個人にはプライバシー権という法的権利が認められている。プライバシー権が

第5章　パーソナルデータに関する法律

侵害された個人は、侵害した者に対して損害賠償請求することなどができる。

　そのため、パーソナルデータを扱う場合には、その取得、管理、利用等についてのルールを適切に把握し、データマネジメント、データガバナンスを強化することが非常に重要となっている。すなわち、自らのビジネスやサービスにおいて、①どのように情報を取得し、②どのような情報を保有していて（データの形式等を含む情報の分類）、③どのように取り扱っているか（取り扱っている部署やその処理方法等）を正確に把握する「データマッピング」を行い、④その取扱いに適用される規制に対応した運用にするとともに、⑤適切なセキュリティ対策を講じておくことが肝要である。

　ビジネスを開始した後になって、個人情報保護法やプライバシーの観点から問題があるとの指摘がなされた場合、スキームを最初から構築し直すには相当の労力・コスト・時間を要することになるが、あらかじめスキーム設計の段階でパーソナルデータの取扱いについて配慮しておけば、そのようなことを避けることができるし、本人のプライバシー保護の観点からも望ましい。このようにあらかじめプライバシーを考慮した上で制度設計をする「プライバシー・バイ・デザイン」や一定のプロセスを通じた事前評価を行う PIA（Privacy Impact Assessment：プライバシー影響評価）は、パーソナルデータを取り扱う際には重要である。

　データを用いたビジネスの事業者の視点からは、集める情報はなるべく多いほうがよいと考えがちである。確かに一見無関係のように見えるデータであっても、その中から新たな関係を見つけてビジネスに役立てることができる場合もある。そのため、知らず知らずのうちに多くの情報を集めようとする結果、個人のプライバシーを侵害する方向での設計になってしまう危険性があるが、ただ多くのデータを集めても、形式がバラバラのデータは役に立たない。

　また、プライバシー侵害が懸念されるようなビジネススキームは、社会的に批判されることになりかねない。プライバシーを侵害するビジネススキームで事業を行っていたところ、ある日突然ネットで炎上して、作り上げてきたビジネススキームが崩壊するようなことも、現実に起こっている。プライバシー侵害が懸念されるようなビジネスやサービスは、社会的批判

を受けるだけではなく、多くの人が敬遠して利用しなくなるため、ビジネス的にも失敗するおそれが高まる。プライバシー保護とデータビジネスは必ずしも相反するものではなく、プライバシーに配慮することが、結果として、ビジネスの発展につながることにもなる。

　近時はプライバシーの意識も高まっており、ひとたび情報漏えい事案が起こってしまった場合には、監督当局からのサンクションや漏えいしたパーソナルデータの主体からの損害賠償請求訴訟などもあり得ることから、有事対応（漏えい箇所の発見や遮断方法等も含めて）についても、平時の段階からあらかじめ手順を決めてシュミレーションしておく必要がある。

　また、自らは日本だけでビジネスを行っているつもりでも、思わぬところで海外のパーソナルデータに関する法律が適用されることもある（例えば、通信販売やオンラインサービスを行っている場合や海外からの訪日客を相手に訪日前からやりとりをしている場合、利用しているシステムサーバーが海外に所在している場合等）ことから、他に詳細な解説書が多数出ているので本書では対象としていないが、海外の法制にも注意しておく必要がある。特に、自らが取得する情報がどこからくるのか、という点はデータマッピングの入口として重要である。

II　個人情報保護法

　日本におけるパーソナルデータの保護は、主に個人情報保護法とプライバシー法理の2つである。また、各省庁が公表している各種ガイドラインについても考慮する必要がある。個人情報保護法は、2003年に制定されたが、ICT（情報通信技術）の発展に伴い2015年に大幅に改正され、2017年5月30日に全面的に施行された。2017年の改正個人情報保護法の全面施行により、個人情報保護法の権限は主務大臣から個人情報保護委員会に一本化され、それに伴いガイドラインについても基本的には同委員会が策定したものに一本化されたが、事業分野の特性によって別途ガイドラインが設けられている（【図表5-1】参照）。

　また、2020年（令和2年）に成立した個人情報保護法の改正法（2022年4月1日全面施行。本章において、以下、「**令和2年改正法**」という）にお

いて、個人の権利・事業者の責務や、データ利活用に関する施策、違反に対するペナルティ、越境移転等に関する改正がなされ、2021年（令和3年）に成立したデジタル社会の形成を図るための関係法律の整備に関する法律（以下、「**デジタル社会形成整備法**」という）による個人情報保護法の改正（本章において、以下、「**令和3年改正法**」という）において、個人情報保護法、行政機関個人情報保護法、独立行政法人等個人情報保護法の3本の法律を個人情報保護法に統合することとしており、これらの改正に対する事業者の対応も急務となっている。なお、本章では、個人情報保護法の条文番号は、2022年4月1日に施行される令和3年改正法一部施行後[注1]の条文番号としているが、改正前の条文番号と令和3年改正法施行後の条文番号の対比表も後掲する［→ 17］。

　令和2年改正法および令和3年改正法を含めて、これまでの個人情報保護法の改正の経緯は、以下のとおりである。

- 2003年（平成15年）：個人情報保護法制定
- 2005年（平成17年）：個人情報保護法全面施行
- 2015年（平成27年）：個人情報保護法改正法成立
- 2017年（平成29年）：平成27年改正法全面施行
- 2020年（令和2年）：個人情報保護法改正法成立（3年ごと見直し。個人の権利や事業者の責務、データの利活用に関する改正）
- 2021年（令和3年）：個人情報保護法改正法成立（官民を通じた個人情報保護制度の見直し。行政機関・独立行政法人等に関する個人情報保護法と一本化）
- 2022年（令和4年）4月1日：令和2年改正法の全面施行
- 2022年（令和4年）4月1日：令和3年改正法の一部施行
- 2022年（令和5年）5月まで：令和3年改正法の全面施行

注1）令和3年改正法は、2021年5月19日に公布されており、デジタル社会形成整備法50条に基づく改正法は令和2年改正法と同日の2022年4月1日に、同法51条に基づく改正法は交付の日から2年以内に施行される。本書では、同法50条に基づく改正後の個人情報保護法の条文番号を記載し、個人情報保護法施行令、個人情報保護法施行規則及び関連するガイドラインについては、2021年10月29日に公表された同条に基づく令和3年改正法の一部施行に伴う改正後の同法施行令、同法施行規則の条文番号および各種ガイドラインの項目番号としている。

【図表 5-1】個人情報保護法・ガイドライン等の体系図

法律	個人情報の保護に関する法律
基本方針	個人情報の保護に関する基本方針
政令	個人情報の保護に関する法律施行令
規則	個人情報の保護に関する法律施行規則
ガイドライン	➢個人情報の保護に関する法律についてのガイドライン（通則編） ➢個人情報の保護に関する法律についてのガイドライン（外国にある第三者への提供編） ➢個人情報の保護に関する法律についてのガイドライン（第三者提供時の確認・記録義務編） ➢個人情報の保護に関する法律についてのガイドライン（匿名加工情報編）[注2] なお、上記の他に関係各省庁が定めるガイドラインがある。
その他の主なルール等	➢個人データの漏えい等の事案が発生した場合等の対応について（平成29年個人情報保護委員会告示第1号） ➢「個人情報の保護に関する法律についてのガイドライン」および「個人データの漏えい等の事案が発生した場合等の対応について」に関するQ&A[注3] ➢匿名加工情報パーソナルデータの利活用促進と消費者の信頼性確保の両立に向けて ➢個人情報の保護に関する法律に係るEU域内から十分性認定により移転を受けた個人データの取扱いに関する補完的ルール

　本章ではパーソナルデータについて解説するが、パーソナルデータと一口でいっても、住所・氏名や顔の容貌といった身体的なもの、メールアド

注2） 令和2年改正法に伴うガイドラインの改訂において、これらに加えて個人情報の保護に関する法律についてのガイドライン（認定個人情報保護団体編）（2021年10月更新）も策定された。
注3） 本書では、2021年9月10日に公表された令和2年改正法に基づく改正後のQ&Aの番号（https://www.ppc.go.jp/files/pdf/2109_APPI_QA_4ejj3t.pdf）を記載している。

第5章　パーソナルデータに関する法律

レス・電話番号・クレジットカード番号といった変更可能なものまで、さまざまである。また、前科・病歴や信仰等の個人にとってセンシティブなものから、特定の個人が識別できないような情報まで、情報の粒度にも大きな幅がある。これらのパーソナルデータをまったく同じようなレベルで保護することは適切ではない。そこで、個人情報保護法は、パーソナルデータについて、次の各類型を設けて、それぞれに応じた保護レベルを設定している。

① 個人情報
② 個人データ
③ 保有個人データ
④ 要配慮個人情報
⑤ 匿名加工情報
⑥ 仮名加工情報
⑦ 個人関連情報

事業者は、その取り扱う個人に関する情報（パーソナルデータ）の内容および利用方法等によって①「個人情報」、②「個人データ」、③「保有個人データ」という分類に応じて一定の義務を負うことになる。これらの情報の概念と対応する義務等の各規定との関係は【図表5-2】のようになっている。個人データおよび保有個人データは、「個人情報」をデータベース化したものであり、個人情報が含まれていることから、個人データおよび保有個人データを取り扱う事業者は個人情報取扱事業者であり、個人データおよび保有個人データに適用のあるルールだけでなく、当然のことながら個人情報に関して個人情報取扱事業者に適用のあるルールに従うことになる。

さらに、①「個人情報」のうちセンシティブ情報である④「要配慮個人情報」に該当するものは取得・提供等の制約が加重される。また、①「個人情報」に該当しないよう加工された⑤「匿名加工情報」には、別途一定のルールが定められている。さらに、令和2年改正法において、パーソナルデータの利活用を促進する観点から⑥仮名加工情報が、パーソナルデータの適切な利用を確保する観点から⑦個人関連情報が、新たなカテゴリーとして設けられることとなった。

【図表5-2】個人情報の分類および分類に応じた事業者の義務等

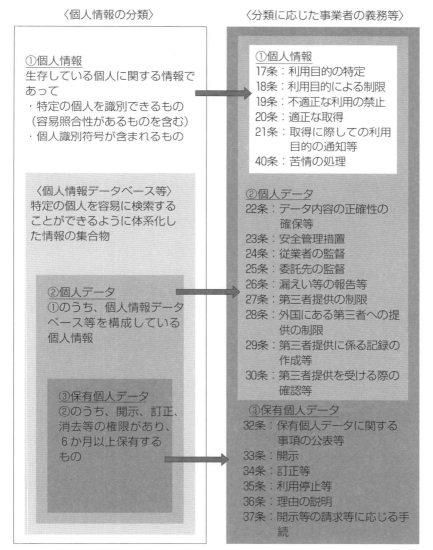

（注）条文は2022年4月1日の令和3年改正法一部施行後の個人情報保護法を指す。

第5章　パーソナルデータに関する法律

　一般論としては、データ取得・利活用の自由度のイメージは、非個人情報（含統計情報）＜匿名加工情報＜個人情報＜個人関連情報＜個人データ＜保有個人データ＜要配慮個人情報の順で制約が大きくなる（なお仮名加工情報については、利用目的の制約は少ないが、自社内での利用を主たる目的としている点に特殊性があるため、ここには含めていない）。そのため、取り扱うデータのカテゴリーを選別することで、自由度を変えることができる。それによって、システム構築コストが変わってくるだけではなく、データを流通させることができる範囲も変わることから、ビジネスの根本にも影響してくる話である。また、単に多くのデータを集めればそれだけで利用価値が高まるというものでもなく、どのようなパーソナルデータを取得すべきかよく検討しておかなければ、無駄なコストと手間を負うことになりかねない。したがって、ビジネスやシステムの仕組みを考える際に、取り扱うデータの内容や形式をどうするのかを戦略的に考えた上でビジネスモデルやシステムを設計することが、厳しい競争を勝ち抜く上でも重要である。

　したがって、個人情報保護法の適用を検討する際には、まずは利活用しようとするパーソナルデータが個人情報保護法上のどのカテゴリーに該当することとなるかを把握した上で、当該カテゴリーにおける取得・利用・保管等についてどのような制約が課されるのかを検討する必要がある。以下では、これらのパーソナルデータの分類について解説した上で、それぞれの分類に基づいて適用されるルールについて詳述する。

```
Ⅱ　個人情報保護法の目次
  1　個人情報取扱事業者
  2　個人情報
  3　個人データ
  4　保有個人データ
  5　要配慮個人データ
  6　匿名加工情報
  7　仮名加工情報
```

8　個人関連情報
　　9　安全管理措置
　　10　トレーサビリティ
　　11　越境データの取扱い
　　12　域外適用
　　13　漏えい等の報告等
　　14　適用除外
　　15　罰則
　　16　個人情報マネジメントシステム
　　17　令和3年改正法との条文対比表

1　個人情報取扱事業者

　個人情報のカテゴリーについて解説する前に、個人情報保護法は基本的には個人情報取扱事業者を対象としていることから、まずはその適用対象となる事業者の定義を確認しておくと、「**個人情報取扱事業者**」とは、個人情報データベース等を事業の用に供している者をいう（個人情報16条2項）。なお、法人格のない任意団体または個人であっても、個人情報データベース等を事業に使用している場合には、個人情報取扱事業者に該当する。

　この「**個人情報データベース等**」とは、個人情報を含む情報の集合物であって、特定の個人を検索することができるように体系的に構成したものをいい（個人情報16条1項）、要するに、個人情報をデータベース化して検索できるようにしたもののことである。これは、コンピュータを用いて検索するものだけでなく、紙媒体にインデックスを付したものも含まれる。具体的には顧客名簿や従業員の人事管理情報等も含まれ、その人数にも限定はない。また、「**事業の用に供している**」の「事業」とは、一定の目的をもって反復継続して遂行される同種の行為であって、かつ社会通念上事業と認められるものをいい、営利・非営利を問わない。

　したがって、ほぼすべての民間事業者が、事業者の規模や識別される特定の個人の数にかかわらず「個人情報取扱事業者」となる。

第5章　パーソナルデータに関する法律

　個人情報保護法は、個人情報の有用性に配慮しつつ、個人の権利・利益の保護を目的として、「個人情報」の取扱いについて個人情報取扱事業者を規制しているが、「個人情報」とは何を意味するのかについて、人々の一般的な感覚と、同法の定義は異なる。人々が会話で「個人情報」という場合、それは個人に関連した情報（すなわちパーソナルデータ）の意味で用いられるのが通常であろう。しかし、同法による規制の対象となるのは、同法で定義された「個人情報」のみであり、パーソナルデータであっても、同法の「個人情報」に当たらないこともあり得る。

2　個人情報

(1)　個人情報の定義

　「**個人情報**」（個人情報2条1項）とは、生存する個人に関する情報であって、①当該情報に含まれる氏名、生年月日その他の記述等により「特定の個人を識別できるもの」（他の情報と容易に照合することができ、それにより特定の個人を識別することができることとなるものを含む）、または、②「個人識別符号」が含まれるものをいう。この「特定の個人を識別できる」か否かを「**識別性**」の問題、「他の情報と容易に照合」して識別できるか否かを「**容易照合性**」の問題といい、以下詳述する。

(A)　識別性

　まず、「個人情報」は「生存する個人に関する情報」であることから、すでに亡くなっている個人や、法人・団体に関する情報は、個人情報保護法上の個人情報ではない。しかし、生存する個人に関する情報（これは日本人だけでなく外国人も含まれる）であれば、氏名だけでなく、「特定の個人を識別できるもの」がすべて個人情報に該当するため、相当広範囲な情報が個人情報に該当し得る。「識別」することができるか否かは、一般人の判断力や理解力をもって生存する具体的な人物と情報の間に同一性を認めるに至るかどうかが判断基準となる[注4]。これを「識別性」の問題というが、典型的には、氏名や顔画像が挙げられるが、情報の中に氏名が含ま

注4）したがって、警察の鑑識班など、特殊技能をもった人物が特殊な手法を使って識別できた場合には、この要件を満たさないことになる。

れることや、氏名が割り出されることは、必須の要件ではない[注5]。

　例えば、メールアドレスに個人のフルネームが使用されており、かつドメインが会社名となっていて、どの会社の誰か識別できてしまうような場合には、当該メールアドレスはそれ単体で個人情報に該当する。また、氏名の記載されていない人物の画像についても、特定の個人を識別できる顔の画像は個人情報に該当する。防犯カメラ等の人物を映すことを目的としている画像だけでなく、風景の撮影などの人物を撮影することを目的としていないカメラの画像に人物が映り込んでしまった場合でも、特定の個人を識別できるものであれば、個人情報に該当することになる[注6]。他方で、小売店舗などの商品配列を検討するするためのデータとして、カメラ画像から抽出した画像を性別・年齢を推測したデータまたは全身のシルエット画像等に置き換えた属性データや移動軌跡データ（動線データ）のみであれば、通常は容易照合性がなく個人情報には該当しない[注7]。

　なお、インターネット上のSNSやホームページ、新聞等で公表されている情報であっても、特定の個人を識別できる情報であれば、「個人情報」に該当する点、法人・団体に関する情報であっても、特定の個人を識別できる情報（例えば、株式会社山田花子商店といった法人の名称や法人の役員の個人名等）は「個人情報」に該当する点には留意が必要である。

(B) 容易照合性

　このように、ある情報から直接に特定の個人を識別できるものに加えて、当該情報そのものからは直接は特定の個人を識別できなくても、「他の情報と容易に照合する」ことによって特定の個人を識別できるものも、個人情報に該当する。「他の情報と容易に照合することができ」るか否かは、事業者の実態に即して個々の事例ごとに判断されると考えられており、通常の業務における一般的な方法で他の情報と容易に照合することができる

注5）日置ほか・しくみ24頁-25頁。

注6）IoT推進コンソーシアム・総務省・経済産業省「カメラ画像利活用ガイドブックver2.0」（2018年3月）（以下、「**カメラ画像利活用ガイドブック**」という）10頁。なお、顔認証に用いることを目的とした装置やソフトウェアにより本人を認証できるようにしたものは、個人識別符号（個人情報令1条1号ロ）として個人情報に該当する。

注7）GLQ&A1-14、カメラ画像利活用ガイドブック12頁-14頁。

状態にある場合に、容易照合性が認められる。この「容易照合性」の判断と相まって、個人情報への該当性の判断が非常に難しいものが少なくない。

　かかる「容易」の要件をいかに解するかは解釈に委ねられている[注8]。すなわち、容易照合性の有無の判断は、保有する各情報にアクセスできる者の存否、社内規定の整備等の組織的な体制、情報システムのアクセス制御等の技術的な体制等を総合的に判断し、取り扱う個人情報の内容や利用の方法等、事業者の実態に即してケースバイケースで判断される[注9]。このように、容易照合性については主体によって判断が相対化されるため、前述の「識別性」の問題（一般人を基準とするため判断の相対化を認めない）とは異なる[注10]。

　例えば、他の事業者への照会を要する場合等であって、照合が困難な状態は、一般に容易に照合することができる状態とはいえないと解されている[注11]。したがって、他の事業者に通常行っていない特別な照会をし、当該他の事業者が相当な調査をしてはじめて回答が可能となる場合や、照合のための特別のソフトウェアを購入してインストールする必要がある場合には、容易照合性の要件を満たさないと考えられる[注12]。他方で、複数の事業者が連携してサービスを提携し、事業者間で組織的・経常的に相互に情報交換が行われているような場合には、容易照合性は認められると考えられる[注13]。逆に、同一事業者内でも、事業者の各取扱部門が独自に取得した個人情報を取扱部門ごとに設置されているデータベースにそれぞれ別々に格納している場合において、双方の取扱部門やこれらを統括すべき立場の者等が、特別の費用や手間をかけることなく、通常の業務における一般的な方法で双方のデータベース上の情報を照合することができないよう、規程上・運用上、双方のデータベースを取り扱うことが厳格に禁止

注8) 宇賀・逐条解説39頁。
注9) 瓜生和久編著『一問一答平成27年改正個人情報保護法』（商事法務、2015）13頁。
注10) 日置ほか・しくみ25頁。
注11) GL通則編2-1。
注12) 宇賀・逐条解説39頁。
注13) 日置ほか・しくみ36頁。

されているような場合には、容易照合性がないと考えられる[注14]。そこで、個人情報を格納しているデータベースと非個人情報を格納しているデータベースの連携を、規程上・運用上断ち切ることで、非個人情報が容易照合性を通じて個人情報となることを防ぐことも考えられる。

なお、照合技術は日進月歩で発展し、利用できるデータも増加していくことが予想されることから、容易照合性も時を経るとともに、より認められやすくなると予想される。最近では、ウェブ上で公開されているプログラムを使えば容易に照合できるケースも考えられ、このような場合にも容易照合性があるといえるか否かは議論があるところであろう。

(C) 提供元基準

上記に加えて、個人データを第三者提供する場合［→3(3)(A)］に、原則として同意が必要となるが、この同意の要否を判断する際に、容易照合性を個人データの提供者（提供元）を基準として考えるのか、受領者（提供先）を基準として考えるのかという問題がある。例えば、それ自体では特定の個人を識別できない情報を第三者に提供する場合に、提供者側に特定の個人と照合できるデータベースがあるが、受領者側にはない場合に個人データの第三者提供となるのか否か、逆に、特定の個人と照合できるデータベースが提供者側にはないが、受領者側にある場合に個人データの第三者提供となるのか否かという問題である。

この点については、提供元が提供先の事情を把握して提供先の事情によって本人同意の要否が左右されるとなると、本人保護の観点から安定性を欠くことから、提供者（提供元）を基準として判断するものとして、通説・実務では「**提供元基準**」が採用されている[注15]。

例えば、【図表5-3】の①は、提供元において氏名を保有しているため、氏名に紐付けられたIDや購買履歴は提供元において容易照合性があり、

注14) 個人情報保護委員会事務局レポート「匿名加工情報パーソナルデータの利活用促進と消費者の信頼性確保の両立に向けて」（2017年2月）（以下、「**匿名加工情報レポート**」という）14頁。

注15) 個人情報保護委員会事務局『『個人情報の保護に関する法律についてのガイドライン（通則編）（案）』に関する意見募集結果」（2016年11月30日）No.19および「個人情報保護法の政令等の検討状況について」第3回医学研究等における個人情報の取扱い等に関する合同会議資料2-1・7頁参照。

第5章　パーソナルデータに関する法律

【図表 5-3】提供元基準・提供先基準

①提供元基準で容易照合性が認められる場合

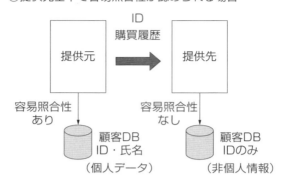

②提供先基準で容易照合性が認められる場合

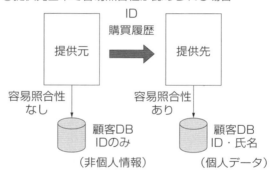

個人情報（データベース化されていれば個人データ）となる。これに対して、【図表 5-3】の②は、提供元においては氏名は保有しておらず、ID のみで管理していることから、提供元において特定の個人を識別することはできず、ID と紐付けられた購買履歴も非個人情報となるが、提供先では当該 ID が氏名と紐付けられていることから、当該 ID やそれに紐付いた購買履歴も個人情報（個人データ）となる。

　もっとも、実務的には、提供元基準を厳密に貫くことに対して疑問が生じる例もある。例えば、顧客のデータベースを保有する自動車メーカーが、

顧客の自動車のエンジン回転数やブレーキの作動回数などのデータのみを、製品開発のために第三者の部品メーカーに顧客と紐付けずに提供するような場合である。下記(D)で述べる個人に「関する」の範囲とも関連するが、提供元基準を厳密に貫けば、このようなデータも顧客の氏名等と紐付いてデータベース化して管理されていれば個人データに該当することになる。しかし、受領者においては個人をまったく特定できない機械的なデータであるにもかかわらず、第三者提供の際には原則として本人の同意が必要となることには疑問をもつ人々も少なくない。個人に関する情報が幅広く収集され流通する時代において、このような取扱いが適切なのかは今後検討していく余地があろう。

なお、かかる提供元基準との関係で、提供元では容易照合性がなく個人情報ではないことから、個人データの第三者提供の制限は受けないデータについて、提供先である第三者側には容易照合性があり、個人データとして取り扱っている事例が問題視され、令和2年改正法により、後述する個人関連情報の規制が新たに設けられた［→8］。

(D) 個人に「関する」の範囲

前述した自動車の稼働状況だけでなく、スマートフォンやAIスピーカー、ヘルスケアデバイス等のIoT機器等により取得した情報がどこまで個人に「関する」情報に該当するかについては、容易照合性の判断と相まって、悩ましい問題が生じ得る。この「関する」の範囲については、広く解するのが支配的な見解[注16]であり、このような見解を前提とした場合に、機器の状況、例えば、AIスピーカーが取得する自宅の照明やテレビ等の家電の稼働状況、車両走行中のコネクテッドカーの稼働状況（アクセル、ブレーキの作動状況やエンジン回転数等）や位置情報などのプローブデータも個人に「関する」ものとして「個人情報」に含まれる可能性がある。

この点に関して、機器の状態に関する情報は、個人に「関する」情報ではなく、個人情報に該当しないという主張も一応考えられるところではあ

注16) 例えば、GL通則編2-1では、「氏名、住所、性別、生年月日、顔画像等個人を識別する情報に限られず、個人の身体、財産、職種、肩書等の属性に関して、事実、判断、評価を表す全ての情報」とされている。

る。もっとも、国会審議において[注17]、向井治紀政府参考人は、「物の状態を示すデータにつきましては、例えば、冷蔵庫とかテレビのような家電製品の稼働状況等を精査、取得したようなものにつきましては、生存する個人に関する情報とは言えず、それ単体では個人情報には該当するものではないと考えております。しかしながら、物を利用する者の氏名等と一緒に取得されている、あるいは、事業者が物の利用者に係る別の個人情報を保有し、容易照合性がある状態になれば、これはまた個人情報に該当するものと考えられます」と回答している。つまり、この回答に基づけば、機器の作動状況のデータであっても、機器を利用する者の氏名等のデータを保持している者が取得すれば容易照合性があることから、個人情報に該当することになる。

また、直接的には匿名加工情報に関するものであるが、匿名加工情報レポートでは、自動車に搭載したGPS受信機によって取得できる位置情報（移動履歴）について、「詳細な時刻情報と紐づく位置情報の連続したデータからは、ある地点から別の地点への移動の経路のみならず、夜間に同じ場所に滞留している位置情報からは自宅を推定することができ、昼間に同じ場所に滞留している位置情報からは、勤務先や通っている学校等を推定することが可能である」[注18]とされ、また、移動履歴は長くなればなるほど他人と重複する可能性が低く、一意な情報となるという特徴を有する[注19]としている。総務省が公表している「スマートフォン プライバシー イニシアティブⅢ」（2017年7月）11頁においても、「行動履歴や利用履歴に関する情報としては、GPSや基地局・Wi-Fiアクセスポイント情報に基づく位置情報、通信履歴（通話内容・履歴、メール内容・送受信内容等）、ウェブページ上の行動履歴などが蓄積される場合がある。また、アプリケーションの利用により蓄積される情報やアプリケーションの利用ログ、システムの利用に関するログなどが蓄積されることもある。これらは、それ自体で一般には個人識別性を有しないことが多いと考えられるが、

注17）2015年5月8日第189回国会衆議院内閣委員会（第4号）。
注18）匿名加工情報レポート60頁。
注19）匿名加工情報レポート28頁・60頁。都市部と地方、昼間と夜間等、環境や状況に応じて同じ範囲から取得できる位置情報の数が変わるという特徴も有する。

長期間網羅的に蓄積した場合等において、態様によって個人が推定可能となる場合もある。移動履歴は、短期間のものでも、自宅、職場等の情報と等価になる場合がある。また、大量かつ多様なこれらの履歴の集積については、個人の人格と密接に関係する可能性が指摘される。」としている。これらの指摘からすると、位置情報については、他の情報と容易照合性があって個人が特定できる場合はもちろん個人情報に該当すると解されるが、連続した移動履歴のデータそのものから個人を特定することが可能である場合には、他の個人情報と照合しなくても、それ自体で特定の個人を識別できる個人情報と解され得ることを前提にしているものと考えられる。

このように、家電や自動車の稼働状況、ドライブレコーダーやヘルスケアデバイス等の移動経路・位置情報については、少なくとも氏名等と容易照合性がある場合には、個人情報であると解することになるであろうが、このような解釈は広すぎるとの批判もあるところである。前述した通り、企業が氏名と照合できるデータベースをもっている状況で、自動車のエンジン回転数・ブレーキ作動状況や冷蔵庫の温度のデータのみを外部に提供することについて、個人情報の第三者提供に当たり、本人同意が原則として必要ということになるのは、一般的な感覚と乖離があるようにも思われる。データベース間の連携を断ち切ることによって容易照合性をなくすという方向性もあるが、この「関する」を制限的に解釈することによって、これらのデータは個人に「関しない」と整理することで、個人データではないとする考え方もあり得るのではなかろうか。いずれにせよ、この「関する」がどのような範囲まで及ぶかについては今後の課題である。

(E) 個人識別符号

「個人識別符号」には、①身体の一部の特徴をデジタル化した符号である１号個人識別符号（個人情報２条２項１号）と、②個人に発行される公的書類に付される符号である２号個人識別符号（同項２号）がある。

１号個人識別符号は、①DNA配列、②顔の骨格、③顔の容貌（皮膚の色も含む）、④虹彩、⑤声紋、⑥歩き方、⑦手・指の静脈の形状、⑧指紋・掌紋について、コンピュータで利用できるように変換したデータであって、特定の個人を識別することができる水準が確保されたものである（個人情報令１条１号、個人情報則２条）。つまり、身体の特徴情報であって、

コンピュータで本人を識別することができるようにしたもののみが1号個人識別符号に該当する。例えば、DNA 検査におけるゲノムデータや、顔認証・指紋認証などの生体認証に用いられる特徴量データなどにより、特定の個人を識別することができるものである。2号個人識別符号は、⑨パスポートの番号、⑩基礎年金番号、⑪運転免許証の番号、⑫住民票コード、⑬個人番号、⑭国民健康保険・後期高齢者医療制度・介護保険・健康保険・公務員共済組合・雇用保険の被保険者証・組合員証等の記号・番号・保険者番号、⑮特別永住者証明書の番号などである（個人情報令1条2号-8号、個人情報則3条・4条）。

なお、携帯電話番号、IP アドレス、メールアドレス、クレジットカード番号、サービス ID などは 2015 年の改正時に議論があったものの、個人識別符号には指定されなかった。もっとも、個人識別符号には該当しないとしても、前記の容易照合性に基づいて「特定の個人を識別できるもの」であれば、これらの情報も「個人情報」に該当することとなる。

取得しようとするパーソナルデータが「個人情報」に該当する場合には、利用目的の特定や取得に際しての利用目的の公表・通知、利用目的による利用制限などの制約が課されることになる。以下では、取得・利用等についてどのような規律を受けるかについて解説する。

(2) 個人情報の取得・利用に関するルール

(A) 利用目的の公表・通知

個人情報取扱事業者が個人情報を取得した場合には、あらかじめその利用目的を公表している場合を除き、速やかに[注20]、その利用目的を、本人に通知し、または公表しなければならない（個人情報21条1項）。

ここにいう「公表」とは、広く一般に自己の意思を知らせること（不特定多数の人々が知ることができるように発表すること）をいい、事業の性質および個人情報の取扱状況に応じて、合理的かつ適切な方法によらなければならない。例えば、自社のホームページから1回程度の操作で到達でき

注20) ただし、契約書やインターネット上での商品・サービスの申込み、アンケートや懸賞の応募等で個人情報の記載を求めるような場合には、「本人から直接書面に記載された当該本人の個人情報を取得する場合」に該当するため、事後ではなく、あらかじめ本人に対して利用目的を明示する必要がある（個人情報18条2項）。

る場所への掲示や、自社の店舗や事務所等、顧客が訪れることが想定される場所におけるポスター等の掲示、パンフレット等の備置き・配布等が挙げられる[注21]。

ただし、本人または第三者の生命身体または財産その他の権利利益を害するおそれがある場合や当該事業者の権利または正当な利益を害するおそれがある場合等一定の場合には、利用目的を通知または公表する必要はない[注22]。

なお、防犯カメラにより個人の容貌を撮影・録画することは、前述の通り個人情報の「取得」に該当する場合があるが、従来型の防犯カメラは取得の状況からみて犯罪を予防することを利用目的とすることは明らかであるものとして（個人情報21条4項4号）、個人情報保護法上は、防犯カメラの設置者は利用目的を本人に通知・公表する必要はない[注23]。ただし、単に防犯カメラで容貌を撮影するにとどまらず、カメラで撮影した画像を処理して顔認証データとして取り扱う場合には、通常の防犯カメラと比べて肖像権[注24]やプライバシー権の侵害度合いが強い。そのため、顔認証データを抽出して防犯目的で利用する場合には、本人においてそのような取扱いがなされるとは合理的に予測・想定できないと考えられること、また、顔認証データはマーケティング等他の目的にも利用され得る個人情報であることから、防犯のためにカメラ画像および顔認証技術を用いた顔認証データの取扱いがなされることを本人が予測・想定できるように利用目的を特定し、これをあらかじめ公表またはその取得後速やかに通知・公表する必要がある[注25]。なお、カメラ画像の利活用の際の配慮事項については、「カメラ画像利活用ガイドブック」が詳しく解説している。

注21）GL通則編2-15。
注22）個人情報21条4項、GL通則編3-3-5。
注23）GLQ&A1-12。
注24）肖像権に関するリーディングケースとして、京都府学連事件に関する最判昭和44・12・24刑集23巻12号1625頁が挙げられる。同判決は、「個人の私生活上の自由の1つとして、何人も、その承諾なしに、みだりにその容ぼう・姿態を撮影されない自由を有する」と判示し、実質的に肖像権を承認した（村上康二郎『現代情報社会におけるプライバシー・個人情報の保護』〔日本評論社、2017〕196頁-197頁）。

(B) 利用目的の特定

　個人情報取扱事業者が個人情報を取り扱うに当たっては、その利用目的をできる限り特定しなければならないとされており（個人情報17条1項）、上記の通り利用目的を公表・通知する際には、利用目的を特定しておく必要がある。この利用目的の特定に当たっては、一律の基準はなくケースバイケースではあるが、利用目的を単に抽象的、一般的に特定する（例えば、事業活動に用いるため、マーケティング活動に用いるため、お客様サービスの向上に用いるため等）のではなく、個人情報が最終的にどのような事業の用に供され、どのような目的で利用されるのかが、本人にとって一般的かつ合理的に想定できる程度に具体的に特定することが望ましいとされている[注26]。特に、近時議論になっているターゲティング広告やスコアリング等のプロファイリングについては、例えば、本人から得た情報から、本人に関する行動・関心等の情報を分析する場合、個人情報取扱事業者は、どのような情報についてどのような取扱いが行われているかを本人が予測・想定できる程度に利用目的を特定しなければならないとし、「取得した閲覧履歴や購買履歴等の情報を分析して、趣味・嗜好に応じた新商品・サービスに関する公告のために利用いたします」、「取得した行動履歴等の情報を分析し、結果をスコア化した上で、当該スコアを第三者へ提供いたします」といった記載が具体的に利用目的を特定している事例として挙げられている[注27]。また、後述する第三者提供を行うことを想定している場合には、その旨を明確に特定して記載しておく必要がある。

(C) 利用目的の変更と本人の同意

　一旦利用目的を特定したものの、事業者が、状況や環境の変化に応じて、当該利用目的を変更したいと考えることは十分あり得る。そのような場合

注25) GLQ&A1-12。従来のカメラ画像と異なる点は、撮影した画像の①識別性、②照合性、③検索性、④自動処理性を確保することができる点にあるとされる（新保史生「AIの利用と個人情報保護制度における課題」福田雅樹ほか編著『AIがつなげる社会——AIネットワーク時代の法・政策』〔弘文堂、2017〕233頁以下）。
注26) GL通則編3-1-1。
注27) 個人情報保護委員会「改正法に関する政令・規則等の整備に向けた論点について（公表事項の充実）」（2020年10月14日）12頁。

に、個人情報保護法は、「合理的に認められる範囲」に限って、利用目的を変更することを認めている（個人情報17条2項）。何が「合理的に認められる範囲」なのかについては、当初の利用目的から変更される範囲が、変更前の利用目的と関連性を有すると合理的に認められる範囲、すなわち、変更後の利用目的が変更前の利用目的からみて、社会通念上、本人が通常予期し得る限度と客観的に認められる範囲内か否かが基準となる[注28]。例えば、以下のような場合が挙げられている[注29]。

① フィットネスクラブの運営事業者が、会員向けにレッスン等の開催情報をメール配信するために個人情報を保有していたところ、これらの会員に対し、新たに始めた栄養指導サービスの案内を配信する場合
② 防犯目的で警備員が駆けつけるサービスの提供のため個人情報を有していた事業者が、新たに始めた「高齢者見守りサービス」について、既存の顧客に当該サービスを案内するためのダイレクトメールを配信する場合
③ 住宅用太陽光発電システムを販売した事業者が、対象の顧客に対して、提携先である電力会社の自然エネルギー買取サービスを紹介する場合

上記のような利用目的を変更することができる範囲に含まれず、利用目的の達成に必要な範囲を超えて個人情報を取り扱うことになる場合には、原則として、あらかじめ本人の同意を得る必要がある（個人情報18条1項）。かかる同意を得るために個人情報を利用すること（メールの送信や電話をかけること等）は、当初特定した利用目的として記載されていない場合でも、目的外利用には該当しない[注30]。

同意取得の方法は、書面に限らず、口頭、メール、Web上の同意ボタンのクリックなどでも差し支えないが[注31]、本人の同意を得るに当たって

注28) 本人の主観や事業者の恣意的な判断によるものではなく、一般人の判断において、当初の利用目的と変更後の利用目的とを比較して予測できる範囲をいい、当初特定した利用目的とどの程度関連性を有するかを総合的に勘案して判断される（GL通則編 3-1-2）。
注29) GLQ&A2-8。
注30) GL通則編 3-1-3。
注31) GL通則編 2-16。

は、本人が十分認識し得るように具体的に利用目的を示すことが必要であり、「いかなる目的で利用されても異議を唱えない」というように事前に包括的に同意を得ることは認められない[注32]。

では、例えば、本人に同意を求めるメールを送って、「1週間以内に返事がなければ同意があるとみなす」とした場合に、本人の同意があったといえるのであろうか。また、ウェブサイトに「利用目的の変更に異議がある方はお申し出ください。お申出なき場合には同意したものと取り扱わさせていただきます」と掲載し、異議を申し出なかった者は同意があったものとして取り扱ってよいのであろうか。これは、いわゆる黙示の同意が認められるか否かという問題である。

この点に関して、「明示の同意」以外に「黙示の同意」が認められるか否かは、個別の事案ごとに具体的に判断することになるが[注33]、黙示の同意も認められないわけではない。どのような場合に黙示の同意があったといえるかに関しては、一定期間内に回答がない場合には同意したものとみなす旨の電子メールを送り、一定期間回答がなかったことのみをもって、一律に本人の同意を得たものとすることはできないとされているものの[注34]、変更後の目的、本人への連絡の回数や回答期間の設定等の具体的事情次第では、黙示の同意があったと認めて差し支えない場合もあると考えられる[注35]。また、法人の役員の氏名を記載することが一般的な書面にこれを記載して提供する場合等、提供の態様によっては、本人の同意があると事実上推定してもよい場合もある[注36]。もっとも、同意は取り消すことができると解されていることには留意すべきである[注37]。

なお、法令に基づく場合や、人の生命、身体または財産の保護のために必要がある場合であって、本人の同意を得ることが困難であるとき、学術

注32) 宇賀・逐条解説 136 頁。
注33) GLQ&A1-61。
注34) GLQ&A1-60。
注35) 森大樹編集代表『日米欧個人情報保護・データプロテクションの国際実務（別冊 NBL162 号）』（2017）182 頁。
注36) 個人情報保護委員会事務局・前掲注 15) No.8 参照。
注37) 宇賀・逐条解説 136 頁。

研究機関等が研究目的で取り扱う必要がある場合等一定の場合には、本人の同意なく、利用目的の達成に必要な範囲を超えて個人情報を取り扱うことができる[注38]。

(D) 適正な取得

個人情報取扱事業者は、偽りその他不正の手段により個人情報を取得してはならない（個人情報20条1項）。例えば、個人情報を取得する主体や利用目的等について、意図的に虚偽の情報を示して、本人から個人情報を取得する場合等が挙げられる。なお、個人情報データベース等（その全部または一部を複製し、または加工したものを含む）を自己もしくは第三者の不正な利益を図る目的で提供し、または盗用した場合には、刑事罰（1年以下の懲役または50万円以下の罰金。法人に対しては1億円以下の罰金）が定められている（同法174条・179条1項1号）。法人に対する罰金は、令和2年改正法によって、50万円から1億円に引き上げられた。

(E) 不適正な利用の禁止

令和2年改正法により、個人情報取扱事業者は、違法または不当な行為を助長し、または誘発するおそれがある方法により個人情報を利用してはならないという規定が新設された（個人情報19条）。昨今の急速なデータ分析技術の向上等を背景に、潜在的に個人の権利利益の侵害につながることが懸念される個人情報の利用の形態がみられるようになり、消費者側の懸念が高まりつつある。そのような中で、後述する破産者マップの例［→Ⅲ5(5)］などの違法な利用が問題となったことに加えて、令和2年改正法施行前の規定に照らして違法ではないとしても、違法または不当な行為を助長し、または誘発するおそれのある方法により個人情報を利用するなど、個人情報保護法の目的である個人の権利利益の保護に照らして、看過できないような方法で個人情報が利用されている事例がみられたことから、このような規定が設けられた。

ここにいう「**違法または不当な行為**」とは、法令に違反する行為、および直ちに違法とはいえないものの、法令の制度趣旨または公序良俗に反する行為等、社会通念上適正とは認められない行為をいう。「**おそれ**」の有

注38) 個人情報18条3項、GL通則編3-1-5。

無は、違法または不当な行為を助長または誘発することについて、社会通念上蓋然性が認められるか否かにより判断される。この判断に当たっては、個人情報の利用方法等の客観的な事情に加えて、個人情報の利用時点における個人情報取扱事業者の認識および予見可能性も踏まえる必要がある。例えば、第三者提供の場合において、当該第三者が提供を受けた個人情報を違法な行為に用いた場合であっても、個人情報の取得目的を偽っていた等、当該個人情報の提供の時点において、提供した個人情報が当該第三者に違法に利用されることについて、当該事業者が一般的な注意力をもってしても予見できない状況であった場合には、「おそれ」は認められないと解される[注39]。GL通則編3-2では、不適正利用の事例として、以下のものが挙げられている。

① 違法な行為を営むことが疑われる事業者（例：貸金業登録を行っていない貸金業者等）からの突然の接触による本人の平穏な生活を送る権利の侵害等、当該事業者の違法な行為を助長するおそれが想定されるにもかかわらず、当該事業者に当該本人の個人情報を提供する場合

② 裁判所による公告等により散在的に公開されている個人情報（例：官報に掲載される破産者情報）を、当該個人情報に係る本人に対する違法な差別が、不特定多数の者によって誘発されるおそれがあることが予見できるにもかかわらず、それを集約してデータベース化し、インターネット上で公開する場合

③ 暴力団員により行われる暴力的要求行為等の不当な行為や総会屋による不当な要求を助長し、または誘発するおそれが予見できるにもかかわらず、事業者間で共有している暴力団員等に該当する人物を本人とする個人情報や、不当要求による被害を防止するために必要な業務を行う各事業者の責任者の名簿等を、みだりに開示し、または暴力団等に対しその存在を明らかにする場合

④ 個人情報を提供した場合、提供先において個人情報保護法27条1項に違反する第三者提供がなされることを予見できるにもかかわらず、当該提供先に対して、個人情報を提供する場合

注39）GL通則編3-2、GLQ&A3-3。

⑤　採用選考を通じて個人情報を取得した事業者が、性別、国籍等の特定の属性のみにより、正当な理由なく本人に対する違法な差別的取扱いを行うために、個人情報を利用する場合
⑥　広告配信を行っている事業者が、第三者から広告配信依頼を受けた商品が違法薬物等の違法な商品であることが予見できるにもかかわらず、当該商品の広告配信のために、自社で取得した個人情報を利用する場合

(3)　個人情報の提供に関するルール

データベース化された個人情報である個人データに関しては、安全管理措置等のルールがあるが、データベース化されていない単なる「個人情報」については、その提供や管理に関して特段のルールは設けられていない。したがって、利用目的に記載されてさえいれば、本人の同意なく第三者に提供することも可能である。

(4)　個人情報の管理に関するルール（苦情の処理）

事業者は、個人情報の取扱いに関する苦情の適切・迅速な処理に努めなければならない（個人情報40条1項）。また、それを達成するために必要な体制の整備に努めなければならない（同条2項）。必要な体制の整備については、例えば、個人情報保護管理者の設置、苦情処理窓口の設置、苦情処理担当者の研修、苦情処理マニュアルの作成などが考えられる[注40]。ただし、これらは努力義務であり、無理な要求にまで応じなければならないものではない[注41]。

3　個人データ

(1)　個人データの定義

特定の個人を検索することができるように体系的に構成された「個人情報データベース等」（個人情報16条1項）を構成する個人情報が、「個人データ」（同条3項）である。データベース化された個人情報は、取扱いや流通が容易となって使い勝手が良くなるが、その反面でプライバシー侵

注40）宇賀・逐条解説233頁。
注41）GL通則編3-9。

害や情報漏えいの危険性が増えるので、「個人データ」については、個人情報よりも厳格なルールが設けられている。すなわち、取得した「個人情報」をデータベース化して「個人データ」に該当することになった場合には、個人情報取扱事業者は、「個人情報」に関して負う義務に加えて、当該個人データの内容の正確性を確保する義務、安全管理措置を講じる義務、従業者・委託先を監督する義務を負うことになる。また、個人データに該当すると、本人の同意のない第三者提供が原則として禁止されるとともに、本人の同意を得てまたは例外として本人の同意なく第三者提供ができる場合であっても、その記録の作成・確認等を行う義務も負うこととなる。

　上記の「個人情報データベース等」には、コンピュータを用いて検索するものだけでなく、紙媒体であっても目次や索引、インデックスなどを付して検索できるようにしたものも含まれる。ただし、以下の①～③の要件すべてを満たしたものについては、その利用方法からみて個人の権利利益を害するおそれが少ないことから「個人情報データベース等」には該当しない（個人情報令4条）。具体的には、市販の電話帳、住宅地図、職員録、カーナビゲーションシステムなどが挙げられる[注42]。

①　不特定かつ多数の者に販売することを目的として発行されたものであって、かつ、その発行が法または法に基づく命令の規定に違反して行われたものでないこと

②　不特定かつ多数の者により随時に購入することができ、またはできたものであること

③　生存する個人に関する他の情報を加えることなくその本来の用途に供していること

　アプリやセンサー等がリアルタイムで収集する個人情報を、個人が検索できる形で体系化してデータベース化すると、「個人情報」が「個人データ」となって、第三者提供が制限されてしまい、データの共有に支障が生じることもあり得る。それならば、あえてデータを体系化しないまま処理したほうがよいという判断もあり得る。

　なお、本人が判別できる映像情報であれば「個人情報」に該当するもの

注42）GL通則編2-4。

の、防犯カメラやビデオカメラの画像を蓄積したものについて、記録した日時について検索することは可能であっても、特定の個人に係る映像情報について検索することができない場合には、個人情報データベース等には該当しないことから、「個人データ」には該当しないと整理されている[注43]。

以下では、個人データに関するルールについて述べるが、これらは個人データについてセキュリティを確保することを求めるものが中心である。また、ビジネス上、データを利活用する場合との関係で、「個人データ」に該当する場合には第三者提供に関して制限が課されていることは重要なポイントである。

(2) 個人データの取得・利用に関するルール

個人データは、「個人情報」をデータベース化したものであり、個人情報が含まれていることから、個人データの取得・利用に関するルールは、利用目的の特定・公表・通知、適正取得、不適正利用の禁止等、上記2(2)で述べた個人情報の取得・利用に関するルールが適用される。

(3) 個人データの提供・共有に関するルール

(A) 第三者提供の制限等

自らのビジネスで収集したデータをデータベース化して第三者と共有することによってビジネスで有用な利用ができる、あるいは自らのビジネスを効率的に進めることができることも多いため、個人情報を第三者と共有したいという要請も多い。データベース化されていない単なる「個人情報」に関しては、他の法令や契約等の制限がある場合は別として、個人情報保護法との関係では、利用目的に記載されていれば、本人の同意なく第三者に提供することができるが、「個人データ」、つまり「個人情報」をデータベース化して検索可能となった「個人情報データベース等」を構成する個人情報を「第三者」に「提供」するには、原則として、あらかじめ「本人の同意」を得る必要がある（オプトイン方式。個人情報27条1項）。

ただし、以下の適用除外事由に該当する場合には、同意を得る必要はない（同項各号）。

〈適用除外事由〉

注43) GLQ&A1-41。

① 法令に基づく場合
② 人の生命、身体または財産の保護のために必要がある場合であって、本人の同意を得ることが困難であるとき
③ 公衆衛生の向上または児童の健全な育成の推進のために特に必要がある場合であって、本人の同意を得ることが困難であるとき
④ 国の機関もしくは地方公共団体またはその委託を受けた者が法令に定める事務を遂行することに対して協力する必要がある場合であって、本人の同意を得ることにより当該事務の遂行に支障を及ぼすおそれがあるとき
⑤ 当該個人情報取扱事業者が学術研究機関等である場合であって、当該個人データの提供が学術研究の成果の公表または教授のためやむを得ないとき（個人の権利利益を不当に侵害するおそれがある場合を除く）
⑥ 当該個人情報取扱事業者が学術研究機関等である場合であって、当該個人データを学術研究目的で提供する必要があるとき（当該個人データを提供する目的の一部が学術研究目的である場合を含み、個人の権利利益を不当に侵害するおそれがある場合を除く）（当該個人情報取扱事業者と当該第三者が共同して学術研究を行う場合に限る）
⑦ 当該第三者が学術研究機関等である場合であって、当該第三者が当該個人データを学術研究目的で取り扱う必要があるとき（当該個人データを取り扱う目的の一部が学術研究目的である場合を含み、個人の権利利益を不当に侵害するおそれがある場合を除く）

例えば、ある事業者の従業員が新型コロナウイルスに感染し、当該従業員が接触したと考えられる取引先にその旨情報提供するような場合には、「第三者」に「提供」することになるが、仮にそれが当初特定した利用目的の範囲を超えていたとしても、取引先での2次感染防止や事業活動の継続のため（上記②）、また公衆衛生の向上のため（上記③）に必要がある場合には、本人の同意を得る必要はない[注44]。

なお、上記⑤〜⑦は、令和3年改正法により、従前の学術研究に係る一律の適用除外規定を見直すこととし、個別の義務規定ごとに学術研

注44）個人情報保護委員会事務局「新型コロナウイルス感染症の拡大防止を目的とした個人データの取扱いについて」（令和2年5月15日最終改正）問2。

究に係る例外規定を精緻化することとしたために設けられた規定である［→14］。

　(i)　「提供」

　ここでいう「**提供**」とは、個人データを自己以外の者が利用可能な状態に置くことをいい、物理的に提供されていない場合であっても、ネットワーク等を利用することにより、個人データを利用できる状態にあれば（利用する権限が与えられていれば）、「提供」に当たる[注45]。単に閲覧できる状態に置くだけでも提供に該当するし、提供先が実際に利用したかどうかは問わない[注46]。

　他方で、情報を受け取る側からみると、単に閲覧しただけの場合には、転記等を行わなければ個人情報を「**取得**」したとは解されない[注47]。また、閲覧しただけで「提供を受け」たとは解されないので、第三者提供を受ける際の確認・記録保存義務も生じない[注48]。

　(ii)　「第三者」

　「**第三者**」とは、提供元となる個人情報取扱事業者および（個人データに係る）本人以外の者（個人か法人・団体かを問わない）をいい、親子会社・兄弟会社等のグループ企業間、フランチャイズの本部運営企業・加盟企業間であっても、法人格が別であれば「第三者」に該当する。ただし、①個人データの取扱いの委託先、②一定の手続に則った共同利用の相手方、③合併その他の事業の承継先については、「第三者」には該当せず、本人の同意なく個人データを提供することができる（個人情報27条5項）。これは、提供元の個人情報取扱事業者とは別主体であり形式的には第三者に該当するものの、本人との関係で提供元の事業者と一体として取り扱うことに合理性があることから、「第三者」には該当しないものと整理されたことによるものである[注49]。

注45）GL通則編2-17。
注46）岡村・個人情報126頁。
注47）個人情報21条1項、GL通則編3-3-1・3-3-3。
注48）個人情報30条1項、GL確認記録義務編2-2-2-2。
注49）GL通則編3-6-3。

第5章　パーソナルデータに関する法律

　　(iii)　「本人の同意」

　「**本人の同意**」は、必ずしも第三者提供のたびに同意を取得しなければならないものではなく、個人情報の取得時に、その時点で予測される個人データの第三者提供について、包括的に同意を得ておくことも可能である。また、提供先を個別に明示しておく必要はないが、想定される提供先の範囲や属性を示すことが望ましいとされている[注50]。また、本人の同意を得る方法は問わず、必ずしも同意が明示される必要はないが、状況に照らして本人が実質的に同意していると判断できることが必要となる〔→2(2)(C)〕[注51]。なお、本人が同意を行う相手方は、第三者提供の提供元である必要はなく、提供先に対する同意でもかまわない[注52]。

　したがって、BtoCビジネスで取得した個人情報を有効に利用したいと考える場合には、サービス提供を開始する際の個別の契約や約款で第三者提供について記載しておき、あらかじめ同意を取得しておくことが考えられる。もっとも、何らの限定なく包括的に第三者に提供することの同意を求めた場合には、サービスの利用者から不信感を抱かれ、もともとのサービス自体がうまくいかなくなることも想定される。そのため、一定の範囲は示しておくことが望ましいであろう。例えば、共通ポイントカードについての利用規約では、「ポイントプログラム加盟店及び当該加盟店を運営する会社」に提供できる、あるいは相互に提供できる、というような規定を設けて、あらかじめ本人の同意を取得していることが多い[注53]。

注50）GLQ&A7-8・7-9。

注51）園部逸夫＝藤原靜雄編集『個人情報保護法の解説〔第2次改訂版〕』（ぎょうせい、2018）173頁-174頁。なお、個人情報保護委員会・厚生労働省「医療・介護関係事業者における個人情報の適切な取扱いのためのガイダンス」（2020年10月改正）Ⅲ5(3)においては、「患者の傷病の回復等を含めた患者への医療の提供に必要であり、かつ、個人情報の利用目的として院内掲示等により明示されている場合は、原則として黙示による同意が得られているものと考えられる」として、黙示の同意を認めて差し支えない場合を示している。他方で、個人情報保護委員会・金融庁告示第1号「金融分野における個人情報保護に関するガイドライン」（2017年2月）11条2項では、個人データを個人信用情報機関に提供する場合、当該機関を通じて当該機関の会員企業にも提供されることに加えて、当該個人データを利用する会員企業を明示して同意を取得するべきとしている。

注52）岡村・個人情報247頁。

また、この「同意」との関係で、本人以外の家族等の同意について問題となる場合も少なくない。例えば、ドライブレコーダーなどは一時的に車を借りた契約外の利用者や同乗者の位置情報を把握できてしまうこともあるし、AIスピーカーやスマートホームにより稼働状況が把握される家電は、契約者本人だけではなくその家族も利用することがある。契約者本人については利用時に同意を取得すればよいが、契約外の利用者について契約者本人の同意だけで第三者提供することが可能かどうかは議論の余地もある。そもそも契約外の個人が一時的に利用したとしても、当該特定の個人が識別できるほど情報が取得されるかという疑問もある。他方で、状況によって同乗者や家族の黙示の同意があったと構成することが可能である場合もあるかもしれない。安全な策としては、委託・共同利用・オプトアウトを利用して同意が不要とするスキームを採用するか、実務的に可能な限り同意を取得しておくことが望ましい。場合によっては、IoT機器を立ち上げるたびに同意を取得する、あるいは同意のない契約外の利用者には反応しないように設定しておくことも考えられる。また、不必要な情報を取得しないようなシステムにするとともに、契約者である利用者本人に、同乗者や家族の同意を取得する義務を負わせる、あるいは、同意を取得していることを表明保証させることや、同乗者や家族からのオプトアウトを認める制度を提供することも考えられる。もっとも、同意はいつでも取り消すことができることから、メーカーとしては、本人の同意を取得せずに進めるスキームがとれるのであれば、そのほうが安定性は高くなる。

　以上の第三者提供の制限の例外として、①個人データの取扱いの委託先、②一定の手続に則った共同利用の相手方、③合併その他の事業の承継先については、「第三者」には該当せず、本人の同意なく個人データを提供することができる（個人情報27条5項）。また、オプトアウト方式による第

注53）望ましい本人の同意の取得方法については、経済産業省「消費者向けオンラインサービスにおける通知と同意・選択に関するガイドライン」（2014年10月）および「消費者向けサービスにおける通知と同意・選択のあり方検討WG報告書」（2016年4月）においても検討されている。また、オンライン画面の設計については、経済産業省「電子商取引及び情報財取引等に関する準則」（2020年8月最終改訂）も参考になる。

第5章　パーソナルデータに関する法律

【図表 5-4】本人の同意なく第三者に個人データを提供できる場合

	提供可能な場合	事例等
第三者提供の制限の適用除外	法令に基づく場合	・警察や検察等からの刑事訴訟法に基づく照会 ・税務署長に対する支払調書等の提出
	生命・身体・財産の保護に必要、かつ本人の同意を得ることが困難	・急病等の際に血液型や家族の連絡先を医師等に提供する場合
	公衆衛生・児童の健全育成に特に必要	・健康診断の結果を疫学研究のために個人名を伏せて研究者に提供する場合
	国の機関等への協力	・税務署の任意調査に対して個人情報を提出する場合 ・統計調査に協力する場合
	学術研究機関による公表または教授、学術研究目的での提供または取扱い（個人の権利利益を不当に侵害するおそれがある場合を除く）	・学術研究機関等による学術研究の成果の公表または教授のためやむを得ないとき ・学術研究機関等が当該個人データを学術研究目的で提供する必要がある場合（当該学術研究機関等と当該第三者が共同して学術研究を行う場合に限る） ・学術研究機関等に提供する場合であって、学術研究目的で取り扱う必要がある場合
「第三者」に該当しない	委託先	・個人データの取得、入力、編集、分析、出力等の処理の委託 ・委託契約等を締結して委託先の監督を行うことが必要
	共同利用	・グループ会社等による利用 ・以下の事項について本人への通知等が必要　①共同利用する個人データの項目、②共同利用者、③利用目的、④管理責任者
	事業の承継	・合併、会社分割、事業譲渡等
オプトアウト	①第三者への提供を行う事業者の氏名または名称および住所、法人の場合には代表者の氏名、②第三者への提供を利用目的とすること、③第三者提供される個人データの項目、④提供の方法、⑤第三者に提供される個人データの取得方法、⑥本人の求めに応じて提供を停止すること、⑦本人求めを受け付ける方法、⑧第三者に提供される個人データの更新方法、⑨第三者への提供開始予定日について、あらかじめ本人に通知または容易に知り得る状態に置くとともに、個人情報保護委員会への届出が必要 ※要配慮個人情報、不正取得した個人情報、オプトアウトにより取得した個人データは、オプトアウトによる提供は不可 ※利用目的に第三者提供することが記載されている必要あり	

三者提供の場合にも、本人の同意を得る必要はない（同条2項）。

これらの本人の同意なく個人データを第三者に提供できる場合をまとめたものが【図表5-4】である。

なお、これらの場合には、個人情報保護法上は、本人の同意なく提供することができるが、通常、個人情報を取得する際に何らかの契約を締結していることも多いと思われ、当該契約に守秘義務条項が規定されていれば、取得した個人情報が当該守秘義務の範囲に含まれるかどうか、含まれるとしてどのような場合に開示することができるかについては、別途検討が必要となる。また、位置情報については個人情報保護法における取扱いよりも高いレベルの保護が求められる場合があり、「電気通信事業者における個人情報保護に関するガイドライン」（2017年9月14日最終改訂）およびその解説（2021年2月更新）では、位置情報の取得・第三者提供には、違法性阻却事由がある場合を除いて、本人の個別具体的かつ明確な同意が必要とされている（同解説35条関係）。また、「緊急時等における位置情報の取扱いに関する検討会報告書・位置情報プライバシーレポート〜位置情報に関するプライバシーの適切な保護と社会的利活用の両立に向けて〜」（2014年7月）においても、プライバシー性の高低による分類等（例えば、基地局に係る位置情報の精度は概ね数百メートル単位であるのに対して、GPS位置情報やWi-Fi位置情報の精度は数メートル単位〜数十メートル単位であり、より高いプライバシー性を有する）に応じて適正に取り扱うこととされている[注54)注55)]。

(B) **個人データの取扱いの委託**

個人情報取扱事業者が、利用目的の達成に必要な範囲において、個人

注54）なお、「十分な匿名化」がなされた位置情報については、（通信の秘密に該当するものを除いて）利用者の同意なく利用・第三者提供することが可能であるが、その場合でも位置情報の取扱いについてわかりやすく説明・表示を行うべきとされる。

注55）利用者視点を踏まえたICTサービスに係る諸問題に関する研究会「スマートフォン プライバシー イニシアティブ——利用者情報の適正な取扱いとリテラシー向上による新時代イノベーション」（2012年8月）59頁以下では、（位置情報に限られないが）通知・同意取得すべき事項が挙げられており、また、株式会社野村総合研究所「平成29年度総務省委託事業位置情報等のプライバシー情報等の利活用モデル実証事業報告書」（2018年3月作成）117頁以下では、電気通信事業者が扱う位置情報等に係るデータ取引に関する契約書サンプルが掲載されている。

データの取扱いの全部または一部を委託することに伴って当該個人データが提供される場合には、本人の同意は不要である（個人情報27条5項1号）。委託の形態や種類は特に限定されていない。例えば、データの打込み等の情報処理を委託する場合や商品の注文を受けた事業者が当該商品の配送のために宅配業者に個人データを提供する場合等がある[注56]。

このように個人データを委託先へ提供する場合には、当該委託先に対して必要かつ適切な監督を行う必要がある（個人情報25条）。具体的には、個人情報取扱事業者は、個人情報保護法23条に基づき自らが講ずべき安全管理措置と同等の措置が講じられるようにする必要がある。この場合、委託する業務内容に必要のない個人データを提供しないようにすることは当然のこととして、取扱いを委託する個人データの内容を踏まえ、かつ、個人データが漏えい等をした場合に本人が被る権利利益の侵害の大きさを考慮して、委託する事業の規模および性質、個人データの取扱状況（個人データの性質・量を含む）等に起因するリスクに応じて、以下の(i)〜(iii)の措置を講じなければならない[注57]。

(i) 適切な委託先の選定

委託先の選定に当たっては、委託先において少なくとも委託元の事業者が求められるものと同等の安全管理措置が実施されることについて、委託する業務内容に沿って、あらかじめ確認する必要がある。

(ii) 委託契約の締結

委託契約には、当該個人データの取扱いに関する、必要かつ適切な安全管理措置として、委託元、委託先双方が同意した内容とともに、委託先における委託された個人データの取扱状況を委託元が合理的に把握することを盛り込むことが望ましい。

かかる委託契約に定めておく内容としては、以下のものが考えられる[注58]。

① 業務委託内容・利用目的の明確化

② 目的外利用の制限

注56) GL通則編 3-6-3(1)。

注57) GL通則編 3-4-4。

注58) 第二東京弁護士会情報公開・個人情報保護委員会編『完全対応新個人情報保護法——Q&Aと書式例』（新日本法規出版、2017）271頁-273頁。

③　安全管理措置の内容
④　定期的な監査（定期報告・不定期の立入検査）
⑤　再委託の可否・条件
⑥　情報漏えい時の責任
⑦　委託の期間・終了事由
⑧　終了時の個人データの返還、廃棄、消去

(iii)　**委託先における個人データ取扱状況の把握**

委託先における個人データの取扱状況の把握に関しては、定期的な監査を行う等により、委託契約で盛り込んだ内容の実施の程度を調査した上で、委託の内容等の見直しを検討することを含めて、適切に評価することが望ましい。

また、委託先が再委託を行おうとする場合は、委託を行う場合と同様に、委託元は、(a)委託先が再委託する相手方、再委託する業務内容、再委託先の個人データの取扱方法等について、委託先から事前報告を受けまたは承認を行うこと、(b)委託先を通じてまたは必要に応じて自らが、定期的に監査を実施すること等により、委託先が再委託先に対する監督を適切に行うこと、および(c)再委託先が安全管理措置を講ずることを十分に確認することが望まれる。

(iv)　**委託された業務以外での利用の禁止**

委託に伴って個人データが提供される場合、当該提供先は委託された業務範囲内でのみ、本人との関係において提供主体である個人情報取扱事業者と一体のものとして取り扱われることに合理性があるため、委託された業務以外に当該個人データを取り扱うことはできない[注59]。そのため、例えば、委託の内容と関係のない自社の営業活動等のために利用することはできず、また、複数の事業者から個人データの分析の委託を受け、それぞれの事業者から提供を受けたデータを混ぜて分析することはできない[注60]。GLQ&Aでは、以下の場合には、委託先が自社のためにデータを利用できるとしている[注61]。

注59）GL通則編3-6-3(1)。
注60）GLQ&A7-37。
注61）GLQ&A7-38・7-39。

- 委託に伴って提供された個人データを、委託先が自社のために統計情報に加工した上で利用すること（委託先が当該個人データを統計情報に加工することが委託された業務の範囲内である場合）
- 委託に伴って提供された個人データを、委託業務を処理するための一環として、委託先が自社の分析技術の改善のために利用すること（委託元の利用目的の達成に必要な範囲内である場合に限る）

これに対して、以下の場合には、委託先が自社のためにデータを利用できないとされる[注62]。

- 広告配信の委託を受け、これに伴って提供された氏名・メールアドレス等の個人データを利用して広告配信を行い、それにより取得した当該広告に対する本人の反応等の別の個人データを自社のために利用すること（取扱いの委託を受けた個人データを利用して取得した個人データについても、委託された業務以外に取り扱うことはできない）

また、委託に伴って提供された個人データを、委託先が独自に取得した個人データまたは個人関連情報と本人ごとに突合することや、それに新たな項目を付加してまたは内容を修正して委託元に戻すことはできない。したがって、以下のような取扱いをすることはできない点に留意が必要である[注63]。

- 既存顧客のメールアドレスを含む個人データを委託に伴ってSNS運営事業者に提供し、当該SNS運営事業者において提供を受けたメールアドレスを当該SNS運営事業者が保有するユーザーのメールアドレスと突合し、両者が一致した場合に当該ユーザーに対し当該SNS上で広告を表示すること
- 既存顧客のリストを委託に伴ってポイントサービス運営事業者等の外部事業者に提供し、当該外部事業者において提供を受けた既存顧客のリストをポイント会員のリストと突合して既存顧客を除外した上で、ポイント会員にダイレクトメールを送付すること
- 顧客情報を外部事業者に委託に伴って提供し、当該外部事業者におい

注62) GLQ&A7-40。
注63) GLQ&A7-41・7-43。

て提供を受けた顧客情報に含まれる住所について、当該外部事業者が独自に取得した住所を含む個人データと突合して誤りのある住所を修正し、当該顧客情報を委託元に戻すこと
・顧客情報をデータ・マネジメント・プラットフォーム等の外部事業者に委託に伴って提供し、当該外部事業者において、提供を受けた顧客情報に、当該外部事業者が独自に取得したウェブサイトの閲覧履歴等の個人関連情報を付加し、当該顧客情報を委託元に戻すこと
・A社およびB社から統計情報の作成の委託を受ける場合に、A社およびB社の指示に基づき、A社から委託に伴って提供を受けた個人データとB社から委託に伴って提供を受けた個人データを本人ごとに突合することで、本人ごとに個人データの項目を増やす等した上で統計情報を作成し、これをA社およびB社に提供すること[注64]

(C)　個人データの共同利用

本人の同意を得ずに、特定の者に個人データを提供して共同して利用する場合には、共同利用する旨、および共同して利用される個人データの項目（例：氏名、住所、年齢、商品購入履歴）に加えて、以下の(i)～(iii)までの情報をあらかじめ本人に通知し、または本人が容易に知り得る状態に置く必要がある[注65]。

なお、「**本人が容易に知り得る状態**」とは、事業所の窓口等への書面の掲示・備付けやホームページへの掲載その他の継続的な方法により、本人が知ろうとすれば、時間的にも、その手段においても、簡単に知ることができる状態をいい、事業の性質および個人情報の取扱状況に応じて、本人が確実に認識できる適切かつ合理的な方法による必要がある[注66]。例えば、本人が閲覧することが予測される個人情報取扱事業者のホームページにおいて、本人がわかりやすい場所（例：ホームページのトップページから1回

注64）これに対して、A社およびB社の指示に基づき、A社から委託に伴って提供を受けた個人データとB社から委託に伴って提供を受けた個人データを本人ごとに突合することなく、サンプルとなるデータ数を増やす目的で合わせて1つの統計情報を作成し、これをA社およびB社に提供することは可能とされている。
注65）個人情報27条5項3号、GL通則編3-6-3(3)。
注66）個人情報則11条1項、GL通則編3-6-2-1。

程度の操作で到達できる場所等）に法に定められた事項をわかりやすく継続的に掲載する場合などが挙げられている[注67]。

　(i)　共同して利用する者の範囲

　共同利用者の範囲については、本人から見て当該個人データを提供する事業者と一体のものとして取り扱われることに合理性がある範囲である必要がある。したがって、一体として取り扱う合理性のない第三者との間で個人データを共同利用することはできない。

　また、共同利用者の範囲について、本人がどの事業者まで将来利用されるか判断できる程度に明確にする必要がある。ただし、当該範囲が明確である限りにおいては、必ずしも事業者の名称等を個別にすべて列挙する必要はない。例えば、「弊社が適当と認める者」というような定め方は、外部の者から見てその外延が不明確であると考えられるが、「○○企業グループを構成する企業・団体」のような表記は、当該構成企業・団体のすべてについて外部の者が容易にわかる状態（ホームページ上で一覧できるような形で別紙が添付されていたり、リンクが張られていたりする場合等）に置かれていれば許容される[注68]。

　なお、共同利用の対象となる個人データの提供については、必ずしもすべての共同利用者が双方向で行う必要はなく、一部の共同利用者に対して、一方向で行うこともできる。

　(ii)　利用する者の利用目的

　ここでいう「利用目的」は、共同利用時に共通する利用目的をいい、共同利用者の個々の利用目的を列挙するという意味ではないが、利用目的が個々の個人データの項目によって異なる場合には、当該個人データの項目ごとに利用目的を区別して記載することが望ましい。

　なお、特定の事業者が取得済みの個人データを他の事業者と共同して利用する場合には、当該共同利用は、社会通念上、共同して利用する者の範

注67）　実務的には、共同利用プライバシーポリシーを定めて、ホームページ上で公開していることが多い。

注68）　園部＝藤原編集・前掲注51）188頁。したがって、単に抽象的に「○○グループ」とする記載や「当社と利用契約を締結した会社」と記載するのみでは、一般に共同利用者の範囲が明確であるとはいえない（宇賀・逐条解説180頁）。

囲や利用目的等が当該個人データの本人が通常予測し得ると客観的に認められる範囲内である必要がある[注69]。その上で、当該個人データの内容や性質等に応じて共同利用の是非を判断し、すでに個人データを取得済みの事業者が個人情報保護法17条1項により特定した利用目的の範囲内で共同利用しなければならない[注70]。

 (iii) **当該個人データの管理について責任を有する者の氏名または名称および住所、法人の場合には代表者の氏名**

 この管理責任者は、開示等の請求および苦情を受け付け、その処理に尽力するとともに、個人データの内容等について、開示、訂正、利用停止等の権限を有し、安全管理等個人データの管理について責任を有する者をいう。これは、すべての共同利用者の中で、第1次的に苦情の受付・処理、開示・訂正等を行う権限を有する者をいい、共同利用者のうち一事業者の内部の担当責任者を指すものではない。もっとも各共同利用者を「責任を有する者」としていることが明確にされていれば、それぞれが開示等の請求等や苦情を受け付けることとすることも可能である[注71]。

 また、当該管理責任者は、利用目的の達成に必要な範囲内において、共同利用者間で利用している個人データを正確かつ最新の内容に保つよう努めなければならない[注72]。なお、共同して利用している個人データの内容（本人の住所等）の一部について、共同利用者が各自で更新することも可能であるが、これに伴って各共同利用者が利用する個人データの内容に相違が生ずる可能性があるため、責任を有する者は、個人データを正確かつ最新の内容に保つよう努めることが必要である[注73]。

 (D) **合併その他の事業の承継**

 合併、会社分割、事業譲渡等により事業が承継されることに伴い、当該事業に係る個人データが提供される場合には、当該提供先は「第三者」に該当しないことから、本人の同意を得ることなく提供することができる

注69) GLQ&A7-52。
注70) GL通則編3-6-3(3)、GLQ&A7-51。
注71) GLQ&A7-49。
注72) GL通則編3-6-3(3)。
注73) GLQ&A7-48。

（個人情報27条5項2号）。この場合、提供先の個人情報取扱事業者は、承継前における当該個人情報の提供前の利用目的の達成に必要な範囲内でのみ利用することができる（同法18条2項）。したがって、合併、会社分割や事業譲渡等に伴って個人データの提供を受ける場合には、従前の利用目的を確認して管理するとともに、自らが保有している個人データと統合する場合には、利用目的の相違に注意する必要がある。

　この合併、会社分割、事業譲渡等の買収・M&Aでは、最終契約の締結前に、買主が買収対象となる会社の財務、会計、税務、法務等に関して監査（いわゆるデューデリジェンス）を行うことが一般的であるが、当該デューデリジェンスに際して個人データを提供する場合も、本人の同意なく個人データを提供することができると解されている。ただし、当該個人データの利用目的および取扱方法、漏えい等が発生した場合の措置、事業承継の交渉が不調となった場合の措置等、相手会社に安全管理措置を遵守させるために必要な契約を締結しなければならない[注74]。なお、「合併その他の事業の承継」には、合併、会社分割、事業譲渡のほか、営業の現物出資も含まれる[注75]。もっとも、株式譲渡や新株発行は含まれていないことから、M&A実務上は、デューデリジェンスに際して、特に従業員の情報に関して悩ましい問題が生じ得る場合もある[注76]。

(E)　オプトアウト方式による提供

　個人情報取扱事業者は、個人データについて、オプトアウト方式による場合には、本人の同意を得ずに第三者に提供することができる（個人情報27条2項）。「オプトアウト（opt-out）方式」とは、一旦本人の同意を得ずに第三者提供された個人データであっても、本人が求めた場合には提供を停止しなければならないこととして、いわば本人に事後的な拒否権を与えるものである。ただし、オプトアウトの規定は、(a)要配慮個人情報、(b)不正取得した個人データ、(c)オプトアウトにより提供を受けた個人データ

注74）GL通則編3-6-3(2)。
注75）園部＝藤原編集・前掲注51）143頁。
注76）長島・大野・常松法律事務所『法務デュー・デリジェンスの実務〔第3版〕』（中央経済社、2014）76頁-77頁、佐藤有紀・田中敦「クロスボーダーのM&Aプロセスにおける個人情報の保護と利活用」商事法務2136号（2017）23頁。

【図表 5-5】オプトアウト手続において通知・届出等が必要となる事項

通知・届出が必要となる事項	具体例等＊
①第三者への提供を行う事業者の氏名または名称および住所、法人の場合には代表者の氏名	
②第三者への提供を利用目的とすること	利用目的が具体的に分かる内容とすること。「等」や「その他」等のあいまいな表現の記入は望ましくない。 例：住宅地図帳、住宅地図データベース及び住宅地図関連商品（配信サービスを含む）を制作し、販売することで、個人データを第三者に提供すること。 例：年齢別、資産家、健康食品購入者、同窓会、弁護士、不動産投資者及びマンションオーナーの名簿を制作し、販売することで、個人データを第三者に提供すること。 ※そもそも第三者提供が個人情報保護法 17 条の当初の利用目的に含まれていない場合には、目的外利用となるため、オプトアウトによる第三者提供をすることができない点には留意が必要。
③第三者に提供される個人データの項目	オプトアウトにより第三者に提供される個人データの項目を網羅的に示す必要がある。提示されていない個人データの項目を、オプトアウトにより第三者に提供することはできないことに、注意を要する。 例：氏名、住所、電話番号、年齢、商品購入履歴など
④第三者への提供の方法	例：書籍として出版、インターネットに掲載、プリントアウトして交付、各種通信手段による配信、その他外部記録媒体の形式での交付など
⑤第三者に提供される個人データの取得方法	オプトアウトにより第三者に提供される個人データについて、取得元（取得源）と取得の方法を示す必要がある。 例：新聞・雑誌・書籍・ウェブサイトの閲覧による取得 例：官公庁による公開情報からの取得

第5章　パーソナルデータに関する法律

⑥本人の求めに応じて第三者への提供を停止すること	
⑦本人の求めを受け付ける方法	例：郵送、メール送信、ホームページ上の指定フォームへの入力、事業所の窓口での受付、電話など
⑧第三者に提供される個人データの更新方法	第三者に提供される個人データをどのように更新しているかを記入する。
⑨第三者への提供開始予定日	新規の届出の場合には、オプトアウトによる第三者提供を開始する予定日を記入する。変更届の場合には、変更届に基づいて第三者提供を開始する予定日を記入する。

には適用されないため、これらをオプトアウトにより第三者に提供することはできない（同項ただし書）。(b)および(c)については、令和2年改正法でオプトアウト方式による第三者提供の対象が限定されたことにより追加されたものである。

したがって、このオプトアウト方式により第三者提供を行う場合には、当該第三者提供を停止することを本人が求めたときには、当該本人が識別される個人データの提供を停止することを前提に、【図表5-5】①～⑨の事項を、あらかじめ本人に通知しまたは本人が容易に知り得る状態に置き、かつ個人情報保護委員会に届出を行うことが必要となる（個人情報27条2項、個人情報則11条）[注77]。上記①⑤⑧⑨は、令和2年改正法により加えられたものである。

これらの事項を「本人が容易に知り得る状態に置」くとは、ウェブサイトでの掲載や店頭でのポスターの掲示などが考えられるが、本人が当該提供の停止を求めるのに必要な期間を置く必要があり、また、本人が確実に認識できる適切かつ合理的な方法による必要がある（個人情報則11条1項）。

注77) GL通則編3-6-2-1。

オプトアウトに関して個人情報保護委員会に届け出た事項は、個人情報保護委員会のホームページで公表され（個人情報27条4項）、また、個人情報取扱事業者も自らのホームページ等で公表する必要がある（個人情報則14条）。

　個人情報保護委員会への届出方法は、インターネット経由または届出書と届出書に記載すべき事項を記録した光ディスク等を提出する方法のいずれかの方法で行うこととされており（個人情報則11条2項）、個人情報保護委員会は、事業者がオプトアウトに関して個人情報保護委員会へ届け出た事項を公表する（個人情報27条4項）ことになるので、届出事項は誰でも見ることができる。

　かかるオプトアウト方式では、本人の同意を得る必要がない一方で、本人への通知等や個人情報保護委員会への届出、停止要求への対応等が必要となる上に、次に述べるトレーサビリティ確保のための措置（記録の作成等）も必要となることから、それなりの事務負担が生じることとなる。

　なお、当初の利用目的の中に第三者提供することが記載されていない場合には、第三者提供することは目的外利用となるため、オプトアウトによる第三者提供をすることはできない。つまり、オプトアプトによる第三者提供をするためには、利用目的の中に第三者提供をすることを記載しておく必要がある点には注意が必要である。

(F)　**第三者提供時の確認・記録保存義務**（トレーサビリティの確保）

　個人データを第三者に提供したときは、個人情報取扱事業者は、当該個人データを提供した年月日、当該第三者の氏名または名称、本人の氏名、当該個人データの項目等に関する記録を作成し、一定期間保存しなければならない（個人情報29条1項・2項、個人情報則19条ないし21条）。また、第三者から個人データの提供を受けるときは、提供者の氏名・名称、住所等および当該個人データの取得の経緯について確認を行い、その記録を作成し、一定期間保存しなければならない（個人情報30条1項・3項および4項、個人情報則22条ないし25条）。

　いわゆるトレーサビリティーの確保についての規定であるが、その詳細は後記10を参照されたい。

(4) 個人データの管理に関するルール

(A) 安全管理措置

個人情報取扱事業者は、その取り扱う「個人データ」の漏えい、滅失または毀損の防止その他の個人データの安全管理のために必要かつ適切な措置を講じなければならない（個人情報23条）。かかる安全管理措置の詳細については、後記9を参照されたい。

(B) 従業者・委託先の監督

安全管理措置の一環として、個人情報取扱事業者は、従業者に個人データを取り扱わせる場合や個人データの取扱いの全部または一部を外部業者に委託する場合には、当該従業者や委託先に対して必要かつ適切な監督を行う必要がある（個人情報24条および25条）。

(i) 従業者

ここにいう「従業者」とは、当該事業者の組織内にあって直接間接に事業者の指揮監督を受けて事業者の業務に従事している者等をいい、雇用関係にある従業員（正社員、契約社員、嘱託社員、パート社員、アルバイト社員等）のみならず、取締役、執行役、理事、監査役、監事、派遣社員等も含まれる[注78]。

従業員の監督としては、入社時等に従業者から個人情報の適切な取扱いを含めた秘密保持に関する誓約書等を取得しておくことが考えられる。このような秘密保持の誓約書は、後述する会社の秘密情報を不正競争防止法によって保護される営業秘密としておくためにも有用である。

(ii) 委託先

「委託」については、委任契約、請負契約といった契約の形態・種類を問わず[注79]、当該業者が他の者に個人データの取扱いを行わせることをいい、具体的には、個人データの入力（本人からの取得を含む）、編集、分析、出力等の処理を行うことを委託すること等が想定される[注80]。

注78) GL通則編3-4-3。
注79) したがって、例えばAIベンダへの開発のアウトソーシングが、委託契約か請負契約かといった議論とは無関係に、個人情報の取扱いをアウトソーシングしていれば、個人情報保護法上の「委託」に該当する。
注80) GL通則編3-4-4。

(iii) クラウドサービスの利用と委託

上記の「委託」に関しては、ある個人情報取扱事業者がクラウドサービスを利用して個人データを利用・保存することが、自己利用であるかクラウドベンダへの「委託」に該当するかについて、議論の分かれるところである。

この点について、個人情報保護委員会事務局が公表しているQ&Aでは、クラウド上に保存している電子データに個人データが含まれるか否かではなく、クラウドベンダが当該サービス契約内容を履行するに当たって、個人データをその内容に含む電子データを取り扱うか否かを基準として考えるという整理がなされている[注81]。すなわち、契約条項によってクラウドベンダが個人データをその内容に含む電子データを取り扱わない旨が定められている場合には、クラウドサービスの利用であっても個人情報取扱事業者自身の取扱いと考えられることになる[注82]。したがって、この場合には、そもそも個人データを「提供」したことにはならないため、個人情報保護法上の「委託」には該当せず、クラウドベンダを監督する義務もない（ただし、自ら果たすべき適切な安全管理措置を講じる必要はある）。他方で、このような契約条項がない場合には、委託に伴って提供していると考えられるため、クラウドベンダを監督する義務があることになる。電子データを含む情報システムの保守を外部業者にアウトソーシングしている場合も同様に考えられている[注83]。

もっとも、実際にはクラウドベンダが用意した統一的な約款によって契約が締結されることが多く、前記のような契約条項が規定された契約を締結することは難しい場合が多いことなどを理由として、このような整理には疑問も呈されている[注84]。

なお、この議論は、クラウドベンダが日本に所在する企業の場合には、

注81) GLQ&A7-53、宇賀克也ほか『論点解説個人情報保護法と取扱実務』（日本法令、2017）173頁-174頁。

注82) 板倉陽一郎・寺田麻佑「クラウド・コンピューティングの利用と個人情報の取扱いの委託に関する考察」情報処理学会研究報告（2015年9月10日）6頁。

注83) GLQ&A7-55。

注84) 村上・前掲注24) 175頁、松尾剛行『クラウド情報管理の法律実務』（弘文堂、2016）161頁。

第5章 パーソナルデータに関する法律

クラウドサービスを利用する事業者側から見ると、自己利用として安全管理措置を負うか、委託として委託先であるクラウドベンダの監督義務を負うかという点が異なることになる[注85]。これに対して、クラウドベンダが「外国にある第三者」（個人情報28条）である場合には、委託についても本人同意が必要であるため、「委託」に該当する場合にはクラウド上に個人データを保存する際に、原則としてあらかじめ本人の同意を取得しなければならないという問題があるという点で大きく異なる［→ 11(1)］。

(C) 個人データの正確性の確保および不要となった個人データの消去

個人情報取扱事業者は、利用目的の達成に必要な範囲内において、個人データを正確かつ最新の内容に保つとともに、利用する必要がなくなったときは、当該個人データを遅滞なく消去するよう努めなければならない（個人情報22条）。

(i) 個人データの正確性の確保

正確性の確保については、具体的には、個人情報の入力時の照合・確認の手続の整備や、誤りを発見した場合の訂正等の手続の整備、記録事項の更新、保存期間の設定等を行うことなどが挙げられるが、保有する個人データを一律にまたは常に最新化する必要はなく、それぞれの利用目的に応じて、その必要な範囲内で正確性・最新性を確保すれば足りる[注86]。

どの程度の正確性・最新性を確保すべきかは、個人データの内容や利用目的によって大きく異なるため、法令により一律に義務づけることにはなじまないことから努力義務とされているが、正確性・最新性を欠いた個人データをそのままにしておくことにより、プライバシー権侵害等に該当するとして紛争となる可能性もある点には留意が必要である[注87]。

注85) クラウドベンダ側から見ると、理論的には、サービス利用者の自己利用としてベンダ側は（個人情報保護法上は）何らの義務を負わないか、委託により個人データの提供を受けた者として自ら個人情報保護法上の安全管理措置を負うか、という違いがあることになる。実際問題として日本でビジネスを行っているクラウドベンダであれば安全管理措置以上のセキュリティは講じていることが多いであろうし、実務上の負担が大きく異なるというものでもないように思われる。

注86) GL通則編3-4-1。

注87) 岡村・個人情報210頁-211頁。

(ii) 個人データの消去

保有する個人データについて利用する必要がなくなったとき、すなわち、利用目的が達成され当該目的との関係では当該個人データを保有する合理的な理由が存在しなくなった場合や、利用目的が達成されなかったものの当該目的の前提となる事業自体が中止となった場合等は、当該個人データを遅滞なく消去するよう努めなければならない。「個人データの消去」とは、当該個人データを個人データとして使えなくすることであり、当該個人データをすべて削除することのほか、当該個人データから特定の個人を識別できないようにすることを含む[注88]。

4 保有個人データ

(1) 保有個人データの定義

「**保有個人データ**」（個人情報16条4項）は、前記の「個人データ」のうち、個人情報取扱事業者が、開示、内容の訂正、追加または削除、利用の停止、消去および第三者への提供の停止を行うことのできるものをいうことから、「個人データ」に該当するものは、基本的には、「保有個人データ」に該当することとなる。なお、令和2年改正法の施行前は、取得日から6か月を超えて保有することとなる個人データという保有期間の要件があったが、令和2年改正法により削除されることとなったため、同法の施行により、個人データの保有期間にかかわらず、開示等の義務を負うこととなる。そのため、保有期間を6か月以内にすることによって開示等の請求に対応しないこととしていた事業者においては、開示等の請求に応じる体制を整えることが必要となる。

ただし、上記に該当する個人データであっても、当該個人データの存否が明らかになることにより、本人または第三者の生命、身体または財産に危害が及ぶおそれのあるものや、当該個人データの存否が明らかになることにより、違法または不当な行為を助長し、または誘発するおそれがあるもの等一定の場合には、「保有個人データ」には該当しない[注89]。

注88) GL通則編3-4-1。
注89) 個人情報令5条、GL通則編2-7。

第5章　パーソナルデータに関する法律

　保有個人データを保有している個人情報取扱事業者は、保有個人データに関する一定事項の通知や、保有個人データの開示、訂正、利用停止等の義務を負うことになる。

　特にＢtoＣビジネスにおいて、顧客の個人情報をデータベース化して継続保有・利用することで、ビジネス上は非常に有用なものとなる。しかし、これらの義務は、単に「個人情報」を取得・保有しているのみにとどまる場合と比較して重いものとなるため、取得した情報についてデータベース化する必要がある情報かどうかは慎重に検討する必要があろう。

　なお、保有個人データは、「個人情報」をデータベース化したものであり、個人情報が含まれていることから、保有個人データを取り扱う個人情報取扱事業者は、保有個人データに適用のあるルールだけでなく、当然のことながら個人情報および個人データに関して個人情報取扱事業者に適用のあるルールに従うことになる。

⑵　**保有個人データの取得・利用に関するルール（保有個人データに関する事項の通知等）**

　保有個人データの取得・利用に関するルールは、利用目的の特定・公表・通知、適正取得、不適正利用の禁止等、上記2⑵で述べた個人情報の取得・利用に関するルールが適用される。

　これらに加えて、個人情報取扱事業者は、保有個人データに関し、以下の事項について、本人の知り得る状態（本人の求めに応じて遅滞なく回答する場合を含む）に置かなければならない（個人情報32条1項、個人情報令10条）。

① 　当該個人情報取扱事業者の氏名または名称および住所、法人の場合には代表者の氏名
② 　すべての保有個人データの利用目的（ただし、一定の場合を除く）
③ 　利用目的の通知請求や保有個人データの開示、訂正、利用停止等の請求に応じる手続等
④ 　個人情報保護法23条の規定により保有個人データの安全管理のために講じた措置（本人の知り得る状態に置くことにより当該保有個人データの安全管理に支障を及ぼすおそれがあるものを除く）
⑤ 　苦情の申出先
⑥ 　認定個人情報保護団体の名称および苦情解決の申出先

上記④は令和2年改正法の施行に伴う政令の改正により追加されたものであるが、令和2年改正法の施行に伴うGL通則編の改正により、安全管理措置の内容として「外的環境の把握」が追加された点にも注意が必要である[注90]〔→Ⅱ9(1)〕。すなわち、GL通則編3-8-1(1)では、「安全管理のために講じた措置」として本人の知り得る状態に置く内容として、「個人データを保有するA国における個人情報の保護に関する制度を把握した上で安全管理を実施」という具体例を挙げており、外国の名称がその対象となっているとともに、「外国（本邦の域外にある国又は地域）の名称については、必ずしも正式名称を求めるものではないが、本人が合理的に認識できると考えられる形で情報提供を行う必要がある。また、本人の適切な理解と関与を促す観点から、保有個人データを取り扱っている外国の制度についても、本人の知り得る状態に置くといった対応が望ましい。」としている。さらに、同改正の意見募集結果[注91]においては、「クラウドサービスの利用や個人データの取扱いの委託等も含めて、外国において個人データを取り扱う場合には、当該外国の名称とともに保有個人データの安全管理のために講じた措置について、本人の知り得る状態に置く必要があります。」とされている点にも留意が必要である[注92]。

　「**安全管理に支障を及ぼすおそれ**」については、例えば、個人データが記録された機器の廃棄方法、盗難防止のための管理方法、個人データの管理区域の入退室管理方法、アクセス制御の範囲、アクセス者の認証方法、不正アクセス防止措置等が挙げられており、この点に関して、「盗難または紛失等を防止するための措置を講じる」、「外部からの不正アクセスま

注90) GL通則編10-7。
注91) 個人情報保護委員会事務局・前掲注15) No.460。
注92) なお、一般に、A社が、外国の法人格を取得しているA社の現地子会社B社に個人データを提供したとしても、B社に対して個人データの取扱いを委託している場合を除き、A社は外国において個人データを取り扱うこととはならないため、B社が所在する外国の名称について、本人の知り得る状態に置く必要はない（個人情報保護委員会事務局・前掲注15) No.462)。ただし、B社が、「外国にある第三者」に該当する場合、A社は、個人データをB社に提供するにあたっては、個人情報保護法28条の規定により、同意の取得時に、B社が所在する外国の名称等について、本人に情報提供を行うこと等が求められる〔→Ⅱ11〕。

たは不正ソフトウェアから保護する仕組みを導入」といった内容のみでは、安全管理に支障を及ぼすおそれがあるとはいえないが、その具体的内容については、支障を及ぼすおそれがあると考えられる[注93]。

また、「本人の知り得る状態」に置くとは、ホームページへの掲載、パンフレットの配布、本人の求めに応じて遅滞なく回答を行うこと等、本人が知ろうとすれば、知ることができる状態に置くことをいい、内容が本人に認識される合理的かつ適切な方法であればよい[注94]。したがって、必ずしも公表することを要しないが、「保有個人データ」を利用する以前に実施する必要がある。なお、上記②の「一定の場合」の除外事由は、個人情報を取得する際の利用目的の通知・公表の例外事由のうち、以下の3点と同じである。

　ⅰ　本人または第三者の生命、身体、財産その他の権利利益を害するおそれがある場合
　ⅱ　当該個人情報取扱事業者の権利または正当な利益が侵害されるおそれがある場合
　ⅲ　国の機関または地方公共団体が法令の定める事務を遂行することに対して協力する場合があり、通知・公表により当該事務の遂行に支障を及ぼすおそれがあるとき

なお、本人から求められた場合には、個人情報取扱事業者は、保有個人データの利用目的を、遅滞なく本人に対して通知しなければならない（ただし、上記除外事由ⅰ～ⅲの場合、および「本人の知り得る状態」に置かれた措置により利用目的が明らかな場合には、通知をする必要はない〔個人情報32条2項〕）。

(3) 保有個人データの管理に関するルール
(A) 保有個人データ等の開示
(ⅰ) 保有個人データの開示

個人情報取扱事業者は、本人から当該本人が識別される保有個人データの開示の請求を受けたときは、遅滞なく、当該保有個人データを本人に開

注93）GL通則編 3-8-1(1)。
注94）GL通則編 3-8-1(1)。

示しなければならない（個人情報33条1項・2項）。かかる義務により開示の対象となるのは、個人情報取扱事業者が継続利用している、あるがままの「保有個人データ」の内容である。ただし、この開示義務に関しては、①本人または第三者の生命、身体、財産その他の権利利益を害するおそれがある場合、②当該事業者の業務の適正な実施に著しい支障を及ぼすおそれがある場合、または③他の法令に違反することとなる場合には、その全部または一部を開示しないことができる（同条2項ただし書）。

上記①は、医療機関等が病名等を患者に開示することにより、患者本人の心身状況を悪化させるおそれがある場合[注95]や、第三者の権利利益に関しては、本人に関する情報の中に第三者の個人情報や企業の営業秘密が含まれている場合[注96]である。

上記②は、入学試験などの試験実施期間において、採点情報のすべてを開示することにより、試験制度の維持に著しい支障を及ぼすおそれがある場合のほか、嫌がらせのために開示請求を濫用するような不当なクレーマーや、興味本位、悪意による請求に対する対処法にもなり得る[注97]。ただし、「**著しい支障を及ぼすおそれ**」は、単なる支障ではなく、より重い支障を及ぼすおそれが存在するような例外的なときに限定され、単に開示すべき保有個人データの量が多いことのみでは、一般にこれに該当しない。

なお、不開示とし得る範囲は「その全部または一部」であり、保有個人データの一部のみが上記①〜③に該当する場合には、非該当部分については開示すべきことを示す趣旨と解されている[注98]。また、事業者が、開示等の請求を受け付ける方法を合理的な範囲で定めたときは、本人は、当該方法に従って開示等の請求を行わなければならない。

(ii) **第三者提供時の記録の開示**

上記の保有個人データそのものの開示に加えて、令和2年改正法により、第三者提供を行った場合の記録および第三者提供を受けた場合の記録についても、その存否が明らかになることにより公益その他の利益が害さ

注95) GL通則編3-8-2⑴。
注96) 岡村・個人情報307頁-308頁。
注97) 岡村・個人情報308頁。
注98) 園部＝藤原編集・前掲注51）234頁。

れるものとして政令で定めるものを除き、開示請求の対象となった（個人情報33条5項）。これは、本人が事業者間での個人データの流通を把握し、事業者に対する権利行使を容易にすべく、第三者提供記録それ自体についての開示の請求を可能とするものであり、例えば、本人が、第三者提供を受ける際の記録の開示を請求することで、個人データの入手元等を把握することや、第三者提供を行う際の記録の開示を請求することで、自らの個人データが誰に提供されたか等を把握することが可能になる[注99]。公益その他の利益が害されるされるものとして政令で定めるものとして開示の対象から除外されるものは、以下の通りである[注100]。

① 当該記録の存否が明らかになることにより、本人または第三者の生命、身体または財産に危害が及ぶおそれがあるもの（例：犯罪被害者支援や児童虐待防止を目的とする団体が、加害者を本人とする個人データの提供を受けた場合に作成された記録）

② 当該記録の存否が明らかになることにより、違法または不当な行為を助長し、または誘発するおそれがあるもの（例：暴力団等の反社会的勢力による不当要求の被害等を防止するために、暴力団等の反社会的勢力に該当する人物を本人とする個人データの提供を受けた場合に作成された記録）

③ 当該記録の存否が明らかになることにより、国の安全が害されるおそれ、他国もしくは国際機関との信頼関係が損なわれるおそれまたは他国もしくは国際機関との交渉上不利益を被るおそれがあるもの（例：要人の警備のために、要人を本人とする行動記録等に関する個人データの提供を受けた場合に作成された記録）

④ 当該記録の存否が明らかになることにより、犯罪の予防、鎮圧または捜査その他の公共の安全と秩序の維持に支障が及ぶおそれがあるもの（例：警察の犯罪捜査の協力のために、事前に取得していた同意に基づき、犯罪者を本人とする個人データの提供を行った場合に作成された記録）

注99）佐脇紀代志『一問一答令和2年改正個人情報保護法』（商事法務、2020）78頁。
注100）個人情報令11条、GL通則編3-8-3-1。

(iii) **開示の方法**

開示の方法に関して、令和2年改正法施行前は、書面の交付による方法が原則とされていたが（令和2年改正法施行前の個人情報保護法28条2項、同法施行令9条）、令和2年改正法により、電磁的記録の提供による方法、書面の交付による方法その他当該個人情報取扱事業者が定める方法のうち、本人が請求した方法（当該方法による開示に多額の費用を要する場合その他の当該当該方法による開示が困難である場合には、書面の交付による方法）により、遅滞なく、当該保有個人データを開示しなければならないとされた（個人情報33条2項、個人情報則30条）。

なお、電磁的記録の提供による方法については、個人情報取扱事業者がファイル形式や記録媒体などの具体的な方法を定めることができるが、開示請求等で得た保有個人データの利用等における本人の利便性向上の観点から、可読性・検索性のある形式による提供や、技術的に可能な場合には、他の事業者へ移行可能な形式による提供を含め、できる限り本人の要望に沿った形で対応することが望ましいとされている（電磁的記録の提供等の具体的な事例は【図表5-6】参照）[注101]。

【図表5-6】電磁的記録の提供等の具体的な事例

提供方法等	事例
電磁的記録の提供	・電磁的記録をCD-ROM等の媒体に保存して、当該媒体を郵送する方法 ・電磁的記録を電子メールに貼付して送信する方法 ・会員専用サイト等のウェブサイト上で電磁的記録をダウンロードしてもらう方法
その他当該事業者の定める方法	・事業者が指定した場所における音声データの視聴 ・事業者が指定した場所における文書の閲覧
当該方法による開示が困難である場合	・本人が電磁的記録の提供による開示を請求した場合であって、事業者が当該開示請求に応じるために、大規模なシステム改修を行わなければならないような場合 ・本人が電磁的記録の提供による開示を請求した場合であって、書面で個人情報や帳簿等の管理を行っている小規模事業者が、電磁的記録の提供に対応することが困難な場合

注101) GL通則編3-8-2。

(B) **保有個人データの訂正、追加または削除**

　個人情報取扱事業者は、本人が識別される保有個人データの内容が事実でないことを理由としてその訂正、追加または削除の請求を受けた場合には、利用目的の達成に必要な範囲内において、遅滞なく必要な調査を行い、その結果に基づいて当該保有個人データの内容の訂正等を行わなければならない（個人情報34条2項）。

　この訂正等の請求は、「内容が事実でない」ことを理由とするものに限られる。評価、判断、診断等の評価情報は事実そのものではないので、訂正等の義務の対象とはなっていないが、評価情報であってもその評価等の前提となった事実が誤っているときは、その限度で訂正等に応じる義務を負う[注102]。

(C) **保有個人データの利用停止等の義務**

　(i) **目的外利用、不正取得、同意なき要配慮個人情報の取得に係る利用停止等**

　個人情報取扱事業者は、本人が識別される保有個人データが目的外利用されている（個人情報18条違反）、または、不正の手段により取得され（同法20条1項違反）もしくは同意なく要配慮個人情報が取得された（同法20条2項違反）ことを理由として、当該保有個人データの利用の停止または消去の請求を受けた場合であって、その請求に理由があることが判明したときは、これらの違反を是正するために必要な限度で、遅滞なく、利用停止または消去を行わなければならない（同法35条1項・2項）。また、本人が識別される保有個人データが同意なく第三者に提供されている（同法27条・28条違反）ことを理由として、第三者提供の停止の請求を受けたときは、遅滞なく、第三者提供を停止しなければならない（同法35条3項・4項）。

　もっとも、これらの義務を履行するために多額の費用を要する場合その他義務を履行することが困難な場合であって、本人の権利利益を保護するために必要な代替措置をとるときは、利用停止等を行わなくてもよい（個人情報35条2項ただし書・4項ただし書）。

注102）園部＝藤原編集・前掲注51）240頁。

なお、「利用の停止または消去」に関して、保有個人データの全部の消去を求められた場合であっても、利用停止によって手続違反を是正できる場合であれば、必ずしも求められた措置をそのまま実施する必要はない[注103]。

　(ⅱ)　**本人の権利または正当な利益が害されるおそれがある場合の利用停止等**

　保有個人データに係る利用停止等については、令和2年改正法において、本人の関与を強化するために、利用停止等の請求の要件が緩和された。具体的には、本人の権利または正当な利益が害されるおそれがある場合として以下に掲げる場合にも、利用の停止または消去、第三者提供の停止の請求ができる（個人情報35条5項）。

①　当該本人が識別される保有個人データが不適正利用の禁止（個人情報19条）に違反して取り扱われている場合

②　当該本人が識別される保有個人データを当該事業者が利用する必要がなくなった場合

③　当該本人が識別される保有個人データに係る個人情報保護法26条1項本文に規定する事態（個人データの漏えい、滅失、毀損その他の個人データの安全の確保に係る事態であって、個人の権利利益を害するおそれが大きいものとして個人情報保護法施行規則で定めるもの）が生じた場合［→12］

④　その他当該本人が識別される保有個人データの取扱いにより当該本人の権利または正当な利益が害されるおそれがある場合

　(a)　**利用する必要がなくなった場合**

上記②の「**利用する必要がなくなった場合**」とは、利用目的が達成され、当該目的との関係では当該保有個人データを保有する合理的な理由が存在しなくなった場合や、利用目的が達成されなかったものの当該目的の前提となる事業自体が中止となった場合等をいい、具体的には以下のような例が挙げられる[注104]。

・ダイレクトメールを送付するために事業者が保有していた情報について、当該個人情報取扱事業者がダイレクトメールの送付を停止した後、

注103）GL通則編3-8-5。
注104）GL通則編3-8-5-1。

第5章　パーソナルデータに関する法律

　　本人が消去を請求した場合
 ・電話勧誘のために事業者が保有していた情報について、当該事業者が電話勧誘を停止した後、本人が消去を請求した場合
 ・キャンペーンの懸賞品送付のために事業者が保有していた当該キャンペーンの応募者の情報について、懸賞品の発送が終わり、不着対応等のための合理的な期間が経過した後に、本人が利用停止等を請求した場合
 ・採用応募者のうち、採用に至らなかった応募者の情報について、再応募への対応等のための合理的な期間が経過した後に、本人が利用停止等を請求した場合
　(b)　本人の権利または正当な利益が害されるおそれがある場合

　上記④の「**本人の権利または正当な利益が害されるおそれがある場合**」とは、法目的に照らして保護に値する正当な利益が存在し、それが侵害されるおそれがある場合をいう。「**おそれ**」の有無は、一般人の認識を基準として客観的に判断され、「**正当**」かどうかは、相手方である個人情報取扱事業者との関係で決まるものであり、事業者に本人の権利利益の保護の必要性を上回る特別な事情がない限りは、当該事業者は請求に応じる必要があるとされる[注105]。この要件に関しては、文言が抽象的であり、事業者側の懸念も強いところであるが、GL通則編3-8-5-1では、具体的事例として以下のようなものが挙げられている。

＜本人の権利または正当な利益が害される「おそれがある」と考えられる場合＞
 ・ダイレクトメールの送付を受けた本人が、送付の停止を求める意思を表示したにもかかわらず、事業者がダイレクトメールを繰り返し送付していることから、本人が利用停止等を請求する場合
 ・電話勧誘を受けた本人が、電話勧誘の停止を求める意思を表示したにもかかわらず、事業者が本人に対する電話勧誘を繰り返し行っていることから、本人が利用停止等を請求する場合
 ・事業者が、安全管理措置を十分に講じておらず、本人を識別する保有

注105）GL通則編3-8-5-1。

個人データが漏えい等するおそれがあることから、本人が利用停止等を請求する場合
・事業者が、個人情報保護法27条1項に違反して第三者提供を行っており、本人を識別する保有個人データについても本人の同意なく提供されるおそれがあることから、本人が利用停止等を請求する場合
・事業者が、退職した従業員の情報を現在も自社の従業員であるようにホームページ等に掲載し、これによって本人に不利益が生じていることから、本人が利用停止等を請求する場合

＜本人の権利または正当な利益が害される「おそれがない」と考えられる場合＞
・電話の加入者が、電話料金の支払いを免れるため、電話会社に対して課金に必要な情報の利用停止等を請求する場合
・インターネット上で匿名の投稿を行った者が、発信者情報開示請求による発信者の特定やその後の損害賠償請求を免れるため、プロバイダに対してその保有する接続認証ログ等の利用停止等を請求する場合
・過去に利用規約に違反したことを理由としてサービスの強制退会処分を受けた者が、再度当該サービスを利用するため、当該サービスを提供する事業者に対して強制退会処分を受けたことを含むユーザー情報の利用停止等を請求する場合
・過去の信用情報に基づく融資審査により新たな融資を受けることが困難になった者が、新規の借入れを受けるため、当該信用情報を保有している個人情報取扱事業者に対して現に審査に必要な信用情報の利用停止等または第三者提供の停止を請求する場合

　もっとも、特に「おそれがない」とされる事例は、利用停止等をした後の行為に係る本人の目的が考慮されることが前提となっており、事業者側からは請求を受けた段階で認識できないのではないかと思われる。例えば、強制退会処分の事例では、事業者としては、請求を受けた時点で再度サービスを利用する目的かどうかは判別できず、事例のようなことが起こる可能性があるため保有し続けておく必要があると考えられることから、（事業者が目的外利用をしている等の特段の事情がない限り）本人の目的如何にかかわらず、原則として利用停止等についての正当な利益はないと考えるべ

きではないだろうか。より実情を踏まえた事例集等の公表が望まれるところである。

5　要配慮個人情報

　個人情報の中でも、人種、信条、社会的身分、病歴、犯罪の経歴（前科）、犯罪被害を受けた事実その他本人に対する不当な差別、偏見、その他の不利益が生じないようにその取扱いに特に配慮を要するものは、「**要配慮個人情報**」（個人情報2条3項、個人情報令2条各号および個人情報則5条）として、個人情報に適用されるルールに加えて、特別なルールが課される。

(1)　要配慮個人情報の取得・利用に関するルール

　要配慮個人情報も個人情報であることから、「個人情報」に適用される取得・利用に関するルール［→2(2)］が適用される。これに加えて、「要配慮個人情報」は、差別や偏見を生むおそれがある情報であることから、取得する時点で当該個人から同意を取得する必要がある（個人情報20条2項）。この同意の取得方法については、事業者が本人から書面や口頭などにより直接取得する場合は、本人が要配慮情報を提供したという事実をもって、本人の同意があったものと解され、別途、書面などにより要配慮個人情報を取得することについての同意を取得する必要はない[注106]。なお、以下の①～⑨の場合には、あらかじめ本人の同意を得なくてもよい（個人情報20条2項1号～8号、個人情報令9条）。

①　法令に基づく場合
②　人の生命、身体または財産の保護のために必要がある場合であって、本人の同意を得ることが困難であるとき
③　公衆衛生の向上または児童の健全な育成の推進のために特に必要がある場合であって、本人の同意を得ることが困難であるとき
④　国の機関もしくは地方公共団体またはその委託を受けた者が法令の定める事務を遂行することに対して協力する必要がある場合であって、本人の同意を得ることにより当該事務の遂行に支障を及ぼすおそれが

注106）GL通則編3-3-2。

あるとき
⑤ 当該個人情報取扱事業者が学術研究機関等である場合であって、当該要配慮個人情報を学術研究目的で取り扱う必要があるとき（当該要配慮個人情報を取り扱う目的の一部が学術研究目的である場合を含み、個人の権利利益を不当に侵害するおそれがある場合を除く）
⑥ 学術研究機関等から当該要配慮個人情報を取得する場合であって、当該要配慮個人情報を学術研究目的で取得する必要があるとき（当該要配慮個人情報を取得する目的の一部が学術研究目的である場合を含み、個人の権利利益を不当に侵害するおそれがある場合を除く）（当該個人情報取扱事業者と当該学術研究機関等が共同して学術研究を行う場合に限る）
⑦ 当該要配慮個人情報が、本人、国の機関、地方公共団体、学術研究機関、報道機関等の個人情報保護法57条1項各号に掲げる者等により公開されている場合
⑧ 本人を目視し、または撮影することにより、その外形上明らかな要配慮個人情報を取得する場合
⑨ 個人情報保護法27条5項各号に定める委託、事業承継または共同利用により取得する場合

なお、上記⑤および⑥は、令和3年改正法により、従前の学術研究に係る一律の適用除外規定を見直すこととし、個別の義務規定ごとに学術研究に係る例外規定を精緻化することとしたために設けられた規定である [→ 13]。

取得するデータに要配慮個人情報が含まれていると、そのデータを利活用することのハードルが高くなる。そのため、ビジネス上必要でなければ要配慮個人情報は取得しないことが望ましい。

では直接には要配慮個人情報を取得しないとしても、インターネット上で収集した情報から要配慮個人情報を推知または生成することは問題ないであろうか。例えば、宗教に関する本の購入履歴や、薬の購入履歴などから信条や病歴を推知することができる場合があるであろう。この点に関して、GL通則編2-3では、要配慮個人情報を推知させるにすぎない情報は、「要配慮個人情報」には含まないとしている。この整理に基づけば、上記の例のように信条や病歴を推知したとしても、要配慮個人情報を取得した

ことにはならない。

　もっとも、本人の行動や趣味・嗜好等を分析する「プロファイリング」によって要配慮個人情報に該当するデータを生成する可能性があり、仮に事業者が要配慮個人情報を取得したと解釈できる場合であれば、それは個人情報保護法20条2項（あらかじめ本人の同意なく、要配慮個人情報を取得してはならない）に抵触するという結論にもなりかねないという指摘もある[注107]。また、プロファイリングによって迂回的に要配慮個人情報にアクセスできるとすれば、本人の同意を求めた同項の趣旨が骨抜きにされる可能性があることから、センシティブな事項を一定の制度で予測するプロファイリングは要配慮個人情報の「取得」に該当するとする見解（取得同視論）もある[注108]。しかしながら、立法論としてはともかく、個人情報保護法の平成27年改正法のベースとなった「パーソナルデータの利活用に関する制度改正大綱」で検討課題とされていたプロファイリングが、最終的には同改正法に盛り込まれず、令和2年改正法・令和3年改正法でも手当されなかったことからすれば、現行法の解釈論としては要配慮個人情報の取得には当たらないと解するのが自然であろう[注109]。取得の解釈を事後的な取得にまで拡張することになると、要配慮個人情報の取扱いにおける「事後取得の予見可能性」を事前に認識することが困難であることや、この点はプライバシー侵害との関係で検討すべき問題であることも指摘されている[注110]。

注107) 菅原貴与志『詳解個人情報保護法と企業法務――収集・取得・利用から管理・開示までの実践的対応策〔第7版〕』（民事法研究会、2017）155頁。
注108) 山本龍彦「ビッグデータ社会とプロファイリング」論究ジュリスト2016年夏号（2016）39頁。なお、山本龍彦教授は、プロファイリングの中でも、社会通念上、人に事実らしく受け取られるおそれのある精度の高い要配慮個人情報の「予測」は迂回的取得であり、個人情報保護法20条2項の「取得」に含まれるべきとする（山本龍彦編著『AIと憲法』〔日本経済新聞出版社、2018〕92頁）。
注109) 平成27年の個人情報保護法改正時に、匿名加工情報を他の情報と照合して本人を識別することを禁止しているように（個人情報43条5項・45条）、他の情報を照合して要配慮個人情報を取得・生成することも禁止できたはずであるが、このような規制も設けられていない。
注110) 新保・前掲注25）234頁以下。

(2) 要配慮個人情報の提供・共有に関するルール

個人情報や個人データに要配慮個人情報が含まれている場合には、第三者への提供や共有に関するルールは、基本的には通常の個人情報や個人データと同様の取扱いである。すなわち、第三者提供をするには、原則としてあらかじめ本人の同意を得る必要がある一方で（個人情報27条1項）、委託、共同利用、事業承継等の場合には、本人の同意なく提供することができる（同条5項）。ただし、要配慮個人情報に関しては、オプトアウト手続により第三者提供することはできない（同条2項）［→ 3(3)(E)］。

(3) 要配慮個人情報の管理に関するルール

個人情報や個人データ、保有個人データに要配慮個人情報が含まれている場合には、各カテゴリーの管理に関するルールに従うことになる。なお、要配慮個人情報が含まれる個人データ（高度な暗号化その他の個人の権利利益を保護するために必要な措置を講じたものを除く）の漏えい、滅失または毀損が発生し、または発生したおそれがある場合には、個人情報保護委員会への報告等の対象となる点は留意が必要である（個人情報26条、個人情報則7条）［→ 13］。

6　匿名加工情報

「**匿名加工情報**」（個人情報2条6項）とは、①個人情報を加工して、特定の個人を識別することができないように個人情報を加工した情報であって、②当該個人情報を復元することができないようにしたものをいう。

平成27年改正法によって、パーソナルデータを保護しつつも、その自由な利活用を促進する環境を整備するために設けられた新たなカテゴリーである。匿名加工情報に求められる「特定の個人を識別できない」、「復元することができない」という要件は、あらゆる手法によって特定・復元することができないよう技術的側面からすべての可能性を排除することまでを求めるものではなく、少なくとも一般人および一般的な事業者の能力、手法等を基準として、当該情報を個人情報取扱事業者または匿名加工情報

注111）匿名加工情報を検索可能な状態に体系的に構成したもの（匿名加工情報データベース等）を事業の用に供している者をいう（個人情報16条6項）。

第5章 パーソナルデータに関する法律

取扱事業者[注111]が通常の方法により特定・復元できないような状態にすることを求めるものである[注112]。

匿名加工情報は、特定の個人を識別できないように処理しているので、そもそも「個人情報」には該当しないため、事業者は「個人情報」に関するさまざまな義務を負わなくてよい。具体的には、匿名加工情報については、事業者は通知・公表している利用目的以外の目的で利用できる。また、第三者に提供する場合に、本人の同意の取得や、オプトアウト手続の実施は求められない。そのため、匿名加工情報については、情報を分析したり、共有することが容易となることから、集積されたデータを活用するためには1つの有用な手段となる。

これまで見てきたように、個人情報保護法は体系化された「個人データ」の第三者提供には厳しい態度をとっている。一方で、IoT機器等を利用して収集したデータは、特定の個人が識別できなくてもビジネス上も非常に有用なものがある。本人の同意がない限り、これらを原則として第三者提供ができないとすると、すでに膨大なデータを集めて世界的にビジネスを展開している海外事業者等にはまったく太刀打ちができない。そこで、これらの情報を有効的に利用できるようにするために、平成27年改正で「匿名加工情報」が新設された。「匿名加工情報」に該当するものであれば、本人の同意を得ることなく目的外利用や第三者提供ができるようになるが、「匿名加工情報データベース等」を構成する匿名加工情報を作成する個人情報取扱事業者およびそれを使用する匿名加工情報取扱事業者は、一定のルールに従う必要がある。なお、これらのルールは、匿名加工情報データベース等を構成する匿名加工情報に限って課される点に注意が必要である（個人情報43条1項括弧書）[注113]。ここにいう「**匿名加工情報データベース等**」とは、匿名加工情報を含む情報の集合体であって、特定の匿名加工

注112）GL匿名加工情報編3-1-1。なお、GL匿名加工情報編のほか、匿名加工情報への加工方法等については、匿名加工情報レポートや経済産業省「事業者が匿名加工情報の具体的な作成方法を検討するにあたっての参考資料（「匿名加工情報作成マニュアル」）Ver1.0」（2016年8月）が参考になる。

注113）したがって、データベース化されていない匿名加工情報を作成または取り扱うだけであれば、これらの義務は負わない。

情報をコンピュータを用いて検索することができるように体系的に構成したものをいう（同法16条6項）[注114]。匿名加工情報をデータベース化したものである。逆に、データベース化されていない匿名加工情報については、以下のルールは適用されない。

(1) 匿名加工情報の作成・利用に関するルール

(A) 匿名加工情報の適正作成義務

個人情報取扱事業者は、データベース化した匿名加工情報を作成するときは、個人情報保護法施行規則34条で定める基準に従って、特定の個人を識別することができず、また、その作成に用いる個人情報を復元することができないように個人情報を加工しなければならない（個人情報43条1項）。

このように個人情報への復元ができないように加工することが求められていることから、匿名加工情報を作成した場合に作成の元となった個人情報を破棄しなければならないかが問題となるが、破棄する必要はない[注115]。個人情報保護法は、復元できないように加工し、識別行為を行わないことを求めているのであり、識別行為をすれば個人情報を復元できるような情報を事業者が保有することまでは禁じていないからである[注116]。

個人情報の加工の方法については、個人情報保護法は、①一般の個人情報（特定の個人を識別することができるもの〔個人情報2条1項1号〕）と②個人識別符号（同項2号）を分けて規定している。

一般の個人情報の加工方法については、個人情報に含まれる記述等の「一部」を削除または置換することによるとされている。加工方法としては、削除だけに限定されず、ハッシュ化など一部の記述等を復元できない方法により他の記述などに置き換えることも含む（個人情報2条6項1号）。個人識別符号の加工方法については、個人情報に含まれる個人識別符号の

注114)「匿名加工情報データベース等」の定義は、個人情報保護法施行令7条に委ねられているが、匿名加工情報を体系的に構成した情報の集合物であり、目次・索引等により検索を容易にするためのものを有するものという程度の規定にすぎず、個人情報保護法の規定と大きな違いはない。

注115) 日置ほか・しくみ114頁。

注116) むしろ、個人情報保護法43条5項は、事業者がそのような情報を保有し得ることを前提とした規定となっている。

「全部」を削除または置換することによるとされている。加工方法としては、記述等を復元できない方法により他の記述等に置き換えることも含む（同項2号）。

　一般の個人情報と個人識別符号の加工方法の違いは、一般の個人情報については、個人情報のうち、氏名等の一部を削除・置換することで個人が識別不能になれば足りるが、パスポート番号のような個人識別符号については、個人情報から個人識別符号の全部を削除・置換することが必要である点にある。

　個人情報保護法が定める匿名加工情報に加工するための基準は、下記①〜⑤である（個人情報則34条）。

① 一般的な個人情報についてはデータの一部を削除または置換する。
② 個人識別符号についてはその全部を削除または置換する。
③ 個人情報と匿名化した情報についてIDなどで連結されている場合には、そのIDを削除するか連結できないIDに置換する。
④ 特異なデータは削除または置換する。
⑤ 個人情報や個人情報データベースの内容によって、適切な措置をとる。

　具体的な加工方法については、匿名加工情報レポートに具体例やユースケースが挙げられており、例えば移動履歴については【図表5-7】が参考になる[注117]。

　なお、この基準を満たしたとしても、匿名加工情報となる要件を満たさなければ、匿名加工情報として取り扱うことはできない点には注意が必要であり、第三者が匿名加工情報を利用して特定の個人を識別するリスクは、大なり小なり残るといわざるを得ない。例えば、誰もが参加できる「ビッグデータ市場」で匿名加工情報を第三者に売却した場合、ビッグデータの転々流通した先で、第三者が識別行為をすることも考えられる。それが社会問題化したときには、たとえ適法に匿名加工情報を作成・提供していたとしても、匿名加工情報を作成・提供した企業は社会的非難を受けるおそれがある。そのようなリスクを軽減するためには、匿名加工情報を開示す

注117）匿名加工情報レポート61頁。

【図表 5-7】 自動車の移動履歴データのユースケースにおける加工例

項目	想定されるリスク	望ましい加工方法
①個人属性情報		
ID	顧客属性データと移動履歴データを連結する符号として利用されている。	全部削除する、あるいは仮IDに置き換える。（項目削除）
氏名	単体で個人を特定できる。	全部削除する。（項目削除）
性別	生年月日や住所との組合せにより、個人の特定につながる可能性がある。	本ケースでは、生年月日と住所の加工により対応し、性別情報の有用性から加工をしない。
生年月日	住所や性別との組合せにより、個人の特定につながる可能性がある。	年代の6区分（20代／30代／40代／50代／60代／70代～）に置き換える。（丸め／トップコーティング）
住所	生年月日や性別との組合せにより、個人の特定につながる可能性がある。また、本人にアクセスできるリスクがある。	市区単位より細かい情報を削除する。（丸め）
車種	住所や生年月日等との組合せにより、個人の特定につながる可能性がある。	「高級車」「コンパクトカー」等の車種カテゴリーに置き換える。（一般化）
車両識別番号	（提供先にとって不要な情報と想定）	全部削除する。（項目削除）
②履歴情報		
日時分秒	詳細な時刻情報と位置情報に基づいて、個人の特定につながる可能性がある。	秒を削除し、分単位に置き換える。（丸め）
緯度・経度	夜間や昼間の位置情報に基づいて、自宅や職場等が特定される可能性がある。	所定時間以上滞留している地点から一定範囲の緯度・経度情報を削除する。あるいは、走行開始から数分間および走行終了前数分間の緯度・経度情報を削除する。（セル削除／丸め）

第 5 章　パーソナルデータに関する法律

道路種別	（提供先において不要な情報と想定）	全部削除する。（項目削除）
車速	時刻情報と組み合わせることで、削除した位置情報を復元できる可能性がある。	・緯度・経度情報を削除する時間帯の車速情報を削除する。（セル削除） ・車速を 6 区分（〜10km/h、10km/h、20km/h、30km/h、40km/h、50km/h 以上）に置き換える。（丸め）
ABS 作動フラグ	（提供先において不要な情報と想定）	全部削除する。（項目削除）

る相手を信頼できる企業に限定し、契約によって転売を禁止するなどの実務的な対策をすることも有効であろう。

　また、「匿名加工情報」は、匿名加工情報の作成意図をもって、法で規定された匿名加工情報として取り扱うことを目的として作成されたものをいう。そのため、匿名加工情報を作成する意図がなく、かつ、個人情報として取り扱うことを前提にしたデータの加工（社内での安全管理措置の一環として氏名等を削除したデータ、統計情報を作成するために個人情報を加工したデータ、匿名加工情報を作成する途上で発生するデータ等）については、法律上の「匿名加工情報の作成」に該当するものではなく、このようなデータの加工に対して、匿名加工情報に係る義務が発生するものではない点に留意が必要である[注118]。

　なお、「匿名加工情報」の前提として、「個人情報」がソースとなっている情報（例えば、ある 1 人の人物の購買履歴や移動履歴等の情報など、個人単位の「個人に関する情報」を含むもの[注119]）のみが対象となり、「匿名加工情報」の出発点はあくまで「個人情報」である。したがって、個人情報でない情報を加工しても、そもそも「匿名加工情報」にはならない。この点に関して、「**統計情報**」は、「個人情報」に該当しない点では匿名加工情

注 118）GLQ&A15-6、匿名加工情報レポート 16 頁。
注 119）GLQ&A15-1・15-2。

報と同様であるが、複数人の情報から共通要素に係る項目を抽出して同じ分類ごとに集計して得られるデータをいい、特定の個人との対応関係を排斥して集団の傾向または性質などを数量的に把握するものであることから、それ自体がそもそも「個人情報」には該当しないものである[注120]。統計情報は、集団化された情報であるが、どれだけ集団化すれば統計情報になるかについては明確な基準はなく、ケースバイケースで判断せざるを得ない。また、例えば、統計情報の作成において、分類の仕方によってはサンプルが著しく少ない領域（高齢者、高額利用者、過疎地における位置情報等）が生じる可能性があり、誰の情報か特定できてしまうこともあり得ることから、個人との対応関係が十分に排斥できるような形で統計化されていることが重要である[注121]。

(B) **匿名加工情報の項目の公表義務**

個人情報取扱事業者は、データベース化した匿名加工情報を作成したときは、その匿名加工情報に含まれる個人に関する情報の項目[注122]を、遅滞なく、インターネットの利用などの適切な方法により公表しなければならない（個人情報43条3項、個人情報則36条1項）。

このような規定が設けられたのは、公表することによって、本人との関係で透明性を確保し、本人が苦情を申し出る等の本人関与の機会を提供し、個人情報保護委員会が違反を捉えて適切な監督を行う端緒とすることが可能となるようにするためである[注123]。

公表すべき項目については、例えば、「氏名・性別・生年月日・購買履歴」のうち、氏名を削除した上で、生年月日の一般化、購買履歴から特異値等を削除する等の加工をして、「性別・生年・購買履歴」に関する匿名加工情報として作成した場合の公表項目は、「性別」「生年」「購買履歴」である[注124]。

「匿名加工情報を作成したとき」とは、匿名加工情報として取り扱うた

注120) GL仮名・匿名加工情報編3-1-1GLQ&A15-1。
注121) 匿名加工情報レポート13頁。
注122) 利用目的の公表は求められていない（GLQ&A15-23）。
注123) 瓜生・前掲注9) 49頁。
注124) GL仮名・匿名加工情報編3-2-4。

めに、個人情報を加工する作業が完了した場合のことを意味するとされている。あくまで個人情報の安全管理措置の一環として一部の情報を削除等して保存・管理する等の加工をする場合や、個人情報から統計情報を作成するために個人情報を加工する場合等は含まれず、これらの場合には公表義務は課されない[注125]。

(C) **匿名加工情報の識別行為の禁止**

個人情報取扱事業者は、データベース化した匿名加工情報を作成し、自らがその匿名加工情報を取り扱う場合には、その匿名加工情報の作成に用いられた個人情報に係る本人を識別するために、その匿名加工情報と他の情報を照合してはならない（個人情報43条5項）。

匿名加工情報は、匿名化することを条件に比較的自由な利用を認めているのであるから、個人を特定する識別行為を行って匿名化を無意味にすることは禁止されている。これは、匿名加工情報を加工した事業者が自ら匿名加工情報を利用する場合であっても適用されることを明確にしたものである。つまり、匿名加工情報を作成した事業者は、その元となった個人情報を削除しなければ、匿名加工情報と個人情報の2種類の情報を保有することになるが、他の情報との照合行為をしない限り、自らが作成した匿名加工情報を匿名加工情報として利用することができる。他方で、事業者が、匿名加工情報と他の個人情報を共通IDなどで連携させるような形で取り扱った場合には、その連携により個人情報を復元していることになるので、そもそも匿名加工情報としての要件を満たさなくなる。その結果、その情報は、「個人情報」として取り扱わなければならないことになる。

また、例えばAIにより匿名加工情報を利用して分析を行う際に、AIは人間が気付かないような関連性を見つけることが得意であることから、匿名加工情報の作成元になった個人情報の本人を識別できてしまう場合もあり得る。このような場合に、照合禁止規定に違反することになるのであろうか。

この点に関しては、当初から本人を識別するためにビッグデータと照合するアルゴリズムを組んでいる場合は、照合禁止規定に違反することは明

注125) GL仮名・匿名加工情報編3-2-4。

らかである。他方で、偶然に匿名加工情報の作成元となった個人情報を識別してしまい、本人を識別するために他の情報と照合しているとはいえない場合には、直ちに照合行為の禁止に該当するものではないが、取り扱う匿名加工情報に記述等を付加して特定の個人を識別できる状態となった場合には、個人情報の不適正な取得となるため、速やかに削除すべきであろう[注126]。

また、(自らが匿名加工情報の作成者ではない) 匿名加工情報取扱事業者は、そのデータベース化した匿名加工情報の作成に用いられた個人情報に係る本人を識別するために、匿名加工の方法に関する情報を取得したり、その匿名加工情報と他の情報を照合してはならない(個人情報45条)。作成者と異なり、匿名加工方法に関する情報を取得することも禁止されている。

これは、匿名加工情報を受領した者が、さまざまな技術・手法を利用して、作成の元となった個人情報から識別される本人を割り出すことや、作成の元となった個人情報を復元することを完全に防ぐことは難しいことから、本人の識別を目的とする行為自体を禁止したものである。

匿名加工情報取扱事業者は、識別行為の禁止を従業員に徹底して管理をしておかないと、法的知識のない従業員が識別行為をすることは十分起こり得るので注意が必要である。

(D) 個人情報に関するルールの不適用

匿名加工情報は、特定の個人を識別できないように処理しており、そもそも「個人情報」には該当しない。そのため、個人情報に関する取得・利用のルールは適用されず、通知・公表している利用目的以外の目的で利用できる。

(2) 匿名加工情報の提供・共有に関するルール(第三者提供時の公表・明示)

上述の通り、匿名加工情報はそもそも「個人情報」には該当しないため、個人情報や個人データ、保有個人データに関するルールは適用されず、第三者に提供する場合に、本人の同意の取得や、オプトアウト手続の実施は

注126) GLQ&A15-29、匿名加工レポート42頁参照。

求められないが、以下のような特別のルールが適用される。

データベース化した匿名加工情報を第三者に提供するときは、①あらかじめ、第三者に提供される匿名加工情報に含まれる個人の情報の項目およびその提供の方法について公表しなければならず[注127]、また、②提供先の第三者に対して、提供された情報が匿名加工情報であることを明示しなければならない（個人情報43条4項）。公表の具体的方法は、インターネットの利用などの適切な方法により行うものとされている（個人情報則37条1項・38条1項）。

匿名加工情報であることについて第三者への明示が求められる理由は、提供先となる第三者に匿名加工情報であることを明らかにすることで、提供先に匿名加工情報取扱事業者として識別行為の禁止等の義務を履行しなければならないことを認識させ、匿名加工情報を適切に取り扱うようにさせるためである[注128]。明示の具体的方法については、電子メールの送信や書面の交付など適切な方法により行うものとされている（個人情報則37条2項・38条2項）。

なお、公表は、匿名加工情報の加工時と第三者提供時の両方の段階で必要となる。個人に関する情報の項目・加工方法が同じである匿名加工情報を反復・継続的に第三者に同じ方法で提供する場合には、最初に公表する際に、提供期間または継続的な提供を予定している旨を明記するなど継続的に提供されることを明らかにしておくことにより、その後の公表はしなくてもよいという取扱いをすることも可能である[注129]。匿名加工情報についてデータ分析を第三者に委託するようなことも想定されるが、個人データと異なり、匿名加工情報を第三者に対して委託・事業承継・共同利用するために提供する場合であっても特別の例外規定[注130]は設けられていないため、公表が必要となる。

また、（自らが匿名加工情報の作成者ではない）匿名加工情報取扱事業者は、データベース化した匿名加工情報を第三者提供する場合には、第三

注127) 提供先や利用目的の公表は求められていない（GLQ&A15-26）。
注128) 瓜生・前掲注9) 49頁。
注129) GL仮名・匿名加工情報編3-2-5。
注130) 個人情報27条5項参照。

者に提供される匿名加工情報に含まれる情報の項目や提供方法を公表し、提供先に匿名加工情報であることを明示する義務を負う（個人情報44条）。第三者提供の受領者が、さらに別の第三者に提供する場合にも、その受領者は匿名加工情報取扱事業者となるので、この義務を負う。

(3) 匿名加工情報の管理に関するルール

匿名加工情報については、加工方法に係る安全管理措置に関する義務と匿名加工情報に係る安全管理措置に関する努力義務が定められており、その詳細は後記9(2)を参照されたい。

7 仮名加工情報

平成27年の個人情報保護法の改正において匿名加工情報が創設されたものの、本人の同意を得ずに第三者に対して提供することを可能にするものであることから、プライバシーとの関係で社会的に非難されることをおそれる企業が利用することを躊躇することが多かった。そこで令和2年改正法においては、個人情報と匿名加工情報の中間的な分類として、仮名加工情報が新たに創設された。

(1) 仮名加工情報の定義

「**仮名加工情報**」とは、以下の基準に従って、他の情報と照合しない限り特定の個人を識別することができないように個人情報を加工して得られる個人に関する情報をいう（個人情報2条5項、個人情報則31条。【図表5-8】参照）。

① 個人情報に含まれる特定の個人を識別することができる記述等の全部または一部を削除すること（当該全部または一部の記述等を復元することのできる規則性を有しない方法により他の記述等に置き換えることを含む）

② 個人情報に含まれる個人識別符号の全部を削除すること（当該個人識別符号を復元することのできる規則性を有しない方法により他の記述等に置き換えることを含む）

③ 個人情報に含まれる不正に利用されることにより財産的被害が生じるおそれがある記述等を削除すること（当該記述等を復元することのできる規則性を有しない方法により他の記述等に置き換えることを含む）

第 5 章　パーソナルデータに関する法律

【図表 5-8】仮名加工情報

＊個人情報保護委員会「改正法に関連する政令・規則等の整備に向けた論点について（仮名加工情報）」（2020年11月27日）2頁。

　このような仮名加工情報は、以下のような特徴があり、例えば、当初の利用目的には該当しない目的や、該当するか判断が難しい新たな目的での内部分析を行うケース（データセット中の特異な値が重要とされる、医療・製薬分野における研究用データセットとして用いるケースや、不正検知等の機械学習モデルの学習用データセットとして用いるケース等）、利用目的を達成した個人情報について、将来的に統計分析に利用する可能性があるため、仮名加工情報として加工した上で保管するケース等で利活用されることが想定される。

① その作成に用いられた原データ（保有個人データ）は本人からの開示・利用停止等の請求の対象となるが、仮名加工情報については、これらの請求の対象とはならない。これにより、事業者内部におけるデータの利活用が促進されることが期待されている。

② 匿名加工情報と異なり、個人情報に該当する仮名加工情報は、当初の利用目的を超えて利用することはできないが（個人情報41条3項）、利用目的の変更に際して当初の利用目的との合理的な関連性が要求されないため（同条9項。同法17条2項の不適用）、変更後の利用目的を公表することは必要であるものの、柔軟に変更することができるなど、個人情報とは異なる規律が適用される。

③ 委託や共同利用により活用することもできる一方で、仮名加工情報は事業者内部における分析のために用いられることが前提とされているものであることから、原則として第三者に提供することはできない（個人情報41条6項・42条）。

なお、匿名加工情報と仮名加工情報の違いについては、【図表5-9】を参照されたい。

実務上、これまでも安全管理措置の一貫として、個人データから氏名を削除してIDを付しておくといったことは行われてきたが、このようにID化されたデータも仮名加工情報に該当するのであろうか。この点に関しては、個人情報保護法41条1項以下において、仮名加工情報を作成するときの義務その他仮名加工情報取扱事業者の義務を定めているが、仮名加工情報を「作成するとき」とは、匿名加工情報と同様に、仮名加工情報として取り扱うために、仮名加工情報作成の意図をもって、当該仮名加工情報を作成するときのことを指すことから、例えば、安全管理措置の一環として氏名等の一部の個人情報を削除（または他の記述等に置き換え）した上で引き続き個人情報として取り扱う場合、あるいは匿名加工情報または統計情報を作成するために個人情報を加工する場合等については、仮名加工情報を「作成するとき」には該当せず、仮名加工情報とはならない（したがって仮名加工情報に関する義務も生じない）点に留意が必要である[注131]。

なお、仮名加工情報取扱事業者において、仮名加工情報の作成の元となった個人情報や当該仮名加工情報に係る削除情報等を保有している等により、当該仮名加工情報が「他の情報と容易に照合することができ、それにより特定の個人を識別することができる」状態にある場合には、当該仮名加工情報は、「個人情報」（個人情報2条1項）に該当することから、当該事業者は、「個人情報である仮名加工情報」の取扱いに関する義務等を遵守する必要がある（同法41条）[注132]。

これに対し、例えば、個人情報保護法41条6項または42条1項もしくは2項の規定により仮名加工情報の提供を受けた仮名加工情報取扱事業者において、当該仮名加工情報の作成の元となった個人情報や当該仮名

注131) GL仮名・匿名加工情報編2-2-2-1、GLQ&A14-4。なお、このようにすでに仮名化された個人情報について、仮名加工情報の加工の基準を満たしている場合には、さらなる加工を加えることなく仮名加工情報として取り扱うことが可能であるが、当該個人情報を仮名加工情報として取り扱うこととして時点から、仮名加工情報の取扱いに係る規律が適用される点には注意が必要であ（GLQ&A14-5）る。

注132) GL仮名・匿名加工情報編2-2-1・2-2-3。

第5章 パーソナルデータに関する法律

【図表 5-9】匿名加工情報と仮名加工情報の違い

	匿名加工情報	仮名加工情報
定義	特定の個人を識別することができず、加工元の個人情報を**復元することができない**ように加工された個人に関する情報 ※**本人が一切分からない程度**まで加工されたもの（個人情報に該当せず）	**他の情報と照合しない限り**特定の個人を識別することができないように加工された個人に関する情報 ※**対照表**と**照合すれば本人が分か**る程度まで**加工**されたもの（個人情報に該当）
加工の方法	・氏名等を削除（または置き換え） ・項目削除、一般化、トップコーティング、ノイズの付加等の加工 ・**特異な記述の削除**等	・氏名等を削除（または置き換え）
安全管理措置	・加工方法等情報の安全管理 ・匿名加工情報の安全管理（努力義務）	・削除情報等の安全管理 ・仮名加工情報の安全管理
作成に関する規律	・情報の項目の公表	・利用目的の公表（作成に用いた個人情報の利用目的と異なる目的で利用する場合のみ）
提供に関する規律	・情報の項目・提供の方法の公表 ・本人の同意なく第三者提供が可能	・**第三者提供の原則禁止**（作成元の個人データは本人同意の下で第三者提供可能） ※**委託・共同利用は可能**
利用に関する規律	・識別行為の禁止 ・苦情処理等（努力義務）	・識別行為の禁止 ・本人への到達行為の禁止（電子メールの送付、住居訪問等の禁止） ・利用目的の制限（**利用目的の変更は可能**） ・利用目的達成時の消去（努力義務） ・苦情処理（努力義務）

＊佐脇・前掲注99）14頁および GL仮名・匿名加工情報編付録をもとに筆者作成。

加工情報に係る削除情報等を保有していない（例えば、仮名加工情報の取扱いの委託を受けた場合）等により、当該仮名加工情報が「他の情報と容易に照合することができ、それにより特定の個人を識別することができる状態にない」場合には、当該仮名加工情報は、「個人情報に該当しない」ため、当該事業者は、「個人情報でない仮名加工情報」[注133]の取扱いに関する義務等を遵守する必要がある（個人情報 42 条）[注134]。

また、仮名加工情報の取扱いに係る個人情報保護法 41 条および 42 条の義務は、仮名加工情報データベース等を構成する仮名加工情報に適用されるものであることから、いわゆる散在情報となる、仮名加工情報データベース等を構成しない仮名加工情報には、これらの義務は適用されない[注135]。

(2) 仮名加工情報の作成・利用に関するルール

(A) 仮名加工情報の適正作成義務

個人情報取扱事業者は、仮名加工情報（仮名加工情報データベース等を構成するものに限る。以下同じ）を作成するときは、他の情報と照合しない限り特定の個人を識別することができないようにするために必要なものとして個人情報保護委員会規則で定める基準に従い、個人情報を加工しなければならない（個人情報 41 条 1 項）。「**仮名加工情報データベース等**」とは、仮名加工情報を含む情報の集合物であって、特定の仮名加工情報を電子計算機を用いて検索することができるように体系的に構成したものその他特定の仮名加工情報を容易に検索することができるように体系的に構成した加工ものとして政令で定めるものをいい、仮名加工情報データベース等を事業の用に供している者を、「**仮名加工情報取扱事業者**」という（同法 16 条 5 項）。

注133) 仮名加工情報は通常は「個人情報」に該当するものであるが、例外的に法令に基づく場合や委託等により提供される場合において（個人情報 41 条 6 項）、当該提供を受けた事業者において、当該匿名加工情報が他の情報と容易に照合することにより特定の個人を識別することができない状態になっている場合には、「個人情報」には該当しないこととなるため、「個人情報でない仮名加工情報」というカテゴリーがあり得る（佐脇・前掲注 99）31 頁）。なお、個人情報に該当しない仮名加工情報であっても、原則として第三者提供は禁止される。

注134) GL 仮名・匿名加工情報編 2-2-1・2-2-4。

注135) GL 仮名・匿名加工情報編 2-2-2。

本項に定める加工基準は、上述した通り、以下の①～③の基準に従った加工をいう（個人情報則31条）。

① 個人情報に含まれる特定の個人を識別することができる記述等の全部または一部を削除すること（当該全部または一部の記述等を復元することのできる規則性を有しない方法により他の記述等に置き換えることを含む）

② 個人情報に含まれる個人識別符号の全部を削除すること（当該個人識別符号を復元することのできる規則性を有しない方法により他の記述等に置き換えることを含む）

③ 個人情報に含まれる不正に利用されることにより財産的被害が生じるおそれがある記述等を削除すること（当該記述等を復元することのできる規則性を有しない方法により他の記述等に置き換えることを含む）

上記①②については匿名加工情報と同様の加工基準であるが、上記③については、漏えいした場合に個人の権利利益の侵害が生じる蓋然性が相対的に高いと考えられるものについてその削除または置換えが要求されるものであり、具体例としては、クレジットカード番号や送金・決済機能のあるウェブサービスのログインID・パスワード等が想定されている[注136]。

仮名加工情報に求められる「他の情報と照合しない限り特定の個人を識別することができない」という要件は、加工後の情報それ自体により特定の個人を識別することができないような状態にすることを求めるものであり、当該加工後の情報とそれ以外の他の情報を組み合わせることによって特定の個人を識別することができる状態にあることを否定するものではない[注137]。

なお、仮名加工情報は、後述のとおり、本人の識別行為や本人への連絡等が禁止されるとともに、第三者提供も原則として禁止され、その取扱いによって本人の権利利益が侵害されるおそれは極めて小さいことから、要配慮個人情報を含む個人情報から仮名加工情報を作成することも認められる[注138]。

注136) GL仮名・匿名加工情報編2-2-2-1-3。
注137) GL仮名・匿名加工情報編2-1-1。
注138) 佐脇・前掲注99) 20頁。

(B) 利用目的による制限・公表義務

　個人情報取扱事業者が仮名加工情報を作成したときは、作成の元となった個人情報に関して個人情報保護法17条1項の規定により特定された利用目的が、当該仮名加工情報の利用目的として引き継がれるところ[注139]、仮名加工情報取扱事業者は、法令に基づく場合を除くほか、個人情報保護法17条1項の規定により特定された利用目的の達成に必要な範囲を超えて、仮名加工情報（個人情報であるものに限る）を取り扱ってはならない（個人情報41条3項）。この点は個人情報の取扱いと同様である。

　もっとも、個人情報については、利用目的を変更する場合には、変更前の利用目的と関連性を有すると合理的に認められる範囲を超えて行ってはならないとされているが（個人情報17条2項）、仮名加工情報に関しては、利用目的の変更に関する個人情報保護法17条2項は適用されないため（同法41条9項）、当初の利用目的と関連しない利用目的に変更することも可能である。これは、匿名加工情報よりも詳細な分析が可能という仮名加工情報のデータとしての有用性や、事業者内部でのさまざまな分析が可能となることにより、イノベーションの促進に資することを考慮して、利用目的の制限が緩和されることになったものである[注140]。

　なお、仮名加工情報について利用目的を変更した場合には、変更後の利用目的をできるだけ特定して、公表しなければならない（個人情報17条1項、41条4項において読み替えて適用する21条3項）。また、仮名加工情報の取扱いの委託に伴って当該仮名加工情報の適用を受けた場合等であって、当該提供を受けた仮名加工情報取扱事業者にとって当該仮名加工情報が個人情報に該当する場合には、同様に利用目的を特定して、公表しなければならない（個人情報17条1項、41条4項において読み替えて適用する21条1項）。

(C) 仮名加工情報の識別行為の禁止

　匿名加工情報と同様に、仮名加工情報取扱事業者は、仮名加工情報の作成に用いられた個人情報に係る本人を識別するために、当該仮名加工情報

注139) GL仮名・匿名加工情報編 2-2-3-1-1。
注140) 佐脇・前掲注99) 27頁。

を他の情報と照合してはならない（個人情報41条7項）。照合する「他の情報」に限定はなく、本人を識別する目的をもって行う行為であれば、個人情報、個人関連情報、仮名加工情報および匿名加工情報を含む情報全般と照合する行為が禁止され、また、具体的にどのような技術または手法を用いて照合するかは問わない[注141]。

(D) 本人への連絡等の禁止

個人情報である仮名加工情報を取り扱う場合には、電話をかけ、郵便もしくは信書便により送付し、電報を送達し、ファクシミリ装置もしくは電磁的方法を用いて送信し、または住居を訪問するために、当該仮名加工情報に含まれる連絡先その他の情報を利用してはならない（個人情報41条8項）。仮名加工情報については、上記の通り識別行為が禁止されるが、例えば、当該仮名加工情報にメールアドレス等が含まれる場合、本人が識別されることのないまま、本人の意思に反したダイレクトメールが送られたり、位置情報が含まれる場合には、本人の住居等が特定され、当該住居等に勧誘等を目的とした訪問が行われることにより、本人の不利益となるおそれがあることから、連絡先等の情報を利用することを禁止するものである[注142]。

ここでいう「**電磁的方法**」には、携帯電話へのショートメールの送信、電子メールの送信のほか、SNSのメッセージ機能によるメッセージの送信やCookieIDを用いて受信する者を特定した上で、当該受信者に対して固有の内容のインターネット広告を表示する方法が該当する（いずれも他人に委託して行う場合を含む）[注143]。

(3) 仮名加工情報の提供・共有に関するルール

(A) 個人情報である仮名加工情報の第三者提供の制限等

仮名加工情報取扱事業者は、法令に基づく場合を除くほか、仮名加工情報である個人データを第三者に提供してはならない（個人情報41条6項）。これは、仮名加工情報を第三者提供することにより、悪意者により識別行為が行われ、個人の権利利益が侵害されるリスクが高まる点や、第三者提

注141) GL仮名・匿名加工情報編2-2-3-4。
注142) 佐脇・前掲注99) 26頁。
注143) 個人情報則33条、GL仮名・匿名加工情報編2-2-3-5。

供に必要な本人の関与（同意）を求めるためには、あえて加工前の個人情報を復元し、本人を識別することが必要になることから、仮名加工情報それ自体の第三者提供を禁止するもの[注144]である。もっとも、当該仮名加工情報の作成に用いた個人情報（元の個人データ）や当該個人データから氏名等を削除して「仮名化」したデータを、（仮名加工情報には該当しない）通常の個人データとして個人情報保護法27条の規定により本人の同意を得ること等によって第三者に提供することは可能である[注145]。

　また、通常の個人データの取扱いと同様に、仮名加工情報については、委託、事業承継等や共同利用の場合には、提供を受ける者は「第三者」に該当しないため、本人の同意を得ることなく委託先、事業承継先、共同利用先に対して仮名加工情報を提供することができる（個人情報41条6項により読み替えて適用する27条5項）[注146]。これらの場合における仮名加工情報である個人データの提供については、確認・記録義務は課されない（個人情報41条6項により読み替えて適用する29条1項ただし書および30条1項ただし書）。

(B)　**個人情報ではない仮名加工情報の第三者提供の制限等**

　法令に基づく場合を除くほか、個人情報ではない仮名加工情報を第三者に提供してはならない点および委託・事業譲渡等・共同利用が可能である点は、上記(1)と同様である（個人情報42条1項）。

(4)　**仮名加工情報の管理に関するルール**

(A)　**削除情報等の安全管理措置義務**

　仮名加工情報および削除情報等に係る安全管理措置に関する義務については、後記9(3)を参照されたい。

(B)　**仮名加工情報等の消去義務**

　仮名加工情報取扱事業者は、仮名加工情報である個人データおよび削除情報等を利用する必要がなくなったときは、当該個人データおよび削除情

注144）本人の同意があったとしても、仮名加工情報の第三者提供は認められない（GLQ&A14-17）。

注145）佐脇・前掲注99）24頁、GLQ&A14-17。

注146）共同利用の場合には、本人に通知し、または本人が容易に知り得る状態に置くことに代えて、公表することが求められる。

報等を遅滞なく消去するよう努めなければならない（個人情報41条5項）。

なお、「仮名加工情報である個人データの消去」とは、当該仮名加工情報である個人データを個人データに該当しなくすること意味し、当該仮名加工情報である個人データを削除することのほか、当該仮名加工情報を容易に照合できる他の情報と組み合わせても特定の個人を識別できないようにすること等を含む[注147]。

(5) 仮名加工情報に関するその他のルール

(A) 個人情報である仮名加工情報に係る個人情報・個人データ等に係る義務の適用・不適用

仮名加工情報（個人情報であるもの）、仮名加工情報である個人データおよび仮名加工情報である保有個人データの取扱いについては、上記の利用目的の変更の制限（個人情報17条2項）のほか、漏えい等の報告等（同法26条）および本人からの開示等の請求等（同法32条～39条）の対象とはならない（同法41条9項）。

なお、仮名加工情報の作成の元となった個人データまたは氏名と仮IDの対応表のような削除情報等（個人データであるもの）については、個人情報保護法26条の規定が適用されるため、これらについての漏えい等が発生した場合において、当該漏えい等が同条に定める要件を満たす場合には、同条に基づく報告や本人通知の対象となる[注148]。この場合には、削除情報等の漏えい等が発生したことに伴う個人情報保護委員会への報告および本人への通知の内容に、当該削除情報等に基づいて仮名加工情報が作成された旨や、当該仮名加工情報に含まれる情報の項目を含めることが望ましいとされ、また、当該仮名加工情報に含まれるIDを振り直すこと等により仮名加工情報を新たに作成し直すなどの措置を講じることが必要とされる[注149]。

これに対して、仮名加工情報であっても、不適正利用の禁止（個人情報19条）、適正取得（同20条1項）、安全管理措置（同23条）、従業者の監督（同24条）、委託先の監督（同25条）、苦情処理（同40条）については、

注147） GL仮名・匿名加工情報編2-2-3-2。
注148） GL仮名・匿名加工情報編2-2-3-6。
注149） 佐脇・前掲注99）28頁。

【図表 5-10】個人情報・仮名加工情報に関する条文の適用関係

個人情報	個人情報である仮名加工情報	個人情報でない仮名加工情報
利用目的に関する規律（17条・18条・21条）	○（目的変更を除く）	×
不適正利用の禁止（19条）	○	×
正確性確保・消去（22条）	△（消去のみ）	×
安全管理措置（23条）	○（削除情報等についても義務あり）	○（準用）（削除情報等についても義務あり）
従業者・委託先の監督（24条・25条）	○	○（準用）
漏えい等の報告等（26条）	×	×
第三者提供の制限（27条・28条）	○	○
第三者提供の確認・記録（29条・30条）	×	×
苦情処理（40条）	○	○（準用）
	識別禁止・本人への連絡等の禁止（41条7項・8項）	○（準用）

適用される[注150]。

(B) **個人情報でない仮名加工情報に係る個人情報・個人データ等に係る義務の適用・不適用**

上記第三者提供の制限等（個人情報42条1項）に加えて、安全管理措置（同23条）、従業者の監督（同24条）、委託先の監督（同25条）、苦情処理

注150) GL仮名・匿名加工情報編 2-2-3-7。

(同40条)、識別禁止(同41条7項)、本人への連絡等の禁止(同条8項)については、個人情報ではない仮名加工情報にも準用される(同42条1項・2項)。これらの個人情報、個人情報である仮名加工情報および個人情報ではない仮名加工情報に関する条文の適用関係をまとめると、【図表5-10】の通りである。

8　個人関連情報

(1)　個人関連情報の定義

　近時、提供元では個人データに該当しないデータ(例えば、Cookie等の識別子に紐付く個人情報ではないユーザーデータであり、個人情報保護法に基づく第三者提供の制限の適用がないもの)について、提供先において他の情報と照合することにより個人データとして扱われることを前提とした上で、これらのデータが提供される取引も行われており、規制の必要性が指摘されていた。そこで、令和2年改正法において、新たに**「個人関連情報」**(生存する個人に関する情報であって、個人情報、仮名加工情報および匿名加工情報のいずれにも該当しないもの。個人情報2条7項)というカテゴリーを設け、これを検索することができるように体系的に構成したものを**「個人関連情報データベース等」**(同16条7項)と定義した上で、第三者が個人関連情報データベース等を構成する個人関連情報を「個人データ」として取得することが想定されるときは、本人の同意が得られていること等を確認することなく当該第三者に提供してはならないこととした(同31条1項)。

　個人関連情報の具体例としては、以下のようなものが挙げられる[注151]。

① Cookie等の端末識別子を通じて収集された、ある個人のウェブサイトの閲覧履歴

② 特定の個人を識別できないメールアドレス(abc_123@example.com等のようにメールアドレス単体で、特定の個人のメールアドレスであることがわからないような場合等)に結びついた、ある個人の年齢・性別・家族構成等

注151) GL通則編2-8。

③　ある個人の商品購買履歴・サービス利用履歴
④　ある個人の位置情報
⑤　ある個人の興味・関心を示す情報

　上記の例からもわかる通り、この規制はCookieのみを対象としたものではないことに注意が必要である。また、Cookie等の端末識別子それ単体では特定の個人を識別することができないので、個人情報保護法上の個人情報には該当しないが、Cookieが特定の個人と紐付けて管理されていれば、容易照合性により「個人情報」に該当することになる[注152]。

　なお、個人情報に該当する場合は、個人関連情報に該当しないことになる。例えば、上記Cookieの例に加えて、一般的に、ある個人の位置情報それ自体のみでは個人情報には該当しないものではあるが、個人に関する位置情報が連続的に蓄積される等して特定の個人を識別することができる場合には、個人情報に該当し、個人関連情報には該当しないことになる[注153]。

(2)　**個人関連情報の取得・利用に関するルール**

　個人関連情報は、「個人情報」には該当しないことから、個人情報に係る取得・利用に関するルールは適用されない。

(3)　**個人関連情報の提供・共有に関するルール**

　個人関連情報取扱事業者は、提供先の第三者が個人関連情報を個人データとして取得することが想定されるときは、個人情報保護法27条1項各号に掲げる場合を除き、あらかじめ当該個人関連情報に係る本人の同意が得られていること等を確認しないで、当該個人関連情報を提供してはならない（個人情報31条1項）。「**個人関連情報取扱事業者**」とは、個人関連情報データベース等を事業の用に供している者をいい、具体的には、生存する個人に関する情報のうち、氏名と結びついていない性別、年齢、職業、インターネットの閲覧履歴といった、個人関連情報に該当する情報をデータベース等に保管し、当該データベースを事業に利用している者がこれに該当することとなる[注154]。

注152）個人情報保護委員会「個人情報保護法——いわゆる3年ごと見直しに係る検討の中間整理」（2019年4月25日）38頁。
注153）GL通則編2-8。
注154）佐脇・前掲注99）63頁。

第5章　パーソナルデータに関する法律

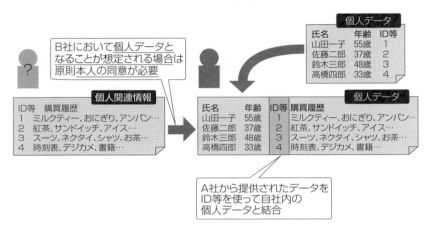

【図表5-11】個人関連情報を個人データとして取得する場合

＊個人情報委員会「改正法に関連するガイドライン等の整備に向けた論点について（個人関連情報）」（2021年4月7日）2頁。

　かかる規制は、個人関連情報の第三者提供一般に適用されるものではなく、提供先の第三者が個人関連情報を「個人データとして取得することが想定されるとき」に適用されるものであることから、個人関連情報の提供を行う事業者は、提供先の第三者との間で、提供を行う個人関連情報の項目や、提供先の第三者における個人関連情報の取扱い等を踏まえた上で、それに基づいて本条の適用の有無を判断する必要がある。

(A)　**個人データとして取得することが想定されるとき**

　上記の「**個人データとして取得することが想定されるとき**」とは、例えば、【図表5-11】のように、提供元のA社ではIDで管理されている購買情報であって誰の情報かわからない（したがって個人情報ではない）が、提供先のB社はA社とIDを共有しており、自らの保有する特定の個人を識別できる個人データとA社がB社に提供するデータをIDで突合して、個人データとして保有することになる場合である。個人データの第三者提

供に関しては、いわゆる「提供元基準」（容易照合性に関して、提供元が提供先の事情を把握して提供先の事情によって本人同意の要否が左右されるとなると、本人保護の観点から安定性を欠くことから、提供者・提供元を基準として判断するものとされている［→2(1)(C)］）からすると、現行法上は個人データの第三者提供には該当せず、本人の同意は必要ないこととなるが、近時、提供先において他の情報と照合することによって個人データとして利用することビジネススキームが問題となったことから、このような場合も規制の対象としたものである。

(i) 「個人データとして取得する」

「**個人データとして取得する**」とは、提供先の第三者において、個人データに個人関連情報を付加する等、個人データとして利用しようとする場合をいい、提供先の第三者が、提供を受けた個人関連情報を、ID等を介して提供先が保有する他の個人データに付加する場合には、「個人データとして取得する」場合に該当するが、提供先の第三者が、提供を受けた個人関連情報を直接個人データに紐付けて利用しない場合は、別途、提供先の第三者が保有する個人データとの容易照合性が排除しきれないとしても、ここでいう「個人データとして取得する」場合には直ちに該当しない[注155]。

なお、広告等の媒体がソーシャルプラグイン等第三者のタグを設置してCookie等を当該第三者に送信する場合、第三者のタグを設置した事業者が当該タグにより収集される情報を取り扱っていないのであれば、通常は第三者側での直接取得となり、個人関連情報の第三者提供に当たらない[注156][注157]。

また、一般的に委託に伴って委託元が提供した個人データが、委託先にとって個人データに該当せず、個人関連情報に該当する場合において、委

注155) GL通則編3-7-1-1。

注156) 個人情報保護委員会事務局「『個人情報の保護に関する法律施行令及び個人情報保護委員会事務局組織令の一部を改正する政令（案）』及び『個人情報の保護に関する法律施行規則の一部を改正する規則（案）』に関する意見募集の結果について」（2021年3月24日）（以下、「令和2年改正法に係る個人情報保護法施行規則パブコメ結果」という）No.405。

託先が委託された業務の範囲内で委託元に当該データを返す行為については、個人情報保護法31条の規律は適用されないが、委託先で独自に取得した個人関連情報を付加した上で、委託元に返す場合には、(委託元が個人データとして取得することになるため)同条の規律が適用されることとなる点には留意が必要である[注158]。

　(ii)　「想定される」

「想定される」とは、提供元の個人関連情報取扱事業者において、提供先の第三者が「個人データとして取得する」ことを現に想定している場合、または、提供元の個人関連情報取扱事業者において現に想定していない場合であっても、提供先の第三者との取引状況等の客観的事情に照らして、一般人の認識(同種の事業を営む事業者の一般的な判断力・理解力を前提とする認識)を基準として「個人データとして取得する」ことを通常想定できる場合をいい、具体的には以下のような事例が挙げられる[注159)160]。

① 提供元の事業者が、顧客情報等の個人データを保有する提供先の第三者に対し、ID等を用いることで個人関連情報を個人データと紐付けて取得することが可能であることを説明している場合

② 提供元の事業者が、提供先の第三者から、個人関連情報を受領した後に個人データと紐付けて取得することを告げられている場合

注157) 個人情報保護委員会は、HP上で「SNSの『ボタン』等の設置に係る留意事項」として、「一部のソーシャルネットワーキングサービス(SNS)は、ログインした状態で、当該SNSの『ボタン』等が設置されたウェブサイトを閲覧した場合、当該『ボタン』等を押さなくとも、当該ウェブサイトからSNSに対し、ユーザーID・アクセスしているサイト等の情報が自動で送信されていることがあります。このため、サイト運営者においては、SNSの『ボタン』等の設置を検討する際には、各SNSのプライバシーポリシー等を十分確認し、実態を正確に把握したうえで判断する必要があります。また、サイト運営者は、SNSに情報送信されるような『ボタン』等をウェブサイトに設置する場合には、ボタン等を押さなくとも閲覧しただけで当該SNSに情報が送信されることがあることを一般の利用者が十分に認識するよう、当該SNSに情報が送信されていること及び送信されている情報の範囲等をプライバシーポリシー等においてわかりやすく明示する等、丁寧にご対応ください。」と注意喚起している。

注158) 令和2年改正法に係る個人情報保護法施行規則パブコメ結果No.9およびNo.425。

注159) GL通則編3-7-1-2。

③ 個人関連情報を提供する際、提供先の第三者において当該個人関連情報を氏名等と紐付けて利用することを念頭に、そのために用いるID等も併せて提供する場合

では、いつの時点で「想定される」のであれば、個人関連情報の規制の対象となるか。これについては、個人関連情報の提供時点を基準に判断することになり、事後的に提供先の第三者が個人関連情報を個人データとして利用したことが明らかになったとしても、提供元の事業者が個人情報保護法31条1項に違反することにはならない[注161]。

(iii) 契約による対応

提供元の事業者および提供先の第三者間の契約等において、提供先の第三者において、提供を受けた個人関連情報を個人データとして利用しない旨が定められている場合には、提供元の事業者は、提供先の第三者における個人関連情報の取扱いの確認まで行わなくとも、「個人データとして取得する」ことは想定されない。もっとも、提供先の第三者が実際には個人関連情報を個人データとして利用することがうかがわれる事情がある場合[注162]には、当該事情に応じ、別途、提供先の第三者における個人関連情報の取扱いも確認した上で「個人データとして取得する」ことが想定されるかどうかを判断する必要がある[注163]。

注160) なお、個人関連情報取扱事業者に、一般に、提供先の第三者における個人関連情報の取扱いを確認する義務を負わせるものではない(GLQ&A8-5)。また、提供先が直接個人データに紐づけて個人関連情報を活用しないものの、保有する個人データとの容易照合性が排除できない場合にまでこの規制が適用されるものではない(令和2年改正法に係る個人情報保護法施行規則パブコメ結果No.404およびNo.405)。

注161) GLQ&A8-4。

注162) 例えば、提供先である第三者が不特定多数の顧客情報を保有している大規模通販事業者である場合等は、一般人の認識を基準とした場合に、提供した個人関連情報が顧客情報と照合された個人データとして取得される蓋然性が高い場合も考えられることから、個人関連情報の第三者提供に係る契約を締結する際に、当該個人関連情報と容易に照合することができる顧客情法等を当該第三者が保有していないことを確認しておくのが望ましいと考えられる(佐脇・前掲注99)66頁)。

注163) GL通則編3-7-1-2。

第 5 章　パーソナルデータに関する法律

(B)　本人の同意の取得方法等

「本人の同意」とは、個人関連情報取扱事業者が第三者に個人関連情報を提供し、当該第三者が当該個人関連情報を個人データとして取得することを承諾する旨の当該本人の意思表示をいい、同意の取得に当たっては、本人が同意に係る判断を行うために必要と考えられる合理的かつ適切な範囲の内容を明確に示した上で、本人の同意の意思が明確に確認できることが必要である[注164]。具体的には、①個人関連情報の提供を受けて個人データとして取得する主体、②対象となる個人関連情報の項目、③個人関連情報の提供を受けて個人データとして取得した後の利用目的等について、本人が認識できるようにする必要がある[注165]。なお、本人の同意は、必ずしも第三者提供のたびに取得しなければならないものではなく、本人が予測できる範囲において、包括的に同意を取得することも可能である[注166]。

「本人の同意」を取得する主体は、本人と接点を持ち、情報を利用する主体となる提供先の第三者であるが、同等の本人の権利利益の保護が図られることを前提に、同意取得を提供元の事業者が代行することも認められる[注167]。

同意の取得方法としては、例えば、本人から同意する旨を示した書面や電子メールを受領する方法、確認欄へのチェックを求める方法があるが、ウェブサイト上で同意を取得する場合は、単にウェブサイト上に本人に示すべき事項を記載するのみでは足りず、それらの事項を示した上でウェブサイト上のボタンのクリックを求める方法等によらなければならない[注168]。かかる同意取得の一般的なフローについては、GL 通則編付録に示されている。

(C)　本人の同意等の確認方法

本人から同意を得る主体は、原則として提供先の第三者となり、提供元の事業者は、当該第三者から申告を受ける方法その他の適切な方法によっ

注 164）GL 通則編 3-7-2-1。
注 165）GL 通則編 3-7-2-2。
注 166）GL 通則編 3-7-2-1。
注 167）GL 通則編 3-7-2-2。
注 168）GL 通則編 3-7-2-3。

て本人同意が得られていることを確認することになるところ、提供先の第三者から申告を受ける場合、提供元の事業者は、その申告内容を一般的な注意力をもって確認すれば足りる[注169]。

なお、外国にある第三者へ提供する場合には、あらかじめ、当該外国における個人情報の保護に関する制度、当該第三者が講ずる個人情報の保護のための措置その他当該本人に参考となるべき情報が当該本人に提供されていることについても確認する必要がある（個人情報31条1項2号）。この場合に提供されるべき情報等は、個人データを外国にある第三者へ提供する場合と同様である（個人情報31条2項・28条3項、個人情報則17条・18条）[→ 11]。

(D) **提供元における記録義務および提供先における確認・記録義務**

個人関連情報の第三者提供に関しては、トレーサビリティの確保の観点から、提供元における記録義務および提供先である第三者における確認・記録義務が定められている。その詳細は後記10を参照されたい。

(E) **委託、事業承継および共同利用に係る例外規定の不存在**

個人データと異なり、個人関連情報の第三者提供に関しては、委託、事業承継および共同利用に係る例外規定は設けられていない。そのため、個人情報保護法31条1項の適用の有無は、提供の形態にかかわらず、提供先の第三者が個人関連情報を個人データとして取得することが想定されるか否かによって判断される点に留意が必要である[注170]。

なお、個人データの取扱いの委託に伴って委託元が提供した個人データが、委託先にとって個人データに該当せず、個人関連情報に該当する場合において、委託先が委託された業務の範囲内で委託元に当該データを返す行為については、個人情報保護法31条1項は適用されないが、委託先が独自に取得した個人関連情報を当該データに加え、当該データを加えた後のデータを委託元に返す場合には、同条が適用されることとなる[注171]。

(4) **個人関連情報の管理に関するルール**

個人関連情報は、「個人情報」には該当しないことから、個人情報に係

注169) GL通則編3-7-3-1。
注170) GLQ&A8-8。
注171) GLQ&A8-9。

る管理に関するルールは適用されない。

9　安全管理措置

　安全管理措置は、情報セキュリティの観点から非常に重要な規定であるが、個人情報保護法は、データベース化された「個人データ」について安全管理措置を定めている。保有個人データも個人データに含まれるので、安全管理措置を実施する必要があるが、データベース化されていない単なる個人情報には係る安全管理措置の規定の適用はない。これは、データベース化されたものが流出した場合には被害が大きくなる可能性が高い一方で、個人情報すべてについて同様の対応をすることは事業者の負担が大きいことによるものである。もっとも、安全管理措置の規定の適用がなかったとしても、個人情報についてセキュリティを万全にしておくことは、ビジネス上当然に必要となるものである。

　また、個人情報保護法は、個人データの他に、匿名加工情報の加工方法および加盟加工情報の削除情報等に関する安全管理措置を定めているので、以下個別に述べることとする。

(1)　個人データに係る安全管理措置

　個人情報取扱事業者は、その取り扱う「個人データ」の漏えい、滅失またはき損の防止その他の個人データの安全管理のために必要かつ適切な措置を講じなければならない（個人情報23条）。当該措置は、個人データが漏えい等をした場合に本人が被る権利利益の侵害の大きさを考慮し、事業の規模および性質、個人データの取扱状況（取り扱う個人データの性質および量を含む）、個人データを記録した媒体の性質等に起因するリスクに応じて、必要かつ適切な内容としなければならない[注172]。なお、条文上は特に除外されていないことから、公知・公開されている個人データもこの安全管理措置の対象に含まれると解さざるを得ない[注173]。

注172）GL通則編3-4-2。
注173）また、この安全管理措置を講じる義務は、個人データに該当しないデータベース化されていない個人情報には適用がないが、その場合でも漏えいした場合にはプライバシー権侵害にはなり得る（岡村・個人情報218頁）。

【図表 5-12】安全管理措置の概要

①基本方針の策定	関係法令・ガイドライン等の遵守、安全管理措置に関する事項、質問および苦情処理の窓口などを規定
②個人データの取扱いに係る規律の整備	取得、利用、保存、提供、削除・廃棄等の段階ごとに、取扱方法、責任者・担当者およびその任務等について規定
③組織的安全管理措置	・組織体制の整備 ・個人データの取扱いに係る規律に従った運用 ・個人データの取扱状況を確認する手段の整備 ・漏えい等の事案に対応する体制の整備 ・取扱状況の把握および安全管理措置の見直し
④人的安全管理措置	・個人データの取扱いに関する従業者の定期的な研修等 ・個人データの秘密保持に関する事項の就業規則等への規定
⑤物理的安全管理措置	・個人データを取り扱う区域の管理 ・機器および電子媒体等の盗難等の防止 ・電子媒体等を持ち運ぶ場合の漏えい等の防止 ・個人データの削除および機器、電子媒体等の廃棄
⑥技術的安全管理措置	・アクセス制御 ・アクセス者の識別と認証 ・外部からの不正アクセス等の防止 ・情報システムの使用に伴う漏えい等の防止
⑦外的環境の把握	外国において個人データを取り扱う場合、当該外国の個人情報の保護に関する制度等を把握した上で、個人データの安全管理のために必要かつ適切な措置を講じなければならない。

かかる安全管理措置として講じなければならない措置等の概要は、【図表 5-12】の通りである[注174]。

注 174) 詳細は GL 通則編 10（別添）「講ずべき安全管理措置の内容」参照。

(2) 匿名加工情報に係る安全管理措置

(A) 加工方法の安全管理措置

個人情報取扱事業者は、データベース化した匿名加工情報を作成したときは、その作成に用いた個人情報から削除した記述等・個人識別符号や加工方法に関する情報の漏えい防止などの安全管理のための措置を講じなければならない（個人情報43条2項）。

匿名化の加工がなされても、加工によって削除された情報や加工の方法が判明すれば、作成の元となった個人情報の復元や、その個人情報から識別される本人を割り出すことが容易となってしまう。そこで、匿名加工情報を作成した事業者に、安全管理のための措置をとる義務が課されている[175]。安全管理措置の具体的内容は、個人情報保護法施行規則35条に定められており、以下①～③が列挙されている。

① 加工方法等情報（匿名加工情報の作成に用いた個人情報から削除した記述等および個人識別符号ならびに加工の方法に関する情報。ただし、その情報を用いて当該個人情報を復元することができるものに限る。以下同じ）を取り扱う者の権限および責任を明確に定めること

② 加工方法等情報の取扱いに関する規程類を整備し、当該規程類に従って加工方法等情報を適切に取り扱うとともに、その取扱いの状況について評価を行い、その結果に基づき改善を図るために必要な措置を講ずること

③ 加工方法等情報を取り扱う正当な権限を有しない者による加工方法等情報の取扱いを防止するために必要かつ適切な措置を講ずること

なお、匿名加工情報は、識別行為が禁止されていることから、それに接する者が誤って識別行為をしないように、その情報が匿名加工情報であることが一見して明らかな状態にしておくことが望ましい[176]。

(B) 匿名加工情報の安全管理措置等の努力義務

個人情報取扱事業者は、匿名加工情報の安全管理措置や、苦情の処理などの匿名加工情報の適切な取扱いを確保するために必要な措置を自主的に

注175) 瓜生・前掲注9) 44頁。
注176) GL仮名・匿名加工情報編 3-2-3-2。

講じ、かつ、その措置の内容を公表するように努めなければならない（個人情報43条6項）。

匿名加工情報の加工方法等情報についての安全管理措置は、個人情報取扱事業者の「義務」とされているが（個人情報43条2項）、匿名加工情報そのものについては匿名化されていることから、漏えいしても直ちに個人の権利侵害が生じるものではなく、個人情報取扱事業者の過度の負担にならないように、安全管理措置は「努力義務」とされている。

また、（自らが匿名加工情報の作成者ではない）匿名加工情報取扱事業者は、匿名加工情報の作成者と同様に、データベース化した匿名加工情報の安全管理のために必要・適切な措置や、苦情の処理などの匿名加工情報の適切な取扱いを確保するために必要な措置を自主的に講じ、かつ、その措置の内容を公表するように努めなければならない（個人情報46条）。

(3) 仮名加工情報の削除情報等に係る安全管理措置

個人情報取扱事業者は、仮名加工情報を作成したとき、または仮名加工情報および当該仮名加工情報に係る削除情報等を取得したときは、削除情報等の漏えいを防止するために必要なものとして個人情報保護委員会規則で定める基準に従い、削除情報等の安全管理のための措置を講じなければならない（個人情報41条2項）。ここにいう「**削除情報等**」とは、仮名加工情報の作成に用いられた個人情報から削除された記述等および個人識別符号前項の規定により行われた加工の方法に関する情報のうち、その情報を用いて仮名加工情報の作成に用いられた個人情報を復元することができるものをいう[注177]。

安全管理措置の具体的内容は、個人情報保護法施行規則32条において以下の①〜③が列挙されており、その詳細はGL仮名・匿名加工情報編2-2-2-2別表1において定められている。

注177）したがって、例えば、氏名等を仮IDに置き換えた場合における置き換えアルゴリズムに用いられる乱数等のパラメータまたは氏名と仮IDの対応表等のような加工の方法に関する情報がこれに該当するが、「氏名を削除した」、「住所を都道府県れべるに加工した」、「年齢を10歳刻みにした」というような復元につながらない情報は該当しない（GL仮名・匿名加工情報編2-2-2-2、GLQ&A14-10および14-11）。

① 削除情報等を取り扱う者の権限および責任を明確に定めること。
② 削除情報等の取扱いに関する規程類を整備し、当該規程類に従って削除情報等を適切に取り扱うとともに、その取扱いの状況について評価を行い、その結果に基づき改善を図るために必要な措置を講ずること。
③ 削除情報等を取り扱う正当な権限を有しない者による削除情報等の取扱いを防止するために必要かつ適切な措置を講ずること。

なお、個人情報である仮名加工情報そのもの（データベース化されたもの）については、上記(1)の個人データに係る安全管理措置に係る義務が適用される。

10 トレーサビリティの確保

2014年（平成26年）に発生した大規模な情報漏えい事件をきっかけとして、名簿屋が関与して、違法に入手された個人データが社会に流通していることが問題となった。そのため、平成27年改正個人情報保護法は、個人データの第三者提供の適切性を確保するための規定を設けることとなり、事業者が第三者に個人データを提供する場合、および第三者から個人データの提供を受ける場合には、第三者の氏名等についての記録を作成・保存する義務を負うものとされた（個人情報29条・30条）。これは、仮に、個人データが不正に流通する場合でも、個人情報保護委員会が事業者に対して報告徴収・立入検査を行い（同法143条）、保存されている記録を検査することによって、個人データの流通経路を事後的に特定すること（トレーサビリティの確保）ができるようにするためである。個人データの提供者と受領者の双方に記録の作成・保存義務を課すことで、上流・下流両方からのトレーサビリティの確保を図っている（【図表5-13】参照）。これにより、特定の事業者から個人情報が不正に持ち出されたことが発覚した場合、個人情報委員会は、持ち出した者がどの事業者に個人情報を提供したのかを特定し、その事業者から提供先を追っていくことで転々流通した先の把握が容易になる[注178]。

以上に加えて、前述の通り、オプトアウト手続を利用する事業者の個人情報委員会への届出義務と個人情報保護委員会による公表の規定も設けら

【図表 5-13】トレーサビリティの制度の概要

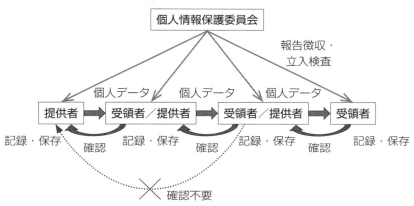

れており（個人情報 27 条 2 項ないし 4 項）、これらの制度が相まって、違法に入手された個人データの流通を抑止することを目指している[注179]。

(1) **個人データの第三者提供時の確認・記録保存義務**

　個人データを第三者に提供したときは、個人情報取扱事業者は、当該個人データを提供した年月日、当該第三者の氏名または名称、本人の氏名、当該個人データの項目等に関する記録を作成し、一定期間保存しなければならない（個人情報 29 条 1 項・2 項、個人情報則 19 条ないし 21 条）。また、第三者から個人データの提供を受けるときは、提供者の氏名・名称、住所等および当該個人データの取得の経緯について確認を行い、その記録を作成し、一定期間保存しなければならない（個人情報 30 条 1 項・3 項および 4 項、個人情報則 22 条ないし 25 条）。

　なお、前述した法令に基づく場合等の第三者提供の制限の適用除外に該当する場合や、国内の委託先・事業承継先・共同利用先に提供する場合に

注 178) 瓜生・前掲注 9) 91 頁。なお、トレーサビリティの確保とは、あくまで個人情報保護委員会が報告徴収・立入検査等を行い、保存されている記録を検査することで流通経路を迅速に把握する点に主眼を置いているものであり、必ずしも本人によるトレースを担保する趣旨ではない（辻畑泰喬『Q&A でわかりやすく学ぶ平成 27 年改正個人情報保護法』〔第一法規、2016〕86 頁-87 頁）。
注 179) GL 確認記録義務編 1。

第5章　パーソナルデータに関する法律

は、記録作成・確認をする必要はない（個人情報29条1項ただし書・30条1項ただし書）。

かかるトレーサビリティの制度の概要は【図表5-13】の通りであるが、令和2年改正法により、第三者提供を行った場合の記録および第三者提供を受けた場合の記録について、その存否が明らかになることにより公益その他の利益が害されるものとして規定される一定の場合を除き、開示請求の対象となったことから（個人情報33条5項）［→Ⅱ4(3)(A)(ii)］、事業者側としては、これに対応するためのシステムや社内体制の整備等も必要となってくる点には留意が必要である。

(A)　個人データを第三者提供する場合の記録の作成義務

事業者は、個人データを第三者[注180]に提供したときは、第三者に提供するたびに、速やかに、個人データを提供した年月日、第三者の氏名・名称その他の事項について記録を作成しなければならない（個人情報29条1項）（【図表5-14】参照）[注181]。もっとも、継続的または反復して提供したときや、そうすることが確実であると見込まれるときは、一括して作成することが認められている（個人情報則19条2項ただし書）。また、事業者はその記録を1年間または3年間保存しなければならない（個人情報29条2項、個人情報則21条）。これらの記録・保存の媒体としては、文書・電磁的記録・マイクロフィルムを用いることができる（個人情報則19条1項）。なお、個人データの第三者提供が、法令に基づく場合など個人情報保護法27条1項各号の第三者提供制限の例外事由に該当する場合には、個人データが転々流通することは想定されにくいことに鑑みて、この確認・記録義務は適用されない[注182]。また、国内の委託先・事業承継先・共同利用先に対する個人データの提供については、そもそも「第三者」への提供に当たらないので、確認・記録義務は適用されない。

注180）個人情報保護法16条2項各号に該当する場合、すなわち、国の機関・地方公共団体・独立行政法人等・地方独立行政法人は「第三者」から除外されている。
注181）その詳細については、個人情報保護法施行規則19条ないし21条に定められている。
注182）外国にある第三者に対して個人データを提供する場合も、個人情報保護法27条1項各号に該当するのであれば、同様である。

【図表5-14】提供者の記録事項

	提供年月日	第三者の氏名等	本人の氏名等	個人データ（個人関連情報）の項目	本人の同意
本人の同意による第三者提供		○	○	○	○
オプトアウトによる第三者提供	○	○	○	○	
個人関連情報の第三者提供	○	○		○	○

＊ GL通則編3-7-4-3-1をもとに筆者作成。

　IoTシステムが、自動的かつ継続的に個人データを第三者提供する場合には、ログがそのまま記録となる場合を除いて、そのつど、記録を作成することは現実的ではないので、記録を一括して作成することになろう。

(B) **個人データの第三者提供を受ける際の確認**

　事業者が、第三者から個人データの提供を受ける場合には、違法に入手された個人データが流通することを抑止するため、提供者の身元や提供者が個人データを取得した経緯を確認しなければならない（個人情報30条1項）。

　具体的には、事業者が、第三者から個人データの提供を受けるに際しては、①提供者の第三者の氏名・名称・住所、法人の場合にはその代表者の氏名について、提供者から申告を受ける方法その他の適切な方法によって確認し、②提供者の個人データの取得の経緯について、提供者から個人データの取得の経緯を示す契約書その他の書面の提示を受ける方法その他の適切な方法によって確認しなければならない（個人情報則22条1項・2項）。

　上記の確認すべき内容については、ケースバイケースであるが、基本的に、取得先の別（顧客としての本人、従業員としての本人、他の事業者、家族・友人等の私人、公開情報等）、取得行為の態様（本人から直接取得したか、有償で取得したか、公開情報から取得したか、紹介により取得したか、私人と

第5章　パーソナルデータに関する法律

して取得したものか等）などを確認しなければならないとされている[注183]。

　もっとも、受領者は、直前の提供者が個人データをどのように取得したかを確認すれば足り、さらに遡って、提供者より前に取得した者の取得経緯のすべてを確認することまでは求められない[注184]。

　提供者は、上記①②の確認事項を偽ってはならず、提供者が受領者に対して虚偽の申告をした場合には、10万円以下の罰金が科される（個人情報180条1号）。

(C)　**個人データの第三者提供を受ける際の記録の作成等**

　事業者は、前述した第三者提供を受ける際の確認を行ったときは、第三者に提供を受けるたびに、速やかに、個人データを提供した年月日、第三者の氏名・名称その他の事項について記録を作成しなければならない（個人情報30条3項、個人情報則24条1項）（【図表5-15】参照）[注185]。

　なお、提供者と同様に、複数回にわたって同一本人の個人データの第三者提供を受けるような場合において、同一の内容の記録事項を重複して記録する必要はなく、同一内容の事項については記録を省略することができる（個人情報則24条2項）。

(D)　**解釈により確認・記録義務が適用されない場合**[注186]

　GL確認記録義務編は、第三者提供における確認義務および記録義務について、形式的には第三者提供の外形を有する場合であっても、実質的に確認・記録義務を課する必要性に乏しいときには、解釈によって、第三者提供に該当しないとされる場合があるとしている。例えば、個人情報保護法30条の受領者の確認・記録義務は、受領者を基準に判断することになるため、提供者にとって個人データに該当するが、受領者にとって個人データに該当しない情報を受領した場合には、かかる義務は適用されないことになる。また、単に閲覧するだけの場合や、口頭、FAX、メール、電話等で受領者の意思とは関係なく一方的に個人データを提供された場合には、受領者に「提供を受ける」行為がないため、同条の確認・記録義務

注183）GL確認記録義務編3-1-2。
注184）瓜生・前掲注9）95頁、GL確認記録義務編3-1-2。
注185）その詳細は、個人情報保護法施行規則23条および24条に定められている。
注186）GL確認記録義務編2-2。

【図表 5-15】受領者の記録事項

	提供を受けた年月日	第三者の氏名等	取得の経緯	本人の氏名等	個人データ(個人関連情報)の項目	個人情報保護委員会による公表	本人の同意
本人の同意による第三者提供		○	○	○	○		○
オプトアウトによる第三者提供	○	○	○	○	○	○	
個人情報取扱事業者以外の私人などからの第三者提供		○	○	○	○		
個人関連情報の提供を受けて個人データとして取得した場合		○		○	○		○

＊ GL 通則編 3-7-6-3-1 をもとに筆者作成。

は適用されないと解されている。

(2) **個人関連情報の第三者提供時の確認・記録義務**

(A) **提供元における記録義務**

個人関連情報取扱事業者は、個人関連情報の第三者提供に関して個人情報保護法 31 条による確認を行ったときは、以下の事項に関する記録を作成し、保存しなければならない（個人情報 31 条 3 項において読み替えて適用する 30 条 3 項・4 項、個人情報則 27 条ないし 29 条）（【図表 5-14】）[→ 8 (3)]。

① 本人の同意が得られていることを確認した旨および外国にある第三者へ提供する場合には、本人に参考となるべき情報の提供が行われていることを確認した旨

② 個人関連情報を提供した年月日

③ 当該第三者の氏名または名称および住所ならびに法人の場合には、その代表者の氏名

④ 当該個人関連情報の項目

(B) 提供先の第三者における確認・記録義務

提供先の第三者は、個人関連情報の提供を受けて個人データとして取得する場合は、個人データの第三者提供を受ける際の確認・記録義務の適用を受け、以下の項目に係る記録を保存する必要がある（個人情報30条、個人情報則24条1項3号・25条）（【図表5-15】）。

① 本人の同意が得られている旨および外国にある第三者へ提供する場合には、本人に参考となるべき情報の提供が行われている旨
② 当該第三者の氏名または名称および住所ならびに法人の場合には、その代表者の氏名
③ 当該個人データによって識別される本人の氏名その他の当該本人を特定するに足りる事項
④ 当該個人関連情報の項目

11 越境データの取扱い

データの利活用は何も日本国内に限った話ではない。経済活動のグローバル化が進み、ICTが普及した現在においては、グローバルに展開する企業が海外の関係会社とデータのやりとりをする場合はもちろん、日本国内だけでサービスを展開している企業が海外のクラウドサーバを使用したり、海外の企業にデータ分析を委託していることもある。また、データを用いたビジネスを展開しようとする企業にとっては、日本で収集できるデータには限界があり、海外の企業と提携してお互いのもつデータを合わせて利用することで、効果的な分析等ができる場合もあるであろう。

もっとも、外国にある企業に個人データを第三者提供する場合には、外国ではパーソナルデータについて十分な保護がない国もあることから、個人のプライバシーを保護するため、日本にある企業と異なるルールが適用される。個人情報保護法では、外国にある第三者に対して個人データを提供する場合等について、27条に定める第三者提供の制限の特則として特別なルールを規定している。

(1) 外国にある第三者への個人データの提供ルール

日本国内における個人データの第三者提供については前記3(3)(A)において述べた通りであるが、個人情報取扱事業者が「外国にある第三者」に

「個人データ」を提供する場合には、以下の①〜③に該当する場合を除き、あらかじめ「外国にある第三者への個人データの提供を認める」という本人の同意を取得しなければならない（個人情報28条）。

① 提供先の第三者が、日本と同等の水準にあると認められる個人情報保護制度を有している国として個人情報保護法施行規則で定める国にある場合（同等性認定により「**外国**」から除外される）

② 提供先の第三者が、個人情報取扱事業者が講ずべき措置に相当する措置を継続的に講ずるために必要な体制として個人情報保護法施行規則16条で定める基準に適合する体制を整備している場合（基準適合体制の整備により「**第三者**」から除外される）

③ 個人情報保護法27条1項各号に定める以下の例外事由に当たる場合
  ⅰ 法令に基づく場合
  ⅱ 人の生命、身体または財産の保護のために必要がある場合であって、本人の同意を得ることが困難であるとき
  ⅲ 公衆衛生の向上または児童の健全な育成の推進のために特に必要がある場合であって、本人の同意を得ることが困難であるとき
  ⅳ 国の機関もしくは地方公共団体またはその委託を受けた者が法令（外国の法令は含まれない[注187]）に定める事務を遂行することに対して協力する必要がある場合であって、本人の同意を得ることにより当該事務の遂行に支障を及ぼすおそれがあるとき

日本国内の提供先への提供であれば、原則として本人の同意が必要となる場合であっても、オプトアウト方式（個人情報27条2項）によって本人の同意なく第三者へ個人データを提供することができたが、「外国にある第三者」へ個人データを提供する場合には、同条は適用されないため、上記①または②に該当する場合でなければ、オプトアウト方式によることはできない（同法28条1項）。

また、委託・事業承継・共同利用の場合にも、日本国内の提供先であれば「第三者」に該当しないと解されているが（個人情報27条5項）、「外国にある第三者」への個人データを提供する場合には、これらの規定の適用

注187）GL外国第三者提供編2。

はないため、前記①または②に該当する場合でなければ、原則通り本人の同意が必要となる。

上記の「外国にある第三者への個人データの提供を認める」という本人の同意について、令和2年改正法により、かかる同意の取得時に一定の情報提供等を行うことが定められており、その具体的内容については後記(5)を参照されたい。

これに対して、前記①または②に該当する場合は、外国にある第三者に対する個人データの提供であっても、日本の事業者と同様のルールが適用され、オプトアウトによることも可能であるし、委託・事業承継・共同利用の場合には第三者提供には当たらないものとして取り扱うことが可能となる。

なお、例えば、グループ会社間での従業員に関する個人データのやりとりについては、包括的に同意を取得しておくことも考えられるし、上記の「同意」については黙示の同意も排除されているわけではないため、黙示の同意があったと取り扱っても差し支えない場合もあるであろう[注188]。

(2) 「外国にある第三者」の範囲

外資系の日本法人が、外国にある親会社に対して個人データを提供する場合には、「外国にある第三者への個人データの提供」に該当するのであろうか。どのような提供先が「外国にある第三者」となるかが問題となる。

前述の通り、個人情報保護法上の「第三者」とは、提供元となる個人情報取扱事業者および（個人データに係る）本人以外の者（個人か法人・団体かを問わない）をいい、親子会社・兄弟会社等のグループ企業間、フランチャイズの本部運営企業・加盟企業間であっても、法人格が別であれば「第三者」に該当する。そして「**外国にある第三者**」とは、個人データの提供者とその個人データの本人以外の者であって、外国に所在する者のことをいい、この場合も法人格の同一性が基準となる[注189]。このように個人情報保護法は、越境データ移転の有無を、データの物理的所在地ではなく、提供先の法人格の所在地（すなわち設立準拠法）を基準に判断してい

注188) 太田洋ほか『個人情報保護法制と実務対応』（商事法務、2017）248頁。
注189) 宇賀・逐条解説184頁。

る点に注意が必要である。

　ただし、外国の法令に準拠して設立され外国に住所を有する法人であっても、当該外国法人が個人情報保護法16条2項に規定する「個人情報取扱事業者」に該当する場合には、「外国にある第三者」には該当しない[注190]。すなわち、外国法人であっても、日本国内に事務所を設置している場合または日本国内で事業活動を行っている場合など、日本国内で「個人情報データベース等」を事業の用に供していると認められるとき、例えば、日系企業の東京本店が日本の顧客名簿を用いて事業を行っている外資系企業の東京支店に個人データを提供する場合や外国企業が運営するクラウドを利用しているがサーバは国内にある場合であって、当該外国企業が当該サーバに保存された個人データを取り扱っているような場合、これらの外国企業は「個人情報取扱事業者」に該当するため、「外国にある第三者」には該当せず、日本国内の事業者と同様に個人情報保護法27条が適用される[注191]。

(A)　**外国に所在する親会社・子会社・支店・事務所に提供する場合**

　個人情報保護法では、越境データ移転の有無を法人格を基準として判断することから、日本法人が、外国の親会社・子会社等のグループ会社に対して、個人データを提供する場合には、たとえ親子関係があっても、「外国にある第三者」への提供に該当する。また、外資系の日本法人が、親会社の外国法人に対して個人データを提供する場合にも、「外国にある第三者」への提供に該当する。

　他方で、日本法人が、外国にある自らの支店や事務所に対して個人データを提供する場合は、同一法人格の中のデータ提供なので「外国にある第三者」への提供には該当しない。

　なお、日本法人が、外国にある自社サーバに個人データを保存する場合も、同一法人格の中のデータ提供なので、「外国にある第三者」への提供には該当しないが、外国法人の保有するサーバに個人データを保存する場合には、それがグループ会社であっても「外国にある第三者」への提供に

注190) GL外国第三者提供編2-2。
注191) GL外国第三者提供編2-2。

該当する。

(B) **外国法人の日本支店・事務所に提供する場合**

　日本法人が、外国法人の日本支店・事務所（それ自体に法人格はないもの）に対して、個人データを提供する場合は、「外国にある第三者」への提供に該当するのであろうか。

　この点については、前述の通り、この外国法人が、日本国内で事業活動を行うなどしており、個人情報保護法に規定する「個人情報取扱事業者」に該当する場合には、「外国にある第三者」には該当しない。そして、ほぼすべての民間事業者は「個人情報取扱事業者」に該当することから、極めて例外的な場合を除いて外国法人の日本支店・事務所は「外国にある第三者」には該当しない。

　また、「個人情報取扱事業者」である外国法人の東京支店が、当該外国法人の本店に個人データを提供する場合については、同一法人格の中のデータ提供であり、「第三者」への提供ではないため、「外国にある第三者」には該当しないと考えられる[注192]。

　以上をまとめると、【図表5-16】のようになる。

(C) **クラウドに個人データを保存する場合**

　クラウドでは、外国に設置されたサーバを利用していることも珍しくない。そもそも、クラウドサービスにおいて、利用者がどの国にあるサーバに自分のデータが保存されているのかを知ることは容易ではない。そこで、そのようなクラウドに、個人データを保存することは、外国にある第三者への個人データの「提供」に当たるのではないかが問題となる。

　この点に関しては、前記3(4)(B)(iii)において述べた通り、クラウドサービス事業者が当該サービス契約内容を履行するに当たって、個人データをその内容に含む電子データを取り扱うか否かを基準として考えるという整

[注192] この結論は、日本法人が外国の子会社に対して個人データを提供する場合には、たとえ子会社であっても、「外国にある第三者」への提供となることの比較でバランスが悪いが、法解釈としてはそうならざるを得ないと考えられる。もっとも、日本法人の外国の子会社が、日本において個人情報取扱事業者となる仕組みを構築すれば、その外国の子会社への提供は、「外国にある第三者」への提供に該当しないことになる。

【図表5-16】外国にある第三者への該当性

①日本法人から外国に所在するグループ会社に提供する場合

外国にある第三者への提供となる（「個人情報取扱事業者」の例外あり）。

②日本法人から外国に所在する自らの支店・事務所に提供する場合

外国にある第三者への提供とはならない。

③外国法人の日本支店に提供する場合

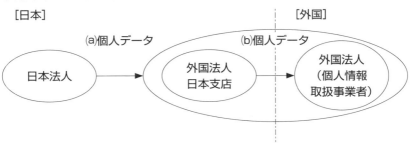

(a)も(b)も外国にある第三者への提供とならない。

理がなされている[注193]。すなわち、契約条項によってクラウドサービス事業者がクラウド上にある個人データを含む電子データを取り扱わない旨が定められている場合には、クラウドサービスの利用であっても個人情報取扱事業者自身の取扱いと考えられる[注194]。したがって、この場合には、そもそも個人データを「提供」したことにはならない。他方で、前記のような契約条項がない場合には、「委託」に伴って「第三者」に「提供」していると考えられることになる。

　ここで、日本法人へ提供する場合に適用される個人情報保護法27条5項1号では、委託の場合には「第三者」には該当しないと整理され第三者提供には該当しないが、同法28条（外国にある第三者への提供の制限）における第三者への提供は、委託に伴う提供を第三者提供から除外しておらず（同法27条5項1号に対応する条項が設けられていない）、同法29条の確認・記録保存義務も同法28条の場合を除外していない。そのため、「委託」として外国法人の運営するクラウドサーバを用いる場合には、同法28条により提供できる要件（本人の同意または前記(1)の①〔同等性認定〕もしくは②〔基準適合体制の整備〕）を満たしている必要がある。

　では①（同等性認定）または②（基準適合体制の整備）に該当しない場合に、外国に設置されたクラウドサーバを利用して個人データを保管等するには、「外国にある第三者」への提供として、本人の同意が必要となるのであろうか。この点に関しては、前述の通り、提供先が外国であるか否かの判断は、提供先の所在地が判断基準となっている。つまり、日本に所在する法人・個人が運用するクラウドサーバであれば、サーバが世界中のどこにあったとしても、日本にある第三者に提供したことになる。もっとも、外国法人が運用するクラウドサーバであっても、当該外国法人が日本国内で「個人情報データベース等」を事業の用に供している「個人情報取扱事業者」と認められるときには、「外国にある第三者」に提供したことにはならないため、そのようなクラウドサーバに個人データを保管等する場合であっても、本人の同意は不要である。

注193）GLQ&A7-53、宇賀ほか・前掲注81）173頁-174頁。
注194）板倉・寺田・前掲注82）6頁。

(3) 日本と同等の水準にあると認められる個人情報保護制度を有している国（前記①：「外国」から除外される要件）

　日本と同等の水準にあると認められる個人情報保護制度を有している国として個人情報保護委員会規則で定めるもの（「同等性認定」）は、本条の対象となる「外国」から除外され、「外国にある第三者」に該当しないことから、前記の通り、日本の個人情報取扱事業者に対するものと同様のルールで個人データを提供することができる。すなわち、本人の同意がなくても、オプトアウトの方式により第三者提供をすることができるし、また、委託・事業承継・共同利用の場合には第三者提供には当たらないものとして取り扱うことが可能となる。

　かかる個人情報保護員会規則による指定について、個人情報保護法における同等性認定は、EU の GDPR（General Data Protection Regulation）における十分性認定と同様、本人の同意なく個人データの移転を認める特定の国・地域を具体的に記載するホワイトリスト方式をとっている。

　この点に関して、2018 年 5 月 25 日に施行された EU の GDPR との関係で、日本の個人情報保護委員会は、2016 年 4 月から欧州委員会との間で、相互に同等性認定と十分性認定を行うことに関して協議を重ね、個人情報保護法施行規則 11 条（当時）を改正するとともに、「EU 域内から十分性認定により移転を受けた個人データの取扱いに関する補完的ルール」を制定した。その後、2018 年 7 月に、個人情報保護委員会が令和 2 年改正法施行前の個人情報保護法 24 条・同規則 11 条（令和 3 年改正法一部施行後の個人情報 28 条・個人情報則 15 条）に基づき、EU に対して同等性認定を行い、欧州委員会が GDPR45 条に基づく十分性認定を我が国に対して行う方針について合意に至り、2019 年 1 月 23 日に、EU 間の相互の円滑な個人データ移転を図る枠組みが発効した。

(A) 2018 年の個人情報保護法施行規則 11 条の改正

　2018 年 5 月 9 日に個人情報保護法施行規則の改正 11 条（令和 3 年改正法一部施行後の 15 条）が施行され、同条 1 項において、個人情報保護法 24 条（令和 3 年改正法一部施行後の 28 条）に基づく同等性認定について、以下のすべてに該当する外国として個人情報保護委員会が定めるものとされた。

① 個人情報保護法における個人情報取扱事業者に関する規程に相当する法令その他の定めがあり、その履行が当該外国内において確保されていると認めるに足りる状況にあること
② 個人情報保護委員会に相当する独立した外国執行当局が存在しており、かつ、当該外国執行当局において必要かつ適切な監督を行うための体制が確保されていること
③ 日本との間において、個人情報の適正かつ効果的な活用と個人の権利利益の保護に関する相互理解に基づく連携および協力が可能であると認められるものであること
④ 個人情報の保護のために必要な範囲を超えて国際的な個人データの移転を制限することなく、かつ、日本との間において、個人情報の保護を図りつつ、相互に円滑な個人データの移転を図ることが可能であると認められるものであること
⑤ 上記①〜④に定めるもののほか、当該外国を個人情報保護法24条の規定による外国として定めることが、日本における新たな産業の創出ならびに活力ある経済社会および豊かな国民生活の実現に資すると認められるものであること

上記の改正は認定の要件を定めたのみで、EUが直接に同等性認定を受けたものではないが、個人情報保護委員会は、2019年1月23日付の告示により、上記要件のいずれにも該当する外国として、EUを指定した[注195]。なお、2020年1月31日に英国がEUを離脱したが、EU離脱後の英国も指定の対象となるよう上記告示が改正されている[注196]。

(B) 「EU域内から十分性認定により移転を受けた個人データの取扱いに関する補完的ルール」

個人情報保護委員会は、前記の個人情報保護法施行規則の改正と並行し

注195)「個人の権利利益を保護する上で我が国と同等の水準にあると認められる個人情報の保護に関する制度を有している外国等」(平成31年個人情報保護委員会告示第1号)。なお、正確には、同告示で指定された国はEEA(European Economic Area:欧州経済領域)加盟国であり、EEAは、EU加盟国である28か国に、アイスランド、リヒテンシュタイン、ノルウェーの3か国を加えた合計31か国である。

注196) 平成31年個人情報保護委員会告示第5号。

て、2018年9月に、「個人情報の保護に関する法律に係るEU域内から十分性認定により移転を受けた個人データの取扱いに関する補完的ルール」（以下、「補完的ルール」という）を制定した。これは、日本がEUの十分性認定を受けてEU域内から個人データの移転を受けた場合に、当該個人データの取扱いとして、個人情報保護法および各ガイドラインに加えて、最低限遵守すべき規律を示すものとされており、事実上、EUから十分性認定を受けるための条件となっているものである。

補完的ルールでは、GDPRに合わせて、①要配慮個人情報、②保有個人データ、③利用目的の特定等、④外国にある第三者への提供の制限、⑤匿名加工情報について、以下のような考え方が示されている。なお、補完的ルールは、EU域内から十分性認定に基づいて移転を受けた個人データに適用されるものであり、十分性認定以外の方法で移転を受けた個人データに関しては、別途GDPRに基づく取扱いが要求される点には注意が必要である。

なお、英国のEU離脱に伴い、かかる補完的ルールも「個人情報の保護に関する法律に係るEU及び英国域内から十分性認定により移転を受けた個人データの取扱いに関する補完的ルール」とされ、英国域内からの移転も含まれる形に改訂されている。

(i) **要配慮個人情報（個人情報2条3項関係）**

EUまたは英国域内から十分性認定に基づき提供を受けた個人データに、GDPRおよび英国一般データ保護規則（United Kingdom General Data Protection Regulation。以下「英国GDPR」という）それぞれにおいて特別な種類の個人データと定義されている性生活、性的指向または労働組合に関する情報が含まれている場合には、個人情報取扱事業者は、個人情報保護法上は「要配慮個人情報」には該当しないものの、当該情報について個人情報保護法2条3項における要配慮個人情報と同様に取り扱うものとする（補完的ルール4頁）。

(ii) **保有個人データ（個人情報16条4項関係）**

令和2年改正法施行前は、6か月を超えて保有する個人データが「保有個人データ」として取り扱われていた（したがって、6か月以内に消去される個人データは保有個人データには該当しない）が、EUまたは英国域内か

ら十分性認定に基づき提供を受けた個人データについては、消去することとしている期間にかかわらず、個人情報保護法 16 条 4 項における保有個人データとして取り扱うものとする（補完的ルール 5 頁）。ただし、その場合であっても、「存否が明らかとなることにより公益その他の利益が害されるものとして政令で定めるもの」（個人情報令 5 条参照）は、「保有個人データ」から除かれる。令和 2 年改正法によって、6 か月の保有期間の要件が削除されたことにより、この点は特段の手当の必要性はなくなったといえる。

(iii) 利用目的の特定、利用目的による制限（個人情報 17 条 1 項・18 条 1 項・30 条 1 項および 3 項関係）

第三者提供における受領者の確認・記録保存義務（トレーサビリティ制度）との関係で、個人情報保護法上は、利用目的をその確認・記録の対象とはしていないが、EU または英国域内から十分性認定に基づき個人データの提供を受ける場合、および、当該提供を受けた他の事業者から同様に提供を受ける場合には、当該個人データの提供を受ける際に特定された利用目的を含め、その取得の経緯を確認し、記録することとし、当該目的の範囲内で利用目的を特定し、当該個人データを利用することとする（補完的ルール 6 頁-7 頁）。

(iv) 外国にある第三者への提供の制限（個人情報 28 条関係）

前記の通り、外国にある第三者に対して個人データを提供する場合には、原則としてあらかじめ本人の同意を取得する必要があるが、その際に（個人情報保護法の条文上は明記されていない[注197]）「本人が同意に係る判断を行うために必要な移転先の状況についての情報を提供した上で」本人の同意を得ることを明確にしている（補完的ルール 8 頁）。この点も令和 2 年改正法により、情報提供に関する規定が設けられたことから、補完的ルールにおける特段の手当は必要なくなった。

(v) 匿名加工情報（個人情報 2 条 6 項・43 条 1 項・2 項関係）

個人情報保護法上は、匿名加工情報を作成した際の加工の方法等につ

注197) もっとも、GL 外国第三者提供編 2-1 では、「事業の性質及び個人情報の取扱状況に応じ、本人が同意に係る判断を行うために必要と考えられる合理的かつ適切な方法によらなければならない」としている。

いての安全管理措置が定められている（識別行為をすれば個人情報を復元できるような情報を事業者が保有することまでは禁じておらず、復元できないように加工し、識別行為を行わないことを求めているだけである）〔→Ⅱ6(1)(C)〕が、EU または英国域内から十分性認定に基づき個人データの提供を受けた個人情報については、「加工方法等情報」（匿名加工情報の作成に用いた個人情報から削除した記述等および個人識別符号ならびに個人情報保護法43条1項の規定により行った加工の方法に関する情報〔その情報を用いて当該個人情報を復元することができるものに限る〕をいう。個人情報則35条）を削除することにより、匿名化された個人を再識別することを何人にとっても不可能とした場合に限り、同法2項6項に定める匿名加工情報とみなすこととする（補完的ルール10頁）。

なお、補完的ルールは、個人情報保護法6条に基づき定められた法的拘束力を有する規律として個人情報保護委員会の執行対象となり、本ルールに対する権利・義務に対する侵害があった場合には、本人は裁判所からも救済を受けられるとされている（補完的ルール1頁）。

(4) **提供先の第三者が基準に適合する体制を整備している場合（前記②：「第三者」から除外される要件）**

提供先の第三者が、個人情報取扱事業者が講ずべき措置に相当する措置を継続的に講ずるために必要な体制として以下の①または②のいずれかの基準に適合する体制（「基準適合体制」）を整備している場合には、外国にある第三者としての取扱いはされない（個人情報則16条）。したがって、以下の①または②のいずれかに該当する外国企業については、日本企業と同様のルールで個人データの第三者提供を受けることができる。すなわち、本人の同意なく、オプトアウト方式による第三者提供が可能であり、また、委託・事業承継・共同利用の場合には第三者提供には当たらないものとして取り扱うことができることになる。

① 事業者と個人データの提供を受ける者との間で、当該提供を受ける者における当該個人データの取扱いについて、適切かつ合理的な方法により、個人情報保護法4章2節の規定の趣旨に沿った措置の実施が確保されていること

② 個人データの提供を受ける者が、個人情報の取扱いに係る国際的な

第5章　パーソナルデータに関する法律

枠組みに基づく認定を受けていること

上記①については、契約の規定や企業グループ内のポリシーを定めて、個人データの取扱いについて、個人情報保護法4章2節の規定（具体的には、17条の利用目的の特定から40条の苦情処理までの規定である）の趣旨に沿った措置の実施を確保することが考えられる。なお、これらの規定の趣旨に沿った措置の具体的な考え方については、GL外国第三者提供編4において詳細に説明されている。

したがって、外国にあるグループ会社がかかる措置の実施を確保できていれば、グループ内での共同利用として従業員や顧客の個人データを共有することが可能である。また、外国にあるクラウドベンダの提供するクラウドサービスを利用する場合でも、契約においてこれらの措置の実施が確保できていれば、クラウドサービス上での個人データの取扱いがクラウドベンダへの「委託」と解された場合でも、サービスを利用する事業者は本人の同意なくクラウド上で個人データを取り扱うことができることになる。

上記②については、具体的にどのような認定を受けていればよいかについて、個人情報保護法施行規則16条は規定していないが、国際的な枠組みの1つとして、アジア太平洋経済協力（APEC）の越境プライバシールール（CBPR）の認証を受けることが考えられる[注198]。CBPRシステムは、APEC域内において国境を越えて流通する個人情報についての信用を構築するため、事業者のAPECプライバシー・ポリシー・フレームワークへの適合性を国際的に認証する制度である。日本では、一般財団法人日本情報経済社会推進協会（JIPDEC）が、事業者の個人情報保護方針や実務がCBPRシステムの要求事項を遵守しているかの認証を行うアカウンタビリティーエージェントとして認定されており、日本でのCBPRシステムの利用が可能となっている。

なお、基準適合体制が整備されていることについて、個人情報保護委員会に対する届出等は不要である。

(5)　同意取得時の情報提供等

外国にある第三者への個人データの提供に関して、本人の同意を根拠に

注198）GL外国第三者提供編4-1。

外国にある第三者に個人データを提供する場合には、あらかじめ、当該外国における個人情報の保護に関する制度、当該第三者が講ずる個人情報の保護のための措置その他当該本人に参考となるべき情報を当該本人に提供しなければならない（個人情報28条2項）。また、基準適合体制の整備を根拠として、本人の同意なく個人データを提供した場合には、当該提供先の事業者による相当措置の継続的な実施を確保するために必要な措置を講ずるとともに、本人の求めに応じて当該必要な措置に関する情報を当該本人に提供しなければならない（同条3項）。これは、令和2年改正法により加えられた規定である（【図表5-17】参照）。

(A) 同意取得時に提供すべき情報

本人の同意を根拠に外国にある第三者に個人データを提供する場合には、以下の情報を提供する必要がある（個人情報則17条）。

① 当該外国の名称
② 適切かつ合理的な方法により得られた当該外国における個人情報の保護に関する制度に関する情報
③ 当該第三者が講ずる個人情報の保護のための措置に関する情報

上記①の「**外国の名称**」については、必ずしも正式名称を求めるものではないが、本人が自己の個人データの移転先を合理的に認識できると考えられる名称でなければならない[注199]。

同意取得時に提供先の第三者が所在する外国を特定できない場合には、ⅰ当該外国の名称を特定できない旨およびその理由、ならびにⅱ外国の名称に代わる本人に参考となるべき情報がある場合には、当該情報を提供しなければならない（個人情報則17条3項）。かかる情報提供に際しては、どのような場面で外国にある第三者に個人データの提供を行うかについて、具体的に説明することが望ましいとされ、また、参考となるべき情報として、例えば、外国の範囲が具体的に定まっている場合における当該範囲に関する情報が挙げられる[注200]。

上記②の「**適切かつ合理的な方法**」とは、一般的な注意力をもって適切

注199) GL外国第三者提供編5-2。
注200) GL外国第三者提供編5-3-1。

【図表 5-17】同意取得時の情報提供

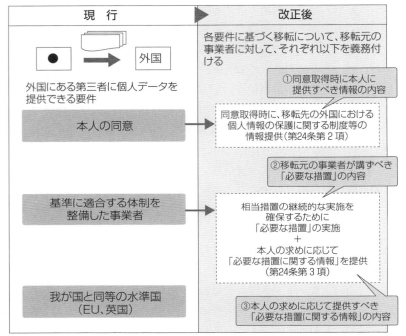

※この他、「法令に基づく場合」等の例外要件あり。
＊個人情報保護委員会「改正法に関連する政令・規則等の整備に向けた論点について（越境移転に係る情報提供の充実等）」（2020年11月4日）4頁。

かつ合理的な方法により確認したものでなければならないとされ、具体例として、提供先の外国にある第三者に対して照会する方法や、わが国または外国の行政機関等が公表している情報を確認する方法が挙げられている[注201]。また、「**外国における個人情報の保護に関する制度に関する情報**」は、提供先の第三者が所在する外国における個人情報の保護に関する制度とわが国の法（個人情報の保護に関する法律）との間の本質的な差異を本人が合理的に認識できる情報でなければならず、具体的には以下の観点を踏まえる

注201) GL外国第三者提供編5-2。

ことが必要となる[注201]。
- ⓐ　当該外国における個人情報の保護に関する制度の有無
- ⓑ　当該外国における個人情報の保護に関する制度についての指標となり得る情報の存在（例えば、当該第三者が所在する外国がGDPR第45条に基づく十分性認定の取得国であること、またはAPECのCBPRシステムの加盟国であること）
- ⓒ　OECDプライバシーガイドライン8原則[注203]に対応する事業者の義務または本人の権利の不存在
- ⓓ　その他本人の権利利益に重大な影響を及ぼす可能性のある制度の存在

上記③の「**第三者が講ずる個人情報の保護のための措置に関する情報**」については、当該外国にある第三者が講ずる個人情報の保護のための措置と個人情報保護法により個人データの取扱いについて個人情報取扱事業者に求められる措置との間の本質的な差異を本人が合理的に認識できる情報でなければならず、具体的には、当該外国にある第三者において、OECDプライバシーガイドライン8原則に対応する措置（本人の権利に基づく請求への対応に関する措置を含む）を講じていない場合には、当該講じていない措置の内容について、本人が合理的に認識できる情報が提供されなければならない[注204]。例えば、「提供先が、概ね個人データの取扱いについて我が国の個人情報取扱事業者に求められる措置と同水準の措置を講じているものの、取得した個人情報についての利用目的の通知・公表を行っていない」旨の情報提供を行うことなどがこれに当たる[注205]。なお、

注202）GL外国第三者提供編5-2。
注203）OECDプライバシーガイドラインは、①収集制限の原則（Collection Limitation Principle）、②データ内容の原則（Data Quality Principle）、③目的明確化の原則（Purpose Specification Principle）、④利用制限の原則（Use Limitation Principle）、⑤安全保護措置の原則（Security Safeguards Principle）、⑥公開の原則（Openness Principle）、⑦個人参加の原則（Individual Participation Principle）、⑧責任の原則（Accountability Principle）の8原則を、基本原則として定めている。
注204）GL外国第三者提供編5-2。
注205）GL外国第三者提供編5-2。

第 5 章　パーソナルデータに関する法律

提供先の外国にある第三者が講ずる個人情報の保護のための措置に関する情報の提供ができない場合には、当該情報に代えて、当該情報を提供できない旨およびその理由について情報提供しなければならない（個人情報則17条4項）。この場合、上記①と同様に、どのような場面で外国にある第三者に個人データの提供を行うかについて、具体的に説明することが望ましいとされている[注206]。

なお、この点に関しては、各事業者においてこのような情報を個別に収集して情報提供することは過度の負担になるとの指摘も多く、個人情報保護委員会として、外国の個人情報の保護に関する制度の有無や当該制度の概要など、事業者の参考となるべき一定の情報を取りまとめて公表することを予定している[注207]。

(B)　**相当措置の継続的な実施を確保するために必要な措置等**

前述の通り、基準適合体制の整備を根拠として、本人の同意なく個人データを提供した場合には、当該提供先の事業者による相当措置の継続的な実施を確保するために必要な措置を講ずるとともに、本人の求めに応じて当該必要な措置に関する情報を提供しなければならないこととされたが、ここにいう「**必要な措置**」は以下の通りである（個人情報則18条1項）。

①　当該第三者による相当措置の実施状況ならびに当該相当措置の実施に影響を及ぼすおそれのある当該外国の制度の有無およびその内容を、適切かつ合理的な方法により、定期的に（年に1回程度またはそれ以上

注206)　GL外国第三者提供編5-3-2。
注207)　具体的には、アラブ首長国連邦（連邦）、アラブ首長国連邦（Abu Dhabi Global Market）、アラブ首長国連邦（Dubai Healthcare City）、アラブ首長国連邦（Dubai International Financial Centre）、インド、インドネシア、ウクライナ、オーストラリア、カナダ、韓国、カンボジア、シンガポール、スイス、タイ、台湾、中国、トルコ、ニュージーランド、フィリピン、ブラジル、米国（連邦）、米国（イリノイ州）、米国（カリフォルニア州）、米国（ニューヨーク州）、ベトナム、香港、マレーシア、ミャンマー、メキシコ、ラオス、ロシアに関して、①個人情報の保護に関する法制度の有無、②当該外国の個人情報の保護に関する制度についての指標となり得る情報の有無、③OECDプライバシーガイドライン8原則に対応する個人情報の取扱いに係る義務または本人の権利に関する規定の有無、④その他本人の権利利益に重大な影響を及ぼすおそれのある制度の有無およびその概要、⑤データ保護機関の有無および連絡先について調査の上で、公表される予定である。

の頻度で[注208]）確認すること

② 当該第三者による相当措置の実施に支障が生じたときは、必要かつ適切な措置を講ずるとともに、当該相当措置の継続的な実施の確保が困難となったときは、個人データ（個人情報31条2項において読み替えて準用する場合にあっては、個人関連情報）の当該第三者への提供を停止すること

上記に加えて、本人の求めがあった場合には、遅滞なく、以下の情報を当該本人に提供しなければならない（個人情報則18条3項）。

(a) 当該第三者による個人情報保護法28条1項に規定する体制の整備の方法
(b) 当該第三者が実施する相当措置の概要
(c) 上記①による確認の頻度および方法
(d) 当該外国の名称
(e) 当該第三者による相当措置の実施に影響を及ぼすおそれのある当該外国の制度の有無およびその概要
(f) 当該第三者による相当措置の実施に関する支障の有無およびその概要
(g) 上記(f)の支障に関して上記②より当該個人情報取扱事業者が講ずる措置の概要

なお、情報提供することにより当該個人情報取扱事業者の業務の適正な実施に著しい支障を及ぼすおそれがある場合は、当該本人の求めに係る情報の全部または一部を提供しないことができるが、その全部または一部について提供しない旨の決定をしたときは、本人に対し、遅滞なく、その旨を通知しなければならないとされ、当該通知をする場合には、本人に対し、その理由を説明するよう努めなければならない（個人情報則18条3項ただし書・4項および5項）。

(6) トレーサビリティー制度

国内にある事業者に対して、個人データを委託、事業承継、共同利用により提供した場合には、第三者提供に該当しないとされているため（個人情報27条5項）、第三者提供の場合に適用されるトレーサビリティー制度

注208）GL外国第三者提供編6-1。

の適用はなく、事業者には確認・記録保存義務はない。

　しかし、外国にある第三者に個人データを委託、事業承継、共同利用により提供した場合には、同等性認定または基準適合体制を満たしていない限り、第三者提供に該当するとされているため、トレーサビリティー制度が適用され、事業者には確認・記録保存義務が発生する。

12　域外適用

　域外適用に関しては、令和2年改正法により、従来の限定的な適用ではなく、国内にある者に対する物品又は役務の提供に関連して、国内にある者を本人とする個人情報、当該個人情報として取得されることとなる個人関連情報または当該個人情報を用いて作成された仮名加工情報若しくは匿名加工情報を、外国において取り扱う場合についても、全面的に適用されることとなった（個人情報166条）。これによって、外国事業者も、報告徴求（同法143条）や命令（同法145条2項および3項）の対象となる。また、国内外を問わず、事業者が命令に違反した場合には、個人情報保護委員会がその旨を公表することができる（同条4項）。

13　漏えい等の報告等

(1)　安全管理措置・漏えい等事案において講ずべき措置等

　個人情報取扱事業者には安全管理措置を講ずる義務や委託先の監督義務も課されているところ、プライバシー保護の観点からも、事業者にとってセキュリティの確保は非常に重要な課題である。データを扱う事業者にとっては、仮に情報の漏えい等（漏えい、滅失または毀損。以下同じ）が起こった場合の損害賠償額が大きくなるばかりか、当該事業者のレピュテーションも低下し、対応を誤れば事業活動が継続できなくなるリスクもはらんでいる。

　なお、個人情報の漏えい原因は「誤操作」、「紛失・置忘れ」、「不正アクセス」、「管理ミス」が多く、漏えい時の損害賠償金については、これまでの個人情報漏えいインシデントに関する対応事例の積み重ねにより、機微性が比較的低い場合（氏名、住所、電話番号、メールアドレスのみ）には500円～1000円、機微性が比較的高い場合（クレジットカード情報や収入

等）には1万円程度、機微性が高い場合（エステサロンでの施術等）には3万円程度といった大まかな相場ができつつある[注209]。

このような状況の中で、企業のマネジメント層としても十分なセキュリティ対策をとっておくことが急務になっており、最近では、サイバーリスクの診断サービスやサイバーセキュリティ保険なども充実してきている。また、個人情報保護委員会は、GL通則編10（別添）「講ずべき安全管理措置の内容」において、講ずべき安全管理措置の具体的な方策を提示している（例えば、ログ等の定期的な分析により、不正アクセス等を検知するなど）。その上で、個人データ等の漏えい等の事案が発生した場合等の対応として、2次被害の防止、類似事案の発生防止の観点から、個人情報取扱事業者が講ずることが望ましい措置として、【図表5-18】の①～⑤が挙げられている[注210]。

安全管理措置を講ずる義務や委託先の監督義務などは、その時々のテクノロジーの進化に合わせて変容し得るものであるため、一度措置を講じれば終わりというものではない。また、会社の統制システムの一環としても、アップデートされる必要があり、特に、BtoCビジネスにおいて顧客データベースの保護が経営の根幹に関わるような会社など、業種や規模に応じて、適正な内部統制システムを構築しなければ、個人情報保護法違反のみならず、取締役は会社法上の善管注意義務違反も問われることになりかねない点に留意して、十分なセキュリティの対策を講じるべきであろう[注211]。

(2) 個人情報保護委員会への報告

個人データの漏えい等があった場合に関して、令和2年改正法により、改正前は努力義務とされていた漏えい等の個人情報保護委員会への報告について、個人の権利利益の侵害のおそれが大きいものは委員会への報告を義務付けることとした。すなわち、令和2年改正法施行後は、個人情報取扱事業者は、その取り扱う個人データの漏えい、滅失、毀損[注212]その

注209) 太田ほか・前掲注188) 280頁以下。
注210) GL通則編3-5-2。
注211) 岡村・個人情報622頁。
注212) 個人データを第三者に閲覧されないうちにすべてを回収した場合は、漏えいに該当せず、また、その内容と同じデータが他に保管されている場合は、滅失・毀損には該当しない（GL通則編3-5-1）。

【図表5-18】個人情報取扱事業者が講ずることが望ましい措置

①事業者内部における報告および被害の拡大防止	責任ある立場の者に直ちに報告するとともに、漏えい等事案による被害が発覚時よりも拡大しないよう必要な措置を講ずる。 例えば、外部からの不正アクセスや不正プログラムの感染が疑われる場合には、当該端末等のLANケーブルを抜いてネットワークからの切り離しを行う、または無線LANの無効化を行うなどの措置を直ちに行うこと等が考えられる*。
②事実関係の調査および原因の究明	漏えい等事案の事実関係の調査および原因の究明に必要な措置を講ずる。
③影響範囲の特定	前記②で把握した事実関係による影響範囲の特定のために必要な措置を講ずる。 例えば、個人データの漏えいの場合は、漏えいした個人データに係る本人の数、漏えいした個人データの内容、漏えいした原因、漏えい先等を踏まえ、影響の範囲を特定することが考えられる**。
④再発防止策の検討および実施	前記②の結果を踏まえ、漏えい等事案の再発防止策の検討および実施に必要な措置を講ずる。
⑤個人情報保護委員会への報告および本人への通知	下記(2)個人情報保護委員会への報告および(3)本人への通知参照。

＊ GLQ&A6-4。
＊＊ GLQ&A6-5。

他の個人データの安全の確保に係る事態であって個人の権利利益を害するおそれが大きいものとして個人情報保護委員会規則で定めるものが生じたときは、個人情報保護委員会規則で定めるところにより、当該事態が生じた旨を個人情報保護委員会に報告しなければならないとされ、報告が法律上義務付けられた（個人情報26条1項）[注213]。

注213）ただし、委託先については、委託元に報告事項を通知した場合には、個人情報保護委員会への報告および本人への通知を行う必要はない（個人情報26条1項ただし書、個人情報則9条）。

(A) 報告対象となる事態

上記の個人情報保護委員会への報告が義務付けられることとなる「**個人の権利利益を害するおそれが大きいもの**」については、以下の通り定められている（個人情報則7条）。なお、以下の漏えい等が発生した「**おそれ**」については、その時点で判明している事実関係に基づいて個別の事案ごとに蓋然性を考慮して判断することになり、漏えい等が疑われるものの確証がない場合がこれに該当する[注214]。

① 要配慮個人情報が含まれる個人データ（高度な暗号化その他の個人の権利利益を保護するために必要な措置を講じたものを除く。以下本項において同じ）の漏えい等が発生し、または発生したおそれがある事態
② 不正に利用されることにより財産的被害が生じるおそれがある個人データの漏えい等が発生し、または発生したおそれがある事態
③ 不正の目的をもって行われたおそれがある個人データの漏えい等が発生し、または発生したおそれがある事態
④ 個人データに係る本人の数が1000人を超える漏えい等が発生し、または発生したおそれがある事態

上記②の「**財産的被害が生じるおそれ**」については、対象となった個人データの性質・内容等を踏まえ、財産的被害が発生する蓋然性を考慮して判断することとされ、例えば、クレジットカード番号を含む個人データが漏えい等した場合や、送金や決済機能のあるウェブサービスのログインIDとパスワードの組み合わせを含む個人データが漏えい等した場合がこれに該当するが[注215]、住所、電話番号、メールアドレス、SNSアカウントのみの漏えい等は、直ちに財産的被害が生じるおそれがある個人データの漏えい等には該当しない[注216]。

上記③の不正の目的をもって漏えい等を発生させた主体には、第三者のみならず、従業者も含まれることから、不正アクセスによる漏えい、ランサムウェア等により暗号化されて復元できなくなった場合だけでなく、個人データが記録された媒体の盗難や従業者が不正に持ち出して第三者に提

注214）GL通則編3-5-3-1。
注215）GL通則編3-5-3-1。
注216）GLQ&A6-9。

供した場合も含まれる[注217]。

上記④に関して、「**個人データに係る本人の数**」は、当該個人情報取扱事業者が取り扱う個人データのうち、漏えい等が発生し、または発生したおそれがある個人データに係る本人の数をいい、本人の数が確定できない漏えい等において、漏えい等が発生したおそれがある個人データに係る本人の数が最大1000人を超える場合には、上記④に該当する[注218]。

(B) **速報**

個人情報保護委員会への報告としては、「速報」と「確報」の2段階の報告が必要となるところ、速報としては、上記の報告対象となる事態を知った後、速やかに、当該事態に関する次に掲げる事項（報告をしようとする時点において把握しているものに限る。確報において同じ）を報告しなければならない（個人情報則8条1項）。

① 概要
② 漏えい等が発生し、または発生したおそれがある個人データの項目
③ 漏えい等が発生し、または発生したおそれがある個人データに係る本人の数
④ 原因
⑤ 2次被害またはそのおそれの有無およびその内容
⑥ 本人への対応の実施状況
⑦ 公表の実施状況
⑧ 再発防止のための措置
⑨ その他参考となる事項

なお、いずれも個別の事案ごとに判断されることにはなるものの、報告期限の起算点となる「知った」時点については、個人情報取扱事業者が法人である場合には、いずれかの部署が当該事態を知った時点が基準とされ、「速やか」の日数の目安については、個人情報取扱事業者が当該事態を知った時点から概ね3〜5日以内とされている[注219]。

注217) GL通則編3-5-3-1。
注218) GL通則編3-5-3-1。
注219) GL通則編3-5-3-3。

(C) 確報

　個人情報取扱事業者は、報告対象となる事態を知った日から30日以内（当該事態が不正の目的をもって行われたおそれがある個人データの漏えい等である場合にあっては、60日以内）に、当該事態に関する上記速報の①〜⑨に掲げる事項を報告しなければならない（個人情報則8条2項）。

　確報においては、報告事項のすべてを報告しなければならないとされているが、確報を行う時点において、合理的努力を尽くした上で、一部の事項が判明しておらず、すべての事項を報告することができない場合には、その時点で把握している内容を報告し、判明次第、報告を追完する必要がある[注220]。

(3) 本人への通知

　報告対象となる事態が生じた場合には、個人情報取扱事業者は、個人情報保護委員会への報告に加えて、本人に対し、当該事態が生じた旨を通知しなければならない（個人情報26条2項）。

(A) 通知の内容

　本人へ通知すべき事項については、委員会への報告事項のうち、「概要」、「漏えい等が発生し、または発生したおそれがある個人データの項目」、「原因」、「二次被害又はそのおそれの有無及びその内容」および「その他参考となる事項」に限定され、かつ、本人の権利利益を保護するために必要な範囲において通知することとされている（個人情報則10条）。

　なお、当初は報告対象となる事態に該当すると判断したものの、その後実際にはこれに該当していなかったことが判明した場合には、本人への通知が「本人の権利利益を保護するために必要な範囲において」行うものであることに鑑み、本人への通知は不要である[注221]。

(B) 通知の方法

　本人への通知は、本人に直接知らしめることをいい、事業の性質および個人データの取扱状況に応じ、通知すべき内容が本人に認識される合理的かつ適切な方法によることとされ、具体的には、郵便等による文書の送付

注220) GL通則編3-5-3-4。
注221) GL通則編3-5-4-3。

や電子メールの送信などの方法によることとなる[注222]。

　(C)　**通知の時間的制限**

　本人への通知は、当該事態の状況に応じて速やかに行う必要があるが（個人情報則 10 条）、具体的に通知を行う時点は、個別の事案において、その時点で把握している事態の内容、通知を行うことで本人の権利利益が保護される蓋然性、本人への通知を行うことで生じる弊害等を勘案して判断することとなる[注223]。例えば、以下の場合には、その時点で通知を行う必要があるとはいえない[注224]。

　①　インターネット上の掲示板等に漏えいした複数の個人データがアップロードされており、個人情報取扱事業者において当該掲示板等の管理者に削除を求める等、必要な初期対応が完了しておらず、本人に通知することで、かえって被害が拡大するおそれがある場合

　②　漏えい等のおそれが生じたものの、事案がほとんど判明しておらず、その時点で本人に通知したとしても、本人がその権利利益を保護するための措置を講じられる見込みがなく、かえって混乱が生じるおそれがある場合

　(D)　**通知の例外**

　本人への通知を要する場合であっても、保有する個人データの中に本人の連絡先が含まれていない場合等、本人への通知が困難である場合は、本人の権利利益を保護するために必要な代替措置（事案の公表や問合せ窓口の公表等）を講ずることによる対応が認められる（個人情報 26 条 2 項ただし書）。

14　適用除外

　これまで述べてきた事業者の義務については、憲法が保障する基本的人権への配慮から、以下の場合には、適用されない（個人情報 57 条 1 項）。

　①　報道機関（報道を業として行う個人を含む）が報道の用に供する目的で個人情報等を取り扱う場合

注222）GL 通則編 3-5-4-4。
注223）GL 通則編 3-5-4-2。
注224）GL 通則編 3-5-4-2。

②　著述を業として行う者が著述の用に供する目的で個人情報等を取り扱う場合
③　宗教団体が宗教活動の用に供する目的で個人情報等を取り扱う場合
④　政治団体が政治活動の用に供する目的で個人情報等を取り扱う場合

　もっとも、前記の各主体は、安全管理措置・苦情処理など個人情報等の適正な取扱いを確保するために必要な措置を自ら講じ、かつ、当該措置の内容を公表するよう努めなければならない（個人情報57条3項）。

　かかる適用除外規定には、従前は学術研究目的も含まれていたが、令和3年改正法により、学術研究に係る一律の適用除外規定を見直して、個別の義務規定ごとに学術研究に係る例外規定を精緻化することとした。これにより、利用目的変更の制限の例外（個人情報18条3項5号および6号）、要配慮個人情報の取得の制限の例外（同20条2項5号および6号）、個人

【図表5-19】学術研究に係る適用除外規定の見直し（精緻化）

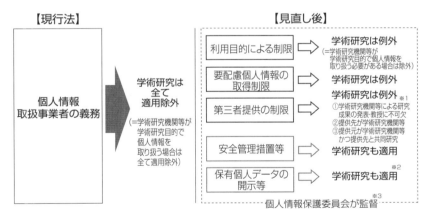

※1　学術研究機関等：大学（私立大学、<u>国公立大学</u>）、学会、<u>国立研究開発法人</u>等
　　（<u>下線</u>は今回追加されるもの）
※2　国公立大学及び国立研究開発法人の場合は、保有個人情報の開示等については行政機関と同じ規律を適用
※3　利用目的の特定・公表（15条・18条）不適正利用・取得の禁止（16条の2・17条1項）漏えい報告（22条の2）も適用

※個人情報保護制度の見直しに関するタスクフォース「個人情報保護制度の見直しに関する最終報告（概要）」（2020年12月）5頁。

第5章　パーソナルデータに関する法律

データの第三者提供の制限の例外（同27条1項6号および7号）が設けられた（【図表5-19】参照）。

15　罰則

　罰則については、2020年12月12日から令和2年改正法が一部施行され、個人情報保護委員会による命令に違反した場合や委員会に対して虚偽報告等をした場合の法定刑を引き上げるとともに、法人と個人の資力格差を勘案して、法人に対しては個人よりも重い罰金額を法定刑として定めている（法人重科。【図表5-20】参照）。

【図表5-20】改正前後の法定刑の比較

		懲役刑		罰金刑	
		改正前	改正後	改正前	改正後
個人情報保護委員会からの命令への違反	行為者	6月以下	1年以下	30万円以下	**100万円以下**
	法人等	—	—	30万円以下	**1億円以下**
個人情報データベース等の不正提供等	行為者	1年以下	1年以下	50万円以下	50万円以下
	法人等	—	—	50万円以下	**1億円以下**
個人情報保護委員会への虚偽報告	行為者	—	—	30万円以下	50万円以下
	法人等	—	—	30万円以下	50万円以下

＊個人情報保護委員会ホームページをもとに筆者作成

16　個人情報保護マネジメントシステム（JIS Q 15001：2017）

　個人情報保護法は守るべきルールを示したものであり、それを守るべき手順まで示しているものではないため、これまで述べてきたような事業者の義務等を場当たり的に対応しようとすると、見落としや間違いが起きやすい。また、本章の冒頭で述べたように、パーソナルデータを扱っていく上ではデータマネジメント、データガバナンスが非常に重要である。そこで、個人情報保護法を遵守するための体制整備のための方策とし

て、個人情報保護マネジメントシステム（Personal information protection Management System：PMS）を導入する企業も多い。

　JIS Q 15001：2017（以下、「本規格」という）は、工業標準化法に基づき個人情報保護マネジメントシステムを規格化した日本工業規格の1つであり、一定の方針の下に「計画（Plan）」を立案し、それに基づき「実施（Do）」し、その内容を「点検（Check）」し、全体の「改善（Act）」を行うという業務のプロセスを繰り返すことで、継続的な改善が行われるよう構成されている（PDCAサイクル）[注225]。具体的には、【図表5-21】の通り、規格本文においてさまざまな要求事項を定め、また、付属書AからCにおいて必要な管理策の解説等をしている。本規格の要求事項には、個人情報保護法をベースとして、同法の義務を上回る対応を付加したり、同法に定めのない事項について固有の要求事項としている。例えば、一定の場合には個人情報の範囲に死者の情報も対象とすることが望ましいとしていることや、少なくとも個人情報保護管理者や個人情報保護監査責任者に責任および権限を割り当てるとしていることなどが挙げられる。

　かかる要求事項に基づくPDCAサイクルを導入することにより、従業者の無知等が違反を招く危険を最小化すること、グレーゾーンの事案に関して専門家に相談させること、監査等によって隠された問題の早期発見・早期是正措置を講じ得る環境を整備すること、企業イメージを高め、ステークホルダーに対して安心感を付与し、競争力の維持・強化を図られること等が期待される[注226]。そこで、本規格を認証基準として第三者が評価認証し、これに適合して個人情報の適切な保護のための体制を整備している旨を示すプライバシーマークを事業者に付与する制度（プライバシーマーク制度）が設けられている。

17　令和3年改正法との条文対比表

　令和2年改正法が全面施行される2022年4月1日と同日に令和3年改正法（デジタル社会形成整備法50条に基づく改正法）の施行も予定してお

注225）新保史生『JIS Q 15001：2017 個人情報保護マネジメントシステム要求事項の解説』（日本規格協会、2018）84頁。
注226）岡村・個人情報625頁。

第5章 パーソナルデータに関する法律

【図表 5-21】 JIS Q 15001：2017 の要求事項

箇条	項目	概要
4	組織の状況	・組織およびその状況の理解（外部および内部の課題決定） ・利害関係者のニーズの理解 ・PMS の適用範囲の決定 ・PMS の確立・実施・維持・継続的改善
5	リーダーシップ	・リーダーシップおよびコミットメントの実証 ・内部および外部向け個人情報保護方針の確立 ・組織の役割、責任および権限
6	計画	・リスクおよび機会に対処する活動（個人情報リスクアセスメントおよび個人情報保護リスク対応に関するプロセスの策定） ・個人情報保護目的、目的達成のための計画策定
7	支援	・必要な資源（人員、設備、資金等）の決定、提供 ・個人情報保護パフォーマンスに必要な力量の決定等 ・個人情報保護方針等の認識 ・コミュニケーションの実施プロセス ・文書化した情報の作成・管理
8	運用	・運用の計画および管理 ・個人情報リスクアセスメントおよび個人情報リスク対応計画の実施
9	パフォーマンス評価	・監視、測定、分析および評価 ・内部監査の実施 ・マネジメントレビュー
10	改善	・不適合への対処および是正措置 ・PMS の適切性、妥当性、有効性の継続的改善

り、令和3年改正法によって3本の法律が1本の法律に統合されることに伴い条文番号が変わる条文も多いことから、本書で言及する条文については、2022年4月1日の令和3年改正法の一部施行後の条文番号としている。そのため、2020年3月31日以前に適用される条文番号および令和2年改正法の条文番号については、以下の条文対比表を参照されたい。

現行法・令和2年改正法	令和3年改正法＊
2条4項から7項まで、10項（「個人情報データベース等」「個人情報取扱事業者」「個人データ」「保有個人データ」「仮名加工情報取扱事業者」「匿名加工情報取扱事業者」の定義）	16条1項から6項
15条（利用目的の特定）	17条
16条（利用目的の制限）	18条
16条の2（不適正な利用の禁止）	19条
17条（適正な取得）	20条
18条（取得に際しての利用目的の通知等）	21条
19条（データ内容の正確性の確保等）	22条
20条（安全管理措置）	23条
21条（従業者の監督）	24条
22条（委託先の監督）	25条
22条の2（漏えい等の報告等）	26条
23条（第三者提供の制限）	27条
24条（外国にある第三者への提供の制限）	28条
25条（第三者提供に係る記録の作成等）	29条
26条（第三者提供を受ける際の確認等）	30条
26条の2（個人関連情報の第三者提供の制限等）	31条（「個人関連情報取扱事業者」の定義は16条7項）
27条（保有個人データに関する事項の公表等）	32条
28条（開示）	33条
29条（訂正等）	34条
30条（利用停止等）	35条
31条（理由の説明）	36条
32条（開示等の請求に応じる手続）	37条
33条（手数料）	38条
34条（事前の請求）	39条

35条（個人情報取扱事業者による苦情の処理）	40条
35条の2（仮名加工情報の作成等）	41条
35条の3（仮名加工情報の第三者提供の制限等）	42条
36条（匿名加工情報の作成等）	43条
37条（匿名加工情報の提供）	44条
38条（識別行為の禁止）	45条
39条（安全管理措置等）	46条
40条（報告及び立入検査）	143条
41条（指導及び助言）	144条
42条（勧告及び命令）	145条
75条（適用範囲）	166条
76条（適用除外）	57条
78条（外国執行当局への情報提供）	167条
82条から88条まで（罰則）	172条から174条まで・177条から180条まで

＊デジタル社会形成整備法50条に基づく改正法。

Ⅲ　パーソナルデータとプライバシー

　前記では、個人情報保護法によるパーソナルデータの取扱いについて見てきたが、個人情報保護法上の「個人情報」に該当する場合はもちろんのこと、「個人情報」に該当しない場合であっても、プライバシーとの関係でその取扱いが問題になり得る。

1　プライバシー権

　伝統的なプライバシー権としては、宴のあと事件において東京地判昭和39・9・28（下民集15巻9号2317頁）が、「私生活をみだりに公開されないという法的保障ないし権利」と理解した上で、不法行為のプライバシー侵害となるためには、①私生活上の事実または私生活上の事実らしく受け取られるおそれのあること、②一般人の感受性を基準として当該私人の立

場に立った場合、公開を欲しないであろうと認められる事柄であること、③一般の人々にいまだ知られていない事柄であること、④公開によって当該私人が実際に不快、不安の念を覚えたこと、という4つの要件を満たすことが必要と判示したことが有名である。もっとも、その後のITの発展により、このような消極的権利として捉えるだけでは不十分であると認識されるようになり、プライバシー権を「自己に関する情報をコントロールする権利」（自己に関する情報を不当に取得・収集されないという側面と、自己に関する情報について閲覧・訂正・削除を請求することができるという側面がある）として、積極的な権利として捉える見解が憲法学説において主張され、有力視されるようになった[注227]。実際に、プロファイリングに関しては、前記のように宴のあと事件判決の私生活に関する情報を公開することの是非についてのスコープでは捉えきれない。裁判所も、「自己情報コントロール権」という言葉を使うことには消極的であるが、その趣旨については広く受容しているように思われる[注228]。

また、最判平成15・9・12（民集57巻8号973頁）は、学籍番号、氏名、住所および電話番号は、秘匿されるべき必要性が必ずしも高いものではないが、本人が、自己が欲しない他者にはみだりにこれを開示されたくないと考えることは自然なことであり、そのことへの期待は保護されるべきものであって、法的保護の対象となると判示しており、公知性を有する情報であっても、プライバシー侵害の対象となることを認めている。

近時、プライバシー権の内容についての議論も活発になされており、憲法学上の通説的見解である自己情報コントロール権を基本権として捉える見解に対して、手段的性格が強いことを理由に「個人情報の保護を求める権利」、あるいは「自己情報の適正な取り扱いを求める権利」として捉える見解も主張されている。もっとも、自己情報コントロール権も、そのネーミングからすると全面的・排他的な支配を意味する所有権類似の権利として誤解される傾向があるが、情報はそもそも排他的に所有できるものではなく、自己に関する情報を誰とシェア＝共有するか、しないかを自ら

注227）村上・前掲注24）195頁。
注228）山本龍彦『プライバシーの権利を考える』（信山社出版、2017）13頁。

第 5 章　パーソナルデータに関する法律

決定する権利（情報自己決定権）を意味しているものであり、権利の捉え方の違いはあるにせよ、基本的な認識としては大きな違いはないとされる[注229]。

2　プロファイリング

プロファイリングと聞くと、テレビや小説で犯罪捜査の一環として状況証拠等から犯人像を割り出す手法を用いる場面がすぐに思い浮かぶが、2018 年 5 月 25 日に施行された EU の GDPR では、プロファイリングを犯罪捜査に限定されないより一般的な文脈で定義し、個人情報・プライバシー保護法制の中核に据えている[注230]。他方で、日本では個人情報保護法改正のベースとなった高度情報通信ネットワーク社会推進戦略本部作成の「パーソナルデータの利活用に関する制度改正大綱」（2014 年 6 月 24 日）において、「多種多量な情報を、分野横断的に活用することによって生まれるイノベーションや、それによる新ビジネスの創出等が期待される中、プロファイリングの対象範囲、個人の権利利益の侵害を抑止するために必要な対応策等については、現状の被害実態、民間主導による自主的な取組の有効性及び諸外国の動向を勘案しつつ、継続して検討すべき課題とする」（16 頁）とされていたが、平成 27 年改正法では直接の規定は設けられず、令和 2 年改正法・令和 3 年改正法でもプロファイリングについての直接的な規律は設けられなかった。もっとも、実際にプロファイリングを行うに当たって個人情報保護法上の「個人情報」を取得する場合には、当然に個人情報保護法の適用対象となる。

われわれの身近なところでもプロファイリングは行われており、個人情報保護法上の問題（例えば、前記Ⅱ 5(1)において述べた要配慮個人情報の生成等）だけでなく、プライバシーとの関係でも問題になり得る。例えば、インターネットの閲覧履歴や位置情報、購買履歴から消費者の趣味・嗜好を推知して公告を行うターゲティング広告や、クレジットカード決済での購買履歴や会員の属性情報に基づいてクーポン配信を行っており、データビ

注 229）曽我部真裕＝山本龍彦「誌上対談・自己情報コントロール権をめぐって」情報法制研究 7 号（2020）128 頁以下。
注 230）山本・前掲注 108）論究ジュリスト 38 頁。

ジネスにおいて当たり前のものとなっている。

　このようなプロファイリングは、利用者の利便性等に資する一方で、サービスを利用するために、利用開始時に本人が同意をしているとしても、消費者がほとんど意識しないうちに個人情報・プライバシー情報が収集されることが常態化しているのもまた事実であり、プライバシー権との関係で問題が生じ得る。そのため、日本インタラクティブ広告協会が公表している「プライバシーポリシーガイドライン」や「行動ターゲティング広告ガイドライン」においても、プライバシーへの配慮事項が定められている。

　さらに、EUのGDPRでは、「プロファイリング」とは、自然人と関連する一定の個人的側面を評価する（特に、業務遂行能力、経済状態、健康、個人的嗜好、興味関心、信頼性、行動、位置および移動に関する側面を分析または予測する）ための、あらゆる形式の個人データの自動的な処理をいうと定義され（GDPR4条4号）、データ主体は、当該データ主体に関する法的効果またはデータ主体に対して同様の重大な影響を及ぼすプロファイリングを含むもっぱら自動化された処理に基づいた決定の対象とされない権利を有する（GDPR22条1項）。近時は日本でもプライバシーとの関係で論じられることも増えてきており、プロファイリングについての規律を設けるべきという意見も少なくない[注231]。

3　忘れられる権利

　前記2のプロファイリングに関するプライバシー保護規制と並んで、GDPRには「削除権」（いわゆる「忘れられる権利」）が規定されている。忘れられる権利は多義的な概念ではあるが、主には、本人がパーソナルデータの管理者に対して当該データの削除を要求することができる権利と

注231）山本龍彦「プロファイリング規制の現状」NBL1100号（2017）24頁は、バイアスやエラーを含んだアルゴリズムによってプロファイリングがなされ、それによって自動的に不採用とされたり、融資を断られたりするようなことがあれば、本人はいわれのない理由で人生の可能性を奪われた（あるいは差別を受けた）と感じるだろうと指摘し、日本でも、EUのGDPRのようにプロファイリングについて一定の制限を設けて、本人の検証や反論を可能にするような制度ないし手続を構築する必要があるとする。また、パーソナルデータ＋α研究会も、プロファイリングについての提言を行っている。

して議論されている。このような権利は、インターネット上の検索エンジンによる検索結果ないしその検索キーワードの予測表示に、本人の望まない結果ないし予測が表示されるという問題で論じられることが多い。

　日本では、忘れられる権利はいまだ確立された権利として認められているものではなく、個人情報保護法上も、内容が真実でない場合でなければ削除請求はできない。そのため、検索エンジンの検索結果等に本人の望まない結果が示される問題については、検索エンジンの提供事業者によるプライバシー権等の人格権あるいは人格的利益の侵害として議論されることが多い。

　この点に関して、過去に児童買春で逮捕歴のある個人が、インターネット上の検索サイトであるGoogleの検索結果に自らの逮捕歴に関する記事のURL等の情報が表示されることについて、当該情報の削除を求めた仮処分命令申立事件において、最高裁が初めて削除を求めることができるか否かの判断基準を示した。すなわち、最決平成29・1・31（民集71巻1号63頁）は、プライバシーに属する事実をみだりに公表されない利益は法的保護の対象となるとする一方で、検索サイトにおける検索結果（URL等情報）の提供は検索サイト事業者自身による表現行為という側面を有すること、および、当該検索結果の提供は現代社会においてインターネット上の情報流通の基盤として大きな役割を果たしていると述べた上で、検索事業者の行為が違法となるか否かは「当該事実を公表されない法的利益と当該URL等情報を検索結果として提供する理由に関する諸事情を比較衡量して判断すべきもので、その結果、当該事実を公表されない法的利益が優越することが明らかな場合には」削除を要求できるとした[注232]。

　その際に考慮すべき事情として、①当該事実の性質および内容、②当該

注232）なお、当該最高裁決定では「忘れられる権利」については明示的には触れていないが、その原々決定であるさいたま地決平成27・12・22判時2282号78頁は、「一度は逮捕歴を報道され社会に知られてしまった犯罪者といえども、人格権として私生活を尊重されるべき権利を有し、更生を妨げられない利益を有するのであるから、犯罪の性質等にもよるが、ある程度の期間が経過した後は過去の犯罪を社会から『忘れられる権利』を有するというべきである」として、忘れられる権利を正面から認めている。

URL等の情報が提供されることによってその者のプライバシーに属する事実が伝達される範囲とその者が被る具体的被害の程度、③その者の社会的地位や影響力、④前記記事等の目的や意義、⑤前記記事等が掲載された時の社会的状況とその後の変化、⑥前記記事等において当該事実を記載する必要性などを掲げている。

そして、最高裁は、本件では、逮捕された事実はプライバシーに属する事実であることは認めつつも、社会的に強い非難の対象とされ公共の利害に関する事項であることから、公表されない法的利益が優越することが明らかとはいえないとして抗告は却下した。

本件は、最高裁が、検索サイトの検索結果を事業者の表現の自由という視点で捉えたこと、また、検索結果の提供を重要な社会インフラとして位置付けた上で、個人のプライバシーとの比較衡量をして判断していることが注目される。

4　プライバシー・バイ・デザイン

スマートフォンやIoT機器が急速に普及し、特に保護の必要性が高いといわれている位置情報[注233]を含めてプライバシー情報の収集が容易になった現在では、その権利の内容や権利侵害の有無だけでなく、これまで述べてきたようにプライバシー感情へ配慮した運用を行う必要がある。ひとたび消費者のプライバシー感情を逆撫でしてしまうと、SNS等の発達によりネット上で際限なく炎上するリスクがあり、それによって実施しようとしていたサービス等が中止に追い込まれることもある。そのため、近時は、「プライバシー・バイ・デザイン」（プライバシー情報を扱うあらゆる側面において、プライバシー情報が適切に扱われる環境をあらかじめ作り込もうというコンセプト）といった考え方[注234]、また、その重要な要素としての「プライバシー影響評価」（PIA = Privacy Impact Assessment。個人情報の収集を伴う情報システムの企画、構築、改修に当たり、情報提供者のプライ

注233）2014年7月に総務省が公表した「位置情報プライバシーレポート～位置情報に関するプライバシーの適切な保護と社会的活用の両立に向けて～」においては、位置情報について、他の個人情報やプライバシーと比べて高いレベルの保護を通信事業者に求めつつ、十分な匿名化等を含めてその利活用についても検討している。

バシーへの影響を「事前」に評価し、情報システムの構築・運用を適正に行うことを促すプロセス）等も考慮することが求められるようになってきている。

　プライバシー・バイ・デザインの目的は、7原則を遵守することで、プライバシーと個人の情報コントロールを保障し、組織が持続的に競争上の優位を得ることにあり、その概要は【図表5-22】の通りである[注235]。

　かかるプライバシー・バイ・デザインの意識しつつ、プライバシーの保護と情報の利活用という対立する要請をいかに調和して、社会全体の受容性を確保していくかということが、これからのデータビジネスの1つの重要なポイントであろう[注236]。

(1) プライバシー影響評価

　プライバシー・バイ・デザインは、国際的にも重視されており、そのような考え方を実践する手法の1つがプライバシー影響評価（PIA）である。PIAは、GDPRにおいても「データ保護影響評価」（処理の性質、範囲、過程および目的を考慮した上で、特に新たな技術を用いるような処理が、自然人の権利および自由に対する高いリスクを発生させるおそれがある場合に、管理者がその処理の開始前に行わなければならない、想定される処理業務の個人データの保護に対する影響についての評価）として明記されている（GDPR35条1項）。

　PIAに関して、国際規格としては、2017年に発行されたISO/IEC 29134：2017（Information technology — Security techniques — Guidelines for privacy impact assessment）において、実施手順や報告書の構成等の推奨事項が示されているが、2021年1月に「JIS X 9251 情報技術-セキュリティ技術-プライバシー影響評価のためのガイドライン」が発行された。

注234）堀部政男・日本情報経済社会推進協会編・アン・カブキアン著・JIPDEC訳『プライバシー・バイ・デザイン――プライバシー情報を守るための世界的新潮流』（日経BP社、2012）10頁、Ann Cavoukian「Privacy by Design The 7 Foundational Principles」、総務省・経済産業省「DX時代における企業のプライバシーガバナンスガイドブックver1.1」（2021年7月）40頁以下。

注235）石井夏生利「伝統的プライバシー理論へのインパクト」福田ほか編著・前掲注25）208頁以下。

注236）村上・前掲注24）220頁以下。

【図表 5-22】プライバシー・バイ・デザイン 7 つの原則の概要

原　則	内　　容
事前的／予防的	事後的でなく事前的であり、救済策的でなく予防的であること。プライバシー侵害が発生する前に、それを予防することを目的とする。プライバシー・バイ・デザインのアプローチは、受け身ではなく先見的にプライバシー保護を考え、対応することが特徴である。
初期設定としてのプライバシー	プライバシー保護は、初期設定で有効化されていること。これは、プライバシー・バイ・デフォルトともいわれる。プライバシー保護の仕組みは、システムに最初から組み込まれる。そして、パーソナルデータは、個人が何もしなくてもプライバシーが保護される。個人は、個別に設定を変更するといった措置は不要である。
デザインに組み込む	プライバシー保護の仕組みが、事業やシステムのデザイン及び構造に組み込まれること。事後的に、付加機能として追加するものではない。プライバシー保護の仕組みは、事業やシステムにおいて不可欠な、中心的な機能である。
ゼロサムではなくポジティブサム	プライバシー保護の仕組みを設けることによって、利便性を損なうなどトレードオフの関係を作ってしまうゼロサムアプローチではなく、全ての機能に対して正当な利益及び目標を収めるポジティブサムアプローチを目指すこと。企業にとって、プライバシーを尊重することで、様々な形のインセンティブ（例えば、顧客満足度の向上、より良い評判、商業的な利益など）が考えられる。
徹底したセキュリティ	データはライフサイクル全般にわたって保護されること。プライバシーに係る情報は生成される段階から廃棄される段階まで、常に強固なセキュリティによって守られなければならない。全てのデータは、データライフサイクル管理の下に安全に保持され、プロセス終了時には確実に破棄されること。
可視性／透明性	プライバシー保護の仕組みと運用は、可視化され透明性が確保されること。どのような事業または技術が関係しようとも、プライバシー保護の仕組みが機能することを、全ての関係者に保証する。この際、システムの構成及び機能は、利用者及び提供者に一様に、可視化され、検証できるようにする。
利用者のプライバシーの尊重	利用者のプライバシーを最大限に尊重し、個人を主体に考えること。事業の設計者及び管理者に対し、プライバシー保護を実現するための強力かつ標準的な手段と、適切な通知及び権限付与を簡単に実現できるオプション手段を提供し、利用者個人の利益を最大限に維持する。

※総務省・経済産業省「DX 時代における企業のプライバシーガバナンスガイドブック ver1.1」（2021 年 7 月）39 頁-40 頁。

また、2019年12月13日に個人情報保護委員会から公表された令和2年改正法に係る「個人情報保護法いわゆる3年ごと見直し制度改正大綱」では、個人情報保護評価（PIA）の取組、個人データの取扱いに関する責任者の設置、企業の自主的な取組を推奨していくことが考えられるとして、PIAについては民間の自主的な取組を推進していくこととしている。これを踏まえて、2021年6月に個人情報保護委員会から公表された「PIAの取組の促進について——PIAの意義と実施手順に沿った留意点」において、PIAの意義や手順を示している（【図表5-23】参照）。

(2) プライバシーガバナンスガイドブック

上記の令和2年改正法に係る制度改正大綱において、個人情報保護評価（PIA）の取組み、個人データの取扱いに関する責任者の設置、企業の自主的な取組みを推奨していくこととされたことを踏まえて、総務省・経済産業省が、2020年8月に「DX時代における企業のプライバシーガバナンスガイドブックver1.0」を策定し、2021年7月に改訂版のver1.1を公表した。

同ガイドブックでは、プライバシーガバナンスに係る姿勢の明確化、プライバシー保護責任者の指名、プライバシーへの取組みに対するリソースの投入がプライバシーガバナンスに関して経営者が取り組むべき3要件として挙げられている。また、プライバシーガバナンスの重要項目として、以下の5つを示している。

① 体制の構築（内部統制、プライバシー保護組織の設置、社外有識者との連携）
② 運用ルールの策定と周知（運用を徹底するためのルールを策定、組織内への周知）
③ 企業内のプライバシーに係る文化の醸成（個々の従業員がプライバシー意識をもつよう企業文化を醸成）
④ 消費者とのコミュニケーション（組織の取組みについて普及・広報、消費者と継続的にコミュニケーション）
⑤ その他のステークホルダーとのコミュニケーション（ビジネスパートナー、グループ企業等、投資家・株主、行政機関、業界団体、従業員等とのコミュニケーション）

【図表 5-23】PIA の意義・効果、一般的なプロセス

※個人情報保護委員会「PIAの取組の促進について——PIAの意義と実施手順に沿った留意点」(2021年6月30日) 6頁・9頁。

(3) カメラ画像利活用ガイドブック

プライバシーとの関連では、防犯カメラ等のカメラ画像の取扱いが特に問題となり得る。現在では、街中や建物内の至るところに防犯カメラが設置されており、単に防犯カメラで容貌を撮影するにとどまらず、当該画像を処理して顔認証機能により追跡するような場合には、通常の防犯カメラと比べてプライバシー権や肖像権[注237]の侵害度合いが強い。このような画像処理が従来のカメラ画像と異なる点は、撮影した画像の①識別性、②照合性、③検索性、④自動処理性を確保することができる点にある[注238]。そのため、防犯カメラの設置者が、例えば店舗における防犯目的のみで撮影する場合には、「取得の状況からみて利用目的が明らか」(個人情報21条4項4号)であることから、個人情報保護法上は利用目的を本人に通知・公表する必要はないものの、プライバシーへの配慮として、防犯カメラが作動中であることを店舗の入口に掲示する等、本人に対して自身の個人情報が取得されていることを認識させるための措置を講ずることが望ましい[注239]。

カメラ画像を撮影する際のプライバシーへの配慮事項については、IoT推進コンソーシアム・総務省・経済産業省「カメラ画像利活用ガイドブック ver2.0」(2018年3月)において詳しく検討されている(対応例につき【図表5-24】参照)。なお、かかる配慮事項に関して、具体的な事前告知の方法等を掲載した「カメラ画像利活用ガイドブック事前告知・通知に関する参考事例集」(2019年5月17日)も公表されている。

(4) One ID サービスガイドブック

また、空港での顔認証技術を用いた搭乗手続である「One ID サービス」の導入に当たって、2020年3月13日に国土交通省が「空港での顔認証技術を活用した One ID サービスにおける個人データの取扱いに関するガイドブック」を公表している。これは、One ID サービスで利用する個人データは生体情報である顔画像情報を含むが、顔画像情報は不変性が

注237) 村上・前掲注24) 196頁-197頁。
注238) 新保・前掲注25) 223頁以下。
注239) GLQ&A1-12。

【図表 5-24】配慮事項の対応例

分類	配慮事項	実施する対応例
基本原則	①リスク分析の適切な実施 一元的な連絡先の設置	・データのライフサイクルを分析し、システム管理者等を定めた運用体制を構築 ・問い合わせ窓口を設置 ・小規模な実証実験から段階的に実施
事前告知時の配慮	②事前告知の実施	・開始1か月前に自社HPで告知 ・店舗入口の見やすい位置にポスターを掲示
	③事前告知内容	・当社が運営主体となって実施するリピート分析（マーケティング）であること、「来店履歴・行動履歴・購買履歴を分析する」という目的を明示 ・生活者に対するメリット、社会的メリットをイラストを用いて記載 ・問い合わせ先を記載
	④多言語化	・英語、中国語、韓国語等による情報発信
取得時の配慮	⑤通知の実施	・店舗入口、自社HPへの掲載
	⑥通知内容	・③と同様
	⑦多言語化	・④と同様
取扱い時の配慮	⑧画像の破棄	・カメラ画像はシステムメモリ上で処理され、保存されることなく破棄 ・一定期間（○日間）後、特徴量データを破棄
	⑨処理方法の明確化	・顧客の識別のため、カメラ画像から特徴量データを抽出し、一定期間（○日間）保存 ・再来店時に、特徴量データをキーとして、来店履歴、行動履歴、購買履歴を紐付け
	⑩処理データの保存	・一定期間（○日間）後、特徴量データを破棄 ・紐付けられた来店履歴、動線データ（来店日時、店内行動履歴）、購買履歴を、特定の個人を識別できない形で（統計情報として）保存
管理時の配慮	⑪適切な安全管理対策	・カメラ画像データは特徴量データ抽出後、直ちに破棄 ・特徴量データは、一定期間（○日間）保存した後、遅滞なく破棄

		・特徴量データは、再来店時のキーとして利用し、来店履歴、動線データ、購買データ以外に、画像やその他の情報等の紐付けは行わない
⑫	利用範囲、アクセス権	・データの利活用は自社内（同一事業者内）に限定 ・データアクセスをシステム管理者のみに限定
⑬	開示請求対応	・開示請求を受け付ける体制を整備
⑭	削除請求対応	・削除請求があった場合の画像特定の手順を決定 ・特定できなかった場合には可能性のあるレコードをすべて削除
⑮	第三者提供	・他社へ提供しないことを自社HP上に明記

＊カメラ画像利活用ガイドブック41頁〜42頁をもとに作成。

高く本人の意思によらない取得が容易な識別子であり、強い追跡機能を有することから、導入に際しては、旅客に利用目的や情報管理について十分な理解と納得を得ることが求められるとして、個人情報保護関係法令の遵守に加え、さらに社会的受容性を高めるために、プライバシー保護の観点での具体的な対応を踏まえた内容として、個人データの取扱いに関して事業者が配慮すべき事項をとりまとめたものである。具体的には、個人データの利用目的を搭乗手続に係る利用に限定することや、顔認証の利用は希望する旅客のみとし、従来通りの手続も存置すること、個人データは原則として24時間以内に消去し、定期的に監査を実施すること等が挙げられている。

5　これまでに問題となった事例

　パーソナルデータの利活用を行う際には、上記で述べた通り、プライバシーへ配慮して社会に受容されるものであるかが重要なポイントになってくる。そのような検討を行うに当たって、これまでどのような事案で問題とされてきたのかを把握しておくことも有用であると思われることから、以下では過去に問題となった主な事例を紹介する。

(1) Suicaの例[注240]

JR東日本は、記名式Suicaのデータ（利用者の駅の利用状況や物販の決済などのデータ）から、氏名や電話番号の情報を削除して、生年月日を生年月に変換したデータ（Suica分析用データ）を作成していたところ、2013年7月、このSuica分析用データを活用するため、技術ノウハウを有する日立製作所に対して、SuicaID番号を不可逆な番号に変更し、物販情報等を削除した上で提供した。なお、JR東日本は、かかるデータ提供に際して、日立製作所においてデータが厳格に取り扱われることを確認し、個人の特定を行うことを契約で禁止していた（【図表5-25】参照）。

これに対して、利用者から、事前に十分な説明や周知を行わなかったこと等から、個人情報の保護、プライバシーの保護、消費者意識に対する配慮に欠けているといった批判や不安の声が上がり、JR東日本は、そのデータ提供を停止し、日立製作所は、すでに提供を受けたSuica分析用データについて抹消することになった。

(2) NICTの例

独立行政法人情報通信研究機構（NICT）が、大阪ステーションシティで通行人をカメラ撮影した情報を活用するための実証実験の計画を、2013年11月に公表した。この実証実験は、施設に設置したカメラで通路や広場を歩いている通行人を撮影し、顔の特徴・服装などの外見的特徴・歩き方などを映像解析技術を使って解析し、個々の通行人の動きを追跡して、人の流れの統計情報を作成するというものであり、災害時の通行人の状況を把握して、避難誘導に活用することが目的であった（【図表5-26】参照）。

ところが、市民団体などが重大なプライバシー侵害であると実証実験の中止を要請するなどしたため、結局、当初予定していた実証実験は中止されることになった。

(3) Japan Taxiの例

Japan Taxi（現・Mobility Technologies）は、タクシー車内設置のタブ

注240) 以下の記載は、Suicaに関するデータの社外への提供についての有識者会議「Suicaに関するデータの社外への提供について　中間とりまとめ」（2014年2月）に基づく。

第5章 パーソナルデータに関する法律

【図表 5-25】日立製作所への Suica 分析用データの提供スキーム

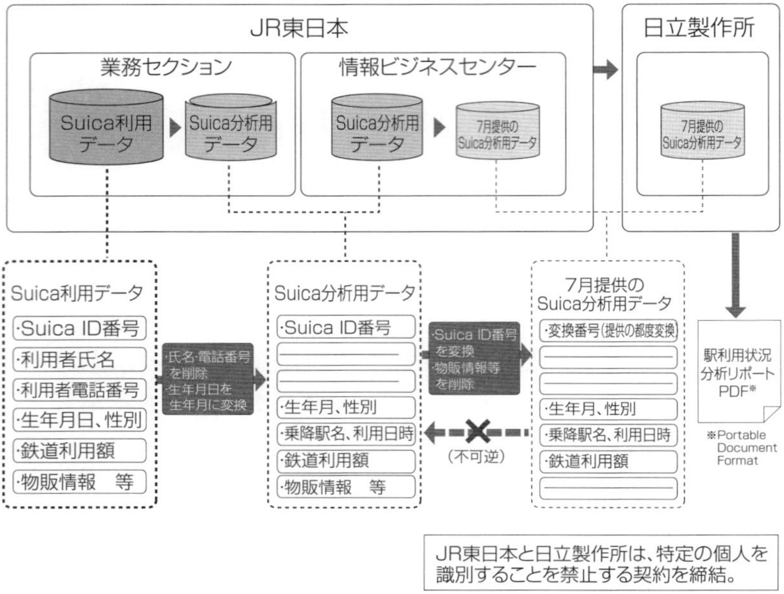

＊Suicaに関するデータの社外への提供についての有識者会議「Suicaに関する
　データの社外への提供について　中間とりまとめ」(2014年2月) 8頁。

レット上の広告サービスの一部で、付属のカメラを用いた性別判定機能を用いて広告配信を行っていたが、当該判定に利用した画像は性別の判定後、サーバーに送信されることなく端末内で即時削除され、端末・サーバーを問わず一切保存されておらず、他の目的に利用されたこともなかった。これに関して、2018年11月に、個人情報保護委員会より、同機能で用いられるカメラ画像を個人情報として扱うべきという見解とともに、お客様向け通知公表対応について、「そのカメラの存在及びこれにより個人情報を取得することについてわかりやすい説明を徹底し、適正に個人情報を取得するとともに、利用目的の通知や公表を適切に行うこと」との指導を受けた。かかる指導を受けた後の検討の結果、同社は、機能提供は継続しつつ、2019年4月上旬までに車内タブレット上においてカメラの存在・利用目

【図表5-26】大阪ステーションシティにおける実証実験

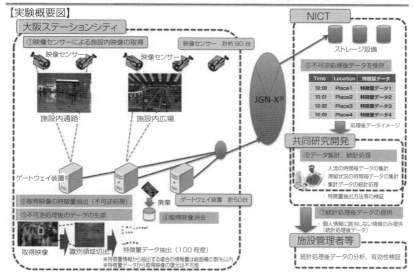

的を表示するという方針を2018年12月中に決定したが、2019年4月に至るまで改善策が実施されていなかったことについて、2019年9月に個人情報保護委員会より再度の指導を受けた。

(4) 万引防止対策の例

従前から万引犯の防犯カメラ映像を本人の同意なく公表したり、他店と共有して顔認識機能で来店客と照合するシステムについて、個人情報保護法や、名誉毀損・プライバシーとの関係で問題となっていた。このような顔認識システムに関して、2018年12月にGLQ&Aが更新され、カメラ画像や顔認証データを体系的に構成して個人情報データベース等を構築した場合、個々のカメラ画像や顔認証データを含む情報は個人データに該当することを明確にした。そして、防犯目的のために、万引き・窃盗等の犯罪行為や迷惑行為に対象を限定した上で、顔認証システムを導入して顔認

証データを含む個人データを用いようとする場合には、特定された利用目的の達成のために必要最小限の範囲内において顔認証システムへの登録を行い、個人データを正確かつ最新の内容に保つ必要があること、具体的には、各事業者においてどのような基準でデータベースに登録するか社内ルールを設定し、誤登録等を防ぐための適切な措置として、例えば被害届の有無により判断を行うなど客観的に犯罪・迷惑行為が確認されるケース等に限定するとともに、事業者内で責任を有する者により登録の必要性と正確性について確認が行われる体制を整えること等が重要であると指摘している（GLQ&A1-15）。また、防犯目的のために取得したカメラ画像・顔認証データを共同利用しようとする場合には、共同利用されるカメラ画像・顔認証データ、共同利用する者の範囲を目的の達成に照らして真に必要な範囲に限定することが適切であるとして、防犯目的の達成に照らし、共同利用される個人データを必要な範囲に限定することを確保する観点からは、例えば共同利用するデータベースへの登録条件を整備して犯罪行為や迷惑行為に関わらない者の情報については登録・共有しないことが必要としている（GLQ&A7-50）。さらに、防犯目的のために登録された顔認証データ等が保有個人データである場合、開示請求がなされた場合には、保有個人データの開示義務の例外事由に該当しない限り、開示請求に適切に対応する必要があることや、訂正等請求や利用停止等の請求が行われた際にも、法令に基づき適切に対応する必要があることも明記されている（GLQ&A9-13）。

(5) 破産者マップの例

破産手続開始決定の公告として官報に掲載された破産者等の個人情報を取得するにあたり、利用目的の通知・公表を行わず、当該個人情報をデータベース化した上、第三者に提供することの同意を得ないまま、これをウェブサイトに掲載していた2事業者に対して、個人情報保護委員会が、ウェブサイトを直ちに停止した上、前記利用目的の通知・公表を行うとともに、その個人データを第三者に提供することの同意を得るまでは、同ウェブサイトを再開してはならない旨の勧告を行ったが、対応期限の日までに措置が講じられなかったため、2020年7月29日に、当該勧告に係る措置をとるべきことを命令した。

この事例を踏まえて、令和2年改正法では、不適正利用の禁止の規定が定められることとなった。

(6)　リクナビの例

　リクルートキャリアが運営する就活サイト「リクナビ」におけるサービス「リクナビDMPフォロー」で、対象となる学生の方の選考離脱や内定辞退の「可能性」を示すサービスを提供していた。かかるサービスでは種々の問題点が指摘されているが、代表的なものとしては、Cookieの提供の問題と、同意取得の問題がある。具体的には、アンケートスキーム（【図表5-27】）とプライバシーポリシースキーム（【図表5-28】）と呼ばれるものがあり、アンケートスキームは、アンケートサイト側の就活生ごとの管理IDとリクナビでの「業界ごとの閲覧履歴」を、Cookieを使って結びつける仕組みであり、リクルートキャリアは、内定辞退率の提供を受けた企業側において特定の個人を識別できることを知りながら、提供する側では特定の個人を識別できないとして、個人データの第三者提供の同意取得を回避していた。また、プライバシーポリシースキームでは、顧客企業がハッシュ化した氏名やメールアドレス、大学・学部名といった就活生の個人データをリクルートキャリアに提供し、「ハッシュ化すれば個人情報に該当しないとの誤った認識」に基づき、就活生の同意を得ずに個人データを受け取り、突合のうえ、算出した内定辞退率データを顧客企業に提供していた。

　個人情報保護委員会は、リクルートキャリアに対して、2019年8月26日に勧告および指導を行い、さらに、同年12月4日付で、リクルートおよびリクルートキャリアに対して勧告するとともに、同サービスの利用企業に対しても指導を行った。

(7)　LINEの例

　LINEは、同社サービスにおけるコンテンツのモニタリング業務を行うための社内ツールであるLINE Monitoring Platformを含む各種システムの開発・保守業務を、中国子会社に委託する等しており、当該業務委託においては、業務の過程で個人データを取り扱い得ることから、当該業務に必要な範囲におけるアクセス権限を付与したうえで、個人データの取扱いも委託していた。これに関して、個人情報保護委員会は、外国にある第

第 5 章　パーソナルデータに関する法律

【図表 5-27】＜アンケートスキーム＞「リクナビ DMP フォロー」2019 年 2 月以前の仕組み

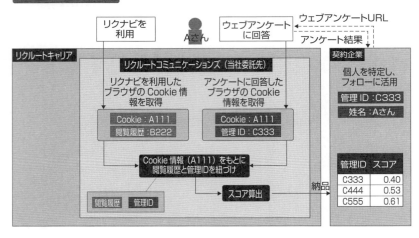

【図表 5-28】＜プライバシーポリシースキーム＞「リクナビ DMP フォロー」2019 年 3 月以降の仕組み

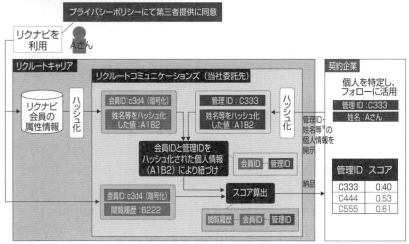

※「姓名」に加え、「メールアドレス」「大学、学部、学科」が含まれます。

三者への個人データの提供の制限との関係では違法性はなかったとする一方で、同社が委託等した個人データは秘匿性が高く、数量も多いことから、不適切な取扱いが生じた場合の影響も大きいとして、それに応じた高い安全管理措置が必要であり、この観点から改善を要する事項が認められる事項について指導を行った。

Ⅳ　パーソナルデータの利活用

　近時、集積したデータを AI で分析して活用する事例が増加しており、AI の精度を高めるにはデータの質と量の両方が必要となる。そのため、自らが保有するデータだけでなく、他社のデータを利用することで、より効果のある分析ができる場合も少なくない。また、AI を利用する場合に限らず、同業・異業種を問わずに相互に保有するデータを有効活用するための企業提携も増加しており、競争力を確保するために、共通ポイントなど他社と提携したサービスも多い。同一企業内の店舗であれば個人データを共有することに個人情報保護法上の制約はないが、グループ企業（親子会社・兄弟会社等）や法人格として別会社のフランチャイズ店同士、あるいは共通ポイントカードを発行する異なる事業者の間で個人データを共有すると、第三者提供に該当してしまうことになる。このように複数の企業で利用しようとするデータの中に「個人データ」に該当するパーソナルデータが含まれる場合に、事業者側がとることができる選択肢は、①本人からあらかじめ同意を取得する、②オプトアウト手続をとる、③委託スキーム、④共同利用スキーム、⑤匿名加工情報、⑥統計情報にする、⑦容易照合性をなくして個人情報ではなくす、のいずれかとなる。もっとも、⑥統計情報は、集団化された情報であり、個人との結びつきが切断されており、もはや個人情報とはいえず、⑦も個人情報ではないことから、以下では、①〜⑤について述べる。

1　個人情報保護法上の各手法の比較

　上記の各手法のうち⑤匿名加工情報については①〜④とは情報の粒度が異なるので、そのような情報でも利用価値がある場合に限られるが、生

第5章　パーソナルデータに関する法律

【図表 5-29】各共有方法（国内）の比較表

	本人同意	オプトアウト	委託	共同利用
本人同意の要否	○	×	×	×
利用目的における記載の要否	×	○	×	○
通知・公表の要否	×	○	×	○
個人情報保護委員会への届出の要否	×	○	×	×
確認、記録作成・保存義務の有無	○	○	×	×
監督義務の有無	×	×	○	×
要配慮個人情報の提供の可否	提供可	提供不可	提供可	提供可

　データを利用しようとする場合には、①〜④のいずれかの方法をとる必要がある。これらを比較すると【図表 5-29】のようになる。

　①本人からあらかじめ同意を取得するという方法については、これからポイントサービス等を始める場合には、顧客が最初にサービスを利用する際に第三者提供の同意を取得しておくことは可能であるが、すでに提供を始めているサービス等で相当数の顧客がいる場合に、それらの顧客から過去に取得した情報を利用するために全員から同意を得ることは、実務的にワークしないことが多いであろう。また、②オプトアウト手続による場合には、一定の事項を本人に通知する等して個人情報保護委員会に届け出ることが必要となる上に、オプトアウト要求への対応等も必要となるので、それなりに事務手続の負担が増える。なお、①②いずれの場合についても、事業者はトレーサビリティとして確認・記録保存の義務を負う［→ 10］。

　これに対し、委託スキーム、共同利用スキームであれば、そういった問題を回避することができる。前記①②と比べると、③個人データの取扱いを委託する場合、あるいは④個人データを共同利用する場合には、記録作成・保存義務はなく比較的事務負担は軽い。以下では、複数企業間でデータを利活用しようとする場合に、委託スキームをとる場合と、共同利用スキームをとる場合のそれぞれのメリット・デメリットについて検討する。

(1) 委託スキーム

　委託スキームの場合には、例えば、フランチャイズ加盟店の事業者間で

顧客情報を分析してマーケティングを行うような場合には、顧客データの取扱いについて、顧客データを直接取得する加盟店A社、B社、C社からフランチャイズ本部のX社に顧客データの処理を委託し、X社から解析結果を本部から各フランチャイズ店に報告するという整理をすることが考えられる。

共同利用と比較した場合に、委託の場合のメリットとしては、利用目的への記載や委託すること自体の通知・公表が不要という点が挙げられる。

もっとも、委託の場合には、委託先に対する監督義務がある点と、委託の目的以外に利用できないという点がデメリットである。すなわち、委託者であるフランチャイズ加盟店（A社、B社、C社）それぞれが委託先であるフランチャイズ本部（X社）を監督する必要があるが、個々の加盟店が本部を定期的に監査することは、加盟店の人的・物的リソースを考えると現実的ではないように思われる。これがフランチャイズではなく、グループ企業間や共通ポイントカードを発行する事業者同士である場合には、監督自体はできるかもしれない。また、前記Ⅱ3(3)(B)(iv)で述べた通り、委託に伴って個人データが提供される場合、委託された業務以外に当該個人データを取り扱うことはできないことから、例えば、委託の内容と関係のない自社の営業活動等のために利用することはできず、また、複数の事業者から個人データの分析の委託を受け、それぞれの事業者から提供を受けたデータを混ぜて分析することはできない。したがって、X社は、A社、B社、C社のデータを統合して分析等することはできず、そのようなデータの利活用をする場合には、個別に本人の同意を取得するか、それが困難な場合には、委託よりも共同利用のほうが望ましい場合が多いように思われる。

(2) 共同利用スキーム

共同利用スキームの場合には、参加企業に監督義務がなく、他の参加者との間で個人データを直接やりとりできるというメリットがある一方で、通知等が必要になることに加えて、共同利用者が一定の範囲に限定されることや、過去に取得したデータを共同利用する場合には取得時の利用目的の範囲に限定されるというデメリットがある。

具体的には、共同利用の場合には、①共同利用すること、②共同して利

用される個人データの項目、③共同して利用する者の範囲（共同利用者）、④利用する者の利用目的、⑤個人データの管理について責任を有する者の氏名・名称について、あらかじめ本人に通知、または本人が容易に知り得る状態に置く必要がある。特に、③の「共同して利用する者の範囲」が実務的には問題になると考えられる。

「共同して利用する者の範囲」とは、前記 II 3 (3)(C)(i) で述べた通り、範囲が明確であれば、必ずしも事業者の名称等を個別にすべて列挙する必要はないとされているが、本人がどの事業者まで将来利用されるか判断できるようなものでなければならないとされている。例えば、グループ間企業やフランチャイズ店のような同業者であれば予見しやすいと思われるが、異業種間の共通ポイントカードなどの場合には、まったく異なる業種の事業者が参加することもあり得る。そのため、後からその仕組みに参加する企業が、「共同して利用する者の範囲」に含まれない場合も考えられる。そのような場合には、共同利用者の範囲の変更はできないことから、改めて共同利用の手続をとる必要がある[注241]。なお、従前経済産業省の「個人情報の保護に関する法律についての経済産業分野を対象とするガイドライン」（2017年5月3日廃止）に共同利用を行うことがある事例として記載されていた「企業ポイント等を通じた連携サービスを提供する提携企業の間で取得時の利用目的の範囲内で個人データを共同利用する場合」が、GL通則編 3-6-3(3) の事例では削除されている。この点について、GL通則編の意見募集結果[注242]では、「法令で求められる条件を全て満たしている場合には、共同利用に該当し得ると考えられます」としており、該当しない場合もそれなりにある（したがって、事例として記載することが適当ではない）という考え方をしているように思われる。

また、特定の事業者が取得済みの個人データを他の事業者と共同して利用する場合には、すでに個人データを取得済みの事業者が個人情報保護法17条1項により特定した利用目的の範囲内で共同利用しなければならない。

注241) 個人情報保護委員会事務局・前掲注15) No.552。
注242) 個人情報保護委員会事務局・前掲注15) No.545。

このように、どちらの方法も一長一短があるので、実際には、そのビジネスに合わせてどの方法が最も簡便かつ理解が得られるかをケースバイケースで判断していくほかないであろう。あまりに複雑すぎるスキームや見えないところでの情報のやりとりも B to C ビジネスにおいては消費者の不信感を招きかねない。もともとの利用目的に第三者提供が含まれている場合には、オプトアウト方式によることを検討すべき場合もあるであろう。

2　情報銀行

パーソナルデータの円滑な流通・利活用を実現するための仕組みとして、近時、情報銀行が注目されている。情報銀行は、総務省・経済産業省が設置した「情報信託機能の認定スキームの在り方に関する検討会」が、2018 年 6 月に「情報信託機能の認定に係る指針 ver1.0」を公表し、これを受けて、一般社団法人日本 IT 団体連盟が、同年 12 月から認定団体として情報銀行の認定申請の受付を開始した。その後、2019 年 6 月に情報銀行の認定第 1 号（P 認定）が誕生する一方で、検討会における同指針の見直しについての検討は継続されており、同年 10 月 8 日に指針 ver2.0 が、2021 年 8 月 25 日に指針 ver2.1 が公表されている。

当初、情報銀行とは、「個人とのデータ活用に関する契約等に基づき、PDS 等のシステムを活用して個人のデータを管理するとともに、個人の指示又は予め指定した条件に基づき個人に代わり妥当性を判断の上、データを第三者（他の事業者）に提供する事業」と定義されていたが、2019 年のとりまとめにおいて、情報銀行は「実効的な本人関与（コントローラビリティ）を高めて、パーソナルデータの流通・活用を促進するという目的の下、本人が、信頼できる主体に個人情報の第三者提供を委任するというもの」と基本的な考え方を整理し直している。情報銀行の機能としては、①個人からの委任を受けて、当該個人に関する個人情報を含むデータを管理するとともに、当該データを第三者（データを利活用する事業者）に提供するものであり、個人は直接的又は間接的な便益を受け取ること、②本人の同意は、情報銀行から提案された第三者提供の可否を個別に判断する又は情報銀行から事前に示された第三者提供の条件を個別に／包括的に選

択する方法により行うこととされており、第三者提供に係る個人の同意をベースに個人情報を利活用するための仕組みであるといえる。

　このような情報銀行は、消費者目線の対応として、個人のコントローラビリティを高めることを基本として、個人にとって信頼できる存在であることに加え、何らかの対価が提供されることにより、個人が自らの情報を提供するインセンティブを確保する仕組みとして期待されている。かかる対価をどのように設計・設定して、情報銀行に個人情報を集めることができるかが1つの重要な課題となると思われる。

　また、指針 ver1.0 では認定の対象とされていなかった「クレジットカード番号」「銀行口座番号」「要配慮個人情報」のうち、指針 ver2.0 ではクレジットカード番号および銀行口座番号が対象とされた。また、指針 ver.2.1 では要配慮個人情報に該当しない健康・医療分野の個人情報を対象としつつ、要配慮個人情報に該当する情報の取扱いについて、対象情報や同意・審査要件等を継続的に検討し、認定指針の改定を行うことが望ましいとされており、その対象も広がりつつあることから、データ利活用の手法として今後の議論が注目されるところである。

第6章
データと独占禁止法

　本章では、データの利活用に当たって独占禁止法との関係で理解しておく必要のある事項として、以下について解説する。
　(1)　基本的考え方
　データの収集や利用自体は競争促進的な行為であり、競争政策上は望ましいと考えられる一方で、一定の行為により競争が制限される可能性もある。基本的な視点としては「行為×状況」を意識しつつ、データの性質・特徴を踏まえた検討が必要である。
　(2)　独占禁止法上問題となり得る行為類型
　データを活用するビジネスにおいて、具体的に独占禁止法上問題となり得る行為等について、①不当なデータ収集、②データの不当な囲い込み（アクセス拒絶）、③不公正なデータ取引の条件、④カルテルの類型ごとに解説する。これらの行為類型を検討するに当たっては、データの状況を具体的に検討しつつ競争上の影響の評価を行う必要がある。また、データの取扱い等は、技術の発展によって常に変動しており、競争上の問題点もそれに応じて変化していく点には注意が必要である。
　(3)　企業結合
　データの希少性、代替性の有無等を踏まえた、企業結合審査における留意点について解説する。
　(4)　プラットフォーム規制
　近時プラットフォーム規制として立法された、特定デジタルプラットフォームの透明性および公正性の向上に関する法律、および取引デジタルプラットフォームを利用する消費者の利益の保護に関する法律について概説する。

第 6 章　データと独占禁止法

I　基本的考え方
1　「行為×状況」

　データと独占禁止法の問題は、近年活発に議論されている問題であり、デジタル世界の新たな石油と呼ばれるビッグデータに関して、さまざまな検討がなされている。例えば、データ取引当事者間で、他方当事者の生成した派生データに係る権利を一方的に自己に帰属させることを条件とするような場合や、自らとのみデータ取引を義務付けられてしまうような場合に、事業遂行に支障が生じてしまうことはないだろうか。これらはいずれも独占禁止法上問題となり得る行為であるが、本章では、どのような行為がどのような考え方に基づいて独占禁止法に抵触することとなるのかについて、解説する。

　このデータと独占禁止法の問題に関する政府機関における主要な議論としては、以下のものが挙げられる。

- 2017 年 6 月 6 日に公正取引委員会競争政策研究センターから公表された「データと競争政策に関する検討会報告書」（以下、「**データと競争政策報告書**」という）において、ビッグデータの事業活動への投入財としての利活用に焦点を当てた議論がなされている。
- 同月 28 日に経済産業省から公表された「第四次産業革命に向けた競争政策の在り方に関する研究会報告書〜Connected Industries の実現に向けて〜」（以下、「**経産省競争政策報告書**」という）においても、ビジネス類型ごとに独占禁止法の考え方が示されている。
- 2019 年 7 月 10 日に公正取引委員会競争政策研究センターが公表した「業務提携に関する検討会報告書」（以下、「**業務提携検討会報告書**」という）では、業務提携が競争に与える影響について、独占禁止法の考え方を整理しており、その中で、業種横断的データ連携型業務提携についても検討している。
- 2021 年 6 月 25 日に公表された「データ市場に係る競争政策に関する検討会報告書」（以下、「**データ市場競争政策報告書**」という）では、データの利活用やプラットフォームに係る仕組みの構築等を検討する

に当たり、競争政策上の課題や望ましいと考えられる事項について検討がなされている。

　基本的には、データの集積・利活用は、競争を促進し、イノベーションを生み出す効果があることから、データの収集や利用自体は競争促進的な行為であり、競争政策上は望ましいと考えられる。他方で、データの不当な収集や囲い込みによって、競争の制限をもたらし得るので、一定の行為により競争が制限される可能性もある。

　そのように競争が制限される可能性のあるデータの取扱い等が独占禁止法に抵触しないかという点については、基本的には従前の枠組みで対応が可能と考えられているが、データの性質・特徴等も考慮に入れた上で、これらの規制に該当しないかという観点から検討する必要がある。その際の視点としては、「行為×状況」という点を意識する必要がある。すなわち、①特定の「行為」があった上で、②当該行為がどのような「状況」の下で行われているのかを検討し、現に競争が阻害されているといえる場合に、独占禁止法上問題となる。したがって、同じ「行為」が行われていたとしても、「状況」次第で競争政策上の評価は変わり得る[注1]。例えば、市場シェアの低い事業者が行う場合には競争上問題のない行為であっても、同じ行為を市場シェアが非常に高い状況の下で行えば排他的な行為として問題となり得るし、ある事業者が市場を独占している状況が生じても、それが公正な競争行為の結果として市場シェアを拡大したのであれば、何の問題もない。

2　データの性質・特徴に基づく競争上の懸念点

　データの性質・特徴に基づく競争上の懸念としては、以下のようなものが挙げられる。

　まず、IoTやAIの技術等が高度化し、パーソナルデータあるいは産業データをビジネスに利活用することにより、より効率的な消費者へのアプローチや、生産性の向上等が期待できることから、どの事業者もデータの収集・利用を公正かつ自由な競争環境で行えることが必要となる。データ

注1）経産省競争政策報告書14頁。

の利活用そのものは、革新的な技術を生み出したり、消費者が便利に利用できる物事が増えることになるという意味では競争促進的である。他方で、大量のデータが一部の事業者に集中することとなる場合には、消費者の利益が損なわれるおそれもある。具体的には、**第1章Ⅰ4**で述べたデータの特徴を踏まえて、データ駆動型社会におけるパーソナルデータ、産業データの収集・利活用に関して、ネットワーク効果による新規参入者のデータ収集の困難性、プラットフォームへのロックイン状態、それらに基づく市場支配力の維持、データポータビリティの必要性等の競争上の懸念が指摘されている[注2]。

上記の「**ネットワーク効果**」とは、ある人がネットワークに加入することによって、その人の効用を増加させるだけでなく他の加入者の効用も増加させる効果をいう。これには直接的な効果と間接的な効果があり、直接的な効果としては、同じネットワークに属する加入者が多ければ多いほど、それだけ加入者の効用が高まる効果である。間接的な効果は、例えば、二面市場のプラットフォームの一方の側のユーザ数が増えることにより、他方の側のユーザの便益が増えることなどが挙げられる[注3]。

このような効果が生じる結果として、独占禁止法上、新規参入者がこれと同様のデータを収集することはビジネス的には現実的ではないのではないかという懸念や、デジタル・プラットフォームにおけるサービスが、有償・無償にかかわらず市場支配力を有することとなり、サービスの利用者が他の類似サービスに切り替えることが困難となるという問題が生じ得る（いわゆる「**ロックイン**」）。ここにいう「**市場支配力**」とは、特定の事業者等が「その意思で、ある程度自由に、価格、品質、数量、その他各般の条件を左右することによって市場を支配することができる」力をいうが[注4]、このようにあるサービスにロックインされている状況においては、当該サービスに関する取引条件や利用条件が不利益に変更されても、利用者は当該不利益を甘受せざるを得ない可能性があり、そのような場合には、

注2）データと競争政策報告書13頁-15頁・17頁-19頁以下。

注3）小田切宏之『イノベーション時代の競争政策──研究・特許・プラットフォームの法と経済』（有斐閣、2016）228頁。

注4）幕田英雄『公取委実務から考える独占禁止法』（商事法務、2017）21頁。

データポータビリティが確保されないと、より市場支配力が維持されやすくなる。

　他方で、ネットワーク効果は、ユーザ喪失の場面では逆の意味で作用する。すなわち、ある一面の市場のユーザ数の減少が、他面の市場における便益の低下とユーザ数の減少を招来し、結果的に支配的地位や市場支配力の喪失にもつながることになる[注5]。さらに、非常に早く多くのユーザを引き付ける新しい商品が登場すれば、これまでの市場先導者を交代させることになることから、イノベーションの速度が速ければ競争者の拡大を容易にするという効果も有することになる[注6]。

　上記のようなデジタル・プラットフォームにおけるネットワーク効果については、パーソナルデータに関して論じられることが多いが、産業データについても同様に当てはまる。また、産業データに関しては、センサー等でデータを収集する経路が技術的、経済的または法的に限定される場合（例えば、参入規制がある事業分野等）があり、それが市場支配力につながる可能性があることが指摘される。また、人口知能（AI）を学習させるために必要となる希少性が高いデータやそのようなデータから派生するデータをはじめ、価値の高いデータについて、第三者による不当な収集（例えば、共同研究開発で得られたデータの権利をすべて自らに帰属させることを条件とする等）が行われる可能性があることに加えて、他社によるAIの模倣は困難であること等から、個別の工場やコールセンター等でAI（学習済みモデル）の利用を開始した後に、他社のAIにスイッチすることが困難となる場合がある（ベンダロックイン）ことも問題となり得る。さらに、解析技術などの要素技術を保有している事業者により、当該要素技術の提供条件として、他の要素技術保有者との取引を制約するといった競争制限的な条件が付されるといった懸念も指摘されている。

注5）伊永大輔ほか「多面市場・プラットフォームビジネスと競争法」公正取引806号（2017）35頁。
注6）田中裕明「ビッグ・データと競争法（Big Data und GWB）」公正取引817号（2018）50頁。

第 6 章　データと独占禁止法

　以上のような懸念に加えて、データを活用したビジネスを展開する際に、①データを集積する仕組みをどのように構築するか、②集積したデータを用いてどのような付加価値を生み出すかという点も重要となる。これまでインターネット上のバーチャルの世界であったものが、IoT 機器や AI の普及により工場機械やヘルスケアデータなどのリアルデータの収集・分析が可能になり、さらにそれを現場にフィードバックして改善していくというサイクルとなることで、新たな付加価値の源泉もリアルデータの集積にシフトしている点にも注視していく必要がある。

II　独占禁止法に基づく分析・検討に当たっての考え方

1　市場画定

　あるデータに関する取引について独占禁止法上の問題を検討するに当たっては、まず「市場」の範囲をどのように考えるかが問題となる。「**市場**」とは、独占禁止法上の「競争」（独禁 2 条 4 項）が行われる場であり、私的独占、不当な取引制限、企業結合規制等の前提となる「**一定の取引分野**」と同義である[注7]。そして、「一定の取引分野における競争を実質的に制限すること」となる場合には私的独占や不当な取引制限として禁止されることとなるため（独禁 3 条・2 条 5 項・6 項）、この「一定の取引分野」すなわち「市場」は、これらの規制の適用範囲を決定するために重要な意味を有することになる。なお、不公正な取引方法については、法令上の定義では市場の範囲の特定が含まれていないが、その要件である公正競争阻害性［→ 2 ］の判断においても市場画定が必要であると解されている[注8]。

(1)　市場の範囲の考え方

　この市場（一定の取引分野）の範囲の考え方について、公正取引委員会が公表している「企業結合審査に関する独占禁止法の運用指針」（2019 年

注 7）　公取委審判審決平成 15・6・27 平成 10 年（判）28 号審決集 50 巻 14 頁（郵政省発注区分機類談合排除措置事件）、最判平成 22・12・17 民集 64 巻 8 号 2067 頁（NTT 東日本 FTTH サービス事件最高裁判決）参照。
注 8）　白石忠志＝多田敏明編著『論点体系独占禁止法〔第 2 版〕』（第一法規、2021）14 頁〔滝澤紗矢子〕。

12月17日改定。以下、「**企業結合ガイドライン**」という）では、市場は、「**商品（役務提供も含む。）**」および「**地理的範囲**」をもって画定され、基本的には需要者にとっての「**代替性（需要代替性）**」の観点から判断されるものの、必要に応じて供給者にとっての代替性の観点も考慮される[注9]。一般に、需要者にとっての代替性の程度は、商品の効用等の同種性の程度（「**商品**」の範囲）、需用者および供給者の行動や当該商品の輸送に係る問題の有無（「**地理的範囲**」）等について関係事業者、消費者から得られる情報に基づいて判断できる場合が多い[注10]。企業結合ガイドラインでは、商品の効用等の同種性の程度について、以下の事情が考慮される[注11]。

① ある商品が取引対象商品と同一の用途に用いられているか（または用いることができるか）
② 価格水準の違い、価格・数量の動き等
③ 需用者の認識・行動

　このような市場画定についての考え方は、データの収集・利活用に関する取引についても、原則として他の商品一般と異なるところはないと考えられている。したがって、検討対象となる商品・サービス等について、基本的には、需要者にとっての代替性という観点から、必要に応じて供給者にとっての代替性という観点を加えて、商品・サービス等の範囲および地理的範囲について市場が画定されることになる[注12]。その際に、通信サービスやインターネット付随サービスにおける「商品」の範囲については、利用可能なサービスの種類・機能等の内容面の特徴、音質・画質・通信速度・セキュリティレベル等の品質、使用可能言語・使用可能端末等の利便性などが考慮され、「地理的範囲」については、需要者が同一の条件・内容・品質等で供給者からサービスを受けることが可能な範囲や供給者からのサービスが普及している範囲などが考慮される[注13]。

注9）白石＝多田編著・前掲注8）307頁［中山龍太郎＝堀美穂子］。私的独占について NTT 東日本 FTTH サービス事件最高裁判決参照。
注10）データと競争政策報告書25頁。
注11）企業結合ガイドライン第2の1〜3。
注12）データと競争政策報告書25頁。
注13）企業結合ガイドライン第2の2および3。

第6章　データと独占禁止法

　もっとも、一般に、データの取引では、輸送面での制約がほぼゼロであり、既存の用途から他の分野へ転用される可能性がある。そのため、その内容等が地理に固有の特性・性向を持たず、国内のみでなく国外でも需要が存在するデータについては、地理的範囲は国境を越えて広い範囲で成立することがあると考えられている。このことは、画像認識、解析等、言語や行動面での地理的制約を伴わない技術についても同様である[注14]。したがって、事業者の所在については国内外を問わず、日本の市場に影響のある行為があれば独占禁止法の適用対象となる。

(2)　多面市場／無料市場

　一般の取引市場であれば、前記のような考え方によって市場を画定することができるが、大量に集積・収集したデジタルデータをAIで解析し、それをビジネスに活用するデジタル・プラットフォーム事業者が運営するプラットフォームでは、例えば、ウェブ検索サービスの広告主とユーザ、シェアリングプラットフォームの提供者と利用者などのように、いわゆる多面市場を構成している。多面市場を構成しているのはプラットフォーム事業者に限らず、流通取引であれば川上・川下両面の二面市場となることは珍しくないが、デジタル・プラットフォームにおいては、川上事業者（例えば、広告主）に提供されるサービスと川下事業者（例えば、検索利用者）に提供されるサービスが大きく異なり得ることから、両市場を意識的に区別して明示的に検討する必要性が高まる[注15]。

　この点について、デジタル・プラットフォームにおいては、ある市場ではSNSをはじめとする金銭的対価を伴わない無料サービスが消費者等に提供される一方で、他の市場（例えば、オンライン広告市場）では金銭的対価を得ている場合が多い。その場合には、無料サービスに関してプラットフォーム間において価格競争は行われていないが、サービスの品質を巡って非価格競争が行われている。このように、価格以外の競争変数（価格、品質、数量、その他各般の条件の総称）が重要となるような類型も存在し、それは品質の一環としてのプライバシー保護の取組みの状況であった

注14）データと競争政策報告書25頁-26頁。
注15）長澤哲也「プラットフォームと流通・取引慣行ガイドライン」ジュリスト1508号（2017）23頁-24頁。

り、技術革新（イノベーション）であることもある[注16]。

　かかる無料サービスについて市場と捉えることができるかという点が問題となるが、無料サービスであっても、当該競争が阻害される可能性が認められるのであれば、その競争の場を「市場」として考えることが適切な場合があり、金銭的対価を伴わない無料サービスの取引が行われる場を、多面市場を構成する1つの市場、すなわち無料市場として画定することが可能と考えられている[注17]。この無料市場の画定については、検討対象のサービスの用途や、サービスに対する需要者の認識・行動（消費者がどのような他のサービスを代替的な選択と考えているのか、選択基準は何か等）を消費者等に対して調査することにより、需要者にとっての代替性を相当程度、客観的に明らかにできることが多い[注18]。2015年のヤフー株式会社による株式会社一休の株式取得に係る審査においても、①異なる2つ以上の利用者層が存在すること、②異なる利用者間の取引を仲介する機能を持つ場等を提供するプラットフォームが存在すること、および③間接ネットワーク効果が存在すること、という3要素を有する市場を「双方向市場」として検討し、オンライン飲食店予約サービス業に関して、「ユーザーに対しては、登録飲食店の多寡又は質による獲得競争を行っていると考えられる」として、非価格競争が行われていることを前提としている[注19]。

　このような多面市場は、独占禁止法上はそれぞれを異なる市場として一応区別して検討することが重要であるが、いずれかの市場における弊害の存在について検討する上で、相互の市場がいかなる影響を与え合っているかについても検討することが重要となる[注20]。企業結合ガイドライン第2の1においても、第三者にサービスの「場」を提供し、そこに異なる複数の需用者層が存在する多面市場を形成するプラットフォームの場合、基

注16）白石忠志『独占禁止法〔第3版〕』（有斐閣、2016）27頁-28頁。
注17）データと競争政策報告書29頁。
注18）データと競争政策報告書30頁。
注19）公正取引委員会「平成27年度における主要な企業結合事例について」（2016年6月8日）事例8。
注20）藤井康次郎＝角田龍哉「ビッグデータと単独行為」ジュリスト1508号（2017）43頁-44頁。

本的に、それぞれの需用者毎に一定の取引分野を画定し、多面市場の特性を踏まえて企業結合が競争に与える影響について判断することとしている。

2　競争減殺効果

(1)　競争の実質的制限／公正競争阻害性

　個々の行為が独占禁止法上の違反行為に該当するか否かは、データの収集・利活用に関して市場における競争が減殺されるか（またはそのおそれがあるか。いわゆる「**競争減殺効果**」）を分析・検討することになる。すなわち、独占禁止法において規制される私的独占、不当な取引制限および不公正な取引方法のうち、私的独占および不当な取引制限（典型的には、カルテルや談合等）においては、一定の取引分野における「競争を実質的に制限すること」（競争の実質的制限）を禁じており、競争減殺効果が発生することが要件とされる。かかる「**競争の実質的制限**」の意義については、「市場における競争自体が減少して、特定の事業者又は事業者集団が、その意思で、ある程度自由に、価格、品質、数量、その他各般の条件を左右することによって、市場を支配することができる形態が現れているか、又は少なくとも現れようとする程度に至っている状態をいう」などとされ[注21]、簡潔に、「市場支配力を形成・維持又は強化すること」と考えられている[注22]。

　これに対して、不公正な取引方法（共同の取引拒絶、抱き合わせ販売、排他条件付取引、再販売価格の拘束、拘束条件付取引や優越的地位の濫用等）においては、「公正な競争を阻害するおそれ」（いわゆる「公正競争阻害性」）等が禁止されており、競争減殺効果が生じる「おそれ」を要件としている[注23]。「**公正競争阻害性**」の内容は大きく3つに分類され、①自由競争の減殺の

注21）東京高判昭和26・9・19高民集4巻14号497頁（東宝・スバル事件判決）および東京高判昭和28・12・7高民集6巻13号868頁（東宝・新東宝事件判決）。

注22）幕田・前掲注4）21頁。なお、私的独占、不当な取引制限および企業結合における「競争の実質的制限」は、基本的には同じ意味である（白石・前掲注16）31頁）。

注23）公正競争阻害性を明文で規定しているのは独占禁止法2条9項6号だけであるが、同項1号から5号までに用いられている「正当な理由がないのに」および「不当に」の文言も、これと同義と考えられている（白石・前掲注16）341頁）。なお、公正取引委員会「知的財産の利用に関する独占禁止法上の指針」（2016年1月21日改定）（以下、「**知的財産ガイドライン**」という）第4の1(2)参照。

おそれ、②競争手段の不公正のおそれ、③自由競争基盤の侵害のおそれのいずれかを満たす場合をいい、不公正な取引方法の違反類型ごとに主として想定される公正競争阻害性も類型化されている[注24]。

これらの競争減殺効果について分析・検討する際には、一般に、以下の要素を総合的に勘案し、判断することになる[注25]。

① 問題となる行為の内容および態様
② 当該行為に係る当事者間の競争関係の有無
③ 当事者が市場において占める地位（シェア、順位等）
④ 当該市場全体の状況（当事者の競争者の数、市場集中度および取引される商品の特性、差別化の程度、流通経路、新規参入の難易性等）
⑤ 制限行為において制限を課すことについての合理的理由の有無
⑥ データ集積・利活用を積極的に行う意欲（投資インセンティブ）への影響

なお、競争減殺効果の分析・評価においては、上記②の通り、当事者の地位等が考慮要素とされるところ、この地位は市場におけるシェアが重要な考慮要素となることが多い一方で、データはその性格上、金額や数量によって比較することが困難な場合も多いことから、その取引における市場シェアを算定することも困難な場合がある。そのような場合には、当該データの特性に応じて、取得源の特徴（例えば、特定の産業機器のデータの取得を評価する際に、当該産業機器の保有台数やセンサーの設置台数）に基づいて当事者の地位を評価することも考えられる[注26]。

(2) データの状況に関する分析・検討

かかる競争減殺効果の分析・検討に当たって、データが競争力の源泉となっている製品・サービスの競争環境を把握するためには、「行為×状況」の「状況」に関して、市場におけるシェア等の「市場の状況」だけでなく、集積・活用に関する「データの状況」についても、段階的に検討する必要がある。

具体的には、①データの影響度、②集積可能性、③活用可能性という段

注24) 幕田・前掲注4) 147頁。
注25) データと競争政策報告書32頁。
注26) データと競争政策報告書27頁-28頁。

第6章　データと独占禁止法

【図表6-1】データの集積・活用における評価

段　階	分　類	概　要
①データの影響度合い（競争においてデータが重要か）	データがなくとも同様のサービス提供等が可能	基本的にデータの集積・活用自体が競争を制限するおそれは少ない。
	データが不可欠ではないが影響を与える	データを集積・活用することで生じる競争者との差を評価した上で、当該サービスの品質や価格に大きな影響を及ぼしていると認められる場合には、データの集積・活用が与える影響を検討する必要がある。
	データが必要不可欠	データの集積・活用の状況が競争環境に与える影響を考慮する必要がある。
②データ集積の可能性（どのようなデータが必要か、それは誰でも集積可能か）	(i)　アクセス可能性	競争者が自らデータを生成・取得できるか、または、他者のデータを入手できるか。 ➢通常、同様の事業を営む競争者であれば、同じようなデータにアクセスできる場合が多い。 ➢競争者による集積が困難となるほどの特別な経済上、契約上、法律上、技術上の制約があるか。
	(ii)　量の確保	競争者がサービス提供や価値の向上のために活用するために十分な量のデータを確保できるか。 ➢ネットワーク効果：サービス等の利用者の増加が当該サービス等の価値を向上させ、さらに利用者が増加するネットワーク効果が働いている場合、競争者が新たな顧客を獲得し追随することがより困難になる。 ➢スイッチングコスト：サービス等の利用者が他のサービス等に移ろうとした場合に要するコスト（利用履歴、過去に入力し記録させた情報、操作の習熟等）が高ければ、他の事業者から顧客が奪いにくく、データの集積・活用による追随が困難となる。（データポータビリティが確保されている場合には、スイッチングコストが低く、競争が起きやすい*)。） ➢ホーミングの状況：ユーザーが複数の同種のサービス等を並行的に利用する場合（マルチホーミング）、支配的なサービス等以外のサー

			ビス等も利用される可能性が高まるので、1つのサービス等のみ利用可能である場合（シングルホーミング）と比べれば、まとまった量のデータを確保しやすい＊＊）。
		(ⅲ) データの種類	➤サービス提供等のために複数のデータを掛け合わせる必要がある場合には、それぞれのデータについて前記(ⅰ)(ⅱ)を検討する必要がある。 ➤必要となるデータに代替性がある場合には、基本的には、データによる競争阻害は生じにくくなる。
③データ活用の可能性 （誰でもデータの活用が可能か）	(ⅰ) 活用可能性		競争者がデータを自ら活用するか、または、他者に委託する等により、サービス等の開発や価値の向上につなげることができるか。 ➤競争者による活用が困難となるほどの特別な経済上、契約上、法律上、技術上の制約があるか。
	(ⅱ) 活用による競争の可能性		活用によるサービス等の価値の向上がどのように起こるか、現にどの程度の差が開いているか。 ➤データはある一定の量を超えると価値の向上の度合いが小さくなっていくことが多い。 ➤「一定の量」が容易に達成できる程度である場合の方が、競争者が先行者に追随しやすい。

＊　EUのGDPRではデータポータビリティの権利が認められているが、日本の個人情報保護法においては、そのような権利は認められていない。データポータビリティについては、データ市場競争政策報告書において、消費者が自らの情報を十分にコントロールすることができるようになるという点において、データ保護につながるだけでなく、データの利活用を促し競争を促進することができることが指摘されている（データ市場競争政策報告書23頁・58－59頁）。もっとも、形式的にデータポータビリティが確保されているとしても、ネットワーク効果が強く働く場合などには、現実的に市場支配力を緩和する程度については、移管できるデータの範囲、出力できるファイル形式の柔軟性等に依存してケースバイケースである（データと競争政策報告書35頁）。また、データの取扱いについて、システムにおける仕様が異なるために同じように利用することができないとなると、スイッチングは困難となり、マルチホーミングは無意味となることから、異なるシステム間のインターオペラビリティ（相互運用性）を確保することが肝要である（データ市場競争政策報告書36頁・59頁）。

＊＊シングルホーミングの場合、例えばOSのようにそれに供給されるアプリケーションがプラットフォーム提供者間で共用できない場合には、支配的プラットフォーム提供者への集中が起きやすく、また参入を成功させるために必要な一定規模（「クリティカルマス」と呼ばれる）を新規参入者が達成することも困難となると指摘されている（小田切・前掲注3）234頁）。

階に分けて、①は競争においてデータが重要か、②はどのようなデータが必要か、それは誰でも集積可能か、③は誰でもデータの活用が可能かといった観点から検討する必要がある[注27]。例えば、①データの影響度について、競争においてデータが必要不可欠あるいは影響を与えるものであれば、データの集積・活用の状況が競争環境に与える影響を検討する必要がある。また、②集積可能性については、データへのアクセスが可能か、データを活用するために十分な量のデータを集めることができるか、どのような種類のデータか（代替性があるか等）を検討していくことになる。③活用可能性は、データを活用するに当たっての制約等を踏まえて検討することになる。かかる「データの状況」についての検討の方向性の概要を示すと【図表6-1】のようになる[注28]。

III 独占禁止法上問題となり得る行為類型

これまでデータに関して一般的に競争上の観点から問題となり得る点を見てきたが、データを活用するビジネスにおいて、具体的に問題となり得る行為等として、以下では、①不当なデータ収集、②データの不当な囲い込み、③不公正なデータ取引の条件、④カルテルについて検討する。これらの行為類型を検討するに当たっては、データの効果的な利活用については競争促進効果を有する側面もあることから、そのような効果も考慮した上で、前述したデータの状況を具体的に検討しつつ競争上の影響の評価を行う必要がある。また、データの取扱い等は、技術の発展によって常に変動しており、競争上の問題点もそれに応じて変化していく点には注意が必要である。

注27）経産省競争政策報告書15頁。
注28）経産省競争政策報告書16頁-20頁。

1　不当なデータ収集

(1)　単独でのデータ収集

(A)　取引先企業からのデータ収集

取引先企業からのデータ収集に関して独占禁止法上問題となり得る行為として、まずデータの取得・収集の場面について検討すると、例えば、①取引先企業との間で業務提携等の前提として必要な共同研究開発を行う場合において、当該共同研究開発によって得られたデータ・技術や、業務提携等により得られるデータ・技術のすべてを一方的に自らに帰属させることを条件とする場合、②当該取引先企業が提供したデータを当該業務提携以外の事業活動で利用することを合理的に必要な範囲を超えて制限する場合、③データ取引当事者間で、他方当事者の生成した派生データに係る権利を一方的に自己に帰属させることを条件とする場合などが挙げられる[注29]。

(i)　拘束条件付取引

拘束条件付取引」（独禁2条9項6号ニ、一般指定12項）とは、相手方とその取引の相手方との取引その他相手方の事業活動を不当に拘束する条件を付けて、当該相手方と取引することをいう。

上記のような共同開発・業務提携におけるデータの取得・収集に関する文脈ではないが、知的財産ガイドライン第4の5(6)は、ライセンスの場合における権利制限について以下のような考え方を示している。

> 「(6)非係争義務
> 　ライセンサーがライセンシーに対し、ライセンシーが所有し、又は取得することとなる全部又は一部の権利をライセンサー又はライセンサーの指定する事業者に対して行使しない義務[注17]を課す行為は、ライセンサーの技術市場若しくは製品市場における有力な地位を強化することにつながること、又はライセンシーの権利行使が制限されることによってライセンシーの研究開発意欲を損ない、新たな技術の開

注29）データと競争政策報告書36頁、業務提携検討会報告書55頁。なお、公正取引委員会「共同研究開発に関する独占禁止法上の指針」（2017年6月16日改正）（以下、「**共同開発ガイドライン**」という）第2-2(1)参照。

発を阻害することにより、公正競争阻害性を有する場合には、不公正な取引方法に該当する（一般指定第12項）。

ただし、実質的にみて、ライセンシーが開発した改良技術についてライセンサーに非独占的にライセンスをする義務が課されているにすぎない場合は、後記(9)の改良技術の非独占的ライセンス義務と同様、原則として不公正な取引方法に該当しない。

（注17）　ライセンシーが所有し、又は取得することとなる全部又は一部の特許権等をライセンサー又はライセンサーの指定する事業者に対してライセンスをする義務を含む。」

かかる考え方は、データそのものの帰属に関するものではないものの、研究開発の成果物に関する取扱いについての考え方であることから、上記①の例においても、同様に妥当する場合もあると考えられる[注30]。したがって、データについてのライセンシーの権利行使を制限することは、拘束条件付取引に該当する可能性がある。

この点に関して、データに希少性が認められるときは、一方的に権利帰属を要求する当事者の関連する市場における有力な地位を強化することにつながり得る、または、相手方企業の研究開発意欲を損ない、新たな技術の開発を阻害し得る場合があり、それによって市場における競争を減殺する可能性があると指摘されている[注31]。したがって、このような行為に公正競争阻害性が認められる場合には、拘束条件付取引に該当することとなると考えられる。

(ii)　**優越的地位の濫用**

また、当該一方的に権利帰属を要求する当事者（甲）が他方の当事者（乙）に対して優越的な地位にあることが認められる場合には、優越的地位の濫用に該当する可能性もある。

ここに「**優越的地位の濫用**」（独禁2条9項5号）とは、自己の取引上の地位が相手方に優越していることを利用して、正常な商慣習に照らして不

注30）データと競争政策報告書36頁-37頁。
注31）データと競争政策報告書36頁。

当に、取引の相手方に不利益となるように取引の条件を設定し、もしくは変更し、または取引を実施すること等をいう。

この点に関して、データ取引の文脈ではないが、役務委託取引ガイドライン[注32]では、ソフトウェア開発等の情報成果物作成の委託取引において、取引上優越した地位にある委託者が、受託者に対し、当該成果物が自己との委託取引の過程で得られたことまたは自己の費用負担により作成されたことを理由として、一方的に、これらの受託者の権利を自己に譲渡（許諾を含む）させたり、当該成果物、技術等を役務の委託取引の趣旨に反しない範囲で他の目的のために利用すること（2次利用）を制限する場合などには、受託者に不当に不利益を与えることとなりやすく、優越的地位の濫用として問題を生じやすいと指摘されている。かかる指摘に鑑みると、データ取引当事者間で取引上の依存関係があるなどの優越的な地位を有している者が、他方当事者の生成した派生データに係る権利を一方的に自己に譲渡等させる場合など、著しく均衡を失し、これによって他方当事者が不当に不利益を受けることとなる場合には、優越的地位の濫用の問題になり得ると考えられる[注33]。

この場合、優越的な地位にあるか否かは、甲との取引の継続が困難になることが乙の事業経営上大きな支障を来すため、甲が乙にとって著しく不利益な要請等を行っても、乙がこれを受け入れざるを得ないような場合であるかについて、①乙の甲に対する依存度、②甲の市場における地位、③乙にとっての取引先変更の可能性、④その他甲と取引することの必要性を示す具体的事実を総合的に考慮して判断されることになる[注34]。なお、甲が市場支配的な地位またはそれに準ずる絶対的に優越した地位である必要はなく、乙との関係で相対的に優越した地位であれば足りると解されている[注35]。

注32）公正取引委員会「役務の委託取引における優越的地位の濫用に関する独占禁止法上の指針」（2017年6月16日改正）（以下、「**役務委託取引ガイドライン**」という）第2の7。

注33）データと競争政策報告書37頁、業務提携検討会報告書55頁。

注34）データと競争政策報告書37頁、公正取引委員会「優越的地位の濫用に関する独占禁止法上の考え方」（2017年6月16日改正）（以下、「**優越的地位濫用ガイドライン**」という）第2の1および2。

(B) プラットフォーム事業者によるデータ収集
(i) 私的独占

前記Ⅰ2の懸念点において述べたように、デジタル・プラットフォーム事業者のサービスが、有償・無償にかかわらずすでに市場支配力を有し、他の類似サービスへの切替えが困難となっている（ロックインされている）ような状況であれば、当該サービスに関する取引条件や利用条件が不利益に変更されても、利用者は当該不利益を甘受せざるを得ない可能性がある。その結果として、当該デジタル・プラットフォーム事業者は、競争秩序に悪影響を及ぼすおそれを生じさせる、または、当該サービスに係るデータ収集に関する取引条件を利用者に不利益に変更し、当該データを利活用することで事業活動を行っている市場において市場支配力を形成、維持、強化することができる可能性がある[注36]。このような場合には、市場支配力を有するプラットフォーム事業者の行為が、私的独占により規制の対象とされることがあり得る。

なお、「**私的独占**」とは「他の事業者の事業活動を排除し、又は支配することにより、公共の利益に反して、一定の取引分野における競争を実質的に制限することをいう」（独禁2条5項）として、他の事業者に対する行為が問題とされており、プラットフォーム事業者の利用者に対する行為を直接の規制対象としていない点に留意が必要である。また、前述の通り、ユーザ喪失の場面においては、イノベーションの速度が速ければ競争者の拡大を容易にすることで、ネットワーク効果が逆の意味で作用し、支配的地位や市場支配力の喪失にもつながり得る点にも考慮する必要がある。

(ii) 優越的地位の濫用

また、プラットフォーム事業者による不当なデータ収集については、上記(1) A(ii)で述べた優越的地位の濫用の適用により規制されることがあり得る。優越的地位の濫用は、取引当事者間の相対的な関係に着目した規制であり、市場支配力そのものに着目しているものではないことから、市場支配力を有していないプラットフォームであっても問題となり得る点に留

注35) 優越的地位濫用ガイドライン第2の1。
注36) データと競争政策報告書38頁。

意が必要である。

　この点に関して、公正取引委員会は「デジタル・プラットフォーム事業者と個人情報等を提供する消費者との取引における優越的地位の濫用に関する独占禁止法上の考え方」（2019年12月17日）を公表した。かかる考え方によれば、優越的地位にあるデジタル・プラットフォーム事業者[注37]が、消費者から、その提供するサービスの対価として個人情報等の提供を受けている場合に、その収集・利用が個人情報保護法に抵触する態様のものである場合等には、当該収集・利用は優越的地位の濫用に該当し得る。具体的には、デジタル・プラットフォーム事業者は、消費者がデジタル・プラットフォーム事業者から不利益な取扱いを受けても、消費者がサービスを利用するためにはこれを受け入れざるを得ないような場合には、当該消費者に対する優越的地位にあると判断される。

　優越的地位にあるデジタル・プラットフォーム事業者による濫用行為の例としては、①利用目的を消費者に知らせずに個人情報等を取得・利用する行為、②利用目的の達成に必要な範囲を超えて、消費者の意に反して個人情報等を取得・利用する行為、③個人情報の安全管理のために必要かつ適切な措置を講じずに、個人情報等を取得・利用する行為、または④自己の提供するサービスを継続して利用する消費者に対し、消費者がサービスを利用するための対価として提供している個人情報等とは別に、個人情報等の経済上の利益を提供させる行為が挙げられている。

　かかる考え方においては、これまで対事業者取引に適用されてきた優越的地位の濫用規制について、デジタル・プラットフォーム事業者と消費者

注37) ここにいう「デジタル・プラットフォーム」とは、情報通信技術やデータを活用して第三者にオンラインのサービスの「場」を提供し、そこに異なる複数の利用者が存在する多面市場を形成し、いわゆる間接ネットワーク効果が働くという特徴を有するものをいう、と定義されている。また、「デジタル・プラットフォーム事業者」とは、オンライン・ショッピングモール、インターネット・オークション、オンライン・フリーマーケット、アプリケーション・マーケット、検索サービス、コンテンツ（映像、動画、音楽、電子書籍など）配信サービス、予約サービス、シェアリングエコノミー・プラットフォーム、ソーシャル・ネットワーキング・サービス（SNS）、動画共有サービス、電子決済サービスなどであって、上記の特徴を有する「デジタル・プラットフォーム」を提供する事業者と定義されている。

第6章　データと独占禁止法

との間の取引に対しても適用されることが明確化された点が注目される。また、デジタル・プラットフォーム事業者は、消費者に対して無料でサービスを提供していことも少なくないが、サービスを利用する消費者の個人情報等を取得・利用してターゲテイング広告等の経済活動を行うことから、消費者が提供する個人情報等を経済的価値を有する対価とする取引であると捉えている[注38]。

　このような消費者の個人情報の収集・利用に関しては、消費者から収集されたデータが事業者において集約・統合され、その処理がブラックボックス化することによって、プライバシー上の懸念が生じている。そのため、事業者がより個人の安心・信頼を得られるような形でパーソナルデータの提供を受けられるようにするために、「データ・フィデューシャリー・デューティ」の考え方によるプラスアルファのルール等について検討していくことも考えられるとの指摘もある[注39]。

(2)　共同でのデータ収集

　複数の事業者が共同してデータ収集を行う事例が増加してきており、相互にデータを提供し合う「データ提供型」や複数の事業者で新たな取組みを行いデータを取得する「データ創出型」の形態がこれに当たる。かかるデータの共同収集は、単独でデータを収集するよりも多くの異なったタイプのデータが集積され、イノベーションが起きやすくなることから、競争を促進する効果が期待される。

　他方で、競争関係にある事業者間でデータの共同収集を行う場合には、収集するデータによっては、当該事業者間で相互に今後販売する商品の内

注38) なお、このような捉え方については、従来の考え方とは整合しないとの指摘もある。

注39) 消費者とパーソナルデータを取得する事業者との間には、情報の非対照性とそれによる依存関係が生じており、消費者が事業者によるパーソナルデータの取得・利用を完全に認識・コントロールすることは困難であるという実態に鑑みて、事業者側には、消費者に不利益をもたらさないよう配慮・取扱いを行う「データ・フィデューシャリー・デューティ」を負っている関係にあるとの考え方（データ市場競争政策報告書50頁-51頁）。具体的には、オプトイン方式で同意を取得した上で行うべき事項やオプトアウ方式で行ってもよい事項を峻別することや、包括的または個別具体に同意を取得した後でも同意の撤回が可能となる仕組みをデザインすること等により、透明性および公正性を確保していくことが指摘されている。

容、価格、数量を把握することができる可能性がある。そのため、データの共同収集を行う事業者が競争事業者であるような場合は、センシティブ情報（例えば、製品別の価格〔単価〕・生産数量・販売数量、製品別の損益状況〔製造原価・原材料費等のコスト情報〕）等について情報交換をすることで、不当な取引制限（カルテル）（独禁２条６項）の問題になり得ると考えられる[注40]。

「**不当な取引制限**」とは、「事業者が、契約、協定その他何らの名義をもつてするかを問わず、他の事業者と共同して対価を決定し、維持し、若しくは引き上げ、又は数量、技術、製品、設備若しくは取引の相手方を制限する等相互にその事業活動を拘束し、又は遂行することにより、公共の利益に反して、一定の取引分野における競争を実質的に制限すること」をいう。典型的には、現在の商品の価格を引き上げようとする価格カルテル（一定の確定価格への値上げ、一定の確定額の値上げ、一定の比率の値上げ、目標価格の設定など）であるが、そのほかにも数量制限カルテル（競争事業者同士で、商品の生産数量や販売数量を制限するもの）、市場シェアカルテル（同一製品を製造販売する複数のメーカーにおいて、各メーカーごとの製品について毎年の市場シェアを協定するもの）、市場分割カルテル（競争事業者同士が、商品を販売する地域を指定し合うもの）などがある[注41]。このようなハードコア・カルテルは、市場を支配するような有力な事業者でなければ有効に機能させることができないため、その存在から当然に競争を制限しているものと認められる場合が多い[注42]。

上記の「**他の事業者と共同して**」という要件に該当するためには、共同行為参加者の間に「意思の連絡」が必要となり、複数の者の行動が結果的に一致しているというだけでは足りないと解されている[注43]。この「**意思**

注40) 業務提携検討会報告書55頁。
注41) カルテルのうち、競争の実質的制限のみを目的とするもの、あるいは客観的に反競争効果が明白で、これを補うような競争促進効果ないし正当化理由をもち得ないことが外見上明らかなもの、例えば、価格カルテル、数量制限カルテル、取引先制限カルテル、市場分割カルテル、入札談合などを「ハードコア・カルテル」という（幕田・前掲注４）37頁-40頁）。
注42) 経産省競争政策報告書34頁。
注43) 白石・前掲注16) 201頁。

の連絡」の認定は、競争への影響をもたらし得るような内容の合意等が認定できればよく、それ以上の詳細な内容の合意まで存在することについて立証される必要はないし、沈黙していた場合であっても、暗黙の了解がされたと認定できるのであれば意思の連絡を認定できる場合もある[注44]。東京高判平成7・9・25（判タ906号136頁〔東芝ケミカル事件差戻審判決〕）も「ここにいう『意思の連絡』とは、複数事業者間で相互に同内容又は同種の対価の引上げを実施することを認識ないし予測し、これと歩調をそろえる意思があることを意味し、一方の対価引上げを他方が単に認識、認容するのみでは足りないが、事業者間相互で拘束し合うことを明示して合意することまでは必要でなく、相互に他の事業者の対価の引上げ行為を認識して、暗黙のうちに認容することで足りると解するのが相当である（黙示による『意思の連絡』といわれるのがこれに当たる。）」と判示している。

したがって、競争者間でデータの共同収集を行う場合には、センシティブ情報の交換はもちろん、それが推測されるデータのやりとりがなされないよう、また、そのような疑いがかけられないよう、適切な情報遮断措置を講じておくことが望ましい。

また、上記のようなカルテルに該当しない場合であっても、データの共同収集、共同利用は業務提携の一態様と考えられるところ、それぞれが単独でも収集可能であるにもかかわらず、データの共同収集を行い、それぞれにおけるデータ収集を制限することによって、市場における競争を実質的に制限することとなる場合には、不当な取引制限（業務提携・共同事業）として独占禁止法上問題となり得る。同じく業務提携の一態様である共同研究開発においては、以下の事項が総合的に勘案されることになることから[注45]、上記の場合もこのような考え方を参考に判断することになろう[注46]。

① 参加者の数、市場シェア等
② 収集されるデータの性質（収集されるデータを用いた研究開発におけるデータの重要性、当該データを用いた商品への投入財としてのデータの

注44) 白石・前掲注16) 203頁以下。
注45) 共同開発ガイドライン第1の2 (1)。
注46) データと競争政策報告書40頁。

重要性等）
　③　共同化の必要性
　④　対象範囲、期間等

2　データの不当な囲い込み（アクセス拒絶）

(1)　単独のアクセス拒絶

　次に、収集したデータの取扱いについて検討すると、一般論として、ある事業者が、誰にどのような条件で商品を供給するか／しないかは、基本的には当該事業者の自由であり、原則として独占禁止法上の問題は生じない。これは、他の事業者に対して自らが保有するデータのアクセスを認めるか否かについても同様であり、アクセスを認めなかったとしても、直ちに独占禁止法上問題となるものではない[注47]。

　もっとも、その行為の態様等によっては、例外的に、排除型私的独占（独禁2条5項）、その他の取引拒絶（同条9項6号、一般指定2項）、または、競争者に対する取引妨害（同号、一般指定14項）に該当する可能性がある[注48]。具体的には、特定の事業者が、(a)ある市場において市場支配力（その意思で、ある程度自由に競争変数、すなわち価格、品質、数量、その他各般の条件を左右することによって市場を支配することができる力）を有しており、(b)当該市場における事業活動において当該データが不可欠な役割を果たし、かつ、(c)代替的なデータを取得することも技術的または経済的に困難な場合であって、(d)例えば、以下の①②のようなときは、他者によるデータへのアクセスについて合理的な理由なく制限を設けることにより、一定の取引分野における競争を実質的に制限するまたは公正競争阻害性を有する場合には、独占禁止法上問題となり得る[注49]。

　①　データを利用した商品の市場における競争者を排除する目的以外には合理的な目的が想定されないにもかかわらず、正当な理由なく、従来可能であったデータへのアクセスを拒絶する場合

注47）データ市場競争政策報告書30頁、業務提携検討会報告書56頁。
注48）伊永大輔ほか「データと競争法・競争政策」公正取引804号（2017）72頁。
注49）データと競争政策報告書45頁-47頁、データ市場競争政策報告書30頁、業務提携検討会報告書57頁。

② 競争者(または顧客)に対してデータにアクセスさせる義務があると認められる場合において、データを利用した商品の市場における競争者を排除することとなるにもかかわらず、正当な理由なく、当該競争者(または顧客)に対してデータへのアクセスを拒絶する場合

(2) 共同のアクセス拒絶

データの共同収集の参加者の市場シェアの合計が相当程度高く、規格の統一または標準化につながる等の事業に不可欠なデータの共同収集を目的とする場合において、ある事業者の参加を制限し、かつ、合理的な条件の下でのアクセスを認めないことは、当該第三者において他の手段を見出すことができず、事業活動が困難となり、市場から排除されるおそれがある場合には、例外的にデータの共同収集が排除型私的独占(独禁2条5項)、共同の取引拒絶(同条9項6号、一般指定1項)の問題となることがあり得る[注50]。

また、データの取引市場において競争関係にある事業者が共同して、データを投入財として利用する商品の市場への事業者の新規参入を妨げたり、または、同市場から既存の事業者を排除したりするために、当該データプールを通じた利用許諾およびデータプールの元となっている個々の事業者が保有するデータについて第三者への利用許諾を正当な理由なく拒絶することは、原則として、排除型私的独占(独禁2条5項)、共同の取引拒絶(同条9項6号、一般指定1項)の問題になる[注51]。

なお、データ市場競争政策報告書では、情報銀行やデータ取引市場の運営事業者等、データ取引の仲介事業者の役割に鑑み、揺籃期・成熟期といった市場の状況に応じた対応を行うことや、仲介事業者が市場支配力を獲得し、競争者の排除や新規参入の阻害につながるといった競争政策上の懸念がある場合には、付加価値を付けたサービスの提供について一定の責任を課すこと等を検討することも考えられると指摘している[注52]。さら

注50) 共同開発ガイドライン第1の2(2)、データと競争政策報告書48頁、業務提携検討会報告書56頁-57頁。

注51) データと競争政策報告書49頁、公正取引委員会「標準化に伴うパテントプールの形成等に関する独占禁止法上の考え方」(2007年9月28日改正)第3の3参照。

注52) データ市場競争政策報告書40頁。

に、データへのアクセスの確保という観点から、競争が阻害されると考えられる場合には、ベンチャー企業や他業界からの新規参入者のアクセスを公平な条件で確保する必要があると考えられるとしている[注53]。

3 不公正なデータ取引の条件

(1) 自己の競争者等の取引等の制限

データ取引の条件についても、独占禁止法において通常問題となり得るところと変わりはない。問題となり得る行為としては、例えば、以下のような場合が考えられる。

① 自らとのみデータ取引を義務付けること
② 取引相手の協力を得てデータ収集のためのセンサーを設置する場合に、当該取引相手が自らの競争者にデータを提供しないように義務付けること
③ 機械学習技術などの要素技術を有償または無償で提供する条件として、当該提供者以外の者（産業データに係る機器の所有者を含む）によるデータの収集や利用を制約すること

前記Ⅲ2においては、自己が保有しているデータの囲い込みについて述べたが、取引の相手方をして競争者がデータを収集できないようにさせることから、これらの行為も不当なデータの囲い込みの一種であり、公正競争阻害性が認められる場合には、拘束条件付取引、排他条件付取引などに該当し得ることになる。拘束条件付取引は前記Ⅲ1(1)(A)(ⅰ)において述べたところであり、「**排他条件付取引**」（独禁2条9項6号、一般指定11項）とは、不当に、相手方が競争者と取引しないことを条件として当該相手方と取引し、競争者の取引の機会を減少させるおそれがあることをいう。

ただし、このような「行為」が直ちに違法となるわけではない。流通・取引慣行ガイドライン[注54]は、「自己の競争者との取引等の制限」として、「市場における有力な事業者」が、取引先事業者に対し、自己または自己

注53) データ市場競争政策報告書40頁。
注54) 公正取引委員会「流通・取引慣行に関する独占禁止法上の指針」（2017年6月16日改正）（以下、「流通・取引慣行ガイドライン」という）第1部第2の2(1)イ②。

と密接な関係にある事業者[注55]の競争者と取引しないよう拘束する条件を付けて取引する行為、取引先事業者に自己または自己と密接な関係にある事業者の競争者との取引を拒絶させる行為、取引先事業者に対し自己または自己と密接な関係にある事業者の商品と競争関係にある商品の取扱いを制限するよう拘束する条件を付けて取引する行為を行うことにより、「市場閉鎖効果」が生じる場合には、当該行為は不公正な取引方法に該当し、違法となるとしている。

「**市場における有力な事業者**」と認められるかどうかについては、当該市場（制限の対象となる商品と機能・効用が同様であり、地理的条件、取引先との関係等から相互に競争関係にある商品の市場をいい、基本的には、需要者にとっての代替性という観点から判断されるが、必要に応じて供給者にとっての代替性という観点も考慮される）におけるシェアが20％を超えることが一応の目安となる。ただし、この目安を超えていることのみで、その事業者の行為が違法とされるものではなく、当該行為によって「市場閉鎖効果」が生じる場合に違法となる[注56]。なお、市場におけるシェアが20％以下である事業者や新規参入者がこれらの行為を行う場合には、通常、公正な競争を阻害するおそれはなく、違法とはならない[注57]。

したがって、当該「行為」が違法と評価されるには、「状況」として、「市場における有力な事業者」が行う行為であること、および、それにより「市場閉鎖効果」が生じることが必要となる。

(2) MFN条項

前記(1)に加えて、いわゆる最恵国待遇条項（Most-Favored-Nation Clause：MFN条項）も問題になり得る場合がある。MFN条項は、価格等の契約条件について、第三者に対する優遇処置と同様の条件とすることを、現在および将来において約束する条項をいう。具体的には、第三者に対してより安い価格で販売する場合には、自らに対してもその安い販売価格と

注55) 自己と共通の利害関係を有する事業者をいい、これに該当するか否かは、株式所有関係、役員兼任・派遣関係、同一のいわゆる企業集団に属しているか否か、取引関係、融資関係等を総合的に考慮して個別具体的に判断される。
注56) 流通・取引慣行ガイドライン第1部3(4)。
注57) 流通・取引慣行ガイドライン第1部3(4)。

同額で販売することを条件とするような条項である。この MFN 条項については、当該条項が規定されているのみで直ちに独占禁止法上問題となるものではないが、それが公正競争阻害性を有する場合には、拘束条件付取引（独禁 19 条、一般指定 12 項）に該当することとなる。例えば、公正取引委員会が公表している 2017 年のアマゾンのケースでは、Amazon マーケットプレイスに出品する商品の価格および販売条件は、出品者が他の通販サイトで販売する同一商品の価格および販売条件と比べて最も有利なものとする（要するに、アマゾンで買うのが一番安いか、少なくとも他社で買うのと同じ価格であること）という条項が含まれる契約を出品者との間で締結していたことが問題となった。このケースでは、公正取引委員会は以下のような効果が生じることにより、競争に影響を与えることが懸念されると指摘している。

① 出品者による他の販売経路における商品の価値の引下げや品揃えの拡大を制限するなど、出品者の事業活動を制限する効果
② 当該電子商店街による競争上の努力を要することなく、当該電子商店街に出品される商品の価格を最も安くし、品揃えを最も豊富にするなど、電子商店街の運営事業者間の競争を歪める効果
③ 電子商店街の運営事業者による出品者向け手数料の引下げが、出品者による商品の価格の引下げや品揃えの拡大につながらなくなるなど、電子商店街の運営事業者のイノベーション意欲や新規参入を阻害する効果

本件については、アマゾン側が自発的に MFN 条項を削除する措置をとったことから、公正取引委員会の最終的な判断が示されることなく審査は終了しているが、データ取引において、特にプラットフォーム事業者が MFN 条項を規定することを企図する際には、上記の公正取引委員会の懸念も踏まえて慎重に検討する必要がある。

4　カルテル

(1)　デジタル・カルテル

AI 技術の発展に伴い、近時はオンラインショッピングなどで AI が一定のアルゴリズムに基づいて価格設定をしていることも多く、この AI によ

る価格設定が協調行為（いわゆるデジタル・カルテル）に該当するか否かについて、議論がなされている。例えば、オンラインショッピングにおいて、複数の事業者が、市場の需要を観察しつつ一定の利益を確保する同種のアルゴリズムをもった価格設定プログラムを利用した結果、自律的に相互に依存する協調行為がなされる状況に至った場合や、消費者の支払意思を直接的に推定しつつ一定のアルゴリズムをもったプログラムを利用して個別に価格提示を行った結果、同じような価格となった場合等である[注58]。

いわゆるカルテルは、前記1(2)の共同でのデータ収集において述べた通り、「不当な取引制限」（独禁2条6項）として規制され、その要件として「他の事業者と共同して」行うこと、すなわち「意思の連絡」が必要とされる。この意思の連絡については、黙示による意思の連絡も認められているところであるが、デジタル・カルテルとの関係では、アルゴリズムが価格を決定している点で、この「意思の連絡」があったとして価格カルテルを認定できるかが、最も問題となる。

この点に関して、2021年3月31日に公正取引委員会が公表したデジタル市場における競争政策に関する研究会報告書「アルゴリズム／AIと競争政策」（以下、「アルゴリズム／AIと競争政策報告書」という）では、アルゴリズムの利用方法に応じて、①監視型アルゴリズム、②アルゴリズムの並行利用（ハブアンドスポーク型）、③シグナリングアルゴリズム、④自己学習アルゴリズムという4つの類型（【図表6-2】参照）に分けて、独占禁止法上の考え方を検討しており、その概要は以下の通りである[注59]。

(A) **監視型アルゴリズム**[注60]

競争事業者間で価格カルテルなどの合意が行われている場合に、その合意の実効性を確保する目的で、競争事業者の価格情報等を収集したり、合意からの逸脱がある場合に報復したりするために価格調査アルゴリズムが用いられる。

注58) 市川芳治「人工知能（AI）時代の競争法に関する一試論——"アルゴリズム"によるカルテル：欧米の最新事例からの示唆を受けて（上）」国際商事法務45巻1号（2017）1頁。

注59) アルゴリズム／AIと競争政策報告書15頁-20頁。

注60) アルゴリズム／AIと競争政策報告書16頁・23頁。

【図表6-2】アルゴリズムの利用例

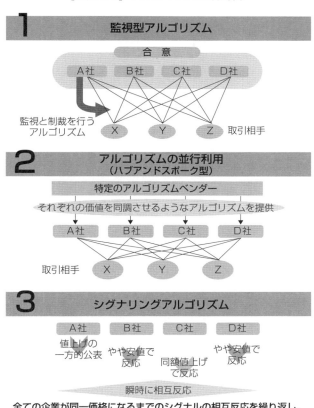

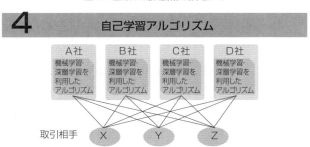

＊デジタル市場における競争政策に関する研究会報告書「アルゴリズム／AIと競争政策」（概要）5頁。

このように合意の実施を監視するためにアルゴリズムを用いる場合および合意に従った価格設定を自動で行うためにアルゴリズムを並行利用する場合には、アルゴリズムの利用前に、一定の行動をとることについて複数事業者間の合意が存在しているため、不当な取引制限となり得る。

(B) アルゴリズムの並行利用（ハブアンドスポーク型）[注61]

複数の競争事業者が、特定のアルゴリズムベンダにそれぞれの価格を同調させるような価格設定アルゴリズムを開発させ、利用する場合のように、同一の第三者が提供するアルゴリズムを利用することによって、価格が同調する場合がある。当該第三者を中心（ハブ）として価格が同調することから「ハブアンドスポーク型」と呼ばれる。

(i) 利用事業者間に共通の認識がある場合

価格設定アルゴリズムの利用事業者間に価格が同調することの共通の認識がある場合には、利用者間に「意思の連絡」が認められ、不当な取引制限として独占禁止法違反となり得る。例えば、第三者が提供する価格設定アルゴリズムを利用することによって、相互に価格が同調することを認識しながら当該アルゴリズムを用いる場合や、価格設定アルゴリズムを提供するプラットフォーム事業者がすべての利用事業者の販売価格に同じ割引率の上限を課すことを利用事業者に周知し、利用事業者がそれを認識しながら利用する場合等である。このような場合には、利用事業者間において直接・間接の情報交換はない場合であっても、価格が同調することの共通の認識があると考えられる。

(ii) 利用事業者間に共通の認識がない場合

利用事業者間に上記のような共通の認識がない場合には、「意思の連絡」は認められないが、利用事業者間の価格の同調を主導したアルゴリズムの提供事業者の行為は、一定の場合には独占禁止法違反となり得る。例えば、特定の市場において利用される価格設定アルゴリズムの大半を提供している事業者が、複数の利用事業者の価格を同調させる場合には、支配型私的独占として独占禁止法違反となり得る。

注61) アルゴリズム／AIと競争政策報告書 16 頁-18 頁・23 頁-24 頁。

(C) シグナリングアルゴリズム[注62]

　ある事業者が継続的にシグナルを送るシグナリングを行う（将来の値上げの意図等を競争事業者に伝達する）とともに、それに対する競争事業者の反応（シグナル）を確認するためにアルゴリズムが用いられると、すべての事業者が最終的に同じ価格となるシグナルを送信して合意に達することがある。値上げ等の価格情報の発信行為は、通常の事業活動において一般的に行われており、価格情報の発信行為自体が不当な取引制限になることはなく、また、それに対して競争事業者が独自の判断で追随して値上げを行うこともあり得る。そのため、結果的に同調した価格となったとしても、それのみで意思の連絡を認めることは困難である。

　もっとも、シグナリングやそれに対する競争事業者の反応によっては、独立の価格設定とは評価できず、「意思の連絡」を推認することができる場合もあると考えられる。例えば、値上げ情報の発信が顧客には判別しにくいが競争事業者には判別できるような態様で行われており、競争事業者がその発信に反応して同じように価格を引き上げているような場合には、シグナリングを通じて意思の連絡が形成されていることを推認する事実になり得ると考えられる。

(D) 自己学習アルゴリズム[注63]

　各競争事業者が機械学習や深層学習を利用して価格設定を行った結果、価格を同調させる意思がない場合でも、自己学習アルゴリズム間の相互作用により競争的な価格を上回る価格に至る可能性が懸念されているが、複数の自己学習アルゴリズムが相互に自律的に価格設定をした結果、価格が同調したにすぎない場合には、単にその事実のみで不当な取引制限にはならないと考えられる。

(2) プラットフォームを通じたカルテル

　第11章において述べるように、データ共有プラットフォームを構築して他の事業者とデータを共有し、相互に効率性を向上させるなどの取組みがさかんに行われている。このようなデータ共有プラットフォームは、異

注62）アルゴリズム／AI と競争政策報告書18頁-19頁・24頁-25頁。
注63）アルゴリズム／AI と競争政策報告書19頁-20頁・25頁-26頁。

第6章　データと独占禁止法

業種間で構築されることもあれば、競争者を含めて業界横断的に構築されることもある。

　かかるプラットフォームにおいて、ある特定の事業者だけを参加させないという場合には、前述の通り取引拒絶に該当し得ることになる。加えて、プラットフォームを通じて競争者間でのセンシティブ情報のやりとりがなされる場合には、競争法上重要な情報の共有が協調的な行動を助長するリスクが高いことから、独占禁止法上、問題となり得る点に注意が必要である[注64]。すなわち、前述の通り、不当な取引制限における「意思の連絡」は、相互に他の事業者の対価の引上げ行為を認識して、暗黙のうちに認容すること（黙示による「意思の連絡」）で足りると解されている。また、意思の連絡は、直接になされるものだけでなく、間接になされたものであってもよく、競争者同士が特定の者を媒介として意思の連絡をした、という場合でもよい（ハブ＆スポーク型）[注65]。

　したがって、プラットフォームの参加者が直接にコミュニケーションをとっていないとしても、プラットフォームを介して競争者の提供する商品の価格や生産数量・原価等の情報を取得することができる状態（かつ、それによる価格の引上げを相互に認識して、暗黙のうちに認容している場合）であれば、それを前提に自らの価格や生産数量を決定することにより、公正競争阻害性が認められる場合もあり得ると考えられる。そのため、競争者が参加するデータ共有プラットフォームの構築を検討する場合には、センシティブ情報以外の情報のみを取り扱うこととするか、または、プラットフォーム上で競争者のセンシティブ情報にアクセスできないよう設定しておくなどの措置を講じておく必要がある。

　なお、業務提携検討会報告書において、業種横断的データ連携型業務提携の主な形態ごとの主要な論点が整理されている[注66]。例えば、スマートシティやMaaS（Mobility as a Service）といった社会課題解決型ビジネス、自動走行ビジネスや自動走行システムの開発等のための異業種連携（【図表6-3】）について、特に想定される問題となり得る行為として、以下のも

注64）業務提携検討会報告書59頁-60頁。
注65）白石・前掲注16）204頁。
注66）業務提携検討会報告書58頁以下。

【図表6-3】データ共有等により新商品・サービス等を創出する類型

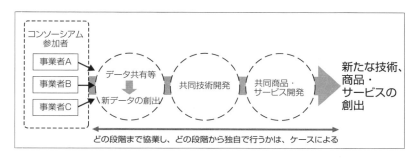

＊業務提携検討会報告書59頁。

のが挙げられており、このような協業を実施する際には注意しておく必要がある。
① 必要な範囲を超えたデータ共有等の共同化
② 創出データの共同または単独のアクセス拒絶（この点、コンソーシアム間の競争の結果、特定のものがデファクトスタンダードを確立する傾向が強いと考えられる）
③ 創出データの利活用による共同行為
④ 共有データや創出データの一方的帰属・利用に係る制約

上記①については不当な取引制限等、②は私的独占や取引拒絶、取引妨害等に該当し得る。

上記③に関しては、いわゆるスピルオーバー問題として、創出されたデータを重要な投入財として利用する技術または商品・サービス市場において競争関係にある提携事業者の間で、当該市場に今後投入される技術または商品・サービスに係る内容、価格、数量等の競争上重要な情報が交換・共有される場合には、競争制限的な合意が行われ得る（不当な取引制限）とされている。

また、上記④に関しては、一方当事者（事業者A）が他方当事者（事業者B）に対し、創出されたデータを一方的に自己に帰属させたり、事業者Bが創出データを当該業務提携以外の事業活動で利用することを制限したりする等の行為[注67]は、当該創出データに希少性が認められ、事業者Aの

第6章　データと独占禁止法

技術または商品・サービス市場における有力な地位を強化することにつながる場合や、事業者Bの当該創出データを活用した研究開発意欲等を損ない、新たな技術・製品の開発等を阻害する場合には、独占禁止法上問題となり得る（拘束条件付取引）[注68]ことや、これに該当しないとしても、一方的なデータの帰属等がその内容において提携当事者間で著しく均衡を失し、これによって事業者Bが不当に不利益を受けることとなる場合には、独占禁止法上問題となり得る（優越的地位の濫用）[注69]が指摘されている[注70]。

5　具体的な検討に当たって

以上の行為類型別に問題となり得る行為をまとめると、【図表6-4】の通りである。これらはあくまで問題となり得る行為であり、データビジネスを行うに当たって注意しておくべき点である。この類型に該当すれば直ちに独占禁止法により禁止されるというものではなく、実際には、個別の事案に応じてデータの内容・性質、商品・サービスの内容等を踏まえて具体的に検討する必要がある。

特に、データとの関連で問題となり得る単独行為（私的独占、不公正な取引方法）については、企業の市場における地位向上を目指した競争的活動の一環として行われるものであり、単独行為に対する過度の規制や違反基準の曖昧さ、不意打ち的な執行は、企業の健全な競争活動やイノベーションに向けた活動に対する萎縮効果をもたらすおそれがある点が指摘される[注71]。

また、デジタル・プラットフォームの文脈では、GAFAを念頭に置いてどのような規制をするかといった議論がなされがちであるが、実際には

注67）共同研究開発ガイドライン第2-2(2)イ①。当該制限に関して当該創出データが当該他方当事者の研究開発に利用されるときは、その研究開発活動を不当に拘束するものであって、公正競争阻害性が強いとされている。想定されるその他の行為の類型については、共同研究開発ガイドライン第2-2(2)および(3)参照。

注68）知的財産ガイドライン第4-5(6)参照。

注69）共同研究開発ガイドライン第2-2参照。

注70）業務提携検討会報告書57頁-58頁。

注71）藤井・角田・前掲注20）42頁-43頁。

【図表 6-4】行為類型別に問題となり得る行為

行為類型	問題となり得る行為の例	該当する可能性のある問題点
単独の不当なデータ収集（対取引先企業）	➢業務提携等により得られるデータ・技術のすべてを一方的に自らに帰属させることを条件とする行為 ➢データ取引当事者間で、他方当事者の生成した派生データに係る権利を一方的に自己に帰属させることを条件とする行為	・拘束条件付取引 ・優越的地位の濫用
プラットフォーム事業者による不当なデータ収集	➢市場支配力を有するプラットフォーム事業者が、サービスに係るデータ収集に関する取引条件を利用者に不利益に変更する等の行為 ➢消費者の個人情法等の収集・利用が個人情報保護法に抵触する態様のものである場合	・支配型私的独占 ・優越的地位の濫用等
共同の不当なデータ収集	➢収集するデータによっては、当該事業者間で相互に今後販売する商品の内容、価格、数量を把握することができる可能性	・不当な取引制限
単独のアクセス拒絶	➢データを利用した商品の市場における競争者を排除する目的以外には合理的な目的が想定されない場合に、正当な理由なく、従来可能であったデータへのアクセスを拒絶する行為 ➢競争者に対してデータにアクセスさせる義務がある場合に、データを利用した商品の市場における競争者を排除することとなるにもかかわらず、正当な理由なく、当該競争者に対してデータへのアクセスを拒絶する場合	・排除型私的独占 ・その他の取引拒絶 ・競争者に対する取引妨害
共同のアクセス拒絶	➢データの共同収集の参加者の市場シェアの合計が相当程度高く、規格の統一または標準化につながる等の事業に不可欠なデータの共同収集を目的とする	・排除型私的独占 ・共同の取引拒絶

	場合に、ある事業者の参加を制限し、かつ、合理的な条件の下でのアクセスを認めない行為 ➤データの取引市場において競争関係にある事業者が共同して、データを投入財として利用する商品の市場への事業者の新規参入を妨げたり、または、同市場から既存の事業者を排除したりするために、当該データプールを通じた利用許諾およびデータプールの元となっている個々の事業者が保有するデータについて第三者への利用許諾を正当な理由なく拒絶する行為	
他者とのデータ取引に関して一定の条件を付す行為	➤自らとのみデータ取引を義務付ける行為 ➤要素技術の提供条件として他者とのデータ取引を制限する行為 ➤MFN条項	・拘束条件付取引 ・排他条件付取引
カルテル	➤デジタル・カルテル ➤プラットフォームを通じたカルテル	・不当な取引制限

　プラットフォームは多数存在しており、業界のゲームチェンジャーとなる革新的なイノベーションを起こす可能性のある事業者も出現している。イノベーションの直接的効果は社会的に望ましいものであり、またイノベーション競争こそが双方向市場の発展をもたらす原動力である[注72]。

　急速に市場環境が変動する現在の状況においては、このようなイノベーションによる競争の促進を通じた利用者利便の向上と消費者の保護のバランスという観点からも、正常な競争手段と競争制限的な行為との峻別を含めて慎重な議論がなされることが望まれる[注73]。

注72）小田切・前掲注3）242頁。
注73）藤井＝角田・前掲注20）46頁、増島雅和「シェアリングエコノミーの主要な特性と競争政策への示唆」ジュリスト1508号（2017）33頁参照。

Ⅳ　企業結合審査

　近年、データの重要性が注目されてきており、企業が保有するデータ自体、あるいはその入手方法（技術・サービス）を目的とするM&Aも増加してきている。他方で、データの重要性は増しているものの、データ取引の市場がない、あるいは取引市場が構築され始めているところであり、その影響は必ずしも明らかではない。このような状況の中で、株式の保有、合併、会社分割、共同株式移転および事業の譲受等の企業結合審査において、特別な考慮が必要となるであろうか。

1　企業結合ガイドライン

　上記のような状況の中で、デジタル分野の企業結合案件に的確に対応する必要性が高まってきていること等から、2019年12月17日に企業結合ガイドラインが改定され、競争の実質的制限［→Ⅱ2(1)］について、主に以下のような考え方が明記された。

(1)　水平型企業結合

(A)　研究開発を行っている企業の企業結合

　企業結合の当事会社が研究開発中の財・サービスについて、それが市場に供給された後に当事会社間で競合する程度が高いと見込まれる場合は、そうでない場合と比較して、企業結合がなければ実現したであろう研究開発後の当事会社間の競争が減少することや、当事会社の研究開発に対する意欲が減退することによる競争への影響が大きい。

(B)　デジタルサービスの特徴（多面市場、ネットワーク効果、スイッチングコスト等）を踏まえた競争分析

　直接または間接ネットワーク効果が働く場合には、当該ネットワーク効果も踏まえて企業結合が競争に与える影響について判断する。特に、シングル・ホーミングの場合には、マルチ・ホーミングの場合と比較して、直接ネットワーク効果が競争に与える影響は大きい。

　また、ネットワーク効果の存在やスイッチングコスト等のために需要者が当事会社グループから他の供給者へ供給先の切替えを行うに当たっての

障壁が高い場合など、需要者にとって供給先の切替えを行うことが容易ではない場合には、需要者からの競争圧力が働きにくい。

(C) **複数事業者による競争を維持することが困難な場合**

複数の事業者が事業活動を行うと、効率的な事業者であっても採算が取れないほど一定の取引分野の規模が十分に大きくなく、企業結合がなくても複数の事業者による競争を維持することが困難な場合には、当該複数の事業者が企業結合によって1社となったとしても、当該企業結合により一定の取引分野における競争を実質的に制限することとはならないと通常考えられる。

(2) **垂直型企業結合・混合型企業結合**

(A) **データが市場で取引され得るような場合の他社へのデータの供給拒否等**

競争上重要なデータを有する川上市場のA社と、当該データを活用してサービス等を提供する川下市場のB社が垂直型企業結合を行う場合、A社によるB社の競争者へのデータの供給拒否等により、川下市場の閉鎖性・排他性が生じる場合がある。

(B) **データ等の重要な投入財を有するスタートアップ企業等を買収することによる新規参入の可能性の消滅**

ある市場において既に事業を行うA社が、その事業を行っていないがデータ等の重要な投入財を有し、当該市場に単独でまたは他の会社と企業結合を行った上で参入した場合に有力な競争者となることが見込まれるB社と混合型企業結合を行うことにより、B社の新規参入の可能性を消滅させる場合には、そうでない場合と比較して、競争に及ぼす影響が大きい。

(C) **データの競争上の重要性等の評価**

上記(B)の状況におけるデータの競争上の重要性等の評価に当たっては、データを有するB社について、以下のような事情を考慮に入れる。

① どのような種類のデータを保有・収集しているのか
② どの程度の量のデータを保有しており、日々どの程度広い範囲からどの程度の量のデータを収集しているのか
③ どの程度の頻度でデータを収集しているのか
④ 保有・収集するデータが、A社の商品市場におけるサービス等の向

上にどの程度関連するのか

また、A社の商品市場の競争者が入手可能なデータと比較して、B社が保有・収集するデータが、上記①〜④の観点からどの程度優位性があるのかを考慮に入れる。

2　届出基準を満たさない企業結合案件における任意の相談

デジタル分野の企業結合において、例えば、将来の競合事業者となり得るスタートアップを既存の有力事業者が買収するなど、国内売上高に係る届出基準を満たさなくても、買収される事業者がデータを含む競争上重要な資産を有している場合等には、国内の競争に影響があり得る場合もある。このような買収は、いわゆる Killer Aqcuisition と呼ばれ、将来の市場における競争やイノベーションを減殺してしまうことが懸念されている。そこで、上記の 2019 年 12 月の企業結合ガイドラインの改定と同時に、「企業結合審査の手続に関する対応方針」も改定された。同対応方針では、届出基準を満たさない企業結合について、一定の場合に、公正取引委員会に対する任意の相談を実施することが推奨されており、具体的には以下のような対応が想定されている[注74]。

① 　被買収会社の国内売上高等に係る金額のみが届出基準を満たさないために届出を要しない企業結合計画（以下、「届出不要企業結合計画」という）のうち、買収に係る対価の総額が大きく、かつ、国内の需要者に影響を与えると見込まれる場合には、競争に与える影響について精査するため、公正取引委員会は当該企業結合を計画している当事会社に対し資料等（市場画定および競争状況に関する事実、データ等）の提出を求め、企業結合審査を行う。

② 　公正取引委員会は、届出不要企業結合計画について、買収に係る対価の総額が 400 億円を超えると見込まれ、かつ、次の⒤から⒞のいずれかを満たすなど当該企業結合計画が国内の需要者に影響を与えると見込まれる場合には、当事会社は、公正取引委員会に相談することが望まれる[注75]。

注74）公正取引委員会「企業結合審査の手続に関する対応方針」（2019 年 12 月 17 日）。

第 6 章　データと独占禁止法

　　ⅰ　被買収会社の事業拠点や研究開発拠点等が国内に所在する場合
　　ⅱ　被買収会社が日本語のウェブサイトを開設したり、日本語のパンフレットを用いるなど、国内の需要者を対象に営業活動を行っている場合
　　ⅲ　被買収会社の国内売上高合計額が 1 億円を超える場合

　なお、被買収会社の国内売上高等に係る金額のみが届出基準を満たさない企業結合計画のみが対象となっている点に留意が必要である。そのため、届出基準のうち他の要件を満たさない場合、例えば、株式取得において、株式取得会社が属する企業結合集団の国内売上高合計額が 200 億円以下の場合には、上記②による任意の相談が推奨されるものではない。

V　デジタル・プラットフォーム事業者に関する規制

　近時、デジタル・プラットフォーム事業者に関する 2 つの法律が成立した。1 つは、特定デジタルプラットフォームの透明性及び公正性の向上に関する法律（以下、「DP 取引透明化法」という）、もう 1 つが、取引デジタルプラットフォームを利用する消費者の利益の保護に関する法律（以下、「取引デジタルプラットフォーム法」という）である。これらの法律は、デジタル・プラットフォーム事業者を対象とするものであるが、その対象となる事業者は一定の範囲に限定されており、かつ、情報の開示を義務付けることを主眼としている点に特徴がある。

1　特定デジタルプラットフォームの透明性及び公正性の向上に関する法律

　2020 年 5 月に成立し、2021 年 2 月に施行された DP 取引透明化法では、「デジタルプラットフォーム」を、①情報を表示することによって異なる利用者グループをつなぐ「場」であること（多面市場）、②コンピュータを用いた情報処理によって構築され、インターネット等を通じて提供され

注 75）この要件を満たす企業結合計画について当事会社から相談がない場合には、公正取引委員会は当該当事会社に資料等の提出を求め、企業結合審査を行うこととされている。

ること（オンライン性）、③利用者の増加に伴い他の利用者にとっての効用が高まるという関係を利用していること（ネットワーク効果）という要素によって定義している（2条）。上記③は、具体的には、ⓘオンラインモールやアプリストアのように、出品者と購入者等の異なる利用者グループの間で相互にネットワーク効果が働く場合（いわゆる間接ネットワーク効果）、およびⓘⓘデジタル広告の配信を伴うSNSのように、一方の利用者グループ（参加者）内部でネットワーク効果が働くとともに（いわゆる直接ネットワーク効果）、それによって他方の利用者グループ（広告主）の効果も高まる場合が規定されている。具体的にどのようなデジタルプラットフォーム事業者が適用対象となるかは、政省令で規定される事業区分・事業規模を踏まえて経済産業大臣により指定されることとなっている（4条1項。これにより指定されたデジタルプラットフォーム事業者が、「特定デジタルプラットフォーム提供者」としてこの法律の規律の対象となるほか、指定を受けていないデジタルプラットフォーム事業者でも、所定の基準に達している場合は届出を行う義務がある）。この点に関しては、2021年4月に、物販総合オンラインモールの運営事業者としてアマゾンジャパン合同会社、楽天グループ株式会社、ヤフー株式会社が、また、アプリストアの運営会社として、Apple Inc. および iTunes 株式会社、Google LLC が、それぞれ特定デジタルプラットフォーム提供者に指定されている。

　その上で、特定デジタルプラットフォーム提供者に対しては、情報開示等を行うことが義務付けられる（5条）。具体的には、特定デジタルプラットフォーム提供者は、商品等提供利用者（デジタルプラットフォームを商品等を提供する目的で利用する者）に対して、①取引拒絶をする場合の判断基準や、②他のサービスの利用を要請する場合におけるその旨・理由、③検索順位を決定する主要な事項、④取得・使用するデータの内容・条件、⑤苦情等への対応に関する事項のほか、⑥契約変更や契約にない要請等を行う場合の内容と理由についての事前通知、⑦取引拒絶をする場合のその旨と理由についての事前通知、⑧提供条件の変更の内容と理由についての事前通知等の情報を開示することが求められる。また、特定デジタルプラットフォーム提供者は、一般利用者に対して、上記③や④等に関する情報を開示することが求められる。もしこれらの開示義務に違反した場合は、

勧告の対象となり、さらに正当な理由なく是正を行わない場合は措置命令の対象にもなる（6条1項・4項・8条）。また、公正取引委員会との連携も予定されている（7条4項・13条）。

さらに、特定デジタルプラットフォーム提供者は、これらの開示義務等の遵守に関する自己評価を付したレポートを経済産業大臣に対して提出する義務を負う（9条）。こうした事業者によるモニタリングと自己評価をガバナンスの手法として導入するアイディアは、経済産業省が、2020年7月26日に公表した、「GOVERNANCE INNOVATION: Society5.0の時代における法とアーキテクチャのリ・デザイン」報告書においても示されていたところである。今後は、データに関する法律において、このような手法がとられることが増えていくものと考えられる。

2 取引デジタルプラットフォームを利用する消費者の利益の保護に関する法律

消費者保護政策の一環として検討されてきたデジタルプラットフォーム事業者が関与する取引を巡る制度整備に関して、2021年4月28日、取引デジタルプラットフォーム法が可決・成立し、同年5月10日に公布された（交付から1年以内に施行）。

この取引デジタルプラットフォーム法は、「取引デジタルプラットフォーム」を、事業として、単独でまたは共同して提供する者（以下、「取引DP提供者」という）に対して適用される。かかる「取引デジタルプラットフォーム」は、以下のように定義されており、オンラインモール・オークションサイトが想定されている（2条1号・2号、2項）。

① DP取引透明化法で定義される「デジタルプラットフォーム」に該当すること
② 上記①のうち、以下のいずれかの機能を有すること
　ⅰ 当該デジタルプラットフォームを利用する消費者が、その使用に係る電子計算機の映像面に表示される手続に従って当該電子計算機を用いて送信することによって、販売業者等（デジタルプラットフォームの提供者自身を除く。下記ⅱにおいて同じ）に対し、通信販売に係る売買契約または役務を有償で提供する契約（以下、「役務提

供契約」という）の申込みの意思表示を行うことができる機能（いわゆるオンラインモール型）

ⅱ　当該デジタルプラットフォームを利用する消費者が、その使用に係る電子計算機の映像面に表示される手続に従って当該電子計算機を用いて送信することによって、競りその他の政令で定める方法により販売業者等の通信販売に係る売買契約または役務提供契約の相手方となるべき消費者を決定する手続に参加することができる機能（前号に該当するものを除く）（いわゆるオークションサイト型）

　　かかる定義からは、デジタルプラットフォーム事業者自身が当事者となる取引のほか、ネットワーク効果を利用していないオンラインサービスの提供事業者、CtoC の取引や BtoB の取引を仲介するデジタルプラットフォーム事業者は、取引デジタルプラットフォーム法の適用対象には含まれないことになる。なお、取引デジタルプラットフォーム法の対象となる取引 DP 提供者は、DP 取引透明化法と異なり個別列挙されておらず、上記定義からその該当性を判断することになる。

　　上記の「取引デジタルプラットフォーム」に該当する場合には、主に以下の規制が適用されることになる。

ⓐ　取引 DP 提供者は、提供する「場」において行われる通信販売に係る取引の適正の確保および円滑な紛争解決の促進のため、消費者が販売業者等と円滑に連絡することができるようにするための措置等を講じる努力義務およびそれらの措置に関する情報開示の努力義務を負う（3 条）。

ⓑ　消費者庁は、取引デジタルプラットフォームにおける商品等の販売条件等の表示が一定の要件に該当し、かつ、当該取引デジタルプラットフォームを利用する消費者の利益が害されるおそれがあると認められる場合は、当該取引デジタルプラットフォーム提供者に対して、そのような販売業者等による販売の停止その他の必要な措置をとることを要請することができ、当該要請に関して公表できる（4 条）。

ⓒ　消費者は、通信販売の相手方販売業者等に対する債権の行使の

ために必要な情報として名称、住所等の開示を請求することができる（5条1項）。以上に加えて、国の関係行政機関（消費者庁、総務省、経済産業省等）、独立行政法人国民生活センター、取引デジタルプラットフォーム提供者を構成員とする団体、地方公共団体および消費者団体により構成される取引デジタルプラットフォーム官民協議会を組織するものとされており（6条1項）、取引デジタルプラットフォームを巡る課題について、当事者である取引デジタルプラットフォーム提供者や消費者と、行政等が連携して課題解決を目指す共同規制が想定されている。

Ⅵ　おわりに

　以上見てきたように、デジタル化社会の発展に伴って、独占禁止法との関係でもさまざまな議論がなされるとともに、新たな規制も導入されている。これらの議論の進展や具体的な法律の適用次第では、データ・ビジネスのあり方も大きく変わっていく可能性もあることから、今後も引き続き注視していく必要がある分野である。

第7章
データと金融商品取引法

　本章では、データ取引において金融商品取引法（金商法）が問題となる場合にとして、投資判断のために用いられるオルタナティブ・データについて解説する。
　(1)　オルタナティブ・データに関する金商法上の規制
　オルタナティブ・データに関する金商法上の規制としては、①インサイダー取引規制、②フェアーディスクロージャールール（FDルール）、③法人関係情報の管理等の規制が問題となる。
　(2)　AIによる取引と金商法上の規制
　オルタナティブ・データに重要事実、重要情報、法人関係情報が含まれていた場合、それに基づいてAIが学習して取引をした場合、どのような場合に金商法に違反するかが問題となる。

I　データ取引において金融商品取引法が問題となる場合

　近時、AIが技術的に大きな発展をとげ、実用化段階に達したことにより、投資運用業界においても、AIを使って生成されたモデルを用いて市況を予測し、運用パフォーマンスを向上させようとする動きがある。
　そして、そのようなAIを学習させるためのデータとして、従来の財務情報等の伝統的なデータに限らず、人工衛星から収集された画像データ、気象情報、POSデータ、新聞記事の記事データ、SNSのやりとり等のデータが利用されている。これらのデータは、上記の伝統的なデータに対して「オルタナティブ・データ」と呼ばれている。財務情報等の伝統的なデータは他の投資家も入手可能であるのに対し、それを利用してアルファ（市場平均に対する超過リターン）を取ることが容易ではないのに対し、解

析に高度な知識とノウハウが必要なオルタナティブ・データを利用することによって、より大きなアルファを取ることを目的としている。

これらのオルタナティブ・データを学習用データとしてAIに学習させ、投資を行う場合には、金融商品取引法（以下「金商法」という）が問題となることがある。

なお、データは容易に国境を越えることから、日本の法律だけではなくグローバルに各国の法律を検討する必要が出てくる場合があるが、本書では日本法に限定して解説する。

Ⅱ　オルタナティブ・データに関する金融商品取引上の規制

1　問題点

オルタナティブ・データの中には、例えば、商品のPOSデータ等企業の業績と関連性があり得るデータが含まれていることがある。このようなオルタナティブ・データに基づいて学習したAIを使って、上場会社等の株式を売買することは、インサイダー取引等に当たり、金商法上認められるのかが問題となる。

なお、金商法上の問題が生じるのは、基本的に上場会社等の株式を売買する場面であり、当該上場会社等の株価に影響を及ぼし得るのも、基本的には当該上場会社等の業務等に係るデータであって、当該上場会社等がオルタナティブ・データの提供元となっている場合について以下検討を行う。

金商法上、主に問題となり得る規制は、①インサイダー取引規制、②フェアディスクロージャールール（FDルール）、③法人関係情報の管理等の規制である。

これらの規制上問題となり得る情報（データ）を整理すると【図表7-1】である。

以上の通り、法令の文言上は、インサイダー取引規制から法人関係情報の管理等の規制になるに従って、規制の対象となる情報の範囲が広くなっているといえる。

【図表7-1】金商法上主に問題となり得る規制

	名称	内容	法令
インサイダー取引規則	重要事実	上場会社等の運営、業務又は財産に関する公表されていない重要な情報であって、投資者の投資判断に著しい影響を及ぼすもの（バスケット条項）	金商法166条2項
FDルール	重要情報	上場会社等の運営、業務又は財産に関する公表されていない重要な情報であって、投資者の投資判断に重要な影響を及ぼすもの	金商法27条の36第1項
法人関係情報の管理等の規制	法人関係情報	上場会社等の運営、業務又は財産に関する公表されていない重要な情報であって、顧客の投資判断に影響を及ぼすと認められるもの	金融商品取引業等に関する内閣府令1条4項14号

2 インサイダー取引規制

　金商法は、原則として、①会社関係者（元会社関係者を含む。）が、②上場会社等の業務等に関する重要事実を、③その者の職務等に関し知りながら、④当該重要事実が公表される前に、⑤当該上場会社等の株券等の売買等を行うことを禁止している（金商法166条1項）。

　また、会社関係者から重要事実の伝達を受けた第1次情報受領者（あるいは当該伝達を受けた者が所属する法人の役員等で、その者の職務に関し重要事実を知った者）が当該重要事実が公表される前に売買等をすることも原則禁止されている（金商法166条3項）。

　オルタナティブ・データを、上場会社等から直接購入した者は、会社関係者（上場会社等と契約を締結している者）または第1次情報受領者として、インサイダー取引規制の対象となる。

　他方で、金商法は第2次情報受領者をインサイダー取引の規制対象としていないことから、第2次情報受領者となる場合には、オルタナティブ・データを利用しても、そもそもインサイダー取引規制の対象とならない。

　では、オルタナティブ・データがそもそもインサイダー取引規制上の

「重要事実」に該当するかが問題となる。この点、インサイダー取引規制上、「オルタナティブ・データ」について明確な規制には設けられておらず、重要事実に該当するものとして列挙はされていない。もっとも、例えば売上等のデータが集積され、これを合算すれば、決算数値に前期実績値と大きな差異が生じることが明らかとなるような情報であれば、決算情報（金商法166条2項3号）として重要事実に該当する余地もあるし、情報の内容次第では、いわゆるバスケット条項（同項4号）に該当する事実として、重要事実に該当する可能性がある。

しかし、企業のデータは終局的には決算情報に結び付く可能性があり、そのようなデータすべてが重要事実とするのは行き過ぎであろう。この点について、後述のFDルールに関するガイドラインで述べられているような、「工場見学や事業別説明会で一般に提供されるような情報等、他の情報と組み合わせることで投資判断に活用できるものの、その情報のみでは、直ちに投資判断に影響を及ぼすとはいえない情報（いわゆる「モザイク情報」）は、それ自体では本ルールの対象となる情報に該当しない」という考え方が妥当と考える。

3 FDルール

FDルールでは、①上場会社等、上場法人等の資産運用会社またはこれらの役員等が、②取引関係者に、③重要情報を、④その業務に関して伝達する場合、⑤当該上場会社等は、⑥伝達と同時に、⑦法定開示、適時開示、自社のウェブサイトへの掲載等の方法で、⑧当該重要情報を公表しなければならない、とされている（金商法27条の36第1項）。

このようにFDルールは基本的に情報を開示する側に対するルールである。したがって、自らの企業情報に関わるオルタナティブ・データを販売する企業は、FDルールに留意する必要がある。

もっとも、FDルールには例外規定がいくつか設けられている。

まず、金融商品取引業者等（証券会社等）の役員等については、(i)重要情報の適切な管理のために必要な措置として内閣府令で定める措置（重要情報公表府令5条）を講じている者において、(ii)金融商品取引業に係る業務に従事していない者として内閣府令で定める者（重要情報公表府令6条）

は「取引関係者」に該当しない（金商法27条の36第1項1号括弧書）とされている。したがって、金融商品取引業者等にオルタナティブ・データを提供する場合には、例えば、ファイアウォールが適切に構築されており、金融商品取引業に係る業務に従事していない者に対してオルタナティブ・データを提供するのであれば、FDルールは適用されないことになる。

　また、上場有価証券等に係る売買等を行う蓋然性の高い者（上場会社等のIR活動を通じた情報提供を受ける株主や、適格機関投資家等。重要情報公表府令7条）については、上場会社等の投資者に対する広報に係る業務に関して重要情報の伝達を受けた場合にのみ取引関係者に該当するとされている（金商法27条の36第1項2号）。したがって、上場有価証券等に係る売買等を行う蓋然性の高い者にオルタナティブ・データを提供する場合には、IR担当者等からオルタナティブ・データを提供しなければ、FDルールは適用されないことになる。

　また、そもそもの前提として、オルタナティブ・データが、FDルールの対象となる「重要情報」に該当するか否かが検討されなければならない。

　この点、「金融商品取引法第27条の36の規定に関する留意事項について（フェア・ディスクロージャー・ルール・ガイドライン）」（以下、「FDルール・ガイドライン」という）と題するFDルールに関するガイドラインでは、「工場見学や事業別説明会で一般に提供されるような情報等、他の情報と組み合わせることで投資判断に活用できるものの、その情報のみでは、直ちに投資判断に影響を及ぼすとはいえない情報（いわゆる「モザイク情報」）は、それ自体では本ルールの対象となる情報に該当しないと考えられる」とされている（同ガイドライン問4③）。

　もっとも、FDルール・ガイドラインのパブリックコメント（No.17）では、「当該情報と過去に提供されたその他の情報とを一体として見た場合、上場会社等の業績を容易に推知し得るような場合には、重要情報に該当する可能性がある」とされている点には留意が必要であろう。

4　法人関係情報の管理等の規制

　金商法は、金融商品取引業者等またはその役員もしくは使用人について、法人関係情報に関して、①法人関係情報を提供して勧誘する行為の禁止

（金商法 38 条 9 号、業府令 117 条 1 項 14 号）、②取引推奨・勧誘規制（金商法 38 条 9 号、業府令 117 条 1 項 14 号の 2）、③自己勘定取引規制（金商法 38 条 9 号、業府令 117 条 1 項 16 号）、④法人関係情報に係る不正取引防止措置（金商法 40 条 2 号、業府令 123 条 1 項 5 号）等の規制を課しており、これらに違反すると業務改善命令等の対象となる。

　「法人関係情報」について、業府令 1 条 4 項 14 号において、「(金融商品取引) 法第 163 条第 1 項に規定する上場会社等の運営、業務又は財産に関する公表されていない重要な情報であって顧客の投資判断に影響を及ぼすと認められるもの並びに法第 27 条の 2 第 1 項に規定する公開買付け（同項本文の規定の適用を受ける場合に限る。）、これに準ずる株券等（同項に規定する株券等をいう。）の買集め及び法第 27 条の 22 の 2 第 1 項に規定する公開買付け（同項本文の規定の適用を受ける場合に限る。）の実施又は中止の決定（法第 167 条第 2 項ただし書に規定する基準に該当するものを除く。）に係る公表されていない情報をいう。」と定義されている。

　そこで、オルタナティブ・データが、法人関係情報に該当するかも問題となるが、情報の内容によっては、法人関係情報に該当する場合もあると考えられる。もっとも、オルタナティブ・データの取引において、データ提供と併せて有価証券取引を勧誘等するようなことは考えにくく、上記①〜④の規制に違反することは通常は想定し難いであろう。

Ⅲ　AI による取引と金融商品取引法上の規制

　オルタナティブ・データに重要事実、重要情報、法人関係情報が含まれていた場合、それに基づいて AI が学習し、取引をした場合には、どのように考えればよいのであろうか。

　この点については、日本銀行金融研究所が設置した「アルゴリズム・AI の利用を巡る法律問題研究会」の報告書が参考になるので、以下、その報告書の考え方を紹介する。

　同報告書は、AI による取引を、①取引責任者は未公表重要事実を知っているが、アルゴリズム・AI に未公表重要事実が与えられていない場合と、②取引責任者は未公表重要事実を知らないが、アルゴリズム・AI に

未公表重要事実が与えられた場合に分けて検討している。

1 取引責任者は未公表重要事実を知っているが、アルゴリズム・AIに未公表重要事実が与えられていない場合

　AIによる取引が問題となる類型として、上場会社等からの未公表重要事実が取引責任者に伝達され、取引責任者は未公表重要事実を知っているものの、それがアルゴリズム・AIのデータとして利用されていない場合が考えられる。これを図示したのが図表【図表7-2】である。

【図表7-2】アルゴリズム・AIに未公表重要事実が与えられていない場合

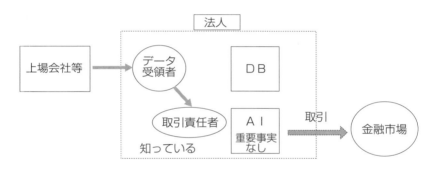

　この場合には、同報告書は、取引責任者は、重要事実を知っている以上、形式的には金商法166条3項の要件に該当し得るとする。もっとも、AIによる取引について、重要事実を知ったことと売買を行ったことが客観的に明らかに無関係といえる場合には、同法166条6項12号の「特別な事情がある場合」として適用除外となる余地があるとしている。

　現に取引責任者が、未公表重要情報を知った以上は、実務上は、基本的には売買等を控える対応をするべきであると考えられる。【図表7-2】でいえば、データ受領者は、アルゴリズム・AIに未公表重要事実を与えていないにもかかわらず、取引責任者に対して、未公表重要事実を伝えている。そのため、このような不必要な未公表重要事実の伝達が行われないように留意する必要がある。

2 取引責任者は未公表重要事実を知らないが、アルゴリズム・AIに未公表重要事実が与えられている場合

次に、AIによる取引が問題となる類型として、上場会社等からの未公表重要事実が取引責任者に伝達されておらず、取引責任者は未公表重要事実を知らないが、未公表重要事実がアルゴリズム・AIのデータとして利用されている場合が考えられる。これを図示したのが【図表7-3】である。

【図表7-3】アルゴリズム・AIに未公表重要事実が与えられている場合

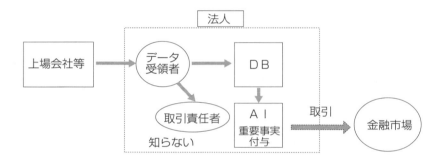

この場合には、同報告書は、取引責任者（個人）は未公表重要事実を知らない以上、当該取引責任者についてインサイダー取引規制違反であるとして刑事罰を科したり課徴金を課すことはできないとする。

一方で、課徴金は法人に課すことができる。そのため、法人が未公表重要事実の伝達を受けたものと評価できる場合は、課徴金を課すことができ、また、不正の手段（金商法157条1項）に該当する余地がある（刑事罰あり）とする。

もっとも、同報告書は、法人に課徴金を課す解釈が、現行法上許容されるかは慎重な検討を要するともしている。

なお、【図表7-3】における法人が、金融商品取引業者等である場合、法人関係情報に係る不公正取引防止のための必要かつ適切な措置を講じていない状況（業府令123条1項5号）にあるとして、行政処分の対象にな

る可能性がある点には留意が必要である。

同報告書からは、アルゴリズム・AIによる取引の金商法上の問題については、今後も検討の余地があるといえる。

Ⅳ　まとめ

以上の通り、投資運用の世界でオルタナティブ・データを使うことについては金商法について検討をすることが必要となる。もっとも、上場企業に関するオルタナティブ・データは当該上場企業の業績と関係性があるデータであるため、どのようなデータであれば金商法上の規制の対象とならないかは必ずしも明確ではない。オルタナティブ・データをより利活用できるようにするためには、不明確な部分についてより明確なルール整備がされることが望まれる。

第8章
データと刑事法

> 本章では、データに関する刑事法として、刑法と不正アクセス禁止法について解説する。

データに対して無権限でアクセスする者やデータを捏造したり不正に利用する者に対しては、刑法や不正アクセス禁止法[注1]などにより、刑事罰が科されることがある。

これらの刑事罰について、①データの存在形式に着目する規制、②データの内容に着目する規制、③データの内容に着目しない規制がある[注2]。

①データの存在形式に着目する規制とは、データが、紙やメモリーカードなどの媒体に保存されている場合に、それを盗む行為を窃盗罪として処罰するような場合である。

②データの内容に着目する規制としては、支払用カード電磁的記録の情報の不正取得罪（刑163条の4第1項）、クレジットカード番号等の取得に関する罪（割販49条の2第2項）、識別符号不正取得罪（不正アクセス12条1号・4条）、営業秘密不正取得罪（不競21条1項1号）などがある。

③データの内容に着目しない規制としては、不正指令電磁的記録に関する罪、通信の秘密侵害罪（電気通信事業179条等）、不正アクセス罪（不正アクセス禁止法11条・3条）などがある。

1 刑法上の責任

刑法の通説的考え方は、情報そのものを盗む行為（情報窃盗）は不可罰とされている。もっとも、データが、紙やメモリーカードなどの媒体に保

注1）正式名称は、「不正アクセス行為の禁止等に関する法律」である。
注2）西貝吉晃「コンピュータ・データへの無権限アクセスと刑事罰(1)」法学協会雑誌135巻2号（2018）312頁。

存されている場合には、それを盗んだり騙し取ったりする行為は窃盗罪や詐欺罪として処罰される。

　また、器物損壊罪（刑261条）における「他人の物」には電磁的記録媒体が含まれ、「損壊」には物の効用を害する一切の行為が含まれると考えられていることから、データベースに収録されたデータに虚偽情報を混入させ、データベース全体の利用を損なう行為をした場合には、同罪が成立し得る[注3]。この点、ハードディスクに記録されているファイルを、イカやタコの画像で上書きする「イカタコ」ウイルスについて器物損壊罪の成否が争われた事件では、記録されたデータを随時読み出せるという機能や新たにデータを何度でも書き込めるという機能が失われたことから、ハードディスクの効用が害されたとして、同罪の成立を認めた裁判例がある[注4]。

　さらに、コンピュータを不正利用したり、サイバー攻撃などを行った者に対しては、刑法に基づいて刑罰が科せられる場合がある（【図表8-1】）。

① 「電磁的記録不正作出及び供用罪」（刑161条の2）は、電磁的記録（データ）を偽造し、利用する行為を処罰している。このような行為は文書偽造と同様の行為であるが、電磁的記録が文書に当たらず、文書偽造罪が成立しないことから新設された規定である。

② 「不正指令電磁的記録供用罪」（刑168条の2・168条の3）は、サイバー攻撃を行ってデータを不正に取得する行為などを処罰するものである。同罪は、「サイバー犯罪に関する条約」の国内法整備の一環として設けられた。同罪の立法趣旨はデータの取得からの保護を直接の保護目的としているものではなく、プログラムに対する信頼を確保し、コンピュータによる情報処理の円滑な機能を確保するためのものである。なお、同罪では、不正指令電磁的記録を用いない態様での行為を補足することができない[注5]。

③ 「電子計算機損壊等業務妨害罪」（刑234条の2）は、コンピュータの利用を妨害することによる業務妨害を処罰するものである。

注3）宮下佳之「情報の集積・処理に伴う著作権法上の諸問題と実務対策」コピライト57巻672号（2017）2頁。

注4）東京高判平成24・3・26東京刑時報63巻1−12号42頁

第 8 章　データと刑事法

【図表 8-1】刑法上の責任

条文・罪名	処罰対象行為・法定刑	具体例
161 条の 2 （電磁的記録不正作出及び供用）	人の事務処理を誤らせる目的で、その事務処理の用に供する電磁的記録を不正に作る行為 （5 年以下の懲役または 30 万円以下の罰金。公務員が作成すべき電磁的記録の場合には 10 年以下の懲役または 100 万円以下の罰金）	不正アクセスしたサーバ内の顧客情報を書き換える行為、チート目的で行うオンラインゲームのゲームデータ改変行為
168 条の 2・168 条の 3 （不正指令電磁的記録作成・取得等）	電子計算機に不正な指令を与える電磁的記録を作成・提供したり、これを取得・保管する行為 （前者につき 3 年以下の懲役または 50 万円以下の罰金、後者につき 2 年以下の懲役または 30 万円以下の罰金）	ウイルスの作成・提供・取得・保管
234 条の 2 （電子計算機損壊等業務妨害）	電子計算機に使用目的に沿うべき動作をさせず、または使用目的に反する動作をさせて、人の業務を妨害する行為 （5 年以下の懲役または 100 万円以下の罰金）	他人のホームページを勝手に書き換えて、ホームページ開設者の業務を妨害する行為
246 条の 2 （電子計算機使用詐欺）	人の事務処理に使用する電子計算機に虚偽の情報や不正な指令を与えて虚偽の電磁的記録を作る等の方法により、自身または他人に不法の利益を得させる行為 （10 年以下の懲役）	銀行のサーバに不正アクセスし、自身または他人の口座に対する架空の送金指示を与えることで、不正に預金残高を増やす行為
258 条・259 条 （公用・私用文書等毀棄）	公務所の用に供する電磁的記録や、権利または義務に関する他人の電磁的記録を毀棄する行為 （前者については 3 か月以上 7 年以内の懲役、後者については 5 年以下の懲役）	不正アクセスしたサーバ内の顧客情報（例えば、オンラインゲームのポイント残高等）を削除する行為

④ 「電子計算機使用詐欺罪」（刑246条の2）は、コンピュータを利用した不正な財産取得を処罰するものである。詐欺罪は、人を欺く行為を処罰でするものであり、コンピュータを欺く行為は人の判断が介在しないため処罰できないことから設けられたものである。
⑤ 「公用文書等毀棄罪」（刑258条）と「私用文書等毀棄罪」（刑259条）は、公用のデータ（電磁的記録）や権利または義務に関する他人のデータ（電磁的記録）を毀棄する行為を、文書毀棄罪と同様の観点から処罰するものである。

2 不正アクセス禁止法の責任

サイバー攻撃などの不正アクセスを行った者を刑事的に処罰する法律として、不正アクセス禁止法がある。この法律は、「不正アクセス行為」を禁止し（同法3条）、これに違反した者を3年以下の懲役または100万円以下の罰金に処すものとしている（同法11条）。不正アクセス禁止法の目的は、電気通信回線を通じて行われる電子計算機に係る犯罪の防止とアクセス制御機能により実現される電気通信に関する秩序の維持を図ることとされている（同法1条）。不正アクセス禁止法の保護法益については争いがあるが[注6]、立案担当者は「犯罪の抑止力としての、また、ネットワークの利用、接続の基礎としてのアクセス制御機能に対する社会的信頼」であるとしている[注7]。

そして、不正アクセス禁止法にいう「不正アクセス行為」とは、以下のような行為とされている。
① 他人の識別符号を悪用し、本来アクセスする権限のないコンピュータにネット経由でアクセスする行為（同法2条4項1号）
② セキュリティホールを利用して、本来アクセスする権限のないコンピュータにネット経由でアクセスする行為（同法2条4項2号・3号）

注5）西貝・前掲注2）308頁。
注6）西貝吉晃『サイバーセキュリティと刑法──無権限アクセス罪を中心に』（有斐閣、2020）219頁以下。
注7）不正アクセス対策法制研究会編『逐条不正アクセス行為の禁止等に関する法律〔第2版〕』（立花書房、2012）140頁。

第 8 章　データと刑事法

　不正アクセス禁止法は、特定電子計算機に対する電気通信回線を通じた特定の情報の入力のみ禁止しているため（同法 2 条 4 項）、ネットワークを介しない攻撃方法は処罰の対象にはならない。

　また、システムの管理者自身や管理者または正当な利用権者の承諾を得ている者が行う行為は、構成要件該当性が阻却され、「不正アクセス行為」には該当しないものとされている。

　なお、不正アクセス行為を助長するような行為、具体的には、

ⅰ　不正アクセス目的で識別符号（パスワード、指紋情報等）を取得する行為（同法 4 条）

ⅱ　正当な理由なく他人の識別符号を第三者に提供する行為（同法 5 条）

ⅲ　不正に取得された他人の識別符号を保管する行為（同法 6 条）

ⅳ　識別符号の入力を不正に要求する行為（いわゆるフィッシング行為。同法 7 条）

についても禁止されており、これらに違反した者を 1 年以下の懲役または 50 万円以下の罰金に処するものとしている（同法 12 条）。

第9章
データ・スキームの構築・運用

> 本章では、これまでの解説の応用編として、実際のビジネスの現場においてどのように、法律を考慮しながら、データ取引にスキームを構築・運用していくのかについて解説する。
> (1) スキーム構築の前提
> スキーム構築をするに当たって準備しておくべき事項を解説する。
> (2) データ取得・取引のスキーム構築のポイント
> データ取得・取引のスキーム構築には法律が大きく影響する。そこで、スキーム構築に当たって、どのような法律上の問題があり、どのように解決するのかについて解説する。
> (3) データジョイントベンチャーのポイント
> 企業が、データに関してジョイントベンチャーを生成・運営する場合の留意点について解説する。

　データをどのように取得し、どのように流通させるかという仕組み作りは、データビジネスの重要な要素である。そのような仕組みは、実現したいビジネス、利用できる技術、コストなどから組み立てていくことになるが、法規制も、そのような仕組みを組み立てる際に検討すべき要素となる。法規制に違反する仕組みであれば、そのような仕組みはそもそも成り立たないからである。また、法規制に違反しないとしても、社会的に批判を浴びる可能性がある仕組みについては避けることも検討すべきである。そこで、データの取得・提供の仕組み（データ・スキーム）の構築と運用に当たって法的な分析や社会受容性の観点から分析が必要となる。本章では、法的な観点からのデータ・スキームの構築について解説する。実現したいビジネスのために法規制をクリアーする必要があることはもちろん、それに加えて、不必要なコストを抑えたり、将来の社会の変化を見据えた法的分析を踏まえて、データ・スキームを構築することも重要となる。

第9章　データ・スキームの構築・運用

I　スキーム構築の前提

　データ・スキームの構築・運用や、そのための契約を締結するためには、その前提として、データの取得方法、所在、利用方法、フロー、処理プロセス、管理・保存状況といった事実関係を把握する必要がある。

　また、データにパーソナルデータを含む場合には、個人情報保護法等に従って取り扱う必要が生じる。パーソナルデータでなくても、機器が創出する産業データについても企業名や機器の位置を特定されることを避けたい場合のように、パーソナルデータに準じた取扱いが必要となることもある。

　事実関係を把握するための作業としては、まず以下の情報を収集することが考えられる。

① 　データマッピング：どのようなデータをどこから取得したのか、どこに所在しているのか、どこで生成され、保存されるのかに関する情報である。

② 　データの内容：取り扱うデータがどのような内容を有するデータなのかについての情報である。1つのスキームにおいても、多様なデータがさまざまな利用形態で取り扱われることも多いことから、検討の出発点として、対象データが何かを特定することは重要である。データの内容によって法規制も異なってくることになる。例えば対象となるデータが、個人情報なのか、匿名加工情報なのか、統計データなのかによって、個人情報保護法の規律が異なってくる。

③ 　データフロー：データが、物理的にどこからどのように流れていくのかに関する情報である。なお、生データが加工されて派生データとして流通する場合もある。加工によって対象データの内容が変わることもある。例えば、個人データを加工して統計データにするような場合である。

④ 　データタスク：各当事者が、データに対して、どのような役割をもっているのかについての情報である。データ受渡しの中継点にすぎないのか、データを加工するのか、分析するのかなどである。

⑤　データ権限：各当事者に対して、データについてどのようなアクセス権限・利用権限が割り当てられているかという情報である。グループ企業や、外注先や派遣社員などもアクセスできる場合もあり、そのようなケースが問題になることもあることから、「実際に」誰がアクセス・利用権限を持っているのかを把握することが重要である。

Ⅱ　データ取得・取引のスキーム構築のポイント

1　総論

　データ・スキームの構築に当たっては、主に2つの視点から分析する必要がある。1つ目は、企業が締結している契約の観点からの分析であり、2つ目はパーソナルデータの観点からの分析である。

　企業が取得するデータには、相手方との契約において目的外使用が禁止されていたり秘密保持義務が課されている場合がある。そのため、取得したデータを利用したり、第三者に提供する場合には、これらの目的外使用禁止規定や秘密保持規定に違反しないかを検討する必要がある。

　特に、取得したデータを当初の契約では想定されていなかったような新しい目的に利用する場合には注意が必要である。古い契約の多くには、データの積極的な活用を許容するような規定が設けられていないため、目的外使用禁止義務に抵触するような場合もあり、契約の改訂が必要となることもあり得る。

　次に、企業が取得するデータに、パーソナルデータが含まれている場合である。パーソナルデータについては、日本の個人情報保護法が適用されることを想定すると、①パーソナルデータの形式が個人情報保護法におけるどのカテゴリーに属するか、②どのような方法で外部に提供するのかによって、取扱方法にかなり違いが生じることになる。それを理解した上で、最も目的に沿ったスキームを構築することになる。パーソナルデータに関するルールは複雑なので次項で詳しく解説する。

2　パーソナルデータ

　パーソナルデータの取得・利用についての個人情報保護法の規制は、前

述の通り、①パーソナルデータの形式が個人情報保護法におけるどのカテゴリーに属するか、②どのような方法で外部に提供するのか、によって異なっている。

(1) データ形式

パーソナルデータは、データの形式によって、法規制が異なっている。

第1に、①個人情報、②個人データ、③個人関連情報、④匿名加工情報、⑤仮名加工情報、⑥統計情報のいずれに該当するかによって、適用される個人情報保護法のルールが異なってくる。個人情報保護法の観点からのデータ取得・利用の自由度のイメージは下記の通りとなる（右のほうがより自由度が高くなる。なお、仮名加工情報については利用目的の制約は少ないが自社内での利用しかできない特殊性があるため下記には含めていない）。

要配慮個人データ＜個人データ＜個人情報＜個人関連情報＜匿名加工情報＜統計情報

第2に、個人情報についても、個人情報、個人データ、保有個人データ、要配慮個人データのいずれに当たるかによって、守るべきルールが異なってくる。

第3に、個人情報の外部提供の方法について、委託、事業承継、共同利用、それ以外のどの方法によるかによっても守るべきルールが異なってくる。

パーソナルデータの取扱いの詳細については、**第6章**で述べたが、簡単にまとめたものが【図表9-1】である。

まず、検討すべきは、実現したいビジネスにおいて、どのようなデータのカテゴリーと整理するのが適切なのかを検討することである。例えば、データのカテゴリーを統計情報や匿名加工情報と整理すれば、目的の範囲内で利用しなければならないという制約や、第三者提供に本人の同意を取得をしなければならないという制約がなくなることになる。つまり、データのカテゴリーを変更することで、利用目的や外部提供の自由度が格段に高まることを意味する。利用目的の縛りがあると、将来のビジネス環境の

【図表 9-1】データの形式とルール

形式	ルールの内容
①個人情報	・目的外利用不可 ・第三者提供について本人同意等は不要
②個人データ	・目的外利用不可 ・第三者提供について本人同意等が必要。ただし、委託、事業承継、共同利用は第三者提供に該当せず
③個人関連情報	・相手方が個人データとして取得することが想定される場合には、提供先による同意取得していることを確認すること（外国第三者に提供する場合には、当該外国における個人情報保護制度などについての参考となるべき情報の提供が必要）
④匿名加工情報	・目的外利用可 ・第三者提供について本人同意等は不要 ・識別行為の禁止 ・提供時の公表義務（委託する場合も必要） ・匿名加工化しきれていない場合のリスクがある ・データの有用性の低下
⑤仮名加工情報	・内部利用のみ可能であり、第三者提供は不可 ・利用目的について制約なく変更可能
⑥統計情報	・個人情報保護法の対象外 ・目的外利用可 ・第三者提供について本人同意等は不要 ・データの有用性の低下

変化に柔軟に対応することができなくなる。大量のデータを集めていても、それを過去に掲げた利用目的でしか使えず、新規ビジネスでは使えないという事態が生じることもある。

　しかし、そうだからといって、すべてのパーソナルデータを統計情報にすればよいという話にはならない。統計情報では、個人を識別することはできないことから個人のターゲティング広告には使えないなど、パーソナライズしたデータ処理には使うことはできない。

　このように、ビジネスの目的に合わせて、どのデータのカテゴリーに属させるかを選択することになる。

(2) 第三者提供の方式

必要なデータ形式が決まれば、次は、どのような方式で第三者提供をするかを決めることになる。

外部提供の方法について、例えば、委託という方法で外部にデータを提供する場合には、本人の同意は不要である。しかし、委託する場合には、取得時の目的の範囲内で委託しなければならず、委託先が自社の目的で自由にデータを利用することはできないといった制約がある。

共同利用する場合には、共同利用者間の間で一定の関係があることが求められる上に、外部者の範囲を事前に公表する必要があり、外部者が変動する場合には使い勝手が悪い（【図表9-2】）。

また、共同利用する場合には、あらかじめ共同利用の目的を公表等する必要があり、過去に取得したデータについて、当該データについて既に定められた利用目的と関連性があると合理的に認められる範囲を超えて第三者提供することはできず[注1]、第三者提供するためには本人同意の取得を取得する等が必要となる。

そこで、原則に立ち返って、本人の同意を取得して第三者提供するという選択肢もある。サービスによっては、ウェブやアプリなどのログイン画面で同意をとるなど、同意を取得することが比較的容易な場合もあり、同意を取得することが必ずしもコストが高いということでもなく、ケースバイケースである。

さらに、オプトアウトという手段もある。オプトアウトは、レピュテーションリスクなどの観点から企業による利用は抑制的になされているが、利用されることもあり、これもケースバイケースである。

(3) パーソナルデータのスキーム構築

このように、パーソナルデータの形式と外部提供の方法を変えることで、守るべき個人情報保護法のルールが異なってくる。

実務的に一番大きいのは、利用目的の範囲内で利用する必要があるのか否かと、外部提供することについて本人の同意を取得するのか否かの2

注1) 個人情報17条2項および「個人情報の保護に関する法律についてのガイドライン」及び「個人データの漏えい等の事案が発生した場合等の対応について」に関するQ&A 5-32-3参照。

【図表9-2】データの外部提供方法とルール

外部提供方法	本人同意	利用目的への記載	通知・公表	委員会への届出	記録保存・確認	外部者の監督義務	要配慮個人情報の提供禁止
本人同意取得	必要 ○	不要 ×	不要 ×	不要 ×	必要 ○	不要 ×	提供可
オプトアウト	×	○	○	○	○	×	提供不可
委託	×	×	×	×	×	○	提供可
共同利用	×	○	○	×	×	×	提供可

点である。

　これらによって、ビジネス上のオペレーションも大きく変わってくる。例えば、本人から同意を取得する必要があるスキームであれば、オペレーションの手順の中に、本人から同意を取得する手続を入れる必要が生じる。それが多大なコスト増につながることもあるし、本人から同意をとることが現実的には困難な場合もある。

　データ取得・利用のスキームは、不適切なスキームを選択してしまうと、不要なコストが生じたり、将来の環境変化の対応が難しくなってしまい、ビジネス上の不利益につながる。また、一度、システムを開発したり、オペレーションを作り込んでしまうと、その後に変更するのには多大なコストがかかったり、現場との調整が必要になったりして、容易に変更できないことも多い。したがって、パーソナルデータを利用するビジネスをする際には、事前に、スキームをよく検討しておくことが重要である。

　スキームの検討にあっては、流通させたいデータが、個人データなのか、統計情報・匿名加工情報等の非個人データなのかを検討することになる。もし、非個人データであれば第三者提供についての制約はないことになり、他方で、個人データであれば、第三者提供においてどのような方法によることが最も合理的かを検討することになる。

　個人データを第三者提供する場合、多くのケースでは、まず、同意が不要な委託によりデータを第三者提供できないかを考える。この点、データ提供先が独自にデータを利用したい場合には、そもそも委託によることは

できないので、他の方法を考えることになる。

その場合、次には、本人から同意を取得して第三者提供をすることを考える。アプリ等で比較的容易に同意を取得できる場合にはこの方法によることが多いが、本人同意をとることが困難な場合には他の手段を考えざるを得ない。

残る方法として、共同利用とオプトアウトである。前述の通り、共同利用は、共同利用するだけの関係性が利用者間にあることが必要であり、また、過去のデータの第三者提供については、当該データについて定められた利用目的と関連性があると合理的に認められる範囲を超えて利用する場合には、別途本人同意等を取得する必要がある。

オプトアウトは、消費者からプライバシー侵害と受け取られるリスクがあるためレピュテーションの問題を考慮する必要が生じる。

いずれの方法も一長一短があるため、事案に応じた最も適切な方法を選択することになる。

3　データ・スキーム構築の具体例

データ・スキーム構築に当たっては、データの物理的なフローと契約のフローは別であるということを理解する必要がある。

例えば、X社が、個人のデータの収集をY社に委託する場合を想定してみる。その場合、データのフローは、個人⇒Y社⇒X社となる(【図表9-3】の①)。素直に考えれば、この場合には、データ提供に関する契約は、個人とY社の間と、Y社とX社の間でそれぞれ結ぶことになる。

しかし、法律的には、個人から直接X社にデータ提供をする形式にすることも可能である(【図表9-3】の②)。この場合、個人とX社がデータ提供契約の当事者となり、データを収集するY社は、X社の受託者としてデータを収集するという立場になる。

このように、物理的なデータ・フローと観念的な法律上のデータ・フローは別のものとすることができる。法律上のデータ・フローを変更することによって、データ利用の自由度を上げることができる場合がある。

法律的データ・フローのスキームは、ビジネス面、技術面、オペレーション面、法律面などの観点からメリット・デメリットを検討し、最適な

【図表 9-3】 物理的データフローと法律的データフロー

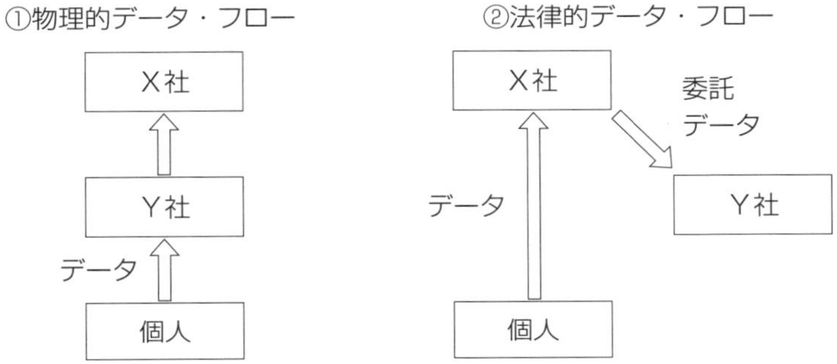

①物理的データ・フロー

X社 ← Y社 ← 個人
（データ）

②法律的データ・フロー

X社 —委託データ→ Y社
X社 ← 個人（データ）

スキームを選択することが望ましい。

　例えば、運送会社が従業員の運転状況のデータを、保険会社が車に設置した機器を通じて収集するというシステムを想定してみよう。運送会社は、従業員の運転状況のデータによって、保険料の割引を受けることができる。従業員は、保険会社から、スマホのアプリ経由で安全運転・効率運転のアドバイスを受けることができる。

　保険会社に提供される運転状況のデータは、従業員個人と紐付いているので個人情報保護法の「個人データ」に該当する。保険会社は、多数の運送会社と契約し、そのデータを、道路の渋滞改善、燃費改善、危険地帯マップを作成する目的などのため、自動車運行情報を収集する外部のデータ解析会社に販売することを計画している。この事例において、物理的データ・フローは次頁の【図表 9-4】①となる。

　このデータ・フローをそのまま素直に法律的データ・フローに引き写すと、【図表 9-4】②となり、運送会社から保険会社へのデータ提供と、保険会社から運送会社への従業員のデータ提供との双方について、個人データの第三者提供となり、従業員からの同意の取得が必要となる。

　データを保険会社からデータ解析会社へ外部提供する場合、その形式については、①個人データ、②匿名加工情報、③統計情報にするという選択肢がある。データ形式を個人データとする場合には、提供方法について、本人同意、オプトアウト、委託、共同利用という方法がある。しかし、居眠り運転防止などのためにドライバーの健康状況（健康診断の結果）など

415

第9章 データ・スキームの構築・運用

【図表 9-4】データ・スキーム

①実際のデータの流れ

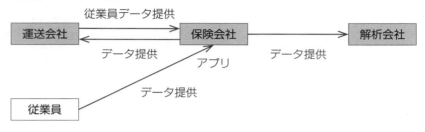

②そのままで考えた場合

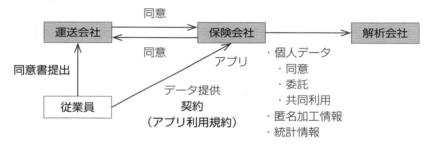

③会社取得＋保険会社委託

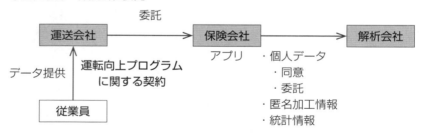

④会社取得＋保険会社取得（それぞれが各自で取得）

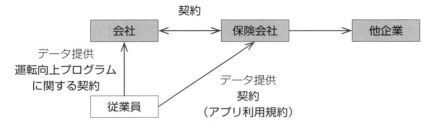

⑤会社＋保険会社共同利用（共同利用の要件を満たす必要あり）

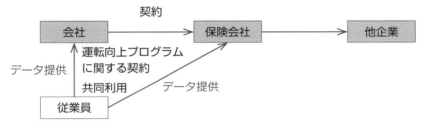

を提供する場合には、要配慮個人情報となることから、外部提供にオプトアウトを使うことはできなくなる。いずれのデータ形式を利用するかについては、運送会社、保険会社、データ解析会社において、どのような目的でデータを利用するかによる。

　もっとも、前述した通り、契約フローは、物理的データ・フローと必ずしも一致させる必要はない。そこで、以下のようなスキームが考えられる。
　①　運送会社が従業員からデータを取得し、保険会社に委託の形でデータを外部提供するスキーム（【図表9-4】③）
　②　運送会社と保険会社が、従業員のデータを各自で取得するというスキーム（【図表9-4】④）
　③　運送会社と保険会社が、従業員のデータを共同利用するというスキーム（【図表9-4】⑤）
　前記のいずれのスキームも理論的に可能であり、どのスキームを採用するかについては、ビジネス面、技術面、オペレーション面、法律面などの

観点から検討することになる。

前記①の委託スキームの場合、運送会社から保険会社へのデータの提供については、委託であることから、従業員の同意は不要である。しかし、保険会社に委託できる範囲は、従業員からデータを取得する際に提示した目的の範囲内となる。また、運送会社は、保険会社の監督義務を負うことになる。

前記②の各自取得スキームの場合、運送会社と保険会社が各自にデータを取得するということとなり、他社に気兼ねなくデータ利用ができるが、アプリの利用規約と会社のプライバシーポリシの整合性をとるなどの配慮が必要となる。

前記③の共同利用スキームの場合には、運送会社と保険会社がデータを共同利用という形になるので、共同利用の要件を満たす必要があることはもちろん、ビジネス的にそのようなことを前面に打ち出すことができるかということが問題になることもある。

Ⅲ　データ・ジョイントベンチャーのポイント

データの利活用を目的として、企業が共同して会社を設立したり、出資したりすることがある。そのような会社を、ここでは「データ・ジョイントベンチャー」（「データJV」）と呼ぶことにする。

1　データJVの類型

データJV（ジョイント・ベンチャー）にはいくつかの類型がある。主なものの1つは、当事者の一方がデータ解析技術を提供し、他方当事者がデータを提供するという形態の　JVである。もう1つは、異なる種類のデータとビジネス上の基盤を各当事者が持ち寄るという形態のJVである。

(1) Tech型データJV

当事者の一方がデータ解析技術を提供し、他方当事者がデータを提供するという形態のデータJV（Tech型データJV。【図表9-5】）が形成される背景としては、次のような事情が考えられる。

一方当事者は、Tech系企業であり、データ解析技術をもっているが、

【図表9-5】Tech型データJV

①データJVの設立

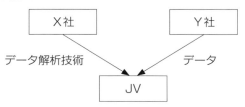

②データJVからのデータ・フロー

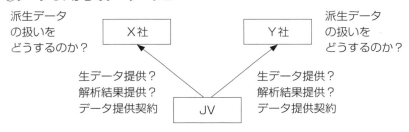

③データ共有型データJV

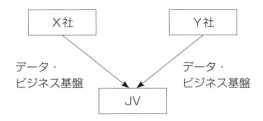

特定の分野のビジネスについては経験がなく、そのビジネスのデータを入手することができない。これに対して、他方当事者は、顧客基盤を確立しており、あるビジネス分野のデータについて蓄積があり、今後も入手可能であるが、データアナリスト等の人材がいないため、データがあっても解析できずに宝の持ちぐされになっている。また、Tech系企業としては、JVを設立することにより、他方当事者の蓄積データを利用したビジネスに排他的または優先的に関わることで、自社のビジネスを拡大できる等の期待をもっている。そこで、お互いに得意分野を持ち寄って、JVを作るというものである。

もっとも、単に協業するだけならば業務提携で足り、わざわざJVを設立する必要はない。あえてJVを設立する事情としては以下が考えられる。

① お互いに、データ解析技術とデータという価値あるリソースを投入することになることから、プロジェクトに対してお互いに強いコミットをすることを示すことが求められる場合がある。単なる業務提携契約であれば、解消は比較的容易であるが、JVであれば、資本関係があるので関係解消のハードルが上がり、コミットメントの度合いが高くなる。

② JVの場合には、収益をJVにため込むことで収益の配分の問題を先送りにすることができる（なお、収益が出るかわからない事業においては、そのような事業にかかわらず収益の配分の議論に時間とエネルギーを費やすことは合理的ではないことも多い）。

③ データを集約するのには、JVという箱が必要な場合がある。JVがない場合には、収集するデータを出資者に帰属させざるを得ないが、出資者がデータを保有することにビジネス上の不都合や、責任問題などのリスクがあるため、別会社であるJVに帰属させることができる。

④ データアナリストの給与は高額となる傾向があるため、出資者本体の給与体系では雇用できない場合もある。そこで、JVにより別法人を作ることで、出資者本体の給与体系とは異なった給与体系で、データアナリストを集めることが可能となる。

⑤ 出資者本体が大会社の場合、本体で新規事業を始めるとしがらみが多かったり、稟議などの手続の負担が大きく、機動的に会社の運営が

できない場合もある。データ関連ビジネスは新しいビジネスであるため、迅速な意思決定が求められることも多い。そこで、機動力を確保するため、本体と別にJVを設立することも考えられる。

(2) データ共有型データJV

次に異なる種類のデータとビジネス上の基盤を各当事者が持ち寄るという形態のJV（データ共有型データJV。【図表9-6】）も考えられる。

例えば、鉄道会社が乗降客のデータを提供し、通信会社が通信データを提供して、人流データを作成・分析して新規ビジネスを立ち上げたり、それぞれ自社のビジネスに生かすようなケースがこれに該当する。

このようなデータ共有型データJVのメリットの1つとして、異なる種類のデータを統合することで、新たな知見やビジネスチャンスが生まれることが挙げられる。その他のメリットとしては、Tech型データJVで述べた①～⑤も当てはまる。

このようなデータ共有型データJVでは、お互いが確立したビジネス基盤を持つため、ビジネスの競合を避けるためのデータの取扱いが問題になることが多い。当事者が、自社と同業の他社のビジネスで業務提携をしていることもあろ。その場合、競業禁止義務が問題となる。

また、業界間における考え方や文化の違いにより話がまとまりにくく、それをいかに解消するかが重要になることも多い。

2　データJVにおける留意点

データに関するJVについては、さまざまな点に留意が必要であり、出資者間の交渉事項となる。以下に主要なものを挙げる。

なお、出資者からデータJVにデータが提供される場合には、出資者とデータJV間でデータ利用に関する契約が締結されるであろう。そこでの検討課題は、**第3章**で述べたことが妥当し、モデル契約を参考とすることができよう。

(1) 提供するデータの範囲

JV立上げに当たって、どのようなデータをJVに提供するのかを可能な限り明確にしておくことが重要である。

(2) データ収集の当事者

データの収集を誰が行うのかも重要である。データ提供企業が当事者となるのか、JVが当事者となるのかを決める必要がある。また、データには、収集された生データと、それを解析した結果生じる派生データがあるので、それぞれについて検討する。派生データの取扱いについては失念しがちであるため留意する必要がある。

(3) データの管理者

生データや解析データについて、どの当事者が管理するのかを決める必要がある。管理主体としては、X社、Y社、JVが考えられるが、JVを組成する以上、まずは、データの管理主体はJVとなることが多いであろう。もっとも、X社・Y社にデータを提供する場合、その提供したデータや派生データについてもJVが管理するのかという論点がある。

(4) データの利用条件

生データ・派生データや解析データなどの成果物を、どのような利用条件で各当事者に提供するかが論点となり、各当事者の利用条件や知的財産の帰属を定める必要がある。これらの利用条件や知的財産の帰属は、出資者とJV会社との間でデータ利用に関する契約を締結することによって定めるのが一般的であろう。このデータ利用に関しては、**第3章**で述べたことが妥当するであろう。

(5) データ提供の対価

データ提供の対価については、JVは、出資者のグループ会社となることから、無償という考え方もある一方で、有償という考え方もある。これについては理論的な必然性はなく、ビジネス上の判断である。

(6) パーソナルデータの取扱い

パーソナルデータを扱う場合には、当事者間によるデータのやりとりが個人情報保護法等を遵守しているかをチェック・モニターする必要がある。パーソナルデータのスキーム構築については前述の留意点がここでも妥当する。

(7) 秘密保持と従業員

多くの場合、JVの従業員は、出資元から出向・派遣されることが多い。その場合、それらの人材を通じて、データや派生データが、出資元に還流

する可能性が高いので、その取扱いをどのようにするかが検討課題となる。

(8) **競業禁止義務**

出資者に競業禁止義務を課すべきかを検討する必要が生じる場合がある。出資者が他社と組んで同種の事業を行う場合、秘密保持契約があるとしても、秘密やノウハウが流出してしまうリスクは高まる。他方で、競業禁止義務は双方的な規定となることが多く、競業禁止規定を設けると自らも競業禁止義務を負うことになってしまうことから慎重な検討を要する。

(9) **ＪＶ解消時のデータの取扱い**

JVは解消される可能性があるため、JV解消時のデータの取扱いについても検討が必要である。JV解消時にすべて消去するのか、出資者に引き渡すのか、出資者にすでに提供されているデータの取扱いをどうするのか等が争点となる。出資者や第三者に対して提供されているデータが他のデータと統合されていたり、再提供されている場合には、現実には消去することは困難なことが多い。

(10) **出資者との契約関係**

JVと出資者間との間で様々な契約が締結されることがある。特にJVが出資者のリソース（データ・ビジネス基盤や人材）を利用する場合には、その利用に関する契約を締結することになる。

実務的な観点からは、どのような契約が必要かを分析し、複数の契約に、なるべく内容に重複がないように契約を作成することが望ましい。内容に重複があると、初期段階でも矛盾が生じやすいだけでなく、契約改定がされると、より齟齬が拡大しやすい。

第10章
データとM&A

本章では、データの取得を主な目的とするM&Aにおいて必要となる知識として、以下について解説する。

(1) データ・デューデリジェンスの重要性

データがビジネス遂行において中核的な役割を果たす時代になっていることや、M&Aの対象会社がその保有するデータを適切に取り扱っていなかった場合には、買収後に関連当局等から罰金や制裁金を課されたり、パーソナルデータの主体から訴訟を起こされるリスクもあることから、データに関するデューデリジェンスは、M&Aにおけるデューデリジェンスに際して、重要な分野の一つとなっている。

(2) データ・デューデリジェンスの実施方法

データ・デューデリジェンスの実施方法、特に、法令等の遵守状況だけでなく、プライバシーの観点からのリスク、M&A後に買主が利活用することができる範囲も確認しておく必要があること等、実務的な観点から留意すべき事項について概観する。

(3) M&A契約への反映

データ・デューデリジェンスで判明した不備等について、M&A契約にどのように反映してリスクを抑えるかという点について、具体的な条項例とともに解説する。

I データ・デューデリジェンスの重要性

1 M&Aにおけるデータ・デューデリジェンス

データ駆動型社会の発展に伴って、データが事業の価値の源泉となることも増えてきており、データがビジネス遂行において中核的な役割を果たす時代になっている。しかしながら、自社の事業・商品の効果的な分析に

必要かつ十分なデータを自ら収集することができない事業者も少なくない。そのような企業は、データの利活用の前に、データの取得段階でつまずいてしまうことになる。これまで本書で述べてきたデータの利活用に当たっては、データの取得方法として、自らのビジネスを遂行する過程で生じるデータを集積するだけでなく、第三者と協業・連携して、他者の保有するデータを利用させてもらうこともある。また、最近では、多くの顧客情報等のパーソナルデータを保有する会社（以下、「**対象会社**」という）を買収対象とするM&Aを行うことによって、対象会社が保有しているデータを取得するという、データを主な目的とするM&Aがビジネス戦略として用いられることも増えてきている。

　他方で、対象会社がその保有するデータを適切に取り扱っていなかった場合には、買収後に関連当局等から罰金や制裁金を課されたり、パーソナルデータの主体から訴訟を起こされたりするリスクもある。世界的にパーソナルデータの取扱いに関するルールが厳格化されてきており、違反した場合のペナルティも大きい。特にGDPRでは、2000万ユーロ、または前会計年度における全世界の売上高の4％の制裁金を課される可能性もある。また、個人情報保護法も令和2年改正で罰則を強化し、最大1億円以下の罰金を科され得ることとなった。このような制裁金・罰金を課される可能性だけでなく、情報漏えい等が生じた場合に、買収者グループのレピュテーションが低下し、グループ全体の事業に影響を及ぼす可能性もあることは、重大なリスクである。そのため、そのようなリスクの有無をあらかじめ調査し、M&A契約に適切に反映させてリスクを極小化することが非常に重要になってくる。また、これらのリスクが現実化する可能性は、データを目的とするM&Aに限ったことではない。データ駆動型社会においては、どのような企業も多かれ少なかれデータを利用していることから、データを主たる目的としていない一般的なM&Aにおいても、対象会社が不適切なデータの取扱いをしていることが買収後に判明した場合には、同様のリスクが生じ得るのであり、データに関するデューデリジェンス（以下、「**データDD**」という）は、M&Aにおけるデューデリジェンスに際して、重要な分野の1つとなっているといえる。

第 10 章　データと M&A

2　対象会社におけるデータの取扱いが問題となった事例

　データ DD において最も注意する必要があるのは、M&A において対象会社が過去に情報漏えいや違法なデータの取扱いをしていたことによるレピュテーションリスクと、当局から罰金・制裁金を課されたり、当該データの対象者（本人）から損害賠償を請求されるリスクである。実際に、以下のように過去にデータの取扱いが問題となった事例でのインパクトの大きさを見ると、データ DD の重要性が実感できるであろう。

(1)　米ヤフーの個人情報流出

　米通信大手のベライゾン・コミュニケーションズは、2016 年 7 月に米ネット大手のヤフーの中核事業を約 48 億 3000 万ドルで買収することを公表したが、その後買収完了前に、過去にヤフーにおいて全アカウントの 3 分の 1 である 10 億人分の個人情報がサイバー攻撃で流出していたことが発覚した。これにより、2017 年 2 月に、両社は買収額を 3 億 5000 万ドル減額（1 ドル = 110 円換算で約 385 億円）し、44 億 8000 万ドルとすることに合意した。また、かかる個人情報の流出について、米証券取引委員会は 2018 年 4 月に、ヤフーが適切な公表を行わなかったとして、3500 万ドルの制裁金を課した。

(2)　スターウッドホテルの顧客情報流出

　2018 年 11 月、米マリオット・インターナショナルが、2016 年 9 月に買収したスターウッドホテルにおいて、大規模なハッキングを受けて 5 億人分の顧客情報が流出したことを公表したが、その後の調査により不正アクセスは 2014 年から始まっていたことが判明した。かかる顧客情報の流出について、英国当局は、GDPR に基づく制裁金として 9920 万ポンド（1 ポンド 150 円換算で約 148.8 億円）を課すことを公表したが、最終的には 1840 万ポンドに減額されている。

　これらの事例からすると、M&A における買収価格を左右したり、巨額の制裁金を課されたりする可能性の有無を発見するためのデータ DD の実施は非常に重要であるといえる。上記は海外の事例であるが、データがビジネスにおいて重要性を増してきている一方で、パーソナルデータに関する規制も厳しくなってきている現在においては、今後、日本でも同様の

事例が生じることが十分にあり得る。データ DD においては、データの取扱いに関するコンプライアンス状況を確認することはもちろんのこと、プライバシーの観点からのリスクや買収後にデータを利活用できる範囲も見据えたデューデリジェンスを実施することが重要なポイントとなってくる。以下では、データ DD の実施方法や M&A 契約に反映させる方法において実務的に留意すべき点について概説する。

II　データ・デューデリジェンスの実施方法

前述の事例では、いずれも買収前に個人情報が流出していたことから、契約前のデューデリジェンスで発見されていた可能性もあった事案である。もっとも、一般にデューデリジェンスにはさまざまな制約があり、対象会社におけるデータの取扱いのすべてを調査することは現実的には不可能である。

まず、そもそもデューデリジェンスは、売主や対象会社にデータ等の開示を強制できるものではなく、あくまでも売主・対象会社の任意の協力が前提となる。また、案件の初期段階では、売主・対象会社側の社内で情報共有できる範囲が限られており、デューデリジェンスに対応する人員リソースが限定的であることや、この段階で開示することが適切ではないものもある。さらに、M&A の契約締結・実行のスケジュールとの関係で時間的な制約もあること、買主側の人員リソースや専門家に依頼するコストとの関係でも一定の制約があること等から、対象会社におけるデータの取扱いの全てを確認することはできないのが通常であろう。

そのため、データ DD を実施する際には、重要なポイントから優先順位をつけて確認していくことが必要となる。その際の観点としては、主に、①どのデータがビジネス上の価値の源泉となっているか、②どのデータに関する法令等の義務違反や漏えい等が発生した場合に対象会社へのリスクが大きいか（これは、どれだけセンシティブな内容のデータかという観点に加えて、制裁金等のサンクションの大きさという観点もある。いわゆるリスクベース・アプローチ）という点を考慮して判断していくことになるであろう。

具体的なデータDDの実施方法としては、一般的には以下のような手順で進めることが想定される。

1　秘密保持契約の締結

　データDDに限らず、デューデリジェンス一般に当てはまるが、対象会社から資料等の開示を受ける前に、まずは売主との間で秘密保持契約を締結することが一般的である。内容としては、M&Aの検討の目的で秘密保持契約を締結することや、相手方から開示を受けた情報について、目的外利用をせず、また、秘密を保持して第三者に漏えい等をしてはならないという内容とすることが通常である。上述の通り、売主・対象会社にデータ等の開示を義務付けるものではないため、開示を強制できるものではない。

2　チーム編成

　一般的なデューデリジェンスでは、会計・税務は会計士・税理士に、法務については弁護士に依頼してチームを組成して対応することが多いと思われるが、データDDに関しては、これらの専門家は技術的な面についての検討が十分にできない場合も多い。特に、情報漏えい事案については、従業員による誤操作・紛失や営業秘密の持ち出し、ハッキング等の不正アクセス等が原因となることが多く、会社自身が意図的に不適切な取扱いをしていなくても、データが漏えいする可能性は十分にあることから、データ・セキュリティの観点からの検討も重要である。他方で、データ・セキュリティについては、専門的・技術的な知識と経験が必要となるため、買主のITシステム・セキュリティ部門の担当者もデータDDのチームに加わってもらい、連携を図りながら進めていくことが望ましい。

3　資料請求・概要インタビュー

　デューデリジェンスを開始するに当たって、通常は、対象会社に提供してもらう必要がある資料・情報を列挙した資料請求リストを買主側で作成して売主側に提示することになる。ただし、複数の買主候補がいるビッド（入札）案件のような場合には、1次入札時にはインフォメーション・メ

モランダムと呼ばれる対象会社の事業概要等をまとめた資料が買主候補者に開示され、1次入札を通過した数社が、2次入札時にデューデリジェンスの機会が与えられる。その際には、買主側から資料請求リストを提示するのではなく、買主候補が検討するにあたって重要と思われる資料を売主側がピックアップして買主候補全員に同じ情報を開示することもある。

資料請求リストを作成するに当たっては、前述の通り、ビジネス上重要なデータと、リスクの大きいデータに関して優先的に検討していく必要があることから、対象会社に開示してもらう資料にも高・中・低など優先順位をつけて、準備のできた資料から順次開示してもらうことで、双方にとって効率的に進めることができるであろう。このような優先順位をつけるために、資料請求リストを作成する前に、対象会社におけるデータの取扱いに関して大まかな状況を把握するための概要インタビューを実施することもある。

データDDにおいて、一般的に初期の段階で開示を請求する資料等としては、以下のものが挙げられる。

- 対象会社がどのような種類・内容のデータを保有していて、それらをどのように取得・利用・管理しているかというデータフローに関する資料（対象会社にデータマッピングをして提供してもらう場合もある）
- データの利用・管理等に関する規程類（個人情報の保護に関する規程、プライバシーポリシー、営業秘密管理規程等）
- データの取扱い等に関して締結している契約類（委託契約、共同利用契約、データ提供契約等）
- 対象会社がプライバシー影響評価等を実施していれば、当該評価等に関する資料
- 対象会社が個人情報保護委員会その他の行政機関から受けた指導・勧告等に関する書類
- グループ会社間でのデータ利用・共有に関する資料（データ処理の委託を含む）
- データ・セキュリティに関する資料

第10章　データとM&A

　買主側から売主側に資料請求リストを提示した後で、対象会社の負担（人員リソース等）や時間的制約との関係で、買主・売主間で開示資料の範囲について協議を行って絞り込むこともある。例えば、ある書類については、対象会社が保有している資料すべての開示を要請する一方で、全部を開示すると膨大な量になるような資料については、いくつかのサンプルの開示に留める場合もある。また、場合によっては、資料の開示は求めずに、インタビューのみで確認するということもあり得る。

4　コンプライアンス状況の確認

　資料請求リストに基づいて売主・対象会社から資料が開示された後、まずはデータの種類・内容や利用・管理方法に基づいて、どの法令が適用されるか（特に海外の法令等がどこまで適用されるか）を見極める必要がある。その上で、取得・利用・管理の場面それぞれにおいて、適用のある法令・ガイドライン等を遵守しているかを確認していくことになる。開示された規程類等を確認しただけではわからない実際の運用等については、別途対象会社の担当者へのインタビューや書面でのQ&Aによって確認することになる。

　データDDにおいてコンプライアンスの状況を確認する必要がある法令等としては、国内法では、主に個人情報保護法になる。その他、データに関する法令等としては、独占禁止法や知的財産権法等も問題となり得る。また、海外からデータを取得していたり、海外へデータを提供していたりする場合（いわゆる越境移転）には、海外の個人情報・プライバシー保護法制も問題となる。

(1) 個人情報保護法

　個人情報保護法の遵守状況については、概ね以下の事項について確認していくことになる。その際には、法律、政令、規則だけでなく、個人情報保護委員会が公表している個人情報保護法に関する各種ガイドラインやQ&A、業種別に定められているガイドライン等も参照する必要がある。

- 個人情報の種類
- 利用目的の特定、通知・公表の状況

- 取得・利用態様
- 安全管理措置の内容・運用
- 第三者提供、委託、共同利用等の実施状況
- 従業員・委託先の監督義務の履行状況
- 確認・記録義務の履行状況
- 開示・削除・利用停止の対応状況
- 苦情受付の対応状況
- 情報漏えい事案の有無ならびに（ある場合には）その対応および再発防止策

なお、個人情報保護法については、令和2年改正法および令和3年改正法が成立していることから、データDDを行う際には、これらの改正法における義務に対応できるかという点にも注意する必要がある。令和2年改正及び令和3年改正を含めて、個人情報保護法に関しては**第5章**において解説している。

(2) **その他の法令遵守状況等**

パーソナルデータに適用される法令等は個人情報保護法に限られない。例えば、ある事業者のデータの取扱いが、一定の取引分野における競争を実質的に制限することになる場合には、独占禁止法に違反することになる場合がある。優越的地位にある事業者が、その優越的地位を利用して、営業秘密に当たるようなデータ等の不当な開示を取引先に要求することも、優越的地位の濫用に該当し得ることも指摘されている。また、データに希少性が認められるときは、一方的に権利帰属を要求する当事者の関連する市場における有力な地位を強化することにつながり得ることから、拘束条件付取引に該当し得る。このような独占禁止法とデータの関係については、**第6章**を参照されたい。

また、知的財産との関係でも、営業秘密や限定提供データ等の不正競争防止法で保護されるべきデータがある場合には、対象会社において同法および指針に従った保護対応がなされているかという点を確認しておく必要がある。営業秘密については秘密管理性、有用性、非公知性の3要件、限定提供データについては限定提供性、電磁的方法による管理性、電磁的

方法による相当量の蓄積、技術上または営業上の情報の4要件を充足するか否かという点である。これらの詳細については、**第4章**において詳述している。

さらに、対象会社が取り扱っているデータがオルタナティブデータである場合には、インサイダー取引規制、フェアーディスクロージャールール、法人関係情報の管理等の金融商品取引法上の規制との関係も問題となり得る（金融商品取引法との関係に関しては、**第7章参照**）。

このように、対象会社の事業内容・規模や取り扱っているデータの種類・内容に応じて、さまざまな観点から検討する必要がある。

(3) **海外の法令等**

対象会社が取り扱っているデータについて、越境移転がなされている場合には、関連する国・地域の個人情報・プライバシー保護法制を遵守しているかも確認しておく必要がある。特に、EUのGDPRの適用がある場合には、前述したように制裁金も巨額になり得るが、GDPRの適用されるPersonal Dataの範囲は個人情報保護法の「個人情報」の範囲とは異なる。また、その地理的適用範囲に関しては、EU域内に拠点のない管理者または処理者によるEU域内のデータ主体の個人データの取扱いであっても、①EU域内にいるデータ主体に対する商品またはサービスの提供、または②EU域内で起こるデータ主体の行動の監視のいずれかに関連する場合には、GDPRが適用される（GDPR3条2項）。そのため、顧客や会員にEU域内の個人が含まれる事業者、特に、Eコマースやプラットフォームの事業者、ホテル・旅行業者等は注意する必要がある。海外の法令等の遵守状況の確認は、必要に応じて現地の法律事務所とも連携して対応することになるが、どの程度の深度で対応するかは、時間・費用だけでなく、違反した場合のペナルティの大きさ、実際に執行される可能性等も考慮した上で判断することになる。

(4) **プライバシー**

個人情報保護法等の法令には違反していないとしても、データの利活用の方法によっては、プライバシーの観点から社会的な問題となって、データの利活用を中止せざるを得なくなる場合もあることから、そうした懸念が生じるような利活用・取引がないかといった観点からの確認も必要に

なるであろう。近時は、プライバシー影響評価の重要性が説かれるようになってきており、特にカメラ画像の取扱いやプロファイリング等においてプライバシーへの配慮が求められることから、その時々の社会の受容性を加味した検討を行う必要がある（第5章Ⅲ4参照）。

5 M&A後にデータを利用できる範囲の確認

対象会社が保有しているデータであっても、M&A後に買主が想定しているようなデータの利活用ができなければ、M&Aを実施する意義が失われてしまう場合もある。そのため、M&A後に買主側においてどの範囲で利用できるのかをデータDDで確認しておくことも重要である。この点に関しては、スキームによっても異なり得る。すなわち、合併、事業譲渡、会社分割等により事業を承継する場合には、買主自らが当該事業を直接承継することになるので同一法人の内部でのデータの利活用の話になる。他方で、株式譲渡や新株発行の場合には、それだけでは買主と対象会社は別法人のままであり、データを共有して利活用することはできない。そのため、共同利用や第三者提供といった別途グループ会社間でデータを共有するための方策も必要となる点に留意が必要である（【図表10-1】参照）。

(1) 個人情報保護法による制約

個人情報保護法では、データベース化された個人情報である個人データについて、あらかじめ本人の同意を得ない第三者提供が原則として禁止されている（個人情報27条1項[注1]）。ここにいう「**第三者**」とは、提供元となる個人情報取扱事業者および（個人データに係る）本人以外の者（個人か法人・団体かを問わない）をいい、親子会社・兄弟会社等のグループ企業間であっても、法人格が別であれば「第三者」に該当する。ただし、合併、事業譲渡、会社分割等により事業を承継する場合には、例外的に「第三者」には該当せず、売主側は本人の同意を得ずに個人データを買主側に提供することができる（同条5項2号）。したがって、これらのスキームによりM&Aを実施する場合には、買主が売主から直接個人データを取得す

注1）デジタル社会形成整備法50条に基づく改正法施行後の条文番号を記載している。本章において、以下同じ。

第 10 章　データと M&A

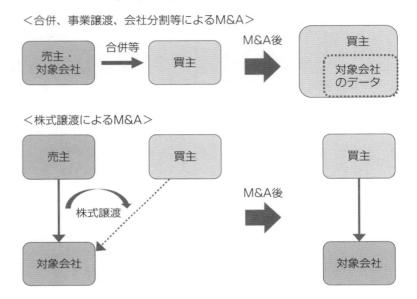

【図表 10-1】 M&A スキームによる違い

ることができる。もっとも、その場合であっても、取得前の売主の利用目的の範囲でしか個人情報を利用することができない点に注意が必要である（同法 18 条 2 項）。

また、対象会社の株式を譲り受ける、あるいは対象会社が発行する新株を引き受けることにより M&A を実施する場合は、それだけでは買主は対象会社が保有する個人データを取得することはできないことから（買主が対象会社の株式を取得したとしても、データは対象会社が保有したままなので）、グループ会社間で共同利用（同法 27 条 5 項 3 号）の手続等をすることによって、買主が直接当該データを利用できるようにする必要がある。ただし、共同利用の場合も、対象会社が過去に取得したデータは取得時の利用目的の範囲に限られることになる[注2]。

このように、いずれのスキームにおいても、利用目的の達成に必要な範囲を超えて利用することはできないため、例えば、買主が保有している

注 2) GL 通則編 3-4-3(3)。

データと統合して利用して利用することを想定している場合で、対象会社の利用目的の範囲外の利用をする場合には、、本人の同意を得る必要があることになる。したがって、実務上、本人の同意を得ることが困難な場合には、買主が想定しているようなデータの利活用ができないこともあり得る点には留意が必要である。

　なお、合併、事業譲渡、会社分割等により事業を承継する場合には、例外的に売主側は本人の同意を得ずに個人データを買主側に提供することができるという点はデューデリジェンスの段階でも当てはまり、デューデリジェンスに際して個人データを提供する場合も、本人の同意なく個人データを提供することができると解されている。ただし、当該個人データの利用目的および取扱方法、漏えい等が発生した場合の措置、事業承継の交渉が不調となった場合の措置等、相手会社に安全管理措置を遵守させるために必要な契約を締結しなければならない[注3]。もっとも、株式譲渡や新株発行はこれに含まれていないことから、実務上は、デューデリジェンスに際して悩ましい問題が生じ得る場合もある。

(2)　データに関する契約による制約

　対象会社が保有するデータの中には、自ら収集したデータだけでなく、第三者から提供を受けたデータも含まれていることがある。一般的に、第三者から提供を受ける際に締結したデータ提供契約等の契約において、利用目的や利用条件が定められていることが多いことから、当該契約の内容も確認しておく必要がある。また、データ提供契約等により、対象会社が保有するデータを第三者に提供する義務を負っている場合もある。その場合、買主だけでなく、当該第三者も対象会社が保有するデータを利用することができることから、必ずしも買主だけで当該データを独占的に利用できるわけではない点には留意する必要がある。

Ⅲ　M&A契約への反映

　データDDで発見された不備やデータDDで確認できなかった事項に

注3）GL通則編3-4-3(2)。

第10章　データとM&A

については、M&Aの契約に反映してリスクを抑えておく必要がある。契約条件に反映する方法としては、主に①買収価格への反映、②表明保証、③誓約事項・前提条件、④補償・特別補償、⑤解除があり、これらを組み合わせて全体としてリスクを極小化することが望ましい。

1　買収価格への反映

　デューデリジェンスの結果を契約条件に反映させる最もシンプルな方法が、買収価格に反映させることである。これは、デューデリジェンスでデータの取扱いの不備等が発見され、その影響額も判明・確定している場合にとることができる方法となる。例えば、発見された不備等を是正するために、対象会社において金銭的な支出を伴うことが判明している場合（典型的には、安全管理措置を含めたコンプライアンス体制の不備等が発見され、是正措置及びその費用も判明している場合）には、当該支出額をあらかじめ買収価格から控除することが考えられる。これに対して、不備等が判明しているが、その是正に要する費用が判明していない場合には、後述する特別補償の条項に反映させることが考えられる。また、入札案件のように価格の見た目が重要な場合には、価格に反映させてしまうと他の買主候補者の価格と比べて見劣りしてしまう可能性もある。あえて買収価格そのものには反映させずに、価格調整条項や特別補償条項に反映させて交渉することも、場合によってはあり得る。

　なお、独占禁止法上の届出要件（対象会社の国内売上高）を満たさないために届出が不要となる案件であっても、買収価格が400億円以上となることが見込まれ、当該M&Aが国内の需要者に影響を与えると見込まれる場合には、公正取引委員会に事前に相談することが望まれる点には留意が必要である（第6章Ⅳ参照）。

2　表明保証

　前述した通り、デューデリジェンスはあくまでも対象会社の任意の開示によるものであり、さまざまな制約の下で対象会社におけるデータの取扱いのすべてを調査することは現実的には不可能である。そのため、（特にデューデリジェンスで確認することができなかった部分に関して）法令・ガイ

ドライン等を遵守しており、違反はないことについて、売主側に表明保証させることで対応することが考えられる。

　表明保証は、それに反するような事象が発生または判明した場合に、売主・買主のどちらがリスクを負担するかというリスク分担の問題であり、その範囲が交渉上重要なポイントとなることも少なくない。例えば、買主側としては、個人情報保護法だけでなく、海外の法令を含めて適用ある法令およびガイドラインも含めた広範な表明保証を求めることが望ましいのに対して、売主側としては、あまりに広範な表明保証を受けることは避けたいと考えるため、「売主の知る限り」「売主の知り得る限り」といった売主側の主観で限定をしたり、「重要な点において」違反はないといった重要性の限定をするといったことが考えられる。具体的には、以下のような表明保証条項が考えられる。

第○条（売主の表明及び保証）
売主は、買主に対して、本契約締結日及びクロージング日において、以下の各事項が全て真実かつ正確であることを表明し、保証する。
(1) 対象会社は、対象会社に適用のある個人情報の保護に関する法律、政令、規則、ガイドライン、通達、告示その他の規制（外国における類似の規制を含む。）に［重要な点において］違反しておらず、また、司法・行政機関等から命令、処分、勧告、指摘、指導を受けたことはなく、［売主の知り得る限り、］そのおそれもない。
(2) 対象会社は、同種同等の事業で利用されるのと同種同等のデータ・セキュリティを備えている。対象会社において、その保有する個人情報の漏えい、滅失または毀損その他の［重大な］セキュリティ・インシデント（第三者によるハッキングを含む。）は生じておらず、そのおそれもない。

　また、特に重要なデータについては、当該データの正確性（偽装がないことを含む）、完全性（データに瑕疵またはバグがないことを含む）、安全性（データがウィルスに感染していないことを含む）、有効性（対象データの本目的への適合性を含む）についての表明保証や、第三者の知的財産権その他の権利を侵害しないことといった表明保証を売主に要求することも考えら

れる。もっとも、売主としては個々のデータの正確性等まで表明保証することには躊躇することも少なくないと思われることから、重要性の要件や売主の知る限り・知り得る限りといった限定を付して交渉することになるであろう。

このような表明保証に違反した場合には、後述の補償の対象とされることが一般的である。したがって、仮に対象会社において個人情報保護法等の法令を遵守しておらず、売主が表明保証に違反することとなった場合には、対象会社が被ることとなった損害等（違反状態の是正に要する費用や当局からの罰金・制裁金、情報漏えいの場合には、当該漏えいによって損害を被った個人からの損害賠償請求等）について、買主は売主に対して補償条項に従って請求することになる。

3　誓約事項・前提条件

M&Aの契約締結後、クロージングまでに、デューデリジェンスで発見された不備を対象会社に是正させることを、遵守事項として売主側に義務付けておくことが考えられる。この場合、是正費用は売主が負担することを定めておくか、対象会社が支出する場合には、買収価格に反映する（費用が確定している場合）あるいは特別補償とする（費用が未確定の場合）か、明確にしておく必要がある。

また、買主側としては、当該義務が履行されたことをクロージングの実行の前提条件としておくことにより、是正されない場合にはクロージングを実行しないというオプションを選択できるようにしておくことが望ましい。このような前提条件は、あくまでも買主側のオプションであって、是正がなされていなくても、当該前提条件を放棄してクロージングを実行することは可能であり、クロージング後に買主側で是正措置を講じて、補償・特別補償により売主側にその費用を請求するという選択肢もある。

4　補償・特別補償

上述した表明保証や誓約事項に売主側が違反して、買主側（買収後の対象会社を含む）が損害等を被った場合に、当該損害等を売主が補償することを定めておくものである。デューデリジェンスの段階で既に対象会社が

損害を被ることがわかっているが、その額がわからないという場合（例えば、情報流出したことは判明しているが、それによる制裁金や個人への損害賠償の額が判明していない場合等）には、特別補償という形で、当該事項に関して生じた損害等を補償することを定めておくこともある。

　かかる補償・特別補償については、売主側のリスク管理の観点から、その金額や補償期間についての一定の制限を設けられることも多い。例えば、補償請求については、クロージングから一定期間内に買主から売主に請求したものだけが補償の対象となるといった期間制限を設けることが考えられる。また、補償額についても、買収価格の一定割合を上限とするといった定めを置くことも少なくない。補償条項としては、以下のような条項が考えられる。

> 第〇条（補償）
> １．買主は、第〇条に定める買主の表明保証違反又は買主の本契約上の義務違反により売主が損害等を被った場合、売主に対して、当該損害等を補償する。
> ２．売主は、第〇条に定める売主の表明保証違反又は売主の本契約上の義務違反により買主が損害等を被った場合、買主に対して、当該損害等を補償する。
> ３．前二項の補償義務は、各項における補償請求の対象となる損害等の額が１件につき〇万円を超え、かつ、当該損害等の額のうち〇万円を超える部分の累計額が△万円を超過する場合に、その超過額に限り認められ、それ以外は全て免責されるものとする。また、前二項に基づく補償額は、それぞれ合計して本件譲渡価額の□％を超えないものとし、これを超えた部分について、売主又は買主は補償義務を負わないものとする。
> ４．いずれの当事者（なお、本条において、補償義務を負う当事者を「補償当事者」といい、補償を受ける当事者を「被補償当事者」という。）も、第１項又は第２項に基づく補償の請求をするに当たっては、当該補償請求に係る損害等が生じたことを知った日から〇日を経過する日までに、相手方に対して書面により、損害等、その発生原因及び

> 損害等の額を特定し、かつ具体的な請求の根拠を示して請求しなければならないものとする。また、当該請求は、クロージング日後△か月を経過する日までに本項に従って行われた場合に限り、行うことができるものとする。
> 5．被補償当事者は、第1項又は第2項に基づく補償当事者の義務違反又は表明保証違反に基づく補償の請求並びに前項に基づく補償の請求の対象となる自らの損害を軽減するための措置を採らなければならないものとする。被補償当事者が、かかる措置を採らないことにより拡大した損害等については、補償当事者は、被補償当事者に対して第1項又は第2項に基づく補償義務を負わないものとする。

 もっとも、補償額については相当ハードな交渉が想定されることや、補償条項で請求しても売主に資力がなければ損害の回復は望めない。また、売却後に資金を投資家に分配するファンドが売主の場合には、3項の「□％」の部分は2〜3％や5％、4項の「△か月」の部分も6か月といった短期間とされることも珍しくない。そのため、補償条項に頼っていれば安心というわけではないことは認識しておく必要がある。

5 解除

 デューデリジェンスで発見された不備について、金銭的な填補で満足できる場合には、表明保証・遵守事項と補償の組合せで対応することができるが、契約締結後クロージング前に、当該不備を原因として対象会社の事業に重大な悪影響を及ぼす事項が判明したり、買主側が想定していた買収後のデータの利活用ができなくなるような事態が生じた場合等に備えて、M&A契約を解除できるようにしておくことも必要であろう。具体的には、表明保証や遵守事項に重大な違反があった場合を買主の解除権の行使事由としておくことが考えられる。

6 まとめ

 これまではデータDDはあまり重視されていなかったが、損害を被った場合の補償請求をして実際に補償を受けることや、セキュリティ・イン

シデント等により失った信頼を回復することも容易なことではなく、表明保証や補償等の契約上の手当を行っても完全にはリスクは排除しきれない。そのため、できる限りあらかじめデータDDで不備等を確認し、買収価格に反映しておくことが望ましいことから、今後はますますデータDDの重要性も高まってくると思われる。

第11章
データ共有プラットフォーム

> 本章では、データ共有プラットフォームに関して、以下について解説する。
> (1) データ共有プラットフォームにおけるデータ流通
> 第3章では二当事者間のデータ取引に関する契約について解説したが、多数当事者間がプラットフォーム上でデータを共有する場合の類型や政府が進めているデータ連携基盤の構築に向けた議論について概説する。
> (2) モデル規約の解説
> データ共有プラットフォームのモデル規約を例として、規約上のポイントに触れつつモデル規約を解説する。なお、巻末にモデル規約を掲載している。

I　データ共有プラットフォームにおけるデータ流通

1　データ共有プラットフォームの類型

　第3章では、二当事者間のデータ取引に関する契約について解説したが、より多くの当事者がデータを提供することによって、効果的な結果が得られることも少なくない。そのため、データ共有プラットフォーム（以下、単に「プラットフォーム」という）を構築して、プラットフォーム上で多くのデータを集積し、当事者がそれぞれのビジネスに活用したり、コンソーシアムを組んで共同で新商品や新サービスを開発するという取組みが増加している。

　プラットフォームを通じてデータを共有する際の参加者は、シンプルな例では、データを提供する者（以下、「データ提供者」という）とデータを利用する者（以下、「データ利用者」という）の範囲がおおむね同一となり、

プラットフォームの参加者がデータ提供者にもデータ利用者にもなることが多い。その典型的な例としては、B to B（企業間）での業界横断的なデータ連携が挙げられる。これは、同業・異業種問わずに事業者間でお互いにデータを持ち寄って利活用する取組みであり、多くのデータを組み合わせて加工・分析することによって付加価値が生じることが期待されている。

データ駆動型社会では、とりわけ異業種間でのデータ利活用によってこそイノベーションが生まれるといわれており、プラットフォームを通じたデータ共有については、経済産業省から公表されているデータ契約ガイドラインの別添において、モビリティ（Connected Car、高精度3次元地図）、物流、建設現場や船舶運航、農業など産業分野別のデータ利活用事例が掲載されている。また、経済産業省、総務省およびIoT推進コンソーシアムが設置したデータ流通促進ワーキンググループが公表した「新たなデータ流通取引に関する検討事例集ver2.0」[注1]においては、データの利用目的（公共性の高い利活用かビジネスによる利活用か等）、データの種類（個人情報・プライバシーを含むか否か等）、データの利用範囲（第三者提供の可否等）の観点から、多数の相談事例を挙げて検討・整理がなされている。このようにデータ連携にはさまざまなタイプがあるが、B to Bのデータ連携としては、例えば、主に以下のような類型に分類される[注2]。

類型①：データ共有等により、新商品・サービス等を創出しようとするもの（例：スマートシティ[注3]やMaaS（Mobility as a Service）[注4]といった社会課題解決型ビジネス、自動走行ビジネスや自動走行システムの開発

注1）https://www.meti.go.jp/press/2018/08/20180810002/20180810002-1.pdf参照。
注2）業務提携検討会報告書58頁-62頁における分類。
注3）ICTなどの新技術をエネルギーや生活インフラに活用し、環境に配慮しつつマネジメント（計画、整備、管理・運営など）が行われ、都市の抱える諸課題に対して全体最適化を図る持続可能な都市。
注4）自動車、鉄道、バスなどのすべての交通手段によるモビリティ（移動）を単なる移動手段ではなく、1つのサービスとして捉え、シームレスにつなぐ新たな移動の概念であり、スマートフォンのアプリなどを通じて現在地から目的地までの移動を一括して検索、予約、決済等ができるサービス。

第 11 章　データ共有プラットフォーム

等のための異業種連携）（【図表 11-1】）
類型②：サプライチェーン間でのデータ共有により効率化を図ろうとするもの（例：製造メーカー・物流（卸売）事業者・販売事業者等の連携による効率性向上、トレーサビリティや食品ロス対策等）（【図表 11-2】）
類型③：データを一極的に収集して得た創出データによりサービス等を創出・改善しようとするもの（例：共通ポイントサービス、産業機械・設備等のメーカーによる保守管理サービス）（【図表 11-3】）
類型④：データ流通取引基盤を構築し事業者間で必要なデータを取引しようとするもの（例：データ取引所の構築・運営）（【図表 11-4】）

【図表 11-1】 新商品・サービス等を創出する類型

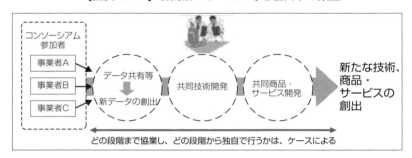

＊業務提携検討会報告書 59 頁。

【図表 11-2】 サプライチェーン間でのデータ共有の類型

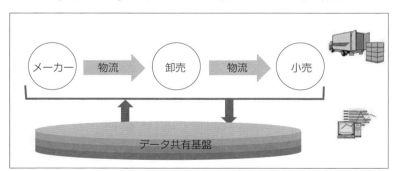

＊業務提携検討会報告書 60 頁。

【図表11-3】創出データによりサービス等を創出・改善する類型

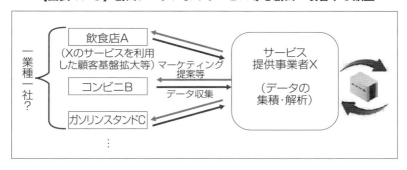

＊業務提携検討会報告書61頁。

【図表11-4】データ流通取引基盤を構築する類型

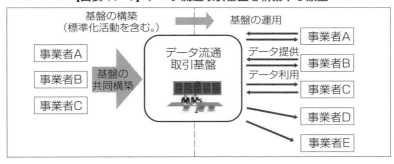

＊業務提携検討会報告書62頁。

2　データ連携基盤の整備

　上記類型④に関連して、2021年6月に閣議決定された「包括的データ戦略」において、データ活用による価値創を促すデータ連携基盤（プラットフォーム）の整備に取り組むこととしている。また、かかる包括的データ戦略および「知的財産推進計画2021」（2021年7月13日、知的財産戦略本部）において、プラットフォーム上でのデータ流通を促すために、データ流通の阻害要因を払拭するためのデータ取扱いルールが必要であること

第 11 章　データ共有プラットフォーム

が指摘されている。

　これを踏まえて、2021 年 8 月から「プラットフォームにおけるデータ取扱いルールの実装に関する検討会」が開催され、データ取扱いルール実装におけるアジャイルガバナンスの必要性、およびデータ取扱いルール実装のガイダンス（リスク分析、ポリシー作成、システムデザイン、運用・評価）等について議論がなされ、データ流通の阻害要因として以下の事項が挙げられている[注5]。

① 提供先での目的外利用（流用）：データ分析によって類推される技術ノウハウ・経営状況・経営戦略が提供先で流用
② 知見等の競合への横展開：提供したデータから生成される製造ノウハウを反映した dataset（例：学習済モデルのパラメータ）や information 等の競合への展開
③ パーソナルデータの適切な取扱いへの不安：第三者提供に伴う炎上リスク、提供先におけるデータガバナンスへの不安
④ 提供データについての関係者の利害・関心が不明：提供されるデータについて、関係者の権利関係や利害・関心の整理がなされているか不安
⑤ 対価還元機会への関与の難しさ：価値（貢献度合い）が事後的に判明するデータについて、適正な利益配分の難しさ
⑥ 取引の相手方のデータガバナンスへの不安：パーソナルデータの取扱い（個人情報保護法の遵守、プライバシーへの配慮）、情報セキュリティ対策、他者の知財（ノウハウ・著作物）の尊重が不十分、利用目的の制限や第三者提供の禁止等の契約事項が遵守される体制が十分か不安
⑦ 公正な取引市場の不在：公正な取引が第三者によって担保される場の不在
⑧ 自身のデータが囲い込まれることによる悪影響：提供したデータへ

注5）第 1 回プラットフォームにおける データ取扱いルールの実装に関する検討会（2021 年 8 月 31 日開催）資料 4・事務局説明資料 4 頁、第 5 回データ戦略タスクフォース（2021 年 3 月 31 日開催）資料 2「民間保有データの利活用を促進するためのデータ取扱いルールの検討状況」9 頁。

の自身のアクセスや第三者へのアクセス許諾が、提供先によって制限、ロックイン

同検討会では、これらの阻害要因を払拭してデータ流通を促進するためのルールとして、(a)提供データについて関係者の利害・関心の表明（上記④⑥に対応）、(b)意図しないデータ流通・利用防止のための仕組みの導入（上記①②③⑤⑥に対応）、(c)データに関するガバナンスの構築（上記①～⑧に対応）、(d)公正なデータ取引の担保（上記⑦に対応）、(e)ロックイン防止のための仕組みの導入（上記⑧に対応）について議論することが想定されている。

上記の議論によるルール形成は、データ共有プラットフォームの構築を検討する際に重要なポイントとなってくるため、注視しておく必要がある。なお、本稿では、上記の阻害要因に対して、利用規約で対応することが可能と思われる項目で対応策について言及しているので、参照されたい。

① 提供先での目的外利用（流用）：後記Ⅱ8(4)（補償責任）、後記Ⅱ9(2)（運営者によるモニタリング）

② 知見等の競合への横展開：後記Ⅱ9(2)（運営者によるモニタリング）

③ パーソナルデータの適切な取扱いへの不安：後記Ⅱ1(1)（プラットフォームの中立性・信頼性）、後記Ⅱ2(1)（プラットフォームの参加者登録の要件）、後記Ⅱ6(1)（データの利用条件）

④ 提供データについての関係者の利害・関心が不明：後記Ⅱ3（プラットフォームの目的）

⑤ 対価還元機会への関与の難しさ：後記Ⅱ5(3)（データ提供の対価）

⑥ 取引の相手方のデータガバナンスへの不安：後記Ⅱ2(1)（プラットフォームの参加者登録の要件）、後記Ⅱ8（管理体制、セキュリティ等）

⑦ 公正な取引市場の不在：後記Ⅱ1(1)（プラットフォームの中立性・信頼性）

⑧ 自身のデータが囲い込まれることによる悪影響：後記Ⅱ6(1)（データの利用条件）、後記Ⅱ7（データポータビリティ）

第 11 章　データ共有プラットフォーム

Ⅱ　モデル規約の解説

　データ共有プラットフォームにはさまざまなタイプがあり、その利用規約のバリエーションは幅広い。本章では、原則としてプラットフォーム運営者自らがデータ取引の当事者となる場合を想定して、巻末【資料③】に掲載しているシンプルなデータ共有プラットフォームモデル規約（以下、「モデル規約」という）に基づいて、スキームの構築や利用規約のドラフティングの観点から、検討の際に考慮すべき主なポイントを概説する。これらの検討ポイントについては、後に、【図表 11-5】に一覧表としてまとめているので参照されたい。

　なお、このモデル規約は、基本的には一定の限定された事業者間のクローズドなデータ共有プラットフォームを想定しており、データ提供者とデータ利用者の範囲がおおむね同一であることを前提に、データ提供者-プラットフォーム運営者間、データ利用者-プラットフォーム運営者間の規約をまとめて規定している[注6]。

　以下の解説においては、モデル規約を引用しながら具体的な説明をしている部分があるので、巻末のモデル規約も併せてご参照いただきたい。なお、モデル規約は、主に以下の規定から構成されている。

　①　第 1 章（総則）：利用契約の適用、定義
　②　第 2 章（利用契約の締結等）：利用契約の締結および参加者登録、参加者資格、登録事項の変更、プラットフォームの利用許諾、委託
　③　第 3 章（対象データの提供等）：対象データの提供、対象データの保証等、利用料金
　④　第 4 章（対象データ等の利用条件等）：対象データ・派生データの利用条件、対象データの削除
　⑤　第 5 章（参加者の義務）：プラットフォーム利用のための設備・環境の設定・維持、ID・パスワードおよび対象データの管理、禁止事項、

注 6 ）このモデル規約は、オンライン上でまたは 1 頁～ 2 頁程度の書面で申込書を提出することにより、利用規約を含めた利用契約の申込みを行うことを前提としたものである。

参加者の責任等
⑥ 第6章（運営者の義務等）：プラットフォームの管理・運営、運営者による不保証、運営者設備の障害等、損害賠償の制限
⑦ 第7章（対象データ等の漏えい等）：対象データ等の漏えい等の場合の対応
⑧ 第8章（プラットフォームの中断・停止及び廃止）：一時的な中断および提供停止、サービスの廃止
⑨ 第9章（規約の変更等）：規約の変更
⑩ 第10章（利用契約及び規約の解約等）：参加者による解約、運営者による解約、反社会的勢力の排除、解約の効果
⑪ 第11章（一般条項）：秘密保持、権利義務譲渡の禁止、準拠法および合意管轄、協議等

実際に利用規約を作成する際には、プラットフォームの当事者に応じて複数の規約を作成する場合もある。例えば、情報銀行の利用規約のように、データの提供者に適用される規約とデータの利用者に適用される規約を別の規約とすることも想定されることから、そのプラットフォームのスキームに合わせて修正・変更が必要となる点に留意されたい。また、利用規約を作成するに当たって、当事者の利害調整から議論を始めてしまうと、多数の当事者が関与する場合には収拾がつかなくなるため、何らかのコンセプトや理念を示した上で調整を図ることが望ましい場合が多いであろう。

1 プラットフォーム運営者

データに関するプラットフォームの機能としては、①集中化機能、②責任分離機能、③中立化機能、④スクリーニング機能、⑤付加価値機能および⑥市場機能がある。以下では、プラットフォームの運営主体をどのように設計するかということに関して、②③⑤の観点から検討する。

(1) プラットフォームの中立性・信頼性

プラットフォーム運営者自らがデータ取引の当事者となる場合には、通常は、各データ提供者−プラットフォーム運営者間、各データ利用者−プラットフォーム運営者間それぞれの契約関係となり、各データ提供者と各データ利用者は基本的には直接の契約関係に立たない。それゆえ、多くの

第 11 章　データ共有プラットフォーム

場合は、利用規約という統一ルールの下で、その権利関係（例えば、参加者が損害を被った場合の賠償責任）を処理することになり、当該統一ルールを公平に適用するプレーヤーが必要となるため、プラットフォーム運営者の中立性・信頼性が確保されていることが求められる（上記③の中立化機能）。政府主導の場合やプラットフォームそれ自体をビジネスとして独立して運営し、データ取引には参加しない（データ提供も利用もしない）事業者がいる場合は別として、プロジェクトを主導する事業者が自らプラットフォーム事業者となるのではなく、プラットフォーム参加者の全員または一部が別の組織・団体を設立して、プラットフォームの運営に当たらせることが多い。

　このプラットフォームの中立性・信頼性という観点は、特にパーソナルデータを含むデータを取り扱うプラットフォームについては、前述したデータ流通の阻害要因③（パーソナルデータの適切な取扱いへの不安）および⑦（公正な取引市場の不在）を解消するためにも重要になってくる。中立で信頼できるプラットフォーム運営者が管理しているのであれば、データを取り扱われる本人としても、安心感は増すと思われる。近時パーソナルデータの流通の施策として注目されている情報銀行は、プラットフォームの運営者としてガバナンスやセキュリティ等の要件（プライバシーマークを取得していること等）も定められているところ、パーソナルデータに限らないデータ流通の仕組みについても、情報銀行の認定と類似の仕組みで、プラットフォーム運営者の認定制度のような仕組みを取り入れることも考えられる[注7]。ガバナンスに関しては、情報銀行の認定要件だけでなく、2021 年 7 月に総務省および経済産業省が公表した「DX 時代におけるプライバシーガバナンスガイドブック ver1.1」も参考になるであろう。

注 7 ）データ提供者とデータ利用者の仲介と決済を提供するデータ取引市場運営者（自らはデータを収集・保持・加工・販売しないことを前提）に関しても、一般社団法人データ流通推進協議会が、その認定基準として、データ取引市場運営事業者の体制の整備、データ提供者との標準約款の作成・公表、データ提供先との標準約款の作成・公表、データ提供者およびデータ提供先のデータ取引に関するルール策定等を求めている。

(2) プラットフォームの組織形態

 ではどのような組織・団体をプラットフォーム運営者とするのが向いているであろうか。株式会社や合同会社、組合、一般社団法人などが考えられるが、民法上の任意組合とすると、参加者が債権者に対して直接無限責任を負うことになるので、参加者が有限責任となる別の法人格を有する組織を設立するほうが望ましいであろう（上記②の責任分離機能）。また、株式会社・合同会社では、出資比率・議決権の配分や役員選任の問題、脱退する際の株式・持分の取扱いの問題などがあり、参加者が多数の場合にはうまく交渉がまとまらない可能性がある。そのためプラットフォーム運営者として収益を上げることを目的としていない場合には、設立時に出資や労務提供が要件とされていない一般社団法人を利用することが多いように思われる。もっとも、プラットフォーム運営のための費用、特にシステム開発やデータの分析を委託するような場合には初期投資に大きな金額が必要となるため、社員間の経費分担や基金拠出等を含めて、事前に検討しておく必要がある。なお、モデル規約では、法人格を有していれば株式会社や合同会社、一般社団法人のいずれでも対応できるような建付けとしている。

 なお、上記⑤の付加価値機能との関係で、新たに設立されたプラットフォーム運営者が自ら運営するよりも、データ分析やプラットフォームサービスの提供のノウハウを有している事業者に運営者の業務を委託したほうが効率的かつ魅力のあるプラットフォームを構築できる場合もある（なお、当該委託の費用についてどのようにカバーするかは検討が必要である）。そのため、モデル規約7条において、プラットフォーム運営者がプラットフォームの目的の範囲内で業務の全部または一部を第三者に委託することができることとしている。ただし、この場合であっても、当該委託業務の遂行に当たっては、善管注意義務やセキュリティを構築する義務を含めて運営者と同様の義務を負わせる必要がある。

第11章　データ共有プラットフォーム

（モデル規約参照条文）

> 第7条（委託）
> 　運営者は、参加者に対する本プラットフォーム及び本サービスの提供に関して必要となる業務の全部又は一部を、本目的の範囲内で運営者の判断にて第三者に委託することができます。この場合、運営者は、委託先の情報を本プラットフォーム上で公表するとともに、委託先に当該委託業務の遂行について本利用契約及び本規約所定の運営者の義務と同等の義務を負わせるものとします。

2　プラットフォームの参加者

(1)　データ提供者・データ利用者

　プラットフォームの参加者をどの範囲に設定するかは、当該プラットフォームの目的、取り扱うことを想定しているデータの種類・性質等によって大きく異なる。多数かつ多様な者が関与する可能性があるというプラットフォームの特性から、利用規約における会員資格の定め方により、例えば、新規加入しようとする参加者は、①既存の参加者全員または一定割合の承諾・賛同を得なければならないとする極めてクローズドなタイプのものから、②一定の事業に携わっている事業者であれば拒否事由のない限り参加を認めるもの、さらに広げて、③事業範囲等の制約もなく、拒否事由のない限り参加を認めるオープン型のプラットフォームもある。データ提供者とデータ利用者が一致する場合もあれば、データを取得・収集できる者は一部の事業者に限られるものの、汎用性のあるデータであるため、データ利用者は広い範囲の事業者となる場合もあり得る。

　プラットフォームの参加者の範囲を検討する上で特に重要なのは、できるだけ多くの種類・量のデータを提供してくれるデータ提供者の確保である。まずはプラットフォームの商品であるデータが集まらなければ、データ利用者は集まらない。逆に質の良いデータを多く提供するデータ提供者が参加していれば、プラットフォームの利用価値が高まり、ネットワーク効果により、データ提供者・データ利用者が増えていくことが期待できる。ところが、現実問題としては、データ提供者とデータ利用者の範囲が同じ

プラットフォームの場合（つまり、自らがデータを提供する立場にも、データを利用する立場にもなる）であっても、他社のデータは利用したいと考える事業者は多いものの、自らのデータを提供することには消極的な事業者が多い。そのため、後述するデータのオープン・クローズの戦略の観点から、データ提供者としては、自己の保有するデータのうち協調領域のデータ（自社の競争力には影響を及ぼさず、オープンにしてもかまわない情報）と競争領域のデータ（自社の競争力の源泉となる秘密にしておきたい情報）を分けて、協調領域のデータは積極的に提供することが期待される。また、プラットフォーム運営者としては、提供されたデータの利用範囲の設定や、データ提供者のインセンティブを含めて、データ利用者との利害関係をうまく調整することが極めて重要となる。

モデル規約4条では、原則として会員登録が認められることとしているが、参加者の全員または一部の参加者の承諾を必要とすることも考えられる。また、以前に会員登録を拒否された、または会員登録したが契約を解約されたことや、反社会的勢力との関係を有していることなどの一定の拒否事由がある場合には、会員登録を拒否できるとしている。さらに、列挙した個別の拒否事由の類型には該当しないが、データ提供者またはデータ利用者としてふさわしくない者の加入を防止するため、モデル規約4条5号で「その他参加者登録をすることが不適当と運営者が認める事由がないこと」というバスケット条項を規定している。

（モデル規約参照条文）

第4条（参加者資格）
　本プラットフォームの参加者資格は、以下のとおりとする。以下のいずれかの参加者資格を満たさないときは、運営者は参加者登録の申込みを承諾しない場合があります。
(1) 過去に運営者から本利用契約若しくは本規約を解約され又は参加者登録の申込みを拒絶されたことがないこと
(2) 参加者登録の申込みにおいて、申告事項に事実に反する記載又は重要な事実に関する記入漏れがないこと

第 11 章　データ共有プラットフォーム

> (3)　本利用契約及び本規約に基づく義務の履行を怠るおそれがないこと
> (4)　反社会的勢力（第 27 条第 1 項に定義されます。）に属する者又は第 27 条 2 項各号に該当する者でないこと
> (5)　その他参加者登録をすることが不適当と運営者が認める事由がないこと

　この点に関して、データ流通の阻害要因③（パーソナルデータの適切な取扱いへの不安）や⑥（取引の相手方のデータガバナンスへの不安）との関係で、データ利用者については、ガバナンスやセキュリティの要件を参加者登録の要件とすることで、これらの不安に対応することが可能ではないかと思われる。

　なお、**第 4 章 II 2** において述べたように、プラットフォーム上のデータが、不正競争防止法における「限定提供データ」として保護を受けるためには、データ利用者は、多数であってもよいが、特定されている必要がある。したがって、プラットフォーム上のデータを保護するためには、特定のデータ利用者のみが利用できる状態にしておく必要がある。

　なお、上記のようなバスケット条項に基づいて恣意的に参加者の選定をして、競合事業者を排除しようとするような場合には、不公正な取引方法（取引拒絶）や排除型私的独占として独占禁止法違反となり得る。すなわち、独占禁止法上、「正当な理由がないのに、競争者と共同して、……ある事業者に対して、供給を拒絶し、又は……他の事業者に、ある事業者に対する供給を拒絶させ」る行為や（独禁 2 条 9 項 1 号イ・ロ）、「不当に、ある事業者に対し取引を拒絶し……又は他の事業者にこれらに該当する行為を行わせる」行為（同項 6 号、一般指定 2 項）等を行い、公正競争阻害性が認められる場合には、違法とされる点には留意が必要である。

(2)　その他の参加者

　上記のほかにも、プラットフォームの参加者としては、汎用的な利用価値のある情報（例えば、天気情報や地形情報等）を大量に保有している第三者ベンダがデータを提供する場合もあれば、「世界最先端 IT 国家創造宣

言・官民データ活用推進基本計画」（2017年5月30日）により民間ニーズに則したオープンデータの推進により、国や地方公共団体等が保有する官データの提供を受ける場合もある。また、プラットフォームのデータを利用する関係者として、AI などを活用してデータ分析の委託を受ける第三者がデータの提供を受けて利用することもあり得る。

これらのような場合には、データ提供者とデータ利用者が一致しないことになるが、これらの第三者や国等との関係はプラットフォームにおける通常のデータ提供者・データ利用者との関係とは異なるため、画一的な利用規約とは別の契約を締結することになるであろう。

さらに、プラットフォームの参加者として、他のプラットフォームが登場することもあり得る（データ流通プラットフォーム間の相互連携）。この場合には、メタデータ（提供データの所在、種類、名称等の情報）を集約したデータカタログやカタログ用のAPIを準備する必要があるため、当初から想定されている場合には、その調整も事前に行っておくことが望ましい[注8]。

3　目的

多数のデータ提供者・データ利用者が参加するプラットフォームにおいては、すべての参加者が同じ方向を向いてデータをやりとりし、プラットフォームの利用価値を高めていくためにも、プラットフォームにおけるデータの流通・利活用の目的を掲げておくことは有益である。そこで、モデル規約では、2条の定義の中で、目的を定めることにしている。

（モデル規約参照条文）

> 第2条（定義）
> 本規約において使用される用語は、以下の意味を有するものとします。
> 　(1)　「本目的」とは、〇〇〇〇をいいます。

また、単に抽象的な目的というだけでなく、データの利用条件や秘密保

注8）データ契約ガイドライン94頁、IoT推進コンソーシアム・総務省・経済産業省「データ流通プラットフォーム間の連携を実現するための基本的事項」（2017年4月）参照。

持義務における秘密情報の利用目的に紐付けられることも多く、その場合には、当該のデータの利用権限や利用目的の範囲を画するものとして、非常に重要な位置付けにあることは、第3章のデータ利用契約の場合と同様である。さらに、当該目的との関係で、参加者登録の拒絶事由である「参加者登録をすることが不適当と運営者が認める事由」に該当することもあり得るであろう。

　この目的については、前述したデータ流通の阻害要因④（提供データについての関係社の利害・関心が不明）との関係でも、抽象的なものではなく、できる限り具体的に記載しておくことが望ましい。参加者間の利害調整を図る場合にも、この目的がはっきりしていることで、解決方法が見えてくる場合もあると思われる。

4　データの種類・範囲

(1)　データの種類

　プラットフォーム上に提供されるデータの種類としては、生データ・加工データ・分析データ、過去の実績データ・リアルタイムデータなどがあるが、プラットフォームの目的や参加者によって、どのような種類のデータが必要となるかは異なるため、あらかじめ参加者との契約や利用規約で明示しておく必要がある。

　また、提供されるデータが多くても保存されるファイル形式等のフォーマットが揃っていない場合には、効果的な分析はできず、データの整理に多くの時間と費用を費やしてしまうことにもなりかねない。

　そのため、提供されたデータをデータ利用者が効果的に利用するために、プラットフォーム上に提供されるデータの形式を参加者間で統一しておくことも重要となる。もっとも、必ずしもデータ提供者側でデータの整理をしてから提供する必要はなく、データ提供者は生データを提供することとして、提供されたデータの整理や加工・分析はプラットフォーム運営者が行うということも考えられる。その場合には、プラットフォーム運営者の役割としてその旨を利用規約にも明記しておくべきであろう。

　提供されるデータにパーソナルデータが含まれる場合には、個人情報保護法やプライバシーの観点からの検討・対応が必要となってくる。海外に

所在する個人に関するパーソナルデータが含まれる場合には、現地法の域外移転規制や域外適用についても対応しなければならない可能性があるため、プラットフォーム運営者や参加者の負担が増加することになる。特に、提供データにEUに所在する個人のパーソナルデータが含まれる場合であって、GDPRの域外適用を受けることとなる場合には、削除権（忘れられる権利）やデータポータビリティ等のデータ主体の権利にも対応する必要がある。そのため、プラットフォームの目的からして必要がなければ、パーソナルデータは提供しないことを明確にしておくことが望ましい。モデル規約では、9条1項5号において、提供するデータに個人情報等が含まれないことを保証する規定を記載しているが、パーソナルデータが含まれる可能性がある場合には、同号は削除した上で、8条5項の規定を設けておくことになろう。

（モデル規約参照条文）

第8条（対象データの提供）
［5．参加者が個人情報等を含んだデータを対象データとして本プラットフォームに提供する場合又は開示を受ける場合には、参加者及び運営者は、以下の義務を負うものとします。
　(1) 個人情報等を含んだデータを対象データとして提供する参加者は、本プラットフォーム上でこれらの情報の項目を明示した上で提供する。
　(2) 参加者及び運営者は、個人情報保護法を遵守し（個人情報保護法上必要な本人からの同意の取得を含みます。）、これらの情報の管理に必要な措置を講ずる。］

第9条（対象データの保証等）
　1．参加者は、運営者及び他の参加者に対して、自らが本プラットフォームに提供する対象データについて、以下に掲げる事項を、表明し、保証します。
　［(5) 対象データに個人情報等が含まれていないこと］

また、プラットフォーム上でパーソナルデータを扱う場合であっても、

第11章　データ共有プラットフォーム

海外のパーソナルデータを扱う必要がない場合には、対象データは日本国内で取得したパーソナルデータに限られる旨を保証させることや、プラットフォームの提供区域が日本国内に限定されることなどを明確にしておくことが考えられる。さらに、プラットフォームの信頼性を高めるためにプラットフォームが情報銀行と同程度の体制を整備することや、データ提供者が特定の個人との関連性をなくした統計情報または匿名加工情報として加工した上で提供するというシステムとすることも考えられる（ただし、匿名加工情報については、データ提供者およびプラットフォーム運営者ともに個人情報保護法上の義務が生じる）［→第5章Ⅱ6］。

なお、プラットフォームの主目的がパーソナルデータの取扱いではなかったとしても、例えば、配送情報に関してトラックドライバーの氏名が付随していたり、農業データに関して生産者の氏名が付随している場合、機械の作動状況について運転者・作業員の氏名が付随しているような場合も個人情報保護法の対象となり得るため、注意が必要である。

(2)　データの範囲

(A)　オープン・クローズ戦略

どの範囲のデータをプラットフォームで取り扱うかについても、プラットフォームの目的や利用者によって異なるが、データ提供者において自らの保有するデータを協調領域・競争領域に分けてオープン・クローズ戦略を検討することが重要になる。データをオープンにすべきか否かの判断要素としては、例えば、以下のような事項が考えられる。

・企業の競争力の源泉か
・秘密情報か
・データの価値
・データの集積度
・開示することによって受けられるメリット・対価
・開示することで、自社が利用できるデータが増えるか
・データ収集の仕組みが他社に真似できないものか
・他社が容易に取得できるデータか
・他社にとって有益な情報か
・プライバシーデータを含むか

近時、異業種間でのデータ共有によってさまざまなイノベーションが生まれ、これまでになかったサービスや商品が次々と登場しており、今後も積極的に協調領域のデータをオープンにして、データ流通・利活用が促進されることが期待されている。

(B) **独占禁止法との関係**

プラットフォームの参加者がデータを共有することにより、特にデータ提供者とデータ利用者が競争事業者であるような場合は、センシティブ情報（例えば、製品別の価格〔単価〕・生産数量・販売数量、製品別の損益状況〔製造原価・原材料費等のコスト情報〕）等について情報交換をすることで、**第 6 章Ⅲ 4 (2)** において述べた通り、独占禁止法のカルテル規制に違反することになってしまう場合もあり得る。

そのため、競争関係にある事業者が、同一のプラットフォームに参加する場合には、価格や販売数量等の情報について共有しないことはもちろん、製品別の価格や販売数量が予測できるようなセンシティブ情報のやりとりがプラットフォーム上でなされないような仕組みや、データの粒度を粗くして製品ごとの情報がわからないようにするなどの工夫が必要となる。例えば、配送の効率化の例を挙げると、どの程度の大きさの積荷がどのトラックに積まれているという情報は同業者間でも共有することが望ましい一方で、その積荷の具体的内容（誰が販売しているどの商品か）についての情報までは必要がないことも考えられる。

(C) **プラットフォーム上のデータの提供範囲**

前記のオープン・クローズ戦略や独占禁止法との関係を考慮しつつ、プラットフォーム上で提供・利用されるデータの範囲を決めていくことになる。その際には、競争領域にあるデータとしてデータ提供者が提供したくないと考えるデータや、競争事業者が利用するとカルテルのおそれが生じるようなデータをプラットフォーム上に提供しない／できないシステムを構築することが考えられる。

もっとも、そのようなデータであっても、競争関係にない事業者に対しては提供しても問題ないことが多いであろうし、むしろ異業種間でのデータ共有によってこそ、イノベーションが生まれる。そこで、データ提供者からプラットフォーム上に提供されるデータを、シェアード・データとプ

459

ライベート・データに分けた上で、シェアード・データはデータ利用者全員が利用できることとし、プライベート・データは競合事業者でない者等の一定の限定された者のみが利用できるようにすることや、統計データにした上で利用することも考えられる。このようなデータの区分けをすることによって、データ流通の阻害要因②（知見等の競合への横展開）に対する不安も解消することができる場合もあると思われる。

(D) オンラインストレージとの関係

前記(1)のパーソナルデータとの関係や、前記(2)(B)の独占禁止法との関係で、プラットフォームの目的とするデータの流通・利活用に必要のないデータは、極力プラットフォーム上に提供されないシステムとする必要がある。また、それだけでなく、通常はプラットフォーム上で取り扱うデータ量が増加すると、その分だけデータストレージに要する費用も増加することになる。そのため、プラットフォームの運営費用の観点からも、不要なデータは提供されないような体制にしておく必要がある。

5　データの提供

(1)　プラットフォームへのデータの提供方法

プラットフォームへのデータの提供方法としては、データ提供者がプラットフォームにデータを提供する際のフォーマットや容量等を含めて、データを提供する際の手順を明確に定めておくことが望ましい。フォーマット等が統一されていないと、いくら大量のデータが集積されても、有効な利活用ができないからである。これらを規約の別紙で定めておくことも考えられるが、多分に技術的なことも含まれることが想定されるため、別途プラットフォーム運営者が提供方法のプロトコルを定めることでもよいと思われる。

なお、プラットフォーム上に提供されるデータについて、データ提供者が著作権その他の知的財産権を有している可能性もある一方で、提供するたびに、データ提供者とプラットフォーム運営者との間で利用許諾契約を締結することは極めて煩雑である。そのため、データ提供者がプラットフォームに自らデータを提供した場合には、当該データ提供者が提供したデータを利用することを許諾する旨の規定を置いておくことが考えられる。

また、提供するデータが第三者から取得したデータである場合には、当該データをプラットフォームに提供して、データ利用者に利用させるためには、第三者提供を含む当該データを利用する権限や、プラットフォーム運営者およびデータ利用者に利用許諾を与える権限を取得しておく必要がある。かかる利用許諾を得る方法として利用許諾契約を締結することになるが、データ提供者に個別に作成・交渉をさせると条件が不統一になってしまう可能性が高いことから、別紙で統一フォームを定めておくことも考えられる。

　モデル規約8条1項では、提供方法に関するプロトコルは別途プラットフォーム運営者が定めることとした上で、8条2項～4項では、利用許諾の規定および第三者からの利用許諾の権限の取得の規定を設けている。

（モデル規約参照条文）

第8条（対象データの提供）
1．参加者は、運営者が別途定める提供方法に従って、本利用契約において定める対象データを本プラットフォームにアップロードすることにより提供するものとします。なお、参加者は、当該対象データの全部又は一部を改ざんして、本プラットフォームに提供してはならないものとします。
2．参加者は、自らが提供した対象データについて、当該参加者と運営者との間で特段の合意がない限り、運営者及び他の参加者に対して、運営者及び他の参加者が本規約に従って、本目的の範囲内で［日本国内において］非独占的に利用等すること（当該対象データを加工等することによって得られた派生データを利用等することを含みます。）について、許諾します。
3．参加者は、運営者及び他の参加者による前項に定める対象データの利用について、人格権を含む知的財産権を行使しないものとします。
4．参加者は、自らが提供する対象データの中に第三者が有していたデータ（以下「第三者データ」といいます。）が含まれる場合には、あらかじめ当該第三者に対して本規約の内容を提供し、別紙○の書式

第11章　データ共有プラットフォーム

> により、当該第三者から第三者データを本規約に基づき利用し、かつ利用許諾をする権限を取得しなければならないものとします。

(2)　データの保証／不保証

データの保証／不保証については、基本的にデータ利用契約について述べたところ［→第3章Ⅳ］と同様であり、具体的に何をどの範囲で保証できるかまたはできないか（あるいは、効果的なプラットフォームとするためにどのような事項について保証してもらう必要があるか）は、そのデータの種類や利用目的、データの取得方法によっても異なるので、事案に応じて個別に検討していく必要がある。

（モデル規約参照条文）

> 第9条（対象データの保証等）
> 1．参加者は、運営者及び他の参加者に対して、自らが本プラットフォームに提供する対象データについて、以下に掲げる事項を、表明し、保証します。
>   (1)　対象データは、適法かつ正当な権限によって取得されたものであること
>   (2)　改ざんしていないこと
>   (3)　法令に違反する内容を含まないこと
>   (4)　公序良俗に違反する内容を含まないこと
>   ［(5)　対象データに個人情報等が含まれていないこと］
> 2．参加者は、前項に定める事項を除き、対象データの提供にあたって、明示又は黙示の別を問わず、いかなる事項（以下に掲げる事項を含みますが、これらに限られません。）についても保証しないものとします。
>   (1)　対象データの正確性
>   (2)　対象データの完全性（対象データに瑕疵又はバグがないことを含みます。以下同じです。）

(3)　対象データの安全性（対象データがウィルスに感染していないことを含みます。以下同じです。）
　(4)　対象データの有効性（対象データの本目的への適合性を含みます。以下同じです。）
　(5)　対象データが第三者の知的財産権その他の権利を侵害しないこと
[(6)　対象データが継続して提供されること]
3．参加者が第1項の表明保証に違反した場合、又は、以下のいずれかの事由に該当する場合には、当該参加者は、運営者、他の参加者若しくは第三者がこれにより被った損害等を補償する責任を負うものとします。
　(1)　対象データの全部又は一部を改ざんして、本プラットフォームに提供した場合
　(2)　対象データの正確性、完全性、安全性、有効性のいずれかに問題があること、又は、対象データが第三者の知的財産権その他の権利を侵害していることを、故意若しくは重大な過失により告げずに対象データを本プラットフォームに提供した場合
　(3)　対象データの正確性、完全性、安全性、有効性のいずれかに問題があること、又は、対象データが第三者の知的財産権その他の権利を侵害していることを知ったにもかかわらず、運営者に対して第12条第2項に定める通知を行わなかった場合

(A)　取得の適法性等

　自らが取得・生成したデータであれば、通常はその取得・生成が適法であること、正当な権限に基づいたものであることを表明保証することは可能であるはずである。この表明保証は、例えば、機器に取り付けるセンサの製造販売業者が、機器の使用者に無断で機器の稼働状況に関するデータをセンサを通じて収集して、それをプラットフォームに提供するような場合には、後に機器の使用者との間で紛争になる可能性もあるため、規定しておくものである。また、対象データを改ざんしていないことや、対象データに法令・公序良俗に違反する内容を含まれないことは、データ提供

者の把握できる範囲の事実であることから、これらについても表明保証をすることはそれほど難しいことではないであろう。そのため、モデル規約9条1項1号から4号まででは、上記のいずれもデータ提供者に表明保証させることとしている。

(B) 個人情報の有無

モデル規約9条1項5号では、プラットフォーム上で取り扱う情報に個人情報が含まれないことを前提に、データ提供者が提供するデータに個人情報保護法上の「個人情報」、「個人データ」、「匿名加工情報」（モデル規約2条10号の「個人情報等」の定義次第では、これらに加えて、個人情報保護法の令和2年改正で導入された「個人関連情報」および「仮名加工情報」）が含まれないことを保証させている。他方で、プラットフォームの目的との関係で、事案によっては個人情報等を取り扱うことが必要となる場合もあるであろう。その場合には、データ提供者だけでなくプラットフォーム運営者・データ利用者も個人情報保護法を遵守する必要があることから、本号を削除した上で、モデル規約8条5項のように、データ提供者がプラットフォームにデータを提供する際に、プラットフォーム運営者に対して、提供する個人情報等の項目を明示させるとともに、当該個人情報等について、生成、取得およびプラットフォームへの提供等に関して個人情報保護法を遵守することを規定しておく必要がある。また、個人情報等が含まれる場合には、プラットフォーム運営者もプライバシーポリシーを定めてそれに従って取り扱うことが必要となる。

(C) データの正確性・完全性・安全性・有効性

正確性・完全性・安全性・有効性の意味するところは、**第4章Ⅳ1**においてデータ利用契約について述べたところと同様である[注9]。

- ・正確性：時間軸がずれている、単位変換を誤っている、検査をクリアするためにデータが改ざんまたは捏造されているというような事実と異なるデータが含まれていないこと
- ・完全性：データがすべて揃っていて欠損や不整合がないこと
- ・安全性：データがウィルス等に感染していないこと

注9）データ契約ガイドライン33頁。

・有効性：計画された通りの結果が達成できるだけの内容をデータが伴っていること

　モデル規約9条2項1号から4号では、これらのデータの正確性等については保証しないこととしているが、データ提供者に対してこれらの表明保証を求めるか否かは、プラットフォームの目的、データ提供の対価の有無（有償か無償か）、一旦提供したデータの削除権を有するか否かと併せて、プラットフォームの設計に大きくかかわるものである。

　例えば、データの提供を有償として対価を払うのであるから、正確性についても保証すべきという考え方もあれば、逆に無償であれば、そのままの状態のデータを提供することでよい（"現状有姿"や"as is"と呼ばれる）という考え方もある。また、データの正確性等については保証しないとしても、正確性等を確保するように最大限努力する（ベストエフォート）という規定を設けることも考えられる。何がロジカルに正しい、望ましいということではなく、データ提供者の確保やインセンティブの向上と併せて、プラットフォームの設計として検討すべき事項である。

　また、正確性・完全性・安全性・有効性は、これら4つの項目をセットで表明保証する／しないということではなく、個別に検討する必要がある。例えば、正確性・完全性・安全性については表明保証をするものの、有効性についてはデータ利用者の目的によるところが大きいため保証しないということもあり得る。さらに、それぞれについて、表明保証を求める場合には、そのプラットフォームの目的やデータの性質との関係で、具体的にどのようなことを求めるかはできるだけ明確にしておく必要がある（ただし、場合によっては、○○に関して重大な点において正確であること、などの抽象的な表現にならざるを得ないこともあり得るであろう）。

(D) 第三者の知的財産権その他の権利の非侵害

　提供されたデータが、第三者の知的財産権を侵害している場合には、データ提供者はもちろんのこと、プラットフォーム運営者やそれを利用したデータ利用者も知的財産権侵害として損害賠償や差止めを請求されることがあり得る。知的財産権の対象となるデータとしては、以下のものが考えられる[注10]。

第11章　データ共有プラットフォーム

① 営業秘密・限定提供データ
② 著作権（例えば、提供データが創作性のある画像や動画の場合、データベースの著作物の場合、キャラクターフィギュア等の3Dデータの場合）
③ 意匠権（例えば、提供データが意匠登録された家具の3Dデータの場合）
④ 特許権（例えば、提供データが特許権〔プログラム等の特許権〕を取得したプログラム等の場合）
⑤ 回路配置利用権（例えば、提供データが半導体集積回路の回路配置に関する法律にいう回路配置を記載した図面または写真の場合）

　この点に関しては表明保証する／しないのいずれもあり得るが、データ提供者自らがこれらの権利を有する第三者から取得したデータであれば、当該データ提供者も認識しているであろうから利用許諾する権限を取得する義務を課すことも当然といえるが、データ提供者が認識しないものについても第三者の権利を侵害していないことを表明保証させるのは酷であるという考え方もあり得る。他方で、知的財産権にセンシティブな業界においては、権利侵害の可能性があるデータはプラットフォーム上で流通させるわけにはいかないということもあるであろう。この点もプラットフォームの設計との関係で検討すべき事項であるが、モデル規約9条2項5号では、データ提供者にこの点についての保証は求めずに、データを利用する側が自らの責任で利用することとしている。

(E)　継続的なデータ提供

　モデル規約では、25条において、一定期間の事前の通知でデータ提供者から規約を解約することができるとしているため、データ提供義務は定めていないが、プラットフォームの目的によっては、あるデータに関して継続的に提供されることを期待して利用するデータ利用者もいることが考えられる。そのような場合であっても、データ提供者に対して継続的にデータ提供義務を課すものではないことを明確にしておくため、モデル規約9条2項6号では、データが継続して提供されることは表明保証しないこととしている。もちろん、データが継続的に提供されることによって

注10）データ契約ガイドライン93頁。

意味のある分析ができる場合にはデータ提供義務を定めることもあり得るが、そのような場合は、プラットフォーム利用規約での画一的な取扱いより、個別のデータ利用契約を締結して対応すべき場合も多いように思われる。

(F) 表明保証違反の損害賠償

前述した通り、表明保証事項については、保証する／しないのいずれもあり得るところであるが、仮に保証しないとした条項であっても、データ提供者が故意または重大な過失によって問題のあるデータをプラットフォームに提供した場合にも責任を免れるということでは、プラットフォームの秩序が保てなくなる可能性がある。したがって、そのような場合には、データ提供者にも責任を負わせるべきである。

モデル規約9条3項では、データ利用者やデータ利用者から提供を受けた第三者に対しても、直接損害等を補償するという建付けにしているが、原則通り、運営者に対してのみ責任を負うとすることも考えられる。

(3) データ提供・利用の対価

データ提供・利用の対価についても、プラットフォームの設計との関係で、有償・無償のいずれもあり得る。データの価値を金銭的に評価することはそう容易ではないことから、金銭的対価が支払われることは取引全体からみて少ない割合ではないかとも思われる。特に、プラットフォーム参加者のうち、データ提供者とデータ利用者の範囲が同一の場合（すなわち、データ提供者が参加者の他社データについてデータ利用者となる場合）には、お互いにデータを提供し合うことで対価とし、金銭的なやりとりはしないということも少なくないであろう。また、対価の種類については、**第3章V2**で述べたように、必ずしも金銭に限られない。データ提供の対価として、金銭ではなく、プラットフォーム上でデータ利用者となるときに利用できるクーポンやポイントとすることや、それらと金銭との併用ということも考えられる。

データ提供・利用の対価を有償とする場合には、どのようなデータ提供にいくら支払うということについて、月単位の固定料金や重量ごとの単価といった形で明確に定めておく必要がある。データが価値あるものであるという考え方の下では、他の参加者が提供したデータを無償で利用できる

第11章　データ共有プラットフォーム

こと自体が対価であると考えることもできる。

　金銭での対価を支払う場合の対価の算定方法は、一般論としては、①コストアプローチ、②マーケットアプローチ、③インカムアプローチといった方法が考えられる。もっとも、データ流通の阻害要因⑤にも挙げられているように、データ提供の対価をあらかじめ適正に評価して還元することは非常に難しい問題である。かかるデータ取引の対価については、**第4章Ⅴ1**を参照されたい。

　なお、金銭での対価を支払う場合を前提として、モデル規約8条6項では、運営者側が別途定める料金としているが（別途料金表をプラットフォーム上で掲示することを想定している）、別紙で定めておくことも考えられる。また、モデル規約10条では、データ利用の対価としてプラットフォームの利用料金を支払うこととし、固定料金・従量課金を併記している。

（モデル規約参照条文）

> 第8条（対象データの提供）
> ［6. 運営者は、対象データを提供した参加者に対して、運営者が別途定めるところに従い、データ提供料金を支払うものとします。］
>
> 第10条（利用料金）
> 参加者は、運営者が別途定めるところに従い、本プラットフォームの利用料金を支払うものとします。
>
> 【固定料金の場合】
> 1．参加者は、対象データ及び派生データの利用料金として、毎月月末までに月額○円（消費税別）を運営者が指定する銀行口座に振込送金の方法によって支払うものとします。なお、振込手数料は乙の負担とします。
> 2．前項の対象データ及び派生データの利用の対価の計算は、月の初日から末日までを1月分として計算し、参加者による対象データの利用

期間が月の一部であった場合、日割り計算によるものとします。

【従量課金の場合】
1．参加者は、対象データ及び派生データの利用料金として、運営者に対して、別紙○の1単位あたり月額○円を支払うものとします。
2．運営者は、毎月月末に参加者が利用した単位数を集計し、その単位数に応じた利用料金を翌月○日までに乙に書面（電磁的方法を含みます。以下同じです。）で通知するものとします。
3．参加者は、前項により通知された利用料金の額に消費税額を加算した金額を、前項の通知を受領した日が属する月の末日までに運営者が指定する銀行口座に振込送金の方法によって支払うものとします。なお、振込手数料は参加者の負担とします。

6　データの利用条件

　データは、著作権等の知的財産権が成立する場合を除き、契約で定めない限り、基本的には、現にアクセスできる者が自由に利用することができることから、利用規約においてデータの利用条件を明確に規定しておく必要がある。プラットフォーム型のデータ共有であっても、第3章Ⅲ2で述べた利用条件の考え方が当てはまる。データの利用条件は、プラットフォームの目的等に応じて、さまざまなパターンがあり得るが、一般論としては、以下の事項の全部または一部を組み合わせる形で規定されることが多い[注11]。

　①　どの提供データについて
　②　誰が（データ利用者の属性、範囲や条件、プラットフォーム運営者の委託先等その他のプラットフォーム参加者の範囲や条件等）
　③　いつ（期間）
　④　どこで（例えば、国外サーバに提供データを記録しないでほしいといっ

注11）データ契約ガイドライン97頁。

第11章 データ共有プラットフォーム

たことが考えられる)
⑤ どのような目的で
⑥ どのような態様・方法で共用・活用するか

　かかる利用方法・範囲は、プラットフォーム運営者が提供データにアクセスできる場合には、プラットフォーム運営者とデータ利用者それぞれについて利用条件を決定することになる。

　プラットフォーム型のデータ共有においては、利用者が多数となることが想定されるため、二当事者間のデータ提供契約と比較して権利関係が複雑となる傾向にある。そのため、データの利用条件については慎重な制度設計が求められる。なお、権利処理をスムーズにするために、プラットフォーム運営者に権利を集中させることも考えられる。

(モデル規約参照条文)

第11条（対象データ・派生データの利用条件）
1．参加者は、本目的の範囲内及び別紙○に定める利用条件により、対象データを利用することができるものとします。但し、以下に掲げるデータについては、この限りではないものとします。
　(1) 自らが本プラットフォームに提供した対象データ
　(2) 他の参加者が本プラットフォームに提供した時点で既に保有していたデータ
　(3) 本プラットフォーム外で第三者から正当に入手したデータ
　(4) 対象データによらず、独自に収集・作成したデータ
　(5) 本利用契約及び本規約に違反することなく、かつ、本プラットフォームへの提供の前後を問わず公知となったデータ
［2．前項の利用条件に基づき対象データの加工等によって得られた派生データの作成に関して、新たに創出した著作権その他の知的財産権を受ける権利は、当該加工等を行った参加者（以下「データ加工者」といいます。）に帰属するものとし、データ加工者は当該派生データを［前項の利用条件と同様の範囲で／自由に］利用等することができるものとします。］

3．参加者は、前［二］項により認められた利用条件を超えて、対象データ［及び派生データ］を利用してはならないものとします。

［4．運営者は、本目的の範囲内において対象データを加工等することができるものとし、当該加工等により生じた派生データを、本プラットフォーム上で対象データとして提供することができるものとします。この場合には、かかる派生データに係る著作権その他の知的財産権は、運営者に帰属するものとしますが、対象データの提供に係る第8条及び第9条の規定が準用されるものとします。］

(1) データ提供者から提供されたデータの利用条件

対象データの利用条件[注12]を決定する際の考慮要素としては、おおむねデータ利用契約の場合と同様である。すなわち、①データの性質、②データの創出に対する各当事者の寄与度、③データの利用により当事者が受けるリスク、④データ取引に関して支払われる対価の金額、⑤データ利用の必要性を主に考慮することになる。ただし、データ提供者とプラットフォーム運営者との関係は、多くの場合はいわゆる「データ創出型」ではなく「データ提供型」に類似することになり、派生データの利用権限を決定する場合を除いて、②の寄与度については、基本的には100％データ提供者ということになるであろう。

モデル規約11条では、データ利用者が、別紙に定める範囲内で利用等（利用、使用、加工等、開示、譲渡〔利用許諾を含む〕および処分等）ができることとしている。この点については、データあるいはデータ利用者をカテゴライズして、より細かくカテゴリーごとに利用条件の範囲を変えるということも考えられる。

また、データ流通の阻害要因⑧（自身のデータが囲い込まれることによる悪影響）との関係で、自ら提供したデータの利用が妨げられないよう、モ

注12）広い意味では、データへの①アクセス権、②利用権、③保有・管理に係る権利、④複製を求める権利、⑤販売・権利付与に対する対価請求権、⑥消去・開示・訂正等・利用停止の請求等の契約上の権利を自由に行使できる権限のことを意味するが（データ契約ガイドライン85頁）、本項では主に②利用権を指している。

第 11 章　データ共有プラットフォーム

デル規約 11 条 1 項 1 号では、利用条件の制約を受ける対象となるデータから、自らプラットフォームに提供したデータを除外している。

　なお、センシティブ情報が含まれ得るデータについては、データ利用者からデータ提供者の競争事業者に対して当該センシティブ情報が提供されて、カルテルなどに利用されることを防止するため、第三者への開示・提供は制限しておくことが考えられる。この点に関しては、データ流通の阻害要因③でも第三者提供に伴う炎上リスクが挙げられているように、第三者への開示や提供について抵抗のある場合も少なくないと思われる。第三者への開示・提供を認めるか否かは、実際には、**第 3 章Ⅲ 3** において述べたように、基本的には、第三者にデータを利用させることによって当事者が得られる利益と第三者がデータを利用することによって生じる当事者の不利益を比較衡量することによって決定し、具体的には以下の要素を考慮することが考えられる[注13]。

①　データの性質（営業秘密、限定提供データ、ノウハウを推測可能な者か、個人のプライバシー権を侵害するものではないか等）
②　営業秘密、ノウハウ流出等を防止するためにとられている方法（工場を特定する情報を削除する、同種の機器全体の統計情報として処理する等）
③　提供先の第三者が競業者であるか否か
④　提供先の第三者の利用に対してどのような制限を課すか（ただし、実効性を確保できるかについて慎重な判断が必要である）
⑤　対価の額、利益の分配方法

　このようなデータ利用者による利用条件に関しては、データ利用者の親会社・子会社・関連会社のようにグループ会社で共有したいという要望がある場合もある。この点に関しては、仮にグループ会社への共有を認める場合であっても、共有できる範囲を明確にしておくとともに、当該グループ会社も利用規約の条件に拘束されることを確保しておく必要があり、また、グループ会社ではなくなった場合の措置も定めておく必要がある。

　なお、**第 4 章Ⅱ 2** において述べたように、プラットフォーム上に提供す

注13）データ契約ガイドライン 59 頁-60 頁。

るデータを「限定提供データ」として管理して保護することも考えられることから、データの保護に関しては、慎重な対応が必要となる。

(2) 派生データの利用条件

派生データについても、契約で定めない限りは、基本的には、現にアクセスできる者が自由に利用することができるため、派生データの利用条件を定めておく必要がある点は、**第3章Ⅶ**において述べた通りである。一般論としては、(a)元データの性質、(b)元データを取得・収集する際の費用・労力、(c)営業秘密性、(d)元データの加工・分析・編集・統合等の程度・費用・労力、(e)元データの全部または一部が復元可能なものとして派生データ等に含まれているか等を考慮して決定することになる[注14]。

モデル規約11条2項では、プラットフォームに提供されたデータの加工等により生じた派生データに関しては、当該加工等を行った者が利用等することができるが、加工等の際に提供データの貢献の程度（寄与度）がどの程度であるかを事前に定めておくことは困難であることから、派生データの利用等に関して利益分配はしないこととしている。この場合には、そのように利用等をされる前提でデータ提供すべきであり、また、それに見合った対価をデータ提供時に受け取ることができるよう設計する必要がある。

(3) 提供データ・派生データの知的財産権

モデル規約8条2項では、データ提供者とプラットフォーム運営者との関係についてはデータ提供型を想定していることから、データ提供者に対象データの著作権等の知的財産権が帰属することを前提として、データ提供者が利用等を許諾するという規定としている。

もっとも、プラットフォームにおけるデータの選択や体系次第では、プラットフォーム運営者に、データベース著作権が帰属することも考えられる。

また、派生データについて新たに創作した知的財産権については、派生データに加工等した者が知的財産権を有するものとしている（モデル規約11条2項）。さらに、モデル規約11条4項では、プラットフォーム運営

注14) データ契約ガイドライン31頁。

者も対象データの加工等をすることができ、その場合に生じた派生データの知的財産権は、プラットフォーム運営者に帰属することとしている。

7　データの削除権

　一旦プラットフォーム上に提供したデータをデータ提供者が削除することを要求できるかどうかも、プラットフォームの設計によって異なる。

（モデル規約参照条文）

第 12 条（対象データの削除）
1．参加者は、対象データを本プラットフォームに提供した後は、当該対象データを本プラットフォーム上から削除することを要求する権利を有しないものとします。
2．参加者が、自らが提供した対象データの正確性、完全性、安全性、有効性のいずれかに問題があること、又は、当該対象データが第三者の知的財産権その他の権利を侵害していることを知ったときは、直ちにその具体的な内容を記載した書面で運営者に通知するものとします。
3．前項の通知を受領した場合には、運営者は速やかに当該対象データを削除するとともに、参加者に対して周知するものとします。
4．前項に定める場合のほか、運営者は、本規約又は法令に反する対象データの提供を発見した場合その他運営者が当該対象データを本プラットフォーム上で提供することが適切でないと判断した場合には、当該対象データを本プラットフォーム上から削除することができるものとします。
5．本条に基づいて対象データが本プラットフォーム上から削除された場合であっても、削除前になされた対象データ及び派生データの利用については、何ら影響を及ぼさないものとします。

　モデル規約 12 条 1 項では、原則として対象データの削除を要求することはできないこととしている。
　もっとも、データ提供者が自らが提供した対象データの正確性、完全性、

安全性、有効性のいずれかに問題があること、または、当該対象データが第三者の知的財産権その他の権利を侵害していることを知ったときは、このようなデータをプラットフォーム上で取り扱うことは適切ではない。そのため、モデル規約12条2項で、直ちにその具体的な内容を記載した書面で運営者に通知しなければならないものとし、同条3項で、当該通知を受けた運営者は、速やかに当該対象データを削除するとともに、当該データを利用したデータ利用者に対して通知することとして、データ利用者の保護も図っている。

この場合に、当該データを提供したデータ提供者に対して支払ったデータ提供料金および運営者が利用者から受領した利用料金を返還させるかどうかも問題となる。データに関しての正確性等や第三者の権利の非侵害は保証していない以上、それに反していたからといって提供料金等の返還を求めるとすれば、実質的には保証を求めることと変わらないこととなってしまうことから、モデル規約では、これらの返還は求めないこととして、返還に関する規定は設けていない。ただし、モデル規約9条3項において、データを改ざんしてプラットフォームに提供した場合、故意・重過失でそのようなデータを提供した場合や、不正確な内容や第三者の権利の侵害を知ったにもかかわらず通知しなかったような場合には、損害賠償を認めることとしてバランスをとるようにしている［→5⑵］。

なお、モデル規約では規定を設けていないが、プラットフォーム上で取り扱うデータがパーソナルデータであり、かつ、GDPRの適用がある場合には、削除権に加えて、データポータビリティの権利に対応する必要があり、提供データを他のプラットフォームにおいて利用できるフォーマットで返還するまたは他のプラットフォームに直接提供データを移転させたりするための規定も設けておく必要がある。また、GDPRの適用がない場合であっても、データ流通の阻害要因⑧（自身のデータが囲い込まれることによる悪影響）を解消するために、データポータビリティの権利（具体的には、利用者がプラットフォームに提供したデータを、(a)可読性のある形式で自ら受け取る権利、(b)当該プラットフォームから他のプラットフォームに直接提供することを要求する権利）を認めることも考えられる。

8 データ提供者・利用者の義務等

　データ提供者・利用者の義務としては、データ利用者に対しては、データ管理、秘密保持義務を課す場合があり、データ提供者に対しては、プラットフォームの目的によっては一定量または一定期間の継続的なデータ提供義務を課す場合もある。特に、データ流通の阻害要因⑥（取引の相手方のデータガバナンスへの不安）との関係でも、データ管理について、より詳細に、管理体制、セキュリティやバックアップなどについて定めることもある。

　モデル規約第5章ではその他の義務として、①プラットフォーム利用のための設備・環境の設定・維持（13条）、② ID、パスワードの管理（14条）、③参加者の禁止事項（15条）、④参加者の責任（16条）を定めている。これらの他にも、プラットフォームに提供されるデータにパーソナルデータが含まれる場合には、個人情報保護法上の手続や体制整備についての義務を規定することもある。

(1) 設備設定・維持

（モデル規約参照条文）

第13条（本プラットフォーム利用のための設備・環境の設定・維持）
1. 参加者は、自己の費用と責任において、運営者が定める条件にて参加者設備を設定し、参加者設備及び本プラットフォームを利用するための環境を維持するものとします。
2. 参加者は、本プラットフォームを利用するにあたり、自己の責任及び費用負担において、電気通信事業者等の電気通信サービスを利用して参加者設備を本プラットフォームに接続するものとします。
3. 前二項に定める参加者設備の設定・接続その他の本プラットフォーム利用のための環境に不具合がある場合、運営者は参加者に対して本プラットフォームの提供の義務を負わないものとします。

　モデル規約13条の設備・環境の設定・維持については、設備・環境に関する責任分担であり、データ提供者・利用者がプラットフォームに接続

するまでの設備は自らの責任と費用において設定・維持することを明確にしている。モデル規約では規定していないが、プラットフォーム運営者が機器の貸与を行うような場合には、その旨や当該機器が故障した場合の対応なども定めておく必要がある。

(2) ID、パスワードの管理

(モデル規約参照条文)

第14条（ID、パスワード［及び対象データの管理］）
1．参加者は、ID及びパスワードを第三者に開示、貸与、共有してはならず、第三者に遺漏・漏えいすることのないよう厳重に管理（パスワードの定期的な変更を含みます。）するものとします。
2．ID及びパスワードの管理不備、使用上の過誤、第三者の使用等により参加者自身又はその他の者が損害を被った場合、運営者は一切の責任を負わないものとします。
3．第三者が参加者のID及びパスワードを用いて本プラットフォームを利用した場合、当該行為は当該参加者の行為とみなされるものとし、当該参加者は、かかる利用についての対価の支払その他の債務一切を負担するものとします。また、当該行為により運営者が損害等を被った場合は、当該参加者はかかる損害等を填補するものとします。但し、運営者の故意又は過失によりID及びパスワードが第三者に利用された場合は、この限りではありません。
［4．参加者は、本プラットフォームを通じて取得した対象データ［及びその派生データ］をそれ以外のデータと明確に区別し、善良な管理者の注意義務をもって、［秘密として／営業秘密として／限定提供データとして］管理及び保管するものとします。］

　モデル規約14条のID、パスワードの管理については、これらの管理不備等により当該参加者や第三者が損害等を被っても、運営者は責任を負わないことと、第三者がある参加者のIDおよびパスワードを用いてプラットフォームにアクセスした場合には、その当該参加者の行為とみなして、利用料金等の一切の債務を当該参加者に負担させることとしている。

第11章　データ共有プラットフォーム

ただし、プラットフォーム運営者の故意または過失により第三者に利用された場合は除外している。

(3) 禁止事項

（モデル規約参照条文）

第15条（禁止事項）

1．参加者は、本プラットフォームの利用に関して、以下の行為を行ってはならないものとします。
  (1) 運営者、他の参加者若しくは第三者の著作権、商標権等の知的財産権その他の権利を侵害する行為、又は侵害するおそれのある行為
  (2) 本プラットフォームの内容や本サービスにより利用し得る情報を改ざんする行為
  (3) 本利用契約又は本規約に違反して、第三者に本プラットフォームを利用させる行為
  (4) 法令若しくは公序良俗に違反し、又は、運営者、他の参加者若しくは第三者に不利益を与える行為
  (5) ウィルス等の有害なコンピュータプログラム等を送信若しくは提供し、又は、不正アクセスその他本プラットフォームの使用若しくは利用に支障を与える行為
  (6) 第三者の設備等、他の本参加者の参加者設備又は運営者設備の利用若しくは運営に支障を与える行為、又は与えるおそれのある行為
  (7) その他、運営者による本サービスの提供又は他の参加者による利用を妨げる行為
2．参加者は、前項各号のいずれかに該当する行為がなされたことを知った場合、又は該当する行為がなされるおそれがあると判断した場合には、直ちに運営者に通知するものとします。

　モデル規約15条の禁止事項は、プラットフォームの秩序を維持して信頼性を確保し、他の参加者等に損害等を与えないように規定されるものであり、一般的なものとして、知的財産権を侵害する行為、データの改ざん、第三者にプラットフォームを利用させる行為、ウィルス提供、設備等

の運営に支障を与える行為等を禁止している。かかる禁止事項は、プラットフォームの目的に応じて追加されることになるが、この禁止事項に違反した場合の制裁措置として、プラットフォームのサービス提供を停止する場合もあることから、その定め方や運用によっては、前記2(1)のプラットフォームの参加者に関して述べた通り、不公正な取引方法（取引拒絶）や排除型私的独占として独占禁止法違反となり得る点には注意が必要である。

(4) **補償責任等**

（モデル規約参照条文）

> 第16条（参加者の責任等）
> 1．参加者は、自らの本利用契約若しくは本規約の違反に起因又は関連して、他の参加者又は運営者に損害等を与えた場合、当該損害等を補償するものとします。
> 2．参加者は、対象データ等の利用等に関起又は関連して、第三者との間で紛争等が生じた場合には、直ちに運営者に対して書面により通知するものとし、かつ、自己の責任及び費用負担において、当該紛争等を解決するものとします。この場合、当該対象データ等を提供した他の参加者及び運営者は、当該紛争等に合理的な範囲で協力するものとします。
> 3．参加者は、前項に定める紛争等に起因又は関連して、当該対象データ等を提供した他の参加者又は運営者が損害等を被った場合（但し、当該紛争等が、当該損害等を被った他の参加者又は運営者の帰責事由に基づく場合を除きます。）には、当該他の参加者又は運営者に対して、当該損害等を補償するものとします。
> 4．対象データ等を提供した参加者及び運営者は、他の参加者による対象データ等の利用に関連する、又は、対象データ等の利用に基づき生じた発明、考案、創作及び営業秘密等に関する知的財産権の当該他の参加者による利用等に関連する一切の損害等又は紛争等に関して責任を負わないものとします。
> 5．第2項から第4項までの規定は、当該対象データ等を提供した参加者又は運営者が第9条第3項（第11条第4項において準用される

第11章　データ共有プラットフォーム

> 場合を含みます。）に該当する場合には、適用されないものとします。
> [6. 本利用契約又は本規約に関して参加者が運営者の損害等に対して負う責任の範囲は、債務不履行責任、不法行為責任、その他法律上の請求原因の如何を問わず、参加者の責に帰すべき事由又は参加者の本利用契約若しくは本規約の違反が直接の原因で運営者に現実に発生した通常の損害等に限定されるものとし、その損害等の賠償額は、当該参加者が当該損害等の発生した日から遡って〇ヶ月間に運営者に対して支払った本サービスに係る利用料金の額を超えないものとします。但し、参加者に故意又は重大な過失がある場合には、本項の規定は適用されないものとします。］

　モデル規約 16 条は、主にデータ利用者の責任を定めたものであり、1 項は一般的な契約違反の場合の補償規定である。

　モデル規約 16 条 2 項から 4 項までは、9 条 2 項においてデータ提供者がデータの正確性等や第三者の権利の非侵害を保証していないこととの関係で、第三者からのクレームや紛争に関しては、原則としてデータ利用者が対応することとし、データ提供者やプラットフォーム運営者に生じた損害等を補償することとしている。この点に関しては、正確性等や第三者の権利の非侵害をデータ提供者が保証する場合には、当該保証の違反が原因でデータ利用者が第三者からクレーム等を受けた場合や損害等を被った場合には、データ提供者の責任と費用で解決するという規定にすることもあり得る。

　モデル規約 16 条 5 項では、データが正確性等や第三者の権利の非侵害に違反することについて故意または重過失があるデータ提供者は 9 条 3 項により補償責任を負うこととなっているので、上記の規定は適用されないこととしている。

　なお、このような補償責任について、データ利用者・提供者が思いもよらぬ高額の補償金を負担せざるを得ないことになると、データ提供者に敬遠されることも考えられるため、補償額の上限を設けて、責任を限定することもあり得る（モデル規約 16 条 6 項参照）。

他方で、例えば、モデル規約16条1項の補償責任には、データの漏えいや目的外利用等も含まれるところ、データの漏えいや利用等に係る損害というのは、実際には算定することが困難であることが多いため、あらかじめ違約金という形で一定の金額を定めておくことも考えられる。データ流通の阻害要因①（提供先での目的外利用（流用））との関係でも、このような違約金を定めておくことで、一定の抑止効果はあると思われる。この場合、違約金は、原則として損害賠償額の予定（民420条3項）と解されることから、実際の損害等の額が違約金の額を上回ることが立証できる場合には、当該損害額の賠償を請求できることとする場合には、その旨を明記しておく必要がある。

9　プラットフォーム運営者の義務等

プラットフォーム運営者がどのような義務を負うかは、プラットフォームの設計、特に中立性・信頼性の観点から重要である。他方で、あまりに過大な責任を負うこととなってプラットフォームの運営が立ち行かなくなってしまうことは避ける必要があることから、継続性・安定性の観点からも検討する必要がある。

(1)　プラットフォームの管理・運営
（モデル規約参照条文）

> 第17条（プラットフォームの管理・運営）
> 1．運営者は、本サービスの提供期間中、法令を遵守するとともに、善良なる管理者の注意をもって本サービスを提供するものとし、同種同等のプラットフォームで利用されるのと同種同等のセキュリティを備えることにより、プラットフォームを適切に管理・運営するものとします。

モデル規約17条1項では、プラットフォームの管理・運営方法の一般原則として、本サービスの提供に関して法令遵守義務と善管注意義務を課している。利用規約の規定に基づいてプラットフォームを管理・運営し、データ提供者・利用者の権利義務を規律する立場の者として、中立性・信

第 11 章　データ共有プラットフォーム

頼性が要求されることから、このような一般的な義務を課している。法令遵守については、前述のように恣意的な参加者の選別を行い独占禁止法に違反しないようにするという意味も含まれている。

　加えて、同種同等のプラットフォームで利用されるのと同種同等のセキュリティを備えることを要求している。これは、膨大なデータが扱われるプラットフォームにおいて、多くのデータ提供者を確保するためには、一定水準以上のセキュリティを要求し、信頼性を確保する必要がある一方で、すべてのセキュリティ・インシデントを防止することは不可能であり、プラットフォームの運営費用も限られていることから、同種同等のセキュリティを備えていれば運営者の果たすべき責任としては十分といえると考えられるからである。この点に関しては、プラットフォーム運営者がクラウドサービスを利用して事業を実施する場合は、情報管理策等に関するISO/IEC27017やクラウド上の個人情報保護に関するISO/IEC27018などの規格の認証取得などによる対策等の措置が期待されると指摘されていることもあり[注15]、より具体的に利用規約にこれらの規格を明示しておくことも考えられる。もっとも、これらの規格の取得・維持にもそれなりの費用を要するものであり、データの性質やプラットフォームの規模等によってもその要否は異なるであろう。

(2)　**モニタリング（監査権）**
（モデル規約参照条文）

> 第17条（プラットフォームの管理・運営）
> 2．運営者は、参加者による対象データ等の管理状況その他の本利用契約及び本規約の遵守状況について、参加者に対して、いつでも書面（メールその他の電磁的方法を含みます。）による報告を求めることができるものとします。
> 3．前項の報告、他の参加者からの通報又は運営者自らの調査その他の事情に基づき、運営者が参加者において本利用契約若しくは本規約の違反のおそれがあると判断した場合には、運営者は、当該参加者に

注15）データ契約ガイドライン96頁。

> 対して合理的な範囲で対象データ等の管理方法、保管方法、利用等の方法その他の事項に関して是正を求めることができるものとします。
> 4．運営者が参加者に対して第2項の報告又は前項の是正を求めた場合には、当該参加者は、速やかにこれに応じなければならないものとします。

　プラットフォームの信頼性を高めるためには、データ提供者・利用者が利用規約を遵守しているかを運営者が適切に監査・モニタリングできる制度を設けておく必要がある。監査・モニタリングの方法にも、①定期的にデータ提供者・利用者から報告を受けるものや、②運営者が必要と判断した場合に報告を求めるもの、また、③実際にデータ提供者・利用者の事業所まで赴いて実地監査を行うものなどがある。モデル規約17条2項では、上記②を前提に、データの管理状況その他の利用規約の遵守状況について、運営者がデータ提供者・利用者に対して、いつでも書面（メールその他の電磁的方法を含む）による報告を求めることができることとしている。派生データの第三者提供等による利益分配を売上ベースで行っている場合などは、より強力な実地監査まで認めることも考えられるし、逆にデータ提供者・利用者から運営者への監査権を認めることも考えられる。いずれにしても、監査対応には人員も費用も要することから、必要性と許容性のバランスで検討していく必要がある。このように運営者がモニタリングを行うことによって、データ流通の阻害要因①（提供先での目的外利用（流用））や②（知見等の競合への横展開）について、一定の抑止効果を見込むことができると思われる。

　以上に加えて、苦情処理や紛争解決手段についても利用規約で規定を設けておくことが考えられるが、利用規約で規定するか否かとは別に、苦情対応等の窓口を設置して、プラットフォーム上に明示しておくことが望ましい。モデル規約では、明示的には苦情処理等の手順は規定していないが、17条3項において、他のデータ提供者・利用者が規約違反をしているおそれがある場合には、プラットフォーム運営者に対して通報できることを前提としている。

(3) データの保証／不保証

（モデル規約参照条文）

第18条（運営者による不保証）

1．運営者は、本プラットフォームの運営に関して、明示又は黙示の別を問わず、参加者に対していかなる事項（以下に掲げる事項を含みますが、これらに限られません。）についても保証しないものとします。
   (1) 本プラットフォームのセキュリティが完全なものであること
   (2) 本プラットフォームにバグがないこと
   (3) 本プラットフォームの利用によりウィルスに感染しないこと
   (4) 本プラットフォームの運営が中断しないこと
   (5) 本プラットフォームが第三者の知的財産権を侵害しないこと

2．運営者は、本プラットフォーム上の対象データに関して、明示又は黙示の別を問わず、参加者に対していかなる事項（以下に掲げる事項を含みますが、これらに限られません。）についても保証しないものとします。
   (1) 対象データの正確性、完全性、安全性、有効性
   (2) 対象データが第三者の知的財産権その他の権利を侵害しないこと
   (3) 対象データが継続して参加者に提供されること

3．運営者は、以下のいずれかに該当する場合を除き、前二項に掲げる事項に起因する参加者の損害等について、いかなる責任も負わないものとします。
   (1) 運営者が、対象データの全部又は一部を改ざんして、本プラットフォームに提供した場合
   (2) 運営者が、対象データの正確性、完全性、安全性、有効性のいずれかに問題があること、又は、対象データが第三者の知的財産権その他の権利を侵害していることを、故意若しくは重大な過失により告げずに対象データを本プラットフォームに提供した場合
   (3) 運営者が、対象データの正確性、完全性、安全性、有効性のいずれかに問題があること、又は、対象データが第三者の知的財産権その他の権利を侵害していることを知ったにもかかわらず、第12条第4項に基づく削除を行わなかった場合

前述の通り、すべてのセキュリティ・インシデントを防止することは不可能であること、バグやウィルスも完全には防げないことから、これらについては、運営者は何ら保証しないことを明記しておく必要がある。モデル規約18条1項では、セキュリティが完全なものであること、プラットフォームにバグがないこと、プラットフォームの利用によりウィルスに感染しないこと、プラットフォームの運営が中断しないこと、プラットフォームが第三者の知的財産権を侵害しないことを含めて、プラットフォームの運営に関して何らの保証もしないこととしている。

　さらに、モデル規約18条2項では、データ提供者がデータの正確性・完全性・安全性・有効性に関する表明保証をしていないことから、プラットフォーム運営者もこれらの事項に関しては保証しないこととしている。

(4) 責任限定・免責
（モデル規約参照条文）

第20条（損害賠償の制限）

1．運営者が本サービス又は本利用契約若しくは本規約に関して参加者に対して負う責任の範囲は、債務不履行責任、不法行為責任、その他法律上の請求原因の如何を問わず、運営者の責に帰すべき事由又は運営者の本利用契約若しくは本規約の違反が直接の原因で参加者に現実に発生した通常の損害等に限定されるものとし、運営者の責に帰すことができない事由から生じた損害等、運営者の予見の有無を問わず特別の事情から生じた損害等、間接損害、逸失利益について運営者は責任を負わないものとします。

2．前項における「運営者の責に帰すことができない事由」は、以下の事由を含みますが、これらに限られません。
　(1) 天災地変、戦争、暴動、内乱、自然災害等の不可抗力
　(2) 停電、参加者設備の障害又は運営者設備までの通信設備の事故・クラウドサービス等の外部サービスの提供の停止又は緊急メンテナンス
　(3) 運営者設備からの応答時間等インターネット接続サービスの性能値に起因する損害

第 11 章　データ共有プラットフォーム

> 　(4)　善良なる管理者の注意をもってしても防御し得ない運営者設備への第三者による不正アクセス又はアタック、通信経路上での傍受
> 　(5)　運営者が定める手順・セキュリティ手段等を参加者が遵守しないことに起因して発生した損害
> 　(6)　運営者設備のうち運営者の製造に係らないソフトウェア又はハードウェアに起因して発生した損害
> 　(7)　法令に基づくメンテナンス
> 　(8)　法令の制定改廃
> 3．前項に基づき運営者が責任を負う場合であっても、その損害賠償の額は、当該参加者が当該損害等の発生した日から遡って〇ヶ月間に運営者に対して支払った本サービスに係る利用料金の額を超えないものとします。
> 4．運営者に故意又は重大な過失がある場合には、本条の規定は適用されないものとします。

　プラットフォーム運営者は、多数のデータ提供者・利用者を相手にすることから、仮にすべての損害を賠償する必要があるとすると、莫大な金額となる可能性があり、プラットフォームの運営自体が立ち行かなくなる可能性もある。そのため、プラットフォーム運営者の責任を一定範囲に制限しておくことが考えられる。モデル規約20条1項では、直接かつ通常損害に限定されるものとして、運営者の責に帰すことができない事由から生じた損害、特別損害・間接損害・逸失利益については免責することとした上で、「責に帰すことができない事由」に該当するか否かについての争いを可及的に防止するため、同条2項で、天災地変等だけでなく、通信設備やクラウドサービス等の外部サービスの停止や法令改正等による場合を、例示として明確に列挙している。また、同条3項において、その賠償金額も一定額に限定している。

　もっとも、データ提供者・利用者が個人である場合には、消費者契約法8条により、運営者に故意・重過失がある場合の免責・責任限定規定は無効とされることになる。また、データ提供者・利用者が個人以外の事

業者である場合であっても、2020年4月1日に施行された改正民法において、定型約款の規定が設けられ、相手方の利益を一方的に害すると認められるものについては、合意をしなかったものとみなすこととされる（民548条の2第2項）。

ここにいう「定型約款」とは、①ある特定の者（定型約款準備者）が不特定多数の者を相手方として行う取引であって、②その内容の全部または一部が画一的であることがその双方にとって合理的なものを「定型取引」とし、③定型取引において、契約の内容とすることを目的として、定型約款準備者により準備された条項の総体をいうとされている（民548条の2第1項）。かかる定義によれば、データ共有プラットフォームの利用規約も定型約款に該当する場合があると考えられる。

そして、定型約款において、「相手方の権利を制限し、又は相手方の義務を加重する条項であって、第1条第2項〔筆者注：信義則〕に規定する基本原則に反して相手方の利益を一方的に害すると認められるものについては、合意をしなかったものとみなす」こととなる（民548条の2第2項）。信義則違反の判断には、定型取引の態様やその実情、取引上の社会通念を考慮すべきことになるが、合意をしなかったものとみなされる条項の例として、「相手方に過大な違約罰を求める条項」や「定型約款準備者の故意又は重過失による損害賠償責任を免責する旨の条項」など、その条項の内容自体に強い不当性が認められるものなどが挙げられている[注16]。

したがって、モデル規約20条4項でも、運営者に故意・重過失があった場合には、責任限定・免責規定の適用はないこととしている。

なお、責任限定・免責規定が無効となったような場合に、保険の適用等を含めて、リスクをいかに軽減するかを検討しておくことも必要であろう。

注16) 筒井健夫＝村松秀樹編著『一問一答民法（債権関係）改正』（商事法務、2018）251頁-252頁。

第11章 データ共有プラットフォーム

10　データ漏えい等の場合の対応

（モデル規約参照条文）

> 第21条（対象データ等の漏えい等の場合の対応）
> 1．参加者は、自ら又は他の参加者による対象データ等の漏えい、喪失、本規約に違反する対象データ等の利用等（これらを総称して、以下「対象データ等の漏えい等」といいます。）を発見した場合、又は、対象データ等の漏えい等が合理的に疑われる場合には、直ちに運営者にその旨を通知しなければならないものとします。
> 2．運営者、前項による通知をした参加者及び当該対象データ等の漏えい等に関連する可能性のある他の参加者は、協力して対象データ等の漏えい等の事実の有無を確認し、対象データ等の漏えい等の事実が確認できた場合には、その原因を調査し、再発防止策について検討するとともに、運営者は、その概要を必要な範囲で、他の全ての参加者に対して共有するものとします。
> 3．前項の調査に基づき、対象データ等の漏えい等の原因が当該他の参加者にあった場合には、当該調査費用及び再発防止策の費用は、当該他の参加者の負担とします。

　モデル規約21条では、データの漏えいや喪失、規約違反の利用により、データ提供者やデータ利用者の損害が拡大することを防止するための通知義務と、プラットフォーム運営者が協力して対処することを定めている。また、通知後の事実確認、原因の調査と再発防止策の実施を規定している。さらに、同様の事案を防止するために、その概要を必要な範囲で他のデータ提供者・利用者にも通知することとし、調査等の費用を含めて原因となった者が負担することとしている。

　なお、運営者に原因があった場合には、モデル規約17条1項の善管注意義務等の違反となることが考えられるが、その場合には、前記の不保証、責任限定・免責規定の範囲内で賠償責任を負うことになる。

11　プラットフォームの中断・停止、廃止

（モデル規約参照条文）

第22条（一時的な中断及び提供停止）
1．運営者は、次の各号のいずれかに該当する場合には、参加者への事前の通知又は承諾を要することなく、本サービスの提供を中断することができるものとします。
　(1)　運営者設備の故障により保守を行う場合
　(2)　運用上又は技術上その他の理由により客観的合理的にやむを得ない場合
　(3)　その他天災地変、戦争、暴動、内乱、自然災害等の不可抗力により、一定期間、本サービスを提供できない場合
2．運営者は、運営者設備の定期点検を行うため、参加者に事前に通知の上、本サービスの提供を一時的に中断することができるものとします。
3．運営者は、参加者が第15条第1項各号のいずれかに該当する場合又は参加者が本利用契約若しくは本規約に違反した場合には、参加者への事前の通知若しくは催告を要することなく、当該参加者に対する本サービスの全部又は一部の提供を停止することができるものとします。
4．運営者は、前各項に定める事由のいずれかにより本サービスを提供できなかったことに関して参加者又は第三者が損害を被った場合であっても、一切責任を負わないものとします。但し、運営者に故意又は重大な過失がある場合には、この限りではないものとします。

第23条（本サービスの廃止）
　運営者は、次の各号のいずれかに該当する場合、本サービスの全部又は一部を廃止するものとし、廃止日をもって本利用契約及び本規約を解約することができるものとします。
　(1)　廃止日の〇日前までに参加者に通知した場合又は本プラット

第11章 データ共有プラットフォーム

> フォーム上で周知した場合
> (2) 天災地変、戦争、暴動、内乱、自然災害等の不可抗力により本サービスを提供することができなくなった場合

　プラットフォームの運営中に、保守点検や設備の不具合により、サービス提供を中断する必要があることから、モデル規約22条では、中断事由を明確にしている。また、禁止事項に違反したデータ提供者・利用者についての制裁措置として、プラットフォームサービスの全部または一部を停止することができることとしている。
　さらに、モデル規約23条では、天災地変等の不可抗力のほか、一定期間前までにデータ提供者・利用者に通知することにより、プラットフォームサービスの全部または一部を廃止することができることとしている。

12　利用規約の変更

（モデル規約参照条文）

> 第24条（本規約の変更）
> １．運営者は、あらかじめ○日以上の予告期間を置いて、変更後の新利用規約の内容を会員に通知し又は本プラットフォーム上で周知することにより、参加者の事前の承諾を得ることなく、本規約を随時変更することができるものとします。この場合には、参加者の利用条件その他本規約の内容は、変更後の新利用規約を本規約として適用するものとします。
> ２．前項の規定にかかわらず、別紙○で定める本規約の重要な変更は、参加者［全員／の過半数／の３分の２以上］が書面により同意しなければ、効力を生じないものとします。

　モデル規約24条では、利用規約の変更手続について定めている。この変更手続に関しても、民法において定型約款準備者が相手方の同意を得ることなく一方的に契約の内容を変更する手続についての明文規定が設けら

れた。すなわち、以下のいずれかに該当する場合には、変更後の定型約款の条項について合意があったものとみなされる（民548条の4第1項）。
① 定型約款の変更が、「相手方の一般の利益」に適合するとき
② 定型約款の変更が、契約目的に反せず、かつ変更の「必要性」、変更後の内容の「相当性」、定型約款の変更をすることがある旨の定めの有無およびその内容その他の変更に係る事情に照らして「合理的」なものであるとき

上記②の「定型約款の変更をすることがある旨の定めの有無及びその内容」については、変更条項において、定型約款を一方的に変更するための要件や手続が定められていた場合に、実際に行われた変更がその定めの内容を充足するものであったことを、定型約款の変更が合理的であることを肯定する方向の事情として考慮するという意味である[注17]。

これらの実体的な要件に加えて、手続的な要件として、定型約款の変更の効力発生時期を定め、かつ、変更内容と合わせてインターネットの利用その他の適切な方法により「周知」することが必要であり、効力発生時期が到来するまでに当該周知をしなければ、変更の効力は生じない点に留意が必要である（民548条の4第2項・3項）。

13　利用契約の終了

（モデル規約参照条文）

> 第25条（参加者による解約）
> 　参加者は、解約希望日の〇日前までに運営者が定める方法により運営者に通知することにより、解約希望日をもって本利用契約及び本規約を解約することができるものとします。
>
> 第26条（運営者による解約）

注17）したがって、単に定型約款を変更することがある旨を規定しておくのみでは、合理性を肯定する事情として考慮することは困難である一方で、変更条項を定めておくこと自体は定型約款の変更の要件とはされていないため、変更条項がなくとも定型約款の変更が認められる余地はある（筒井＝村松編著・前掲注16）260頁）。

第 11 章　データ共有プラットフォーム

　運営者は、参加者が次の各号のいずれかに該当すると判断した場合、第1号の場合を除き、参加者への事前の通知又は催告を要することなく本利用契約及び本規約を解約することができるものとします。
(1)　参加者が本利用契約及び本規約に違反し、運営者がかかる違反の是正を催告した後〇日以内に是正されない場合
(2)　第4条に定める参加者資格を満たさないことが判明した場合
(3)　利用申込書その他通知内容等に虚偽記入又は重大な記載漏れがあった場合
(4)　支払停止又は支払不能となった場合
(5)　差押え、仮差押え若しくは競売の申立があった場合、又は、公租公課の滞納処分を受けた場合
(6)　破産手続開始、特別清算開始、会社更生手続開始、民事再生手続開始の申立があったとき、又は、信用状態に重大な不安が生じた場合
(7)　解散、事業の全部又は重要な一部の譲渡等の決議をした場合
(8)　その他本利用契約及び本規約を履行することが困難となる事由が生じた場合

第 27 条（反社会的勢力の排除）
1．参加者及び運営者は、自らが、反社会的勢力（暴力団、暴力団員、暴力団員でなくなった時から5年を経過しない者、暴力団準構成員、暴力団関係企業、総会屋等、社会運動等標ぼうゴロ又は特殊知能暴力集団、その他これらに準ずる者をいいます。以下同じ。）に該当しないこと、及び反社会的勢力と以下の各号の一にでも該当する関係を有しないことを相手方に表明保証する。参加者及び運営者は、相手方が反社会的勢力に該当し、又は以下の各号の一に該当することが判明した場合には、何らの催告を要せず、本利用契約及び本規約を解約することができるものとします。
(1)　反社会的勢力が経営を支配していると認められるとき
(2)　反社会的勢力が経営に実質的に関与していると認められるとき
(3)　自己、自社若しくは第三者の不正の利益を図る目的又は第三者に

損害を加える目的をもってするなど、不当に反社会的勢力を利用したと認められるとき
- (4) 反社会的勢力に対して資金等を提供し、又は便宜を供与するなどの関与をしていると認められるとき
- (5) その他役員等又は経営に実質的に関与している者が、反社会的勢力と社会的に非難されるべき関係を有しているとき

2．参加者及び運営者は、相手方が自ら又は第三者を利用して以下の各号の一に該当する行為をした場合には、何らの催告を要せず、本利用契約及び本規約を解約することができるものとします。
- (1) 暴力的な要求行為
- (2) 法的な責任を超えた不当な要求行為
- (3) 取引に関して、脅迫的な言動をし、又は暴力を用いる行為
- (4) 風説を流布し、偽計若しくは威力を用いて相手方の信用を棄損し、又は相手方の業務を妨害する行為
- (5) その他前各号に準ずる行為

第28条（解約の効果）

1．前三条に基づき運営者と一の参加者との間の本利用契約及び本規約が解約された場合であっても、当該解約は、当該参加者と運営者との間でのみで効力を有し、当該解約の効力は他の参加者には及ばないものとする。この場合において、既に当該参加者が本プラットフォームに提供した対象データ等及び運営者が対象データを加工等して作成された派生データについては影響を及ぼさないものとします。

2．参加者及び運営者は、本利用契約及び本規約が解約された時点において、未払いの提供料金又は利用料金その他の金銭債務がある場合には、当該債務の期限の利益を喪失し、直ちにこれを支払わなければならないものとします。

3．本利用契約及び本規約が終了した場合であっても、第20条、本条及び第11章の規定は有効に存続するものとします。

モデル規約25条においてデータ提供者・利用者からの一定期間前の通知による利用契約の解約を、26条においてプラットフォーム運営者からの解約事由を、27条において反社会的勢力と関係がある場合等における解約を規定している。

いずれの場合においても、28条により、解約した／された当該データ提供者・利用者とプラットフォーム運営者との間でのみ解約の効力が生じることとし、他のデータ提供者・利用者には影響は及ぼさない。また、すでにプラットフォームに提供されたデータ、データ利用者が取得した対象データおよびその派生データ、ならびに、運営者が対象データを加工等して作成された派生データについても、解約の影響を及ぼさないものとして、データ利用の安定性を図っている。

14　一般条項

モデル規約29条以下の一般条項については、基本的にデータ利用契約について述べたところと同様であるので、**第3章Ⅸ16および19**を参照されたい。

15　検討ポイントのまとめ

以上のデータ共有プラットフォームのスキーム・利用規約を検討するに当たっての主なポイントを一覧にまとめると、【図表11-5】の通りである。

【図表11-5】データ共有プラットフォームのスキーム・利用規約の検討ポイント

	項　目	概　要
①	プラットフォームの運営者	➤プラットフォームの中立性・信頼性 ➤プラットフォームの運営主体・組織形態 ➤運営事業の全部または一部の委託
②	プラットフォームの参加者	➤データ提供者・データ利用者の範囲 ➤参加者資格（参加拒否事由） ➤データ提供者のインセンティブ確保・利害関係の調整
③	目的	➤データ流通・利活用の具体的な目的

④	対象データの種類・範囲	➤対象データの種類 ・生データ or 加工データ or 分析データ ・過去の実績データ or リアルタイムデータ ・パーソナルデータ（プラットフォームの提供区域） ➤対象データの範囲 ・オープン・クローズ戦略（協調領域・競争領域） ・独占禁止法（センシティブ情報）との関係 ・データストレージとの関係
⑤	対象データの提供	➤プラットフォームへの対象データの提供方法 ・対象データ利用許諾 ・第三者から取得したデータの利用許諾権限の取得 ➤対象データの保証／不保証 ・取得の適法性・適切性、改ざんがないこと等 ・個人情報の有無 ・データの正確性・完全性・安全性・有効性 ・第三者の知的財産権その他の権利の非侵害 ➤対象データ提供の対価
⑥	対象データの利用条件	➤(a)どの提供データについて、(b)誰が、(c)いつ、(d)どこで、(e)どのような目的で、(f)どのような態様、方法で共用・活用するか ➤データ利用者・プラットフォーム運営者の利用条件 ➤データ利用の対価 ➤派生データの取扱い ・データ利用者が創出・生成する派生データ ・プラットフォーム運営者が創出・生成する派生データ ・派生データの知的財産権の帰属 ・派生データの提供による利益の分配
⑦	対象データ等の削除	➤削除権の有無 ➤削除を要求することができるデータの範囲 ➤データポータビリティの権利
⑧	データ提供者・利用者の義務等	➤設備設定・維持 ➤ID、パスワードの管理 ➤第三者への非開示義務 ➤営業秘密としての管理 ➤禁止事項

第 11 章 データ共有プラットフォーム

		➤補償責任等 ・第三者からのクレーム・紛争等 ・補償額の上限 ・違約金
⑨	プラットフォーム運営者の義務等	➤プラットフォームの管理・運営 ・法令遵守 ・善管注意義務 ・セキュリティ ➤モニタリング ・監査権 ・苦情処理・紛争解決機能 ➤データの保証／不保証 ➤プラットフォーム運営者の責任限定・免責事由
⑩	データ漏えい等の場合の対応	➤データ漏えい等の通知義務 ➤原因調査・再発防止策 ➤費用負担
⑪	プラットフォームの中断・停止、廃止	➤中断事由（不可抗力・保守点検・設備の不具合等） ➤停止事由（禁止事項の違反等） ➤廃止事由（事前通知・不可抗力等）
⑫	利用規約の変更	➤定型約款の変更要件 ・一般の利益 ・契約目的に反しない・必要性・相当性・合理性 ➤定型約款の変更手続（事前の周知）
⑬	利用契約の終了	➤解約事由 ・データ提供者・利用者からの解約 ・プラットフォーム運営者からの解約 ・反社会的勢力 ➤終了後のデータ利用の可否
⑭	一般条項	➤秘密保持義務、権利義務の譲渡禁止、準拠法及び合意管轄、誠実協議

第12章
DXと政策動向

　本章では、最近企業の取り組むべき課題として急速に広まった「DX」について、DXとは何かについてとDXに関する政府の政策動向を解説する。
　(1)　DX
　データが利活用される場面の1つとしてDXがある。そこでDXの意味、DX導入における日本企業の課題、DXに関する政府の施策について解説する。
　(2)　データに関する政策・法制度の動向
　2021年にされたデジタル社会形成基本法の制定など、データに関する政府の政策や法制度の動向について解説する。

I　DX（デジタルトランスフォーメーション）

1　DXとは何か

　デジタルトランスフォーメーション（DX）とは、2004年にスウェーデンのエリック・ストルターマン教授が最初に提唱した概念であり、既存のビジネスの枠組みをデジタル技術を駆使することで新たな価値を創造することを意味している。
　DXを進めるに当たっては、データの収集と分析が必須であり、DXとデータの利活用は不可分に結びついている。
　「DXとは何か」について、経済産業省による「デジタルトランスフォーメーションを推進するためのガイドライン（DX推進ガイドライン）Ver.1.0」（2018年12月）では、「企業がビジネス環境の激しい変化に対応し、データとデジタル技術を活用して、顧客や社会のニーズを基に、製品やサービス、ビジネスモデルを変革するとともに、業務そのものや、組織、

第 12 章　ＤＸと政策動向

【図表 12-1】DX レポート 2 における DX の構造

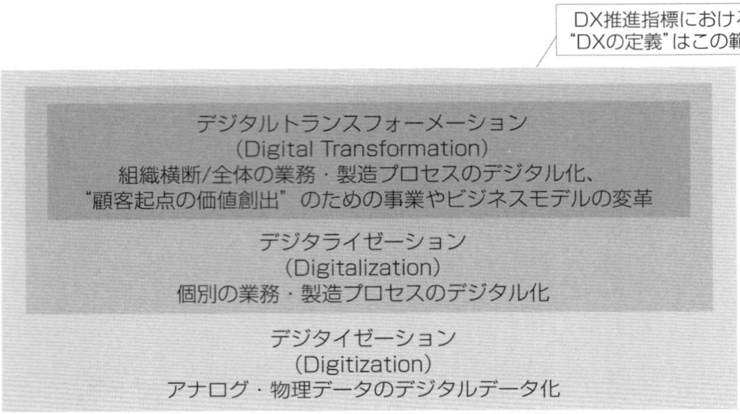

DX推進指標における
"DXの定義"はこの範囲

デジタルトランスフォーメーション
(Digital Transformation)
組織横断/全体の業務・製造プロセスのデジタル化、
"顧客起点の価値創出"のための事業やビジネスモデルの変革

デジタライゼーション
(Digitalization)
個別の業務・製造プロセスのデジタル化

デジタイゼーション
(Digitization)
アナログ・物理データのデジタルデータ化

プロセス、企業文化・風土を変革し、競争上の優位性を確立すること」と定義している。

　これについて、2020 年 12 月に公表されたデジタルトランスフォーメーションの加速に向けた研究会による「DX レポート 2（中間取りまとめ）」（以下、「DX レポート 2」という）では、DX を、①デジタイゼーション（アナログ・物理データのデジタル化）、②デジタライゼーション（個別の業務・製造プロセスのデジタル化）、③デジタルトランスフォーメーション（組織横断/全体の業務・製造プロセスのデジタル化、顧客起点の価値創出のための事業やビジネスモデルの変革）の 3 つの段階に分解している（【図表 12-1】）。逆にいうと、DX の定義にデジタイゼーションも含めており、DX をかなり広い範囲で捉えているといえる。

　この分類を前提に、「DX レポート 2」では、企業が取り組むべき事項を【図表 12-2】のように整理している[注1]。すなわち、縦軸に DX の対象分野として、①ビジネスモデル、②製品・サービス、③業務、④プラットフォームを挙げ、各分野について、ⅰデジタイゼーション、ⅱデジタライゼーション、ⅲデジタルトランスフォーメーションとして何をすべきかを

注1）DX レポート 2・35 頁。

【図表12-2】DX フレームワーク

	未着手	デジタイゼーション	デジタライゼーション	デジタルトランスフォーメーション
ビジネスモデルの デジタル化				ビジネスモデル のデジタル化
製品/サービスの デジタル化	非デジタル 製品/サービス	デジタル製品	製品へのデジタル サービス付加	製品を基礎とする デジタルサービス / デジタルサービス
業務のデジタル化	紙ベース・ 人手作業	業務/製造プロ セスの電子化	業務/製造プロセ スのデジタル化	顧客とのE2Eで のデジタル化
プラットフォームの デジタル化	システムなし	従来型ITプラットフォームの整備		デジタルプラット フォームの整備
DXを進める 体制の整備	ジョブ型人事制度 / リカレント教育	CIO/CDXOの強化 / リモートワーク環境整備	内製化	

整理している。

　このように「DX」と一言にいってもさまざまな内容のものが含まれていることがわかる。このようにDXはさまざまな意味で使われているため、どのような意味で使っているのか、相手と認識と齟齬がないか気を付ける必要がある。

　DXのポイントは、データとデジタル技術を利用して、企業が顧客に提供する商品、サービス、体験について「付加価値の創造」をすることにある。デジタル化による単なるコスト削減は、DXの概念に入れるべきではないように思われる。DXは経営戦略として捉えるべきであり、DXを単なるコスト削減と捉えるとその本質を見失うおそれがある。

　DXの最終目標は、「ビジネスモデルそのものを変革すること」であるが、抽象度や不確実性が高く、デジタル化に遅れをとっている多くの日本企業にとっては容易ではないので、まずは「付加価値の創造」という観点から取り組むことが、何をすべきかを考えるに当たって有益だろう。

2　DXの必要性

　社会のデジタル化に伴い新たなビジネスモデル・サービスが台頭している。デジタル化されたビジネスモデル・サービスは、効率性、利便性、顧客満足、新規性といった点から既存サービスに比べて優位性を築いている事例が数多く見受けられる。現在、世界的にも大きな売上・収益を上げたり急成長している企業はデジタル企業であり、既存企業はそれらのデジタル企業に従来の地盤を侵食されている。

　このように、現在、ビジネスにおける価値創出の源泉はデジタル領域に移行しつつあり、デジタル領域が「稼げる」領域であるというビジネス環境変化が進んでいる。

　このような環境変化の中で、企業もそれに対応することが求められることになる。このデジタル化に向けた環境変化は、第4次産業革命と言われたように、従来のビジネス環境から大きな変化を伴うものであり、そのスピードも早い。

　そのため、DXにおいては、企業が競争上の優位性を確立するには、常に変化する顧客・社会の課題を捉え、「素早く」変革「し続ける」能力を身に付けることが重要である[注2]。

　つまり、DXを成功させるためには、単にデジタル化を進めるだけではなく、デジタル化することで、ビジネス環境の変化に対応し、素早く変革し続ける企業文化をもつことであると捉えることもできよう。

3　日本企業におけるDXの課題

　DXについては、わが国企業においては、多くの経営者がDXの必要性を認識し、DXを進めるべく、デジタル部門を設置する等の取組みがみられる。しかし、多くの企業の現状として、PoC（概念実証）を繰り返す等の、ある程度の投資は行われるものの実際のビジネス変革にはつながっていないとの指摘がされている。

　DXが進まない理由としてはさまざまな要因があり得るが、典型的には

注2）DXレポート2・14頁。

以下が挙げられる。

(1) 経営者のビジョン・コミットメント不足

多くの経営者が DX の必要性を認識しているが、実際に DX を実行するとなると、明確なビジョンやコミットメントが示されないまま、担当部署に「DX・AI で何かをするように」といった曖昧な指示だけが出され、予算不足・人員不足などにより、DX が中途半端なままに終わってしまう。

まったく新しいビジネスモデルを創り出そうとする場合、費用対効果などはわかるはずもないので、従来のビジネスの発想に基づいた費用対効果の計算を求めても無意味であるが、そのような無意味な作業が要求されることもある。

また、DX を貫徹するには、費用・労力も相当かかる。後述のイノベーションのジレンマやレガシーIT の改革などには社内部署の調整のための時間を要する。そのため、成果が出るまで待ちきれずに、途中でプロジェクトが立ち消えになることも多い。

(2) イノベーションのジレンマ

DX にイノベーションを起こそうとすると、新規ビジネスが従来のビジネスモデルを破壊する可能性がある。そのため、それなりに収益の上がる既存ビジネスを破壊してまで、新規ビジネスを立ち上げることに対して、大きな反発が起こる。いわゆる「イノベーションのジレンマ」と呼ばれる現象である。DX は本質的にイノベーションのジレンマを内包している。大企業になればなるほど、守るべき事業が増えるので、イノベーションのジレンマにより、革新的な事業の立上げは困難となる。

(3) データが整理されていない

データを利用する場合に、データのフォーマットが統一されていないため、実際には使いものにならないこともある。そのため、まず、フォーマットの統一といった地味な作業から始めなければならない。また、フォーマットの統一は、オペレーションにも影響するため、その変更には多大な労力と費用がかかることもあり、データ利活用の阻害要因となる。

(4) 社内にデータ人材がいない

データを利用するためには、データを理解し活用できる人材が社内にいる必要がある。データの作業を外注するとしても、発注者側が、データを

理解し、的確な指示ができなければ、きちんとした成果物を完成させることは難しい。しかし、多くの日本企業には、社内にデータを理解し利活用できる人材が不足している。

社内にデータ人材がいないとなると、外部人材を中途採用することも考えられるが、現在、優秀なデータ人材は不足しているため、その給与は高騰しており、既存の給与体系のままでは、優秀な人材を採用することが難しく、外部人材の中途採用も簡単ではない。

(5) レガシーITの存在

DXを進めると、社内の情報システム部から「セキュリティ上の問題がある」「既存システムと整合しない」といった反対意見が出て、新規システムの導入が進まないことがある。

このように既存システムがレガシーとなって、それにより新しい技術の導入が困難になるレガシー情報システムが問題となる。

また、情報システム部が既存システムの保守・維持だけで精一杯のため、新しいDXに取り組むための人員が不足しているという問題もある。

(6) 法的グレーゾーンへの対応

DXが法規制と抵触することもある。例えば、ライドシェアは道路運送法に、民泊は旅館業法という規制が問題となる。法規制に明確に違反することはすべきでないが、法規制には、いわゆるグレーゾーンの領域が存在する。企業の中には、法規制違反のおそれが少しでもあると、新しい取組みはしない企業もある。しかし、そのような考え方では、DXによるイノベーションに取り組むことは難しい。

グレーゾーンの場合には、法規制自体を変えていくことに取り組んだり、社会的な受容度などを多面的かつ緻密に分析した上で、場合によってはリスクをとってプロジェクトを進めていくことも必要となる。

以上の通り、DXを成し遂げるためにはさまざまな障害がある。流行に影響されて中途半端な考えでDXを始めても、途中で挫折するのはある意味当然といえよう。もっとも、これらの問題の多くは、経営者が明確なビジョンやコミットメントを示すことによって解消できる部分も少なくない。DXを実際に実行に移す場面では、データの取扱いに関して、法律問題を含むさまざまな問題に直面することとなる。そこで、これらの問題を

いかに解決していくかが課題となる。

4　DXに関する政策

(1)　DXに関する政府の施策

政府は、競争力の維持・強化のために、企業のDXの推進を、企業内面への働きかけと、市場整備という企業外面からの働きかけの両面から、政策として行ってきた。

経済産業省は、2018年9月7日に「DXレポート～ITシステム『2025年の崖』の克服とDXの本格的な展開～」を公表し、DXの推進に関する課題を指摘したうえで対応策を提言している。もっとも、それから2年後に、独立行政法人情報処理推進機構（以下、「IPA」という）が日本企業のDX推進への取組状況を分析した結果、9割以上の企業がDXにまったく取り組めていないか、散発的な実施にとどまっていることが明らかになった。そこで、経済産業省は、2020年12月28日にDXレポート2を公表し、DXの現状認識とコロナ禍によって表出したDXの本質、企業の経営・戦略の変革の方向性、政府の政策の方向性、今後の検討の方向性を示している。

同レポートが示す今後の方向性は、ビジネス、テクノロジー、制度面など多岐にわたっている（【図表12-3】）。

このうち、企業法務と主に関連がある、①デジタルガバナンス・コードの普及、②DX認定／DX銘柄の普及、③DX推進指標について以下解説する。

(2)　デジタルガバナンス・コードの普及

経済産業省は、企業のDXに関する自主的取組みを促すため、経営者に求められる企業価値向上に向けて実践すべき事柄を「デジタルガバナンス・コード」として取りまとめている。

デジタルガバナンス・コードにおいては、まず①基本的事項として、ⅰ柱となる考え方、ⅱ認定基準が策定され、さらに、②望ましい方向性と③取組例が示されており、いずれもDX推進に当たって参考にすることができる。

第12章　ＤＸと政策動向

【図表12-3】今後の検討の方向性

＊既存施策の深化・展開

	対応策	今後の検討の進め方
5.1 事業変革の環境整備	DXの認知・理解向上	認知向上に向けては、事例集の作成を検討。理解向上に向けては、共通理解形成のためのポイント集を活用。
	共通理解形成のためのポイント集	研究会WG1の成果物（ポイント集）を公開し、活用を推進。
	CIO/CDXOの役割再定義	継続議論。
	DX成功パターン	デジタルガバナンスコードの業種別リファレンスとの整合性を図りながら、有識者との検討を進め、パターンを具体化。年度内目途で成案。
	デジタルガバナンス・コードの普及＊	業種別、中小企業向けリファレンスガイドの作成。投資家サイドへの働きかけの検討。
	DX認定／DX銘柄の普及＊	DX認定の本格開始、認定付与の際のインセンティブの検討。DX銘柄の普及とDX認定との連携。中小企業向けの選定の検討。
	DX推進指標等＊	DXの加速をDX推進指標により継続的に評価。
	レガシー刷新の推進＊	プラットフォームデジタル化指標の策定、及びプラットフォーム変革手引書の公開を年度内目処で実施。
5.2 産業変革の制度的支援	ツール導入に対する支援	既存施策の普及展開。デジタル化・DX事例集の内容の拡充と展開。
	ユーザー企業とベンダー企業の共創の推進	ユーザー企業とベンダー企業の共創関係の在り方について引き続き検討を進め、ベンダー企業が有する機能・能力の整理及び競争力に係る指標を策定。
	研究開発に対する支援	研究開発税制による税制優遇を創設。
	デジタル技術を活用するビジネスモデル変革の支援	産業競争力強化法（DX投資促進税制）、中小企業向けDX推進指標、DX認定企業向け金融支援について検討。
5.3 デジタル社会基盤の形成	共通プラットフォーム推進	社会インフラや民間事業の非競争領域における共通プラットフォームの構築を推進。
	アーキテクチャ推進	情報処理推進機構デジタルアーキテクチャ・デザインセンターを中心にアーキテクチャ設計と人材育成を推進。
5.4 人材変革	リスキル・流動化環境の整備	学びの場の形成、スキルの見える化等の仕組みを検討。

＊出典：DXレポート2・44頁。

　①基本的事項の①柱となる考え方としては、以下が挙げられている。
＜ビジョン・ビジネスモデル＞

> 企業は、ビジネスとITシステムを一体的に捉え、デジタル技術による社会および競争環境の変化が自社にもたらす影響（リスク・機会）を踏まえた、経営ビジョンの策定および経営ビジョンの実現に向けたビジネスモデルの設計を行い、価値創造ストーリーとして、ステークホルダーに示していくべきである。

＜戦略＞

> 企業は、社会および競争環境の変化を踏まえて目指すビジネスモデルを実現

するための方策としてデジタル技術を活用する戦略を策定し、ステークホルダーに示していくべきである。

＜組織づくり・人材・企業文化に関する方策＞

企業は、デジタル技術を活用する戦略の推進に必要な体制を構築するとともに、組織設計・運営のあり方について、ステークホルダーに示していくべきである。その際、人材の確保・育成や外部組織との関係構築・協業も、重要な要素として捉えるべきである。

＜ITシステム・デジタル技術活用環境の整備に関する方策＞

企業は、デジタル技術を活用する戦略の推進に必要なITシステム・デジタル技術活用環境の整備に向けたプロジェクトやマネジメント方策、利用する技術・標準・アーキテクチャ、運用、投資計画等を明確化し、ステークホルダーに示していくべきである。

＜成果と重要な成果指標＞

企業は、デジタル技術を活用する戦略の達成度を測る指標を定め、ステークホルダーに対し、指標に基づく成果についての自己評価を示すべきである。

＜ガバナンスシステム＞

経営者は、デジタル技術を活用する戦略の実施に当たり、ステークホルダーへの情報発信を含め、リーダーシップを発揮するべきである。
経営者は、事業部門（担当）やITシステム部門（担当）等とも協力し、デジタル技術に係る動向や自社のITシステムの現状を踏まえた課題を把握・分析し、戦略の見直しに反映していくべきである。また、経営者は、事業実施の前提となるサイバーセキュリティリスク等に対しても適切に対応を行うべきである。

［取締役会設置会社の場合］

取締役会は、経営ビジョンやデジタル技術を活用する戦略の方向性等を示すに当たり、その役割・責務を適切に果たし、また、これらの実現に向けた経営者の取組を適切に監督するべきである。

デジタルガバナンス・コードは、後述のDX認定制度／DX銘柄のベースとなる考え方で、これらの制度と連動している。

また、DXの推進に当たっては、経営者と事業部門、DX部門、IT部門などの執行を担う関係者の取組みだけでなく、経営の監督を担うべき取締役ないしは取締役会が果たすべき役割も極めて重要である。そこで、取締役会での議論の活性化に資する観点から、コーポレートガバナンス・コードにおける取締役会の実効性評価にも活用できるものとして、「DX推進における取締役会の実効性評価項目」（全18項目）が取りまとめられている。その意味で、デジタルガバナンス・コードは、コーポレートガバナンス・コードと連動している。

18の実効性評価項目は以下の通りである。
① DXの知見を有する取締役の選任
② DXによる価値創造に対するビジョンの共有
③ 非連続的イノベーションへの危機感とビジョン実現の必要性の共有
④ DXへの経営トップのコミットメント
⑤ DXに求められるマインドセット、企業文化の構築
⑥ DXへの投資意思決定、予算配分
⑦ DX推進・サポート体制
⑧ DX人材の育成・確保
⑨ DX戦略とロードマップの議論と合意形成
⑩ DXを実現するためのITシステムになっているかについての監督
⑪ ITシステムがレガシーになっていないかについての監督
⑫ IT資産の仕訳とロードマップについての議論と合意形成
⑬ DX推進に向けてのガバナンス・体制の整備に対する監督
⑭ IT投資に対する評価の仕組みに対する監督
⑮ 経営陣の評価にDXの取組みを考慮すること
⑯ DXへの取組みについてのステークホルダーへの情報開示
⑰ DX推進に対する課題・障害
⑱ DX推進に対する課題・障害を乗り越えるための取締役会の取組み

(3) **DX認定の普及**

DX認定制度は、経営者が、デジタル技術を用いたデータ活用によって

【図表12-4】DX認定制度とデジタルガバナンス・コードの関係

```
                                        デジタルガバナンス・コード
┌─────────────────────────────┐  ┌───────────────────────────────┐
│ 情  情報処理促進法に基づく指針  │根拠│ (1)基本的事項                    │
│ 報  （経産大臣告示）           │──│  ①柱となる考え方                │
│ 処                            │  │                               │
│ 理  情報処理促進法施行規則     │根拠│  ②認定基準                      │
│ 促  （経済産業省令）           │──│   ※DX-Ready企業の認定           │
│ 進                            │  │ (2)望ましい方向性                │
│ 法                            │  │  ※DX-Ready認定企業の中でより優れた企業│
└─────────────────────────────┘  │  （DX-Excellent企業・DX-Emerging企業）│
         │                      │  │  を評価・選定するための評価軸        │
  デジタルガバナンス・コードの      │  │                               │
  「(1)基本的事項」は、           │  │ (3)取組例                        │
  DX認定制度（法認定）と対応       │  └───────────────────────────────┘
```

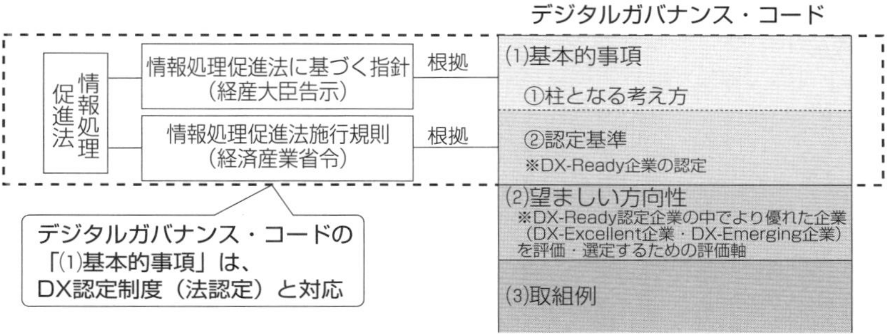

＊出典：経済産業省情報技術利用促進課・独立行政法人情報処理推進機構（IPA）「DX認定制度 申請要項（申請のガイダンス）」（2020年11月9日）9頁。

　自社をどのように変革させるかを明確にし、実現に向けた戦略をつくるとともに、企業全体として、必要となる組織や人材を明らかにした上で、ITシステムの整備に向けた方策を示し、さらには戦略推進状況を管理する準備ができている状態（DX-Ready）の事業者に対して、経済産業省が認定を付与するという制度である。

　DX認定制度は、情報処理の促進に関する法律（以下、「情報促進法」という）に基づいて付与される公的な認定制度である。具体的には、国が策定した「情報処理システムの運用管理に関する指針」を踏まえて、DXに向けた優良な取組みを行う事業者を申請に基づいて認定する。認定の基準は経済産業省令に定められており、実際の認定審査事務はIPAが行っている。

　DX認定制度とデジタルガバナンス・コードの関係は、デジタルガバナンス・コードの「(1)　基本的事項」の部分がDX認定制度と対応している（【図表12-4】）。

　また、後述するDX銘柄にエントリーするためには、DX認定の申請が必要とされている。

　なお、DX認定事業者の中から、DX-Excellent企業、DX-Emerging企業の選定が行われる。また、DX認定事業者はIPAのウェブサイトにおい

て公表されている。

　DXを進めるに当たって、社内の関係者をまとめるために、DX認定制度を活用することも1つの手段として考えられる。

(4) DX銘柄の普及

　DX銘柄とは、東証に上場している企業の中から、DXを推進するための仕組みを社内に構築し、優れたデジタル活用の実績が表れている企業を「DX銘柄」として、業種区分ごとに選定したものである。

　DX銘柄の選定は、6つの項目（①ビジョン・ビジネスモデル、②戦略、③組織・制度等、④デジタル技術の活用・情報システム、⑤成果と重要な成果指標の共有、⑥ガバナンス）と財務指標についてスコアリングした後に、評価委員会の最終選考を経て、評価委員会によって選定される。

　DX銘柄は、経済産業省のウェブサイトにおいて公表されている。

(5) DX推進指標

　DXの推進状況について企業が簡易な自己診断を行うことを可能とするために、経済産業省は「DX推進指標」を取りまとめている。

　DX推進指標は、①DX推進のための経営のあり方、仕組みに関する指標、②DXを実現する上で基盤となるITシステムの構築に関する指標から構成され、それぞれに定性指標と定量指標がある。その概要は【図表12-5】の通りである。

　自己診断結果については、IPAのウェブサイトを通じて提出することで、IPAで収集されたデータに基づき各社の診断結果を総合的に分析し、自社の診断結果と全体データとの比較が可能となるベンチマークを作成することができる。このベンチマークを活用することにより、他社との差を把握し、次にとるべきアクションについて理解を深めることができる。

(6) DX時代における企業のプライバシーガバナンス

　DXにおいてはデータに含まれる個人情報の適切な取扱いも課題となる。そのため、総務省・経済産業省は、企業の経営者・データ部門責任者向けに、「DX時代における企業のプライバシーガバナンスガイドブックVer1.0」（2020年8月28日）を公表し、DXにチャレンジする企業が、消費者等の信頼の獲得につながるプライバシーガバナンスの構築に向けて取り組むべきことについて整理をしている。

【図表 12-5】DX 推進指標

■ キークエスチョン　□ サブクエスチョン

- DX推進のための経営のあり方、仕組み
  - DX推進の枠組み（定性指標）
    - ビジョン
    - 経営トップのコミットメント
    - 仕組み
      - マインドセット、企業文化
        - 体制
        - KPI
        - 評価
        - 投資意思決定、予算配分
      - 推進・サポート体制
        - 推進体制
        - 外部との連携
      - 人材育成・確保
        - 事業部門における人材
        - 技術を支える人材
        - 人材の融合
    - 事業への落とし込み
      - 戦略とロードマップ
      - バリューチェーンワイド
      - 持続力
  - DX推進の取組状況（定量指標）
    - DXによる競争力強化の到達度合い
    - DXの取組状況

- DXを実現する上で基盤となるITシステムの構築
  - ITシステム構築の枠組み（定性指標）
    - ビジョン実現の基盤としてのITシステムの構築
      - ITシステムに求められる要素
        - データ活用
        - スピード・アジリティ
        - 全体最適
      - IT資産の分析・評価
      - IT資産の仕分けとプランニング
        - 廃棄
        - 競争領域の特定
        - 非競争領域の標準化・共通化
        - ロードマップ
    - ガバナンス・体制
      - 体制
      - 人材確保
      - 事業部門のオーナーシップ
      - データ活用の人材連携
      - プライバシー、データセキュリティ
      - IT投資の評価
  - ITシステム構築の取組状況（定量指標）
    - ITシステム構築の取組状況

＊出典：経済産業省「デジタル経営改革のための評価指標（「DX推進指標」）を取りまとめました」（2019年7月31日）。

　プライバシーガバナンスの構築に向けて取り組むべきこととしては、大項目としては、下記が挙げられている。
① 体制の構築
② 運用ルールの策定と周知
③ 企業内のプライバシーに係る文化の醸成
④ 消費者とのコミュニケーション
⑤ その他ステークホルダーとのコミュニケーション
　上記は内容としては一般的なものだが、個人情報を取り扱う企業においては、これらをどのように実務に落とし込んでいくかが課題となる。

(7) DX時代における法制度のあり方の改革

　DX時代においては、サイバー空間とフィジカル空間を高度に融合させるシステム（サイバー・フィジカルシステム）が構築された社会の実現が想定される。このような社会は「Society5.0」と名づけられている。

　Society5.0が、従来のフィジカル空間を中心とする世界と前提を大きく異にする世界であることから、こうした課題の解決に当たっては、既存の制度枠組の改正では対応できず、企業、法規制、市場といった既存のガバナンスメカニズムを根本から見直す必要があると考えられている。

　そこで、経済産業省に設置された「Society5.0における新たなガバナンスモデル検討会」では、2020年7月13日に、「GOVERNANCE INNOVATION：Society5.0の実現に向けた法とアーキテクチャのリ・デザイン」報告書を公表している。同報告書では、ゴールベースの法規制や、企業による説明責任の重視、インセンティブを重視したエンフォースメントなど、横断的かつマルチステークホルダーによるガバナンスのあり方が提示されている。

　そして、2021年7月30日には、同報告書を踏まえて、「『GOVERNANCE INNOVATION Ver.2：アジャイル・ガバナンスのデザインと実装に向けて』報告書」が公表されている。

　同報告書が提示する「アジャイル・ガバナンス」とは聞き慣れない用語だが、変化し続ける社会とゴールに対応するため、「ゴール設定」「システムデザイン」「運用」「説明」「評価」「改善」のサイクルを、政府、企業、個人・コミュニティといったさまざまなステークホルダーが、自らの置かれた社会的状況を継続的に分析し、目指すゴールを設定した上で、ゴールを実現するためのシステムや法規制、市場、インフラといったさまざまなガバナンスシステムをデザインし、その結果を対話に基づき継続的に評価し改善していくモデルとされている。

　DX時代においては、企業が大量の情報を保有・管理し、政府が外部からその詳細を把握し、モニタリングすることは一層困難になる。そのため、企業自身が事業活動のモニタリングを行う役割を担うことが実効的かつ効率的であるとして、企業には、ガバナンスの一翼を担う主体としての役割が期待されている。

このような新しいアジャイル・ガバナンス・モデルの下では、政府が制定した一方的なルールによる規制ではなく、企業がルール形成に共同して参画すること（共同規制）が期待されているといえよう。今後、企業も、単にルールを理解し遵守するという受け身の姿勢だけではなく、ルール形成にいかに関わっていくのかという視点での能動的な取組みも重要となっていくであろう。

II　データに関する政策・法制度の動向

　政府のDX政策については前述したが、データに関する政府の政策・法制度の動向（2021年時点）についても、ここで触れておきたい。

　2019年に発生した新型コロナウイルス感染症の拡大により日本社会も大きな影響を受けることになったが、さまざまな分野においておいてデジタル化の遅れが浮き彫りになった。例を挙げればきりがないが、行政においては、全住民に支給される10万円の特別定額給付金についてオンライン申請に混乱が生じ、迅速な支給ができなかったことや、感染者の報告がFAXで行われたためデータの収集・分析が不正確であったり時間がかかったことや、民間においても押印のためにリモートワークができないことが問題となった。

　そのような中で、政府のデジタル化を推進すべく、菅義偉首相が2020年10月にデジタル庁の設立を表明するなど、政府におけるデジタル化が主要政策として推進されている。その内容は多岐に渡っているため、本書ですべて網羅できるものではないが、現時点（2021年）における主要なポイントを概説する。なお、前項ですでに述べたDX推進に関する政策については、政府のデジタル政策のうちの1つの「民間のデジタル化の推進」として位置付けられる。

1　デジタル社会形成基本法の制定

　日本のIT政策の基本を定めたものとして、「高度情報通信ネットワーク社会形成基本法」（2010年制定）がある。この法律は「IT基本法」と呼ばれる。これに沿って、e-Japan戦略などさまざまな政策が定められてき

第 12 章　ＤＸと政策動向

【図表 12-6】IT 基本法の経緯

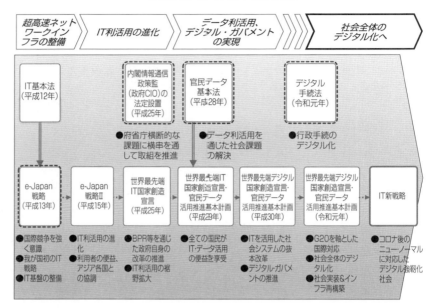

＊出所：デジタル改革関連法案ワーキンググループ（第 1 回）（令和 2 年 10 月 15 日）資料 2。

た（【図表 12-6】）。

　もっとも、これらのさまざまな政策にもかかわらず、前述の通り、新型コロナウイルスにより、政府のデジタル化の遅れが浮き彫りになった。国連が 2020 年 7 月に発表した世界電子政府ランキング 2020 においても日本は 14 位であり（ちなみに 1 位はデンマーク、2 位は韓国、米国は 9 位である）、最先端とはいえない状況にある。

　そのため政府は、新たに IT に関する基本法として、2021 年に「デジタル社会形成基本法」を制定した。同法は、デジタル社会の形成に関し、基本理念・施策の作成に係る基本方針、国・地方公共団体・事業者の責務、デジタル庁の設置、重点計画の作成について定めている。これに伴い、IT 基本法は廃止された。

デジタル化の施策の作成に係る基本方針としては、①多様な主体による情報の円滑な流通の確保（データの標準化等）、②アクセシビリティの確保、③人材の育成、④生産性・国民生活の利便性の向上、⑤国民による国・地方公共団体が保有する情報の活用、⑥ベースレジストリの整備、⑦サイバーセキュリティの確保、⑧個人情報の保護が挙げられている。

デジタル社会形成基本法とともに、「デジタル庁設置法」と「デジタル社会の形成を図るための関係法律の整備に関する法律」（以下、「デジタル社会形成整備法」という）も制定されている。デジタル社会形成整備法においては、基本方針の上記⑧を受けて個人情報保護法の改正がされているほか、マイナンバー法の改正や押印・書面の交付を求める手続の見直しがされている。

2 デジタル時代の新たな IT 政策大綱

2019 年 6 月 7 日に策定された「デジタル時代の新たな IT 政策大綱」（以下、「新 IT 政策大綱」という）では、①データの安全・安心・品質、②官民のデジタル化の推進が掲げられている（【図表 12-7】）。

そして、①データの安全・安心・品質を確保するための政策として、ⅰ国際的なデータ流通網の構築として DFFT（データ・フリー・フロー・ウィズ・トラスト）の推進、ⅱ個人情報の安全性確保として個人方法保護法等の見直し、ⅲ重要産業のオペレーションデータの保護のためセキュリティ対策、ⅳ政府・公共調達の安全性確保が挙げられている。

また、②官民のデジタル化の推進として、ⅰ行政のデジタル化の徹底としてマイナンバーカードの利用推進、ⅱ民間のデジタル化の推進としてデジタル格付制度の創設、ⅲプラットフォーマー型ビジネスに対応したルールの整備、ⅳAI 活用社会の構築として AI の利活用推進と AI 人材の育成、ⅴ 5G インフラの整備、ⅵデジタル時代の新しいルール設計が挙げられている。

上記ⅵの「デジタル時代の新しいルール設計」として、前述の通り、従来型の事前規制ではなく、ソフトローを中心とした新たなガバナンスモデルが模索されており、「GOVERNANCE INNOVATION：Society5.0 の実現に向けた法とアーキテクチャのリ・デザイン」報告書（2020 年 7 月

第 12 章　DXと政策動向

【図表 12-7】デジタル時代の新たな IT 政策大綱

4．デジタル時代の新たなIT政策大綱（全体像）

①データの安全・安心・品質

■デジタル時代のイノベーションの源泉である「データ」は、「21世紀の石油」として戦略資源となっている
■安全・安心を確保する政策により、国民や企業が自由・安全にデータを活用できる環境を整備。

- **国際的なデータ流通網の構築**
  DFFTの実現
  自由・安全にデータを活用できる環境整備
- **個人情報の安全性確保**
  個人情報保護とイノベーションのバランスを考慮し、「個人情報保護法・関係法令」の見直しを進める
- **重要産業のオペレーションデータ**
  サイバーとフィジカルの融合を前提としたセキュリティ対策
- **政府・公共調達の安全性確保**
  政府調達の安全対策の実施
  政府クラウドの安全性評価基準の策定

②官民のデジタル化の推進

■官民が一体となって、レガシーシステムの刷新などを進め、デジタル・トランスフォーメーションを推進。
■「デジタル時代の第2幕」の国際競争に勝ち抜くため、データやAIを最大限活用する環境整備を進める。

- **行政のデジタル化の徹底**
  政府情報システム関係予算の一括計上
  マイナンバーカードの利活用推進
- **民間のデジタル化の推進**
  デジタル化を後押しする「格付制度」の創設
- **プラットフォーマー型ビジネスに対応したルール整備**
  公平・公正なデジタル市場の実現
- **AI活用型社会の構築**
  AIの利活用推進
  AI時代の人材育成
- **5Gインフラの全国展開**
  きめこまかな5Gの全国展開
- **デジタル時代の新しいルール設計**
  アーキテクチャによるルール設計

＊出典：第 76 回高度情報通信ネットワーク社会推進戦略本部第 7 回官民データ活用推進戦略会議合同会議議事次第資料 1-1。

13 日）、「GOVERNANCE INNOVATION Ver.2：アジャイル・ガバナンスのデザインと実装に向けて」報告書（2021 年 7 月 30 日）が公表されている。

3　データ戦略タスクフォース第一次とりまとめ

新 IT 政策大綱の策定の後にデジタル社会に向けた政府のデータ戦略として、「データ戦略タスクフォース第一次とりまとめ」が公表されている（2020 年 12 月 21 日。以下、「データ戦略とりまとめ」という。【図表 12-8】参照）。

世界各国もデータ戦略を策定・公表しており、わが国の動きもそれと軌を一にしている。

　データ戦略では、「データを安心して効率的に使える仕組みを構築する」ことを理念とし、データ活用の原則として、①自分で決められる、勝手に使われない、②つながる、③いつでもどこでもすぐ使える、④安心して使える、⑤みんなで創るという5原則を掲げている。従来からデータの活用の考え方についてはさまざまに論じられてきたが、このようにデータ活用の原則が整理されたことは特筆すべきであろう。

　そして、上記の原則を実現するために、①データの整備、②データを連携させる基盤の整備、③データに関するルールの整備、④組織における従来の業務・ビジネスプロセスのゼロベースからの見直しが唱えられている。

　また、喫緊の課題として、①データの整備については、ベースレジストリの整備、オープンデータの推進、包括的データマネジメントが挙げられている。②連携基盤については、データ連携サービスを提供する基盤となるプラットフォームの整備が挙げられている。③ルール整備については、データの真正性・完全性を確保するためのトラストの枠組みの整備が挙げられている。

4　包括的データ戦略

　政府は、世界トップレベルのデジタル国家を目指し、それにふさわしいデジタル基盤を構築するため包括的なデータ戦略を策定し、2021年6月18日、「包括的データ戦略」を公表した。包括的データ戦略は、前出の「データ戦略取りまとめ」で抽出された課題に対する具体的対応と実装に向けた方策を定めたものである。「データ戦略取りまとめ」と「包括的データ戦略」の関係は、【図表12-9】のとおりである。

　包括的データ戦略は、理念として、「信頼と公益性の確保を通じてデータを安心して効率的に使える仕組みを構築するとともに、世界からも我が国のデータそのものやその生成・流通の在り方に対する信頼を確保し、世界で我が国のデータを安心して活用でき、また、世界のデータを我が国に安心して預けてもらえるような社会」の実現を掲げている。

　そして、その理念を実現するためのビジョンとして、「フィジカル空間

第12章　DXと政策動向

【図表12-8】データ戦略タスクフォース第一次とりまとめ

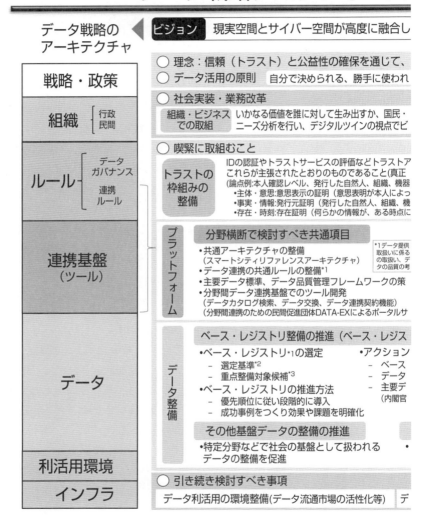

＊出典：「デジタル・ガバメント閣僚会議（第10回）議事次第」資料5。

第一次とりまとめ(案)の概要

たシステム（デジタルツイン）により、新たな価値を創出する人間中心の社会

データを安心して効率的に使える仕組みを構築する

| ない | つながる | いつでもどこでもすぐに使える | 安心して使える | みんなで創る |

データがつながることで「新たな価値を創出」

行政・産業界のユーザー視点から
ジネスプロセスをゼロベースで見直す

行政：ワンストップ、ワンスオンリー　｜　重点的に取組むべき分野　｜　民間：データ流通、官民データ活用

ンカーの機能整備の他、誰が(主体・意思)、何を(事実・情報)、いつ(時刻)というトラストの要素について、
性)、改ざんされていないこと(完全性)の確保・証明が必要である。以下のように整理し、各々の論点を整理
の確認方法)
てなされたものであること等の証明)
器が信頼できるか等の証明)
おいて存在し、それ以降は改ざんされていないことの証明)

→整理した論点について、関係省庁で
　解決の方向性を検討開始

分野ごとに検討すべき項目

主体／データの真正性、データの
契約ひな形、パーソナルデー
タ交換のための標準化、デー
え方

→重点的に取組むべき分野の関係省庁を中心に、官民共同での
　検討の場を設け、プラットフォームの在り方についてデジタル庁(仮称)
　発足までに整理 （健康・医療、教育、防災、農業、インフラ、スマートシティ等)
・関係者のニーズ分析：データを中核とした新たな価値創出のための分析
・アーキテクチャの策定：スマートシティリファレンスアーキテクチャを参照
・ルールの具体化、ツール開発（データカタログ、メタデータ、APIの整備等)

定

イト運営)

トリ・ロードマップの策定）→重点整備対象候補のデータホルダーの関係省庁にて、
　　　　　　　　　　　　　2021年6月末までに課題整理と解決の方向性を検討

・レジストリの指定（内閣官房IT室: 2021年3月末）
整備：先行プロジェクトの実施（住所や法人情報等）
ータ標準の整備、データ品質管理フレームワークによる評価
房IT室: 2021年3月末）

*1 公的機関等で登録・公開され、様々な場面で参照される、
　　人、法人、土地、建物、資格等の社会の基本データ
*2 多くの手続きで使われるデータ、災害時に重要なデータ、
　　社会的・経済的な効果が大きいデータ
*3 個人（マイナンバー含む）、法人、文字、不動産、住所、
　　法律、制度、資格、公共施設、インフラ等を想定

オープンデータの推進
オープンデータ基本指針の改定による
機械判読性の強化

包括的なデータマネジメントの推進
・主要データ標準、データ品質管理フレームワーク等
　の活用

<<デジタル庁(仮称)の役割>国際連携><人材>

| ジタルインフラの整備・拡充 | 国際連携 | 人材 | データ整備方針等へのデータ戦略の反映 |

第12章 DXと政策動向

【図表12-9】「データ戦略取りまとめ」と「包括的データ戦略」の関係

データ戦略のアーキテクチャ		第一次取りまとめ	包括的データ戦略
戦略・政策		データ戦略の理念とデータ活用の原則の提言	**(1)データ行動原則の構築** ・データの価値を認識、データの利用、再利用（他社との共有）を前提としたシステム整備、業務プロセスの再整理を可能とする。 　①データに基づく行政（データを大切にする文化の醸成）（理念:迅速で的確な政策立案） 　・政策かだに対応するデータの特定／意思決定のためのデータの使用／データ共有の準備／行動によるデータ作成 　②データエコシステム（理念:サステナブルナシステムの実現） 　・使用、共有を前提としたデータ設計／データ標準の活用／データの品質確保／データ資産の整理 　③データ利活用（理念:データが使いこなせる社会の実現） 　・データアクセスのルールの明確化、公開／データアクセス方法の多様化、公開／オープデータの促進 **(2)プラットフォームとしての行政が持つべき機能** ・データ整備とデータへのアクセスの提供 ・認証基盤（トラスト基盤の提供）
組織	行政 民間	社会実装・業務改革 デジタルツインの視点でビジネスプロセスの見直し	**(1)データ行動原則を実装する仕組み** ・重点計画、システム整備への反映　・予算要求段階でのチェック機能（チェック項目は要検討）
ルール	データガバナンス 連携ルール	トラストの枠組み整備 トラストの要素（意思証明、発行元証明、存在証明）を整理	**(1)トラストの全体像の整理** ・トラスト全体像の整理（IDフレームワーク／データのトラスト／データ流通のトラスト） **(2)トラスト基盤の実装イメージ（上記のうち「データのトラスト」について）** 　－論点整理、解決の方向性の整理 　－包括的なトラスト基盤の創設（一般原則／共通要件） 　－国（又は、民間機関）による認定制度の創設と認定効果 　－各種トラストサービスのクオリファイドサービスの認定基準、特定サービスの基準の策定 　（トラストサービスの定義、技術安全基準、真偽確認方法、設備要件、業務運営要件 等） 　－クオリファイドサービスをトラステッドリストとして公表 　－国際的な相互承認
連携基盤（ツール）		プラットフォームの整備 分野共通ルールの整理 分野毎のプラットフォームにおける検討すべき項目の洗い出し （官民検討の場、ルール、ツール等）	**(1)データ流通を促進・阻害要因を払拭するための原則の整理** ・データ流通基盤における取引ルールの原則 　－a)提供データについて関係者の利害・関心の表明／b)意図しないデータ流通・利用防止／c)データに関するガバナンスの構築 　－d)公正なデータ取引の担保／e)ロックイン防止 **(2)データ流通を促すデータ連携基盤の構築** ・データ連携基盤にデータ流通を促す仕組みを構築 ・上記の民間データ共有ルールの連携基盤の規約等への落し込み ・データ連携するデータに関するルールの策定（データの信頼性、関係者の利害・関心の明示とデータへの付与） ・データ連携基盤が持つべき機能の整理・開発（分野間でも使うとしてDataex7開発） 　－データカタログ昨日／コントロラビリティの確保／マッチング機能／契約支援機能 **(3)重点的に取り組む分野のプラットフォームの構築** ・各分野総論（PF構築の考え方） 　・政策課題の特定→PFアーキテクチャの策定→PFの機能の整理→実装に向けたロードマップ 　・教育、医療、防災　※各分野について政策課題、PFアーキテクチャ、論点整理、ロードマップのイメージを整理 　・準公共分野のシステム整備方針への反映 **(4)民間分野での取引市場のコンセプトの提示** ・データに対する投資を可能にする分野ごとのデータのアクセス権（先物商品、株式）市場のコンセプトの提示 ・アクセス権市場創設に向けた論点整理
データ		ベース・レジストリの整備 ベース・レジストリロードマップの策定と今後のアクションの明記 オープンデータデータマネジメント	**(1)ベース・レジストリの整備に向けた課題の抽出と解決の方向性の検討** 　－ベースレジストリの指定の状況、課題整理、解決の方向性 　－分野別主要データの整備 **(2)データマネジメント　標準、品質フレームワークの整備** 　・整備方針、上記PF等への反映、民間への浸透を図る
利活用環境		引き続き検討すべき事項 データ利活用の環境整備／民間保有データの活用の在り方	
		人材	**人材**　(1)他の分野の人材イメージ(AI Ready等)との関係性の整理 (2)インブリへの仕掛け
		国際提携	**国際提携**　(1)今後の国際連携の方向性の検討 ・貿易、プライバシー、セキュリティ、信頼性、データ利活用、インフラ
インフラ		インフラ	**インフラ**　(1)SiNET、半導体戦略、Beyond 5G

https://www.kantei.go.jp/jp/singi/it2/dgov/data_strategy_tf/dai5/siryou2.pdf

出典：内閣官房 情報通信技術（IT）総合戦略室「民間保有データの利活用を促進するためのデータ取扱いルールの検討状況」(2021年3月31日) 9頁

（現実空間）とサイバー空間（仮想空間）を高度に融合させたシステム（デジタルツイン）を前提とした、経済発展と社会的課題の解決を両立（新たな価値を創出）する人間中心の社会」を掲げている。

さらに、そのための行動指針として以下を定めている。

①データがつながり、いつでも使える
　　・つながる（相互運用性・重複排除・効率性向上）
　　・いつでもどこでもすぐに使える（可用性・迅速性・広域性）
②データを勝手に使われない、安心して使える
　　・自分で決められる、勝手に使われない（コントローラビリティ・プライバシーの確保）
　　・安心して使える（セキュリティ・真正性・信頼）
③新たな価値の創出のためみんなで協力する
　　・みんなで創る（共創・新たな価値の創出・プラットフォームの原則）

また、このような行動指針を実現するため、我が国全体のデータ構造（アーキテクチャー）が構想されており、その内容は【図表12-10】の通りである。このアーキテクチャーは、基本的に7つの階層及び2つの横断的要素からなる構造から成り立っている。

包括的データ戦略では、当面特に注力すべき課題をいくつか挙げるが、ルールに関しては、デジタル庁が具体化・実装するために必要な事項を検討するものとしており（同25頁）、具体的には、以下のルールを検討すべきとしている。

（1）データの取扱い一般に関する共通ルール
　　①　データ提供主体／データの真正性等の運用ルール
　　②　データの取扱いに係る契約ひな形やデータ取引ルール
　　③　パーソナルデータの取扱い
　　④　データ交換のための標準化
　　⑤　データの品質の考え方
（2）データ流通を促進・阻害要因を払拭するためのルール
　　①　データについての関係者の利害・関心の表明
　　②　意図しないデータ流通・利用防止のための仕組みの導入

第 12 章　ＤＸと政策動向

　　③　データに関するガバナンスの構築
　　④　公正なデータ取引の担保
　　⑤　ロックイン防止のための仕組みの導入

　そして、上記(2)「データ流通を促進・阻害要因を払拭するためのルール」については、知的財産戦略本部の「プラットフォームにおけるデータ取扱いルールの実装に関する検討会」において、ルール実装担当者が参照できるガイダンスを策定すべく検討がされている。

　同検討会では、データ流通の阻害要因として、①提供先での目的外利用（流用）、②知見等の競合への横展開、③パーソナルデータの適切な取り扱いへの不安、④提供データについての関係者の利害・関心が不明、⑤対価還元機会への関与の難しさ、⑥取引の相手方のデータガバナンスへの不安、⑦公正な取引市場の不在、⑧自身のデータが囲い込まれることによる悪影響を挙げている。

　ガイダンスでは、かかる阻害要因を特定し、これを払拭するための「ルール設計」を実装できるようにするため、ポリシー、契約、プロセス・IT、人材・組織、評価方法・指標を検討するという方向で議論されている。また、ガイダンスにおいては、技術の発展や社会の受容性の変化に応じて、ルールを再実装（＝設計変更・運用）をする適切なタイミングを判断できるように、外部要因や内部要因も例示することが考えられているようである[注3]。

　このように、政府においてデータに関するルール作りについて検討されていることから、今後の政府の動向についても留意する必要がある。

注3）内閣官房 IT 総合戦略室 内閣府 知的財産戦略推進事務局「第 1 回 プラットフォームにおけるデータ取扱いルールの実装に関する検討会事務局説明資料」（2021 年 8 月）5 頁-8 頁。

【図表 12-10】包括的データ戦略のアーキテクチャ

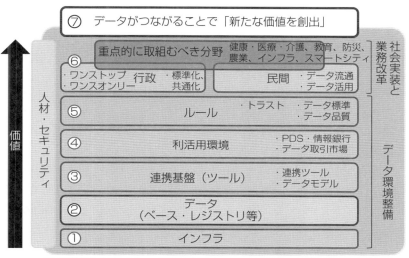

※連携基盤（ツール）、利活用環境と、データ連携に必要なルールを
　包括的・有機的に提供する基盤をプラットフォームとする
※上記に加え国際連携についても考慮する必要がある

出典：「包括的データ戦略」10 頁

おわりに

　本書も本章で最後となる。本章ではデータの利用について総括してみたい。

　社会問題の解決や産業の発展のために、データの利用が進むことが望ましいが、そのためのハードルはいくつもある。

　そのようなハードルの1つに法制度もある。例えば、個人情報保護法によりパーソナルデータの自由な流通は制約されている。そのような制約は個人のプライバシーを保護するためには必要であるが、データ利用の制約となることは間違いない。

　もっとも、法制度を改正すれば、直ちにデータの利用が進むような単純な話でもない。

　例えば、世界的にみると、パーソナルデータの利用について、制約が比較的少ないのが中国である。他方で、EUにおいてはGDPRという厳しい制約がある。現時点では日本は両者の中間に位置する。アメリカと比較すると、アメリカのほうがパーソナルデータをより自由に利用できるようにも見えるが、FTCが連邦レベルでのプライバシー保護に関して広範な権限を有するとともに、各州ごとに法律があり複雑である。また、クラスアクションによる巨額賠償の可能性があるなど、アメリカのほうが法的リスクは高い。

　このように、現時点では日本におけるプライバシーデータの利用に対する規制はEUに比べると緩いし、アメリカよりも法的リスクは低い。

　それにもかかわらず、日本においてデータの利用がそれほど進んでいないのはなぜか。法制度が原因だとは必ずしもいえないのでないだろうか。

　データの利用が進まない原因の1つとして、日本企業の保守的すぎるカルチャーが考えられる。われわれも実務において「リスクがあるのでやめよう」という企業の判断に接することはよくある。大企業の中には減点主義で評価される会社も多く、リスクをおそれて新しいことに挑戦しなく

なる傾向がある。

　また、多くの企業が「他社のデータはほしいが、自社のデータを出したくない」という（ある意味当然の）利己的な考え方をもっていることも、データを共有することの障害となっている。これは、「囚人のジレンマ」と同様の状況であると言える。2つの企業が有益なデータを持っている場合に、お互いがデータを提供して共有すれば双方にメリットがあるが、提供しなければ双方にデメリットとなる。また、一方がデータを正直に提供し、他方が提供しない場合には、提供しない者がメリットを得て、提供した正直者は馬鹿を見ることになる。このデータ提供に関する「囚人のジレンマ」の状況を打破しないと、データの共有は進まない。

　さらに、データサイエンティストやエンジニア不足も1つの要因として挙げられる。また、社内の体制づくりという意味では、経営陣の意識改革も必要になるであろう。

　このように、データの利用を進めるためには、法律的な問題だけではなく、企業の保守的なカルチャーを見直すことや、社会的ジレンマをうまく解決し、新しいことに挑戦できるような上手な仕組みを、当事者が構築していくことも重要であろう。

　そのような当事者の自助努力を前提として、第三者である政府や事業者団体が、社会的ジレンマの解決をサポートすることも有益であろう。当事者だけでは、「囚人のジレンマ」を解決することが難しい場合があるからである。

　政府がすべきこととしては、法制の整備などによってデータの取引費用を小さくすることも重要であろう。データの利用が進まない一因として、そもそもデータの取引においては取引費用が高いということが挙げられる。「取引費用」とは、取引相手を探すことや、契約交渉をすること、契約を相手に履行させること、それをモニタリングすることなどについてのコストである。取引費用が大きくなると、データの利用を妨げ、その社会的な効用を下げる要因となる。

　データの移転自体にはコストはほとんどかからないが、データ取引のプラクティスが確立していないため契約交渉のコストは高い。また、データの特性として拡散容易性や不可逆性があることから、データの流出を

おわりに

防止するためのモニタリング・コストも高い。もっとも、法制度の整備は、取引費用を下げるための方法の1つにすぎず、例えば、経済産業省の「AI・契約の利用に関するガイドライン」の策定は、契約プラクティスを確立することによって取引費用を下げる取組みの1つといえよう。

　データに関する日本の法制度は、いくつかの問題点はあるし、絶えざる改善は必要であるが、諸外国と比較して、少なくとも劣っているものではない。データは国境を簡単に越えることができるため、グローバルな観点も重要である。日本で、データについて適切な法制度やアーキテクチャが整備され、それが世界に認識されるのであれば、日本には、さまざまなデータが集まって処理がされることなり、それに伴って日本におけるデータ・アナリティクスやAI開発も大きく進展することになるであろう。

　企業の側も、最初の一歩を踏み出して、データを利用するようになれば、多くの企業がそのメリットを実感し、データ提供に積極的になるであろう。ただ、その最初の一歩を踏み出すのにあまりにも多くのエネルギーが必要なため、データの利用ができていないように思われる。

　もちろん、すでにその一歩を踏み出して先進的にデータに取り組んでいる企業も存在している。しかし、そうではない多くの企業も、最初の一歩を踏み出して、データを利用し、社会的問題の解決や産業の発展に活躍されることを願ってやまない。

巻末資料

● 資料①

データ利用に関する契約【創出型】

株式会社＿＿＿＿＿＿（以下「甲」という。）と＿＿＿＿＿＿株式会社（以下「乙」という。）とは、〇〇〇〇に関するデータの取扱いについて、以下のとおりのデータ取引契約（以下「本契約」という。）を締結する。

第1条（目的）

本契約は、両当事者が〇〇〇〇事業（以下「本件事業」という。）により〇〇〇〇を行うことを目的（以下「本件目的」という。）とする。

第2条（定義）

本契約において使用される用語は、以下の意味を有するものとする。
(1) 「対象データ」とは、本件事業により創出、取得又は収集されるデータをいい、その詳細は別紙1.1に定める。
(2) 「対象データ等」とは、対象データ及び[派生データ／加工データ]をいう。
[(3) 「加工」とは、対象データを加工、編集、統合することをいう。]
[(4) 「加工データ」とは、対象データを加工したデータをいう。]
(5) 「加工等」とは、対象データを加工、編集、統合、分析することをいう。
(6) 「派生データ」とは、対象データを加工等したデータをいう。但し、派生データには、対象データと同一性又は同質性を有するデータは含まないものとする。
[(7)「本成果物」とは、対象データ等を分析することにより新たに得られたデータ及び知見をいう。]
(8) 「利用」とは、利用、使用、加工、開示、利用許諾、移転、譲渡又は処分等することをいう。
(9) 「売上金額」とは、[派生データ]を第三者に提供することによって、当該第三者から対価として受領した金額をいう。
(10) 「個人情報等」とは、個人情報の保護に関する法律（以下「個人情報保護法」という。）に定める個人情報、[仮名加工情報、個人関連情報]及び匿名

巻末資料

加工情報をいう。

第3条（対象データの取得・収集方法等）
　甲及び乙は、甲が運営する〇〇〇〇において、乙が提供する〇〇〇〇を使用することにより、対象データを取得・収集するものとし、その詳細は別紙1.2に定める。

第4条（対象データの提供方法）
　甲及び乙は、本契約の有効期間中、相手方に対して、対象データを別紙1.3に定める仕様及び提供方法により提供する。

第5条（対象データの利用条件）
１．甲及び乙は、対象データの種別に応じて、相手方に対して、別紙1.1において定める利用条件により、対象データ（それに係る知的財産権を含む）を利用することを許諾する。
２．甲及び乙は、前項により認められた各当事者の利用条件に反して、対象データを利用してはならないものとする。

第6条（［派生データ／加工データ］の利用条件）
１．［派生データ／加工データ］に係る利用条件の内容は、［派生データ／加工データ］の種別に応じて、別紙2において定めるとおりとする。
２．甲及び乙は、前項により各当事者に認められた利用条件以外の態様で［派生データ／加工データ］を利用してはならないものとする。
［２．甲及び乙は、前項において利用条件が設定されていない［派生データ／加工データ］を制約なく利用できるものとする。］

第7条（第三者への提供等）
１．甲及び乙は、対象データ等の全部又は一部を第三者に提供し又は当該第三者に利用をさせる場合（以下「第三者提供等」という。）には、あらかじめ相手方に対して、第三者提供等の対象となるデータ及びその条件を書面により通知するものとする。
２．甲及び乙は、第三者提供等をする場合には、提供先となる第三者との間で、本契約において自らが負う秘密保持義務、データの管理・保管義務その他のデータの取扱いに関する義務と同等の義務を負わせる契約を締結しなければならないものとする。但し、相手方の事前の書面による承諾なく、第三者提供等を受けた第三者に対して、加工等及び更に第三者提供等をする権限を与えることはできないものとする。

第8条（対象データ等に係る知的財産権）
1．対象データに係る著作権（データベースの著作物に関する権利を含むがこれに限られない。著作権法第27条及び第28条の権利を含む。以下同じ。）は、甲及び乙が従前から有するもの及び本契約の範囲外で創出、取得又は収集したものを除き、［○に帰属するもの／甲及び乙の共有］とする。
2．［派生データ／加工データ］に係る著作権の帰属は、［派生データ／加工データ］の種別に応じて、別紙2において定めるとおりとする。但し、［派生データ／加工データ］のうち別紙2に特段の定めのないものについては、甲及び乙で別途合意した上で、当該［派生データ／加工データ］に係る著作権の帰属を定めるものとする。
3．甲及び乙は、対象データ等の利用について、相手方及び正当に権利を取得又は承継した第三者に対して、著作者人格権を行使しないものとする。
4．対象データ等に基づいて新たに創出した特許権その他の知的財産権（但し、著作権は除く。以下「特許権等」という。）は、当該特許権等を創出した者が属する当事者に帰属するものとする。
5．甲及び乙が対象データ等に基づいて共同で新たに創出した特許権等については、甲及び乙の共有（持分は貢献度に応じて定める。）とする。この場合、甲及び乙は、共有に係る特許権等につき、それぞれ相手方の同意なしに、かつ、相手方に対する対価の支払いの義務を負うことなく、自ら実施することができるものとする。
6．甲及び乙は、前項に基づき相手方と共有する特許権等について、必要となる職務発明の取得手続（職務発明規定の整備等の職務発明制度の適切な運用、譲渡手続等）を履践するものとする。
7．甲及び乙は、相手方に対し、対象データ等に係る知的財産権を、本契約の有効期間中、本契約の定めに従って利用することを許諾する。但し、甲及び乙は、本契約に明示したものを除き、相手方に対し、対象データ等に関する何らの権利も譲渡、移転、利用許諾するものではないことを相互に確認する。

第9条（対価・利益分配）
1．本契約に基づく対象データ等の利用の対価は、別途定める場合を除き、［無償］とする。
［1．　本契約に基づく対象データ等の利用の対価及び支払条件は別紙○に定めるとおりとする。］
2．甲及び乙は、前条の規定に基づき対象データ等を第三者提供等する場合には、相手方に対して、当該第三者提供等に係る利益の分配として、売上金額の○％に相当する額（以下「分配利益額」という。）を支払うものとする。
3．甲及び乙は、本契約に基づき対象データ等を第三者提供等する場合には、○か月毎（以下「計算期間」という。）に第三者提供等によって生じた売上金額その他の重要な事項に関する報告書を作成し、各計算期間の末日の属する月

の翌月〇日までに、相手方に対して提供するものとし、同月〇日までに、当該報告書に記載された売上金額に係る分配利益額を支払うものとする。
4．甲及び乙は、前項の報告書に記載すべき事項に関して適切な帳簿を作成し、保存・保管しなければならない。
5．甲及び乙は、自ら又は代理人をして、本契約の有効期間中、合理的な事前の通知を行うことにより、相手方の営業時間内において、相手方が保管する当該帳簿の閲覧・謄写を行うことができる。

第10条（対象データ等に係る保証）
1．甲及び乙は、それぞれ相手方に対して、本契約に基づき相手方に提供した対象データ（以下「提供対象データ」という。）の正確性、完全性（提供対象データに瑕疵又はバグが含まれていないことを含む。）、安全性（提供対象データがウィルスに感染していないことを含む。）、有効性（提供対象データの本件目的への適合性を含む。）その他の品質及び第三者の知的財産権その他の権利を侵害しないことに関し、いかなる保証もせず、一切の責任［（契約不適合責任を含むがこれに限られない。）］を負わないものとする。
2．甲及び乙は、提供対象データに第三者の知的財産権の対象となるデータが含まれる場合その他の相手方の利用について制限があり得ることが判明した場合には、速やかに相手方と協議の上、協力して当該第三者のからの利用許諾の取得又は当該データを除去する措置その他の相手方が利用できるための措置を講じるよう努力するものとする。
3．前二項の規定にかかわらず、甲及び乙は、以下のいずれかの事由を原因として、相手方に損害を被らせた場合には、当該損害を賠償する責任を負うものとする。
　(1)　対象データの全部又は一部を改ざんして、相手方に提供した場合
　(2)　提供対象データの正確性、完全性、安全性、有効性のいずれかに問題があること、又は、当該対象データが第三者の知的財産権その他の権利を侵害していることを、故意若しくは重大な過失により相手方に告げずに提供した場合
　(3)　違法な方法によって取得された提供対象データを相手方に提供した場合

第11条（対象データ等の管理）
1．甲及び乙は、善良な管理者の注意をもって、相手方から受領した対象データ等（以下「受領対象データ等」という。）を自らが保有する他のデータと識別可能な状態で、適切な管理手段により管理・保管しなければならないものとする。
2．甲及び乙は、本契約に別途定めがある場合を除き、相手方の事前の書面による承諾なく、受領対象データ等を第三者に対して開示、提供又は漏えいしてはならず、自己の営業秘密と同等以上の管理措置を講じるものとする。甲及び

乙は、受領対象データ等を、本契約に定める範囲内で、本件事業を遂行するために合理的に知る必要のある自己の役員及び従業員に対してのみ開示することができる。
3．甲及び乙が自ら保有する対象データ等の管理・保管費用については、各自の負担とする。
4．甲及び乙は、相手方が保有する対象データ等の管理状況について、相手方に対して、合理的に必要な範囲で、書面（メールその他の電磁的方法を含む。以下同じ。）による報告を求めることができる。当該報告に関して、甲又は乙は、相手方において対象データ等の漏えい又は喪失のおそれがあると判断した場合には、相手方に対して対象データ等の管理方法・保管方法の是正を求めることができる。
5．前項の報告又は是正の要求がなされた場合、相手方は速やかにこれに応じなければならない。
6．甲及び乙は、本契約が終了したときは、対象データ等のうち契約終了時における廃棄又は消去するものとして別紙3に定めたものについて、速やかに廃棄又は消去するものとする。
7．甲及び乙は、前項に基づき廃棄又は消去する義務を負うデータ以外の対象データ等について、本契約に定める利用条件で引き続き利用できるものする。

第12条（委託）
1．甲及び乙は、本契約に定める利用条件に予め規定されている場合、又は本契約の他の当事者（以下「相手方」という。）の事前の書面による承諾を得た場合を除き、本契約遂行のための業務（以下「本業務」という。）を第三者に委託してはならない。
2．甲及び乙が本契約に定める利用条件に従って又は前項に基づく相手方の承諾を得て本業務を第三者に委託する場合は、十分な個人情報の保護水準を満たす委託先を選定するとともに、当該委託先との間で本契約と同等の内容を含む契約を締結し、その写しを相手方に提出しなければならない。この場合、甲及び乙は本契約に基づき自らが負担する義務を免れない。

第13条（個人情報の取扱い）
1．甲及び乙は、相手方に提供する対象データ等に個人情報の保護に関する法律（以下「個人情報保護法」という。）に定める個人情報等が含まれる場合には、別紙4に定める区分に従い、相手方に対して、あらかじめその旨を明示しなければならない。
2．甲及び乙は、別紙4に定める区分に従い、対象データ等の生成、取得及び提供等に際して、個人情報保護法に定められている手続を履践していること保証する。
3．甲及び乙は、自らが保有する対象データ等に個人情報等が含まれる場合に

巻末資料

は、個人情報保護法を遵守し、個人情報等の管理に必要な措置を講じるものとする。

第14条（対象データ等の訂正及び利用停止）
1. 甲及び乙は、対象データ等の内容について、個人情報等によって識別される特定の個人（以下「利用者」という。）からの請求に基づく訂正、追加又は削除（以下「訂正等」という。）を行った場合は、訂正又は追加された対象データ等を相手方に提供し、また、削除された対象データ等の項目を相手方に通知し、当該通知を受けた相手方は速やかに当該対象データ等の訂正等を行うものとする。
2. 甲及び乙は、対象データ等について、利用者からの請求に基づく利用停止又は消去（以下「利用停止等」という。）を行った場合には、利用停止等された対象データ等の項目を相手方に通知し、当該通知を受けた相手方は速やかに当該対象データ等の利用停止等を行うものとする。
3. 前二項にかかわらず、対象データ等について甲又は乙が訂正等及び利用停止等を行った場合であっても、訂正等及び利用停止等を行うことが困難かつ利用者の権利利益を保護するために必要な代替措置を講じる場合については、相手方は訂正等及び利用停止等を行わないことができる。

第15条（情報セキュリティ等）
甲及び乙は、本契約の有効期間中、対象データ等を取扱うに当たり、漏えい、滅失、毀損等のリスクに対し、必要かつ適切な安全管理措置を講じるものとする。

第16条（対象データ等の漏えい時の対応及び責任）
1. 甲及び乙は、対象データ等の漏えい、喪失、利用条件を越えた利用、加工等その他の本契約に違反する対象データ等の取扱い（以下「対象データ等の漏えい等」という。）を発見した場合、又は、対象データ等の漏えい等が合理的に疑われる場合には、直ちに相手方に対してその旨を通知しなければならない。
2. 前項の場合には、当該通知をした甲又は乙は、自己の費用と責任において、直ちに対象データ等の漏えい等の事実の有無を確認するための調査をしなければならない。当該調査によって対象データ等の漏えい等が確認された場合には、速やかにその原因を究明した上で合理的に必要となる再発防止策を策定し、相手方に対して報告しなければならない。
3. 前項に基づき再発防止策を報告した甲又は乙は、当該再発防止策を適切に実施するものとする。

第17条（秘密保持義務）
1. 甲及び乙は、本契約に関して相手方から開示を受けた情報（但し、受領対象

データ等を除く。以下「秘密情報」という。）を厳に秘密として保持し、これを本件目的のためのみに利用するものとし、本件目的の達成に必要な範囲内で、自己の役員・従業員又は弁護士、税理士、公認会計士その他の専門家に対して開示する場合を除き（但し、甲及び乙は、これらの者に対して秘密情報を開示する場合に、当該秘密情報の開示を受ける第三者が法律上守秘義務を負う者でないときは、当該秘密情報の取扱いについて本契約に定める秘密保持義務と同一の義務をこれらの者に負わせるものとする。）、相手方の書面による承諾なく、第三者に開示、提供、漏えいしてはならない。

2．前項の規定にかかわらず、次の各号のいずれかに該当する情報は、秘密情報にはあたらないものとする。
 ⑴ 相手方から開示された時点で、既に公知となっているもの
 ⑵ 相手方から開示された後で、自らの責に帰すべき事由によらず公知になったもの
 ⑶ 相手方から開示された時点で、既に自ら保有していたもの
 ⑷ 相手方から開示された後に、正当な権限を有する第三者から開示に関する制限なく開示されたもの
 ⑸ 相手方から開示された秘密情報を使用することなく自らが独自に開発・認知した情報

3．第1項の規定にかかわらず、甲及び乙は、法令、規則又は司法・行政機関等による規則若しくは規制又は司法・行政機関等により秘密情報の開示が要請される場合には、当該要請に応じるために必要な範囲で、秘密情報を開示することができる。但し、かかる場合には、秘密情報を開示しようとする当事者は、相手方に対して、事前に（但し、緊急を要する場合には、開示後速やかに）、開示する秘密情報の内容を書面により通知するものとする。

4．甲及び乙は、相手方から開示された秘密情報の返還又は破棄の要請がなされた場合には、当該要請に従い、相手方から開示された秘密情報に関する文書、電子メール、電子記憶媒体その他の物及びそれらのあらゆる形態の写しを返還又は破棄するものとする。

5．本条に基づく義務は、本契約が終了した後も〇年間存続する。

第18条（損害賠償）

1．甲及び乙は、自らの本契約の違反に起因又は関連して相手方が被った一切の損害、損失、又は費用（合理的な弁護士費用を含み、以下「損害等」という。）を、相手方に対して賠償する責任を負うものとする。

2．いずれの当事者（以下、補償を行う義務を負う当事者を「補償当事者」といい、補償を受ける当事者を「被補償当事者」という。）も、対象データ等の利用に起因又は関連して第三者との間で紛争、クレーム又は請求（以下「紛争等」という。）があった場合、これらに関する損害の補償を本条に基づき請求するときには、速やかに当該紛争等の内容を補償当事者に対して書面により通

知するものとし、補償当事者は、その費用と責任で紛争等を解決する。被補償当事者は、補償当事者の事前の書面による承諾なく、紛争等につき第三者の主張を認め又は和解若しくは請求の認諾等をしてはならないものとする。

第19条（免責）
1．前条の規定にかかわらず、本契約の有効期間中において、天災地変、戦争、暴動、内乱、自然災害、停電、通信設備の事故・クラウドサービス等の外部サービスの提供の停止又は緊急メンテナンス、法令の制定改廃その他甲及び乙の責めに帰すことができない事由による本契約の全部又は一部の履行遅滞若しくは履行不能については、甲及び乙は責任を負わないものとする。
2．甲及び乙は、相手方による対象データ等の利用に関連する、又は対象データ等の利用に基づき生じた発明、考案、及び営業秘密等に関する知的財産権の利用に関連する一切の損害等に関して責任を負わないものとする。

第20条（有効期間）
本契約の有効期間は、本契約の締結日から〇年間とする。但し、当該有効期間の満了日から〇か月前までに当事者のいずれかから書面による契約終了の申し出がないときは、本契約と同一の条件で、さらに〇年間継続するものとし、以後も同様とする。

第21条（解除）
1．甲及び乙は、相手方に以下のいずれかに該当する事由が発生した場合には、何ら催告なくして、本契約を解除することができる。
　(1) 本契約の一に違反し、相当の期間を定めて催告したにもかかわらず、その違反が是正されなかった場合
　(2) 対象データ等の漏えい等をした場合
　(3) 支払停止又は支払不能となった場合
　(4) 差押え、仮差押え若しくは競売の申立があった場合、又は、公租公課の滞納処分を受けた場合
　(5) 解散、事業の全部又は重要な一部の譲渡等の決議をした場合
　(6) 破産、民事再生、特別清算、会社更生手続の開始が申立てられ、又は、これに類する法的倒産手続が申立てられた場合。但し、これらの申立が債権者によりなされた場合には、裁判所がその手続開始決定をした場合（特別清算の場合には手続開始命令をした場合）とする。
2．甲及び乙は、自らが、反社会的勢力（暴力団、暴力団員、暴力団員でなくなった時から5年を経過しない者、暴力団準構成員、暴力団関係企業、総会屋等、社会運動等標ぼうゴロ又は特殊知能暴力集団、その他これらに準ずる者をいう。以下同じ。）に該当しないこと、及び、反社会的勢力と以下の各号の一にでも該当する関係を有しないことを、相手方に対して表明し、保証する。

甲及び乙は、相手方が反社会的勢力に該当し又は以下の各号の一に該当することが判明した場合には、何らの催告を要せず、本契約を解除することができる。
(1) 反社会的勢力が経営を支配していると認められるとき
(2) 反社会的勢力が経営に実質的に関与していると認められるとき
(3) 自己、自社若しくは第三者の不正の利益を図る目的又は第三者に損害を加える目的をもってするなど、不当に反社会的勢力を利用したと認められるとき
(4) 反社会的勢力に対して資金等を提供し又は便宜を供与するなどの関与をしていると認められるとき
(5) その他役員等又は経営に実質的に関与している者が、反社会的勢力と社会的に非難されるべき関係を有しているとき

3．甲又は乙が自ら又は第三者を利用して以下の各号の一に該当する行為をした場合には、相手方は、何らの催告を要せず、本契約を解除することができる。
(1) 暴力的な要求行為
(2) 法的な責任を超えた不当な要求行為
(3) 取引に関して、脅迫的な言動をし、又は暴力を用いる行為
(4) 風説を流布し、偽計若しくは威力を用いて相手方の信用を棄損し、又は、相手方の業務を妨害する行為
(5) その他前各号に準ずる行為

4．甲及び乙は、本契約に別途定める場合のほか、書面で合意することにより、本契約を解約することができる。

第22条（本契約終了後の効力）
1．本契約が有効期間の満了又は解除により終了した場合であっても、第10条第1項及び第3項、第11条、第16条乃至第19条、本条並びに第23条乃至第27条の規定は有効に存続するものとする。
2．甲及び乙は、本契約の終了により、終了時において既に本契約に基づき発生した義務・責任又は終了前の作為・不作為に基づき終了後に発生した本契約に基づく義務・責任を免除されるものではなく、また、本契約の終了は、本契約終了後も継続することが本契約において意図されている甲及び乙の権利、義務、責任には一切影響を及ぼさないものとする。

第23条（費用）
本契約に別段の定めがある場合並びに甲及び乙が別途合意した場合を除いて、本契約の締結及び履行にかかる費用については、各自の負担とする。

第24条（譲渡禁止）
甲及び乙は、相手方の事前の書面による同意なしに、本契約、本契約上の地位又はこれらに基づく権利・義務を譲渡、移転その他処分してはならない。

第 25 条（準拠法）
　本契約は、日本法に準拠し、日本法に従って解釈される。

第 26 条（紛争解決）
　本契約に起因又は関連して生じた紛争（本契約の各条項の解釈に疑義が生じた場合を含む。）については、まずは甲及び乙が誠実に協議することによりその解決に当たるものとするが、かかる協議が調わない場合には、○○地方裁判所を第一審の専属的合意管轄裁判所として裁判により解決するものとする。

第 27 条（誠実協議）
　本契約に定めのない事項については、甲及び乙は、誠実に協議し、その解決に努めるものとする。

　本契約締結の証として、本書を 2 通作成し、各当事者が署名又は記名捺印の上、各自 1 通を保有する。
　20＿＿年＿＿月＿＿日

甲：＿＿＿＿＿＿＿＿
乙：＿＿＿＿＿＿＿＿

別紙 1　対象データ

1. 対象データ及びその利用条件

	データ名	データ項目等	対象期間	甲の利用条件	乙の利用条件
1	○○○	【機器名・センサ名等のデータを特定するに足りる情報（量、粒度を含む）】	【○年○月○日〜○年○月○日】の期間に取得されたもの	【利用目的】【第三者提供（譲渡又は利用許諾）の可否】【加工等の可否】	【利用目的】【第三者提供（譲渡又は利用許諾）の可否】【加工等の可否】
2	○○○				

2. 対象データの取得・収集方法・フォーマット
○○○○
【誰が、どのような方法で、どのデータを取得・収集するか】

【どのようなファイル形式で保存するか】

3. 対象データの提供方法
【どのような仕様・手段・方法で提供・共有するか】

別紙2　派生データの利用条件

	データ名	対象データ	対象期間	甲の利用条件等	乙の利用条件等
1	○○○	○○及び○○【別紙1を引用する等して特定する】	【○年○月○日～○年○月○日】の期間に取得されたもの	【利用目的】【第三者提供（譲渡又は利用許諾）の可否】【加工等の可否】【著作権】	【利用目的】【第三者提供（譲渡又は利用許諾）の可否】【加工等の可否】【著作権】
2	○○○				

別紙3　契約終了時に廃棄又は消去されるデータ

	データ名	対象データ／加工データ	対象期間
1	○○○	○○【別紙1又は2を引用する等して特定する】	【○年○月○日～○年○月○日】の期間に取得されたもの
2	○○○		

別紙4　個人情報に関する手続履践

	データ名	第13条第1項に基づく明示及び第2項に基づく保証をする当事者
1	○○	甲
2	○○	乙

巻末資料

●資料②

データ利用に関する契約【提供型】

株式会社＿＿＿＿＿＿（以下「甲」という。）と＿＿＿＿＿＿株式会社（以下「乙」という。）とは、甲から乙に提供する〇〇〇〇に関するデータの取扱いについて、以下のとおりのデータ取引契約（以下「本契約」という。）を締結する。

第1条（目的）
　乙は、〇〇〇〇事業（以下「本件事業」という。）において〇〇〇〇を行うために（以下「本件目的」という。）、甲から対象データ（第2条第1号に定義される。）の提供を受けるものとする。

第2条（定義）
　本契約において使用される用語は、以下の意味を有するものとする。
　(1)　「対象データ」とは、本契約に基づき、甲が乙に対して提供するデータをいい、その詳細は別紙1.1に定める。
　(2)　「対象データ等」とは、対象データ及び［派生データ／加工データ］をいう。
　[(3)　「加工」とは、対象データを加工、編集、統合することをいう。]
　[(4)　「加工データ」とは、対象データを加工したデータをいう。]
　(5)　「加工等」とは、対象データを加工、編集、統合、分析することをいう。
　(6)　「派生データ」とは、対象データを加工等したデータをいう。但し、派生データには、対象データと同一性又は同質性を有するデータは含まないものとする。
　[(7)　「本成果物」とは、対象データ等を分析することにより新たに得られたデータ及び知見をいう。]
　(8)　「利用」とは、利用、使用、加工、開示、利用許諾、移転、譲渡又は処分等することをいう。
　(9)　「売上金額」とは、［派生データ］を第三者に提供することによって、当該第三者から対価として受領した金額をいう。
　(10)　「個人情報等」とは、個人情報の保護に関する法律（以下「個人情報保護法」という。）に定める個人情報、［仮名加工情報、個人関連情報］及び匿名加工情報をいう。

第3条（対象データの取得・収集方法等）
　甲は、〇〇〇〇により取得・収集した対象データを乙に提供するものとし、その詳細は別紙1.2に定める。

第4条（対象データの提供方法）
　甲は、本契約の有効期間中、乙に対して、対象データを別紙1.3に定める仕様及び提供方法により提供する。

第5条（対象データの利用条件）
１．甲は、対象データの種別に応じて、乙に対して、別紙1.1において定める利用条件により、対象データ（それに係る知的財産権を含む）を利用することを許諾する。
２．乙は、前項により認められた利用条件に反して、対象データを利用してはならないものとする。

第6条（［派生データ／加工データ］の利用条件）
１．［派生データ／加工データ］に係る利用条件の内容は、［派生データ／加工データ］の種別に応じて、別紙2において定めるとおりとする。
２．乙は、前項により認められた利用条件以外の態様で［派生データ／加工データ］を利用してはならないものとする。
［２．　乙は、前項において利用条件が設定されていない［派生データ／加工データ］を制約なく利用できるものとする。］

第7条（第三者への提供等）
１．乙は、対象データ等の全部又は一部を第三者に提供し又は当該第三者に利用をさせる場合（以下「第三者提供等」という。）には、あらかじめ甲に対して、第三者提供等の対象となるデータ及びその条件を書面により通知するものとする。
２．乙は、第三者提供等をする場合には、提供先となる第三者との間で、本契約において自らが負う秘密保持義務、データの管理・保管義務その他のデータの取扱いに関する義務と同等の義務を負わせる契約を締結しなければならないものとする。但し、甲の事前の書面による承諾なく、第三者提供等を受けた第三者に対して、加工等及び更に第三者提供等をする権限を与えることはできないものとする。

第8条（対象データ等に係る知的財産権）
１．対象データに係る著作権（データベースの著作物に関する権利を含むがこれに限られない。著作権法第27条及び第28条の権利を含む。以下同じ。）は、甲に帰属するものとする。
２．［派生データ／加工データ］に係る著作権の帰属は、［派生データ／加工データ］の種別に応じて、別紙2において定めるとおりとする。但し、［派生データ／加工データ］のうち別紙2に特段の定めのないものについては、甲及び乙で別途合意した上で、当該［派生データ／加工データ］に係る著作権の

帰属を定めるものとする。
3．甲及び乙は、対象データ等の利用について、相手方及び正当に権利を取得又は承継した第三者に対して、著作者人格権を行使しないものとする。
4．対象データ等に基づいて新たに創出した特許権その他の知的財産権（但し、著作権は除く。以下「特許権等」という。）は、当該特許権等を創出した者が属する当事者に帰属するものとする。
5．甲及び乙が対象データ等に基づいて共同で新たに創出した特許権等については、甲及び乙の共有（持分は貢献度に応じて定める。）とする。この場合、甲及び乙は、共有に係る特許権等につき、それぞれ相手方の同意なしに、かつ、相手方に対する対価の支払いの義務を負うことなく、自ら実施することができるものとする。
6．甲及び乙は、前項に基づき相手方と共有する特許権等について、必要となる職務発明の取得手続（職務発明規定の整備等の職務発明制度の適切な運用、譲渡手続等）を履践するものとする。
7．甲は、乙に対し、対象データ等に係る知的財産権を、本契約の有効期間中、本契約の定めに従って利用することを許諾する。但し、甲は、本契約に明示したものを除き、乙に対し、対象データ等に関する何らの権利も譲渡、移転、利用許諾するものではないことを相互に確認する。

第9条（対価・利益分配）
1．本契約に基づく対象データ等の利用の対価は、別途定める場合を除き、［無償］とする。
［1．本契約に基づく対象データ等の利用の対価及び支払条件は別紙〇に定めるとおりとする。］
2．乙は、本契約に基づき対象データ等を第三者提供等する場合には、甲に対して、当該第三者提供等に係る利益の分配として、売上金額の〇％に相当する額（以下「分配利益額」という。）を支払うものとする。
3．乙は、前条の規定に基づき対象データ等を第三者提供等する場合には、〇か月毎（以下「計算期間」という。）に第三者提供等によって生じた売上金額その他の重要な事項に関する報告書を作成し、各計算期間の末日の属する月の翌月〇日までに、甲に対して提供するものとし、同月〇日までに、当該報告書に記載された売上金額に係る分配利益額を支払うものとする。
4．乙は、前項の報告書に記載すべき事項に関して適切な帳簿を作成し、保存・保管しなければならない。
5．甲は、自ら又は代理人をして、本契約の有効期間中、合理的な事前の通知を行うことにより、乙の営業時間内において、乙が保管する当該帳簿の閲覧・謄写を行うことができる。

第10条（対象データ等に係る保証）
1．甲は、乙に対して、対象データの正確性、完全性（対象データに瑕疵又はバグが含まれていないことを含む。）、安全性（対象データがウィルスに感染していないことを含む。）、有効性（対象データの本件目的への適合性を含む。）その他の品質及び第三者の知的財産権その他の権利を侵害しないことに関し、いかなる保証もせず、一切の責任［（契約不適合責任を含むがこれに限られない。）］を負わないものとする。
2．甲は、対象データに第三者の知的財産権の対象となるデータが含まれる場合その他の乙の利用について制限があり得ることが判明した場合には、速やかに乙と協議の上、協力して当該第三者のからの利用許諾の取得又は当該データを除去する措置その他の乙が利用できるための措置を講じるよう努力するものとする。
3．前二項の規定にかかわらず、甲は、以下のいずれかの事由を原因として、乙に損害を被らせた場合には、当該損害を賠償する責任を負うものとする。
  (1) 対象データの全部又は一部を改ざんして提供した場合
  (2) 対象データの正確性、完全性、安全性、有効性のいずれかに問題があること、又は、当該対象データが第三者の知的財産権その他の権利を侵害していることを、故意若しくは重大な過失により告げずに提供した場合
  (3) 違法な方法によって取得された対象データを提供した場合

第11条（対象データ等の管理）
1．乙は、善良な管理者の注意をもって、対象データ等を自らが保有する他のデータと識別可能な状態で、適切な管理手段により管理・保管しなければならないものとする。
2．乙は、本契約に別途定めがある場合を除き、相手方の事前の書面による承諾なく、対象データ等を第三者に対して開示、提供又は漏えいしてはならず、自己の営業秘密と同等以上の管理措置を講じるものとする。乙は、対象データ等を、本契約に定める範囲内で、本件事業を遂行するために合理的に知る必要のある自己の役員及び従業員に対してのみ開示することができる。
3．乙が自ら保有する対象データ等の管理・保管費用については、乙の負担とする。
4．甲は、乙が保有する対象データ等の管理状況について、乙に対して、合理的に必要な範囲で、書面（メールその他の電磁的方法を含む。以下同じ。）による報告を求めることができる。当該報告に関して、甲は、乙において対象データ等の漏えい又は喪失のおそれがあると判断した場合には、乙に対して対象データ等の管理方法・保管方法の是正を求めることができる。
5．前項の報告又は是正の要求がなされた場合、乙は速やかにこれに応じなければならない。
6．乙は、本契約が終了したときは、対象データ等のうち契約終了時における

廃棄又は消去するものとして別紙3に定めたものについて、速やかに廃棄又は消去するものとする。
7．乙は、前項に基づき廃棄又は消去する義務を負うデータ以外の対象データ等について、本契約に定める利用条件で引き続き利用できるものする。

第12条（委託）
1．乙は、本契約に定める利用条件に予め規定されている場合、又は本契約の他の当事者（以下「相手方」という。）の事前の書面による承諾を得た場合を除き、本契約遂行のための業務（以下「本業務」という。）を第三者に委託してはならない。
2．乙が本契約に定める利用条件に従って又は前項に基づく甲の承諾を得て本業務を第三者に委託する場合は、十分な個人情報の保護水準を満たす委託先を選定するとともに、当該委託先との間で本契約と同等の内容を含む契約を締結し、その写しを甲に提出しなければならない。この場合、乙は本契約に基づき自らが負担する義務を免れない。

第13条（個人情報の取扱い）
1．甲は、対象データに個人情報の保護に関する法律（以下「個人情報保護法」という。）に定める個人情報等が含まれる場合には、乙に対して、あらかじめその旨を明示しなければならない。
2．甲は、対象データの生成、取得及び提供等に際して、個人情報保護法に定められている手続を履践していること保証する。
3．乙は、対象データ等に個人情報等が含まれる場合には、個人情報保護法を遵守し、個人情報等の管理に必要な措置を講じるものとする。

第14条（対象データ等の訂正及び利用停止）
1．甲及び乙は、対象データ等の内容について、個人情報等によって識別される特定の個人（以下「利用者」という。）からの請求に基づく訂正、追加又は削除（以下「訂正等」という。）を行った場合は、訂正又は追加された対象データ等を相手方に提供し、また、削除された対象データ等の項目を相手方に通知し、当該通知を受けた相手方は速やかに当該対象データ等の訂正等を行うものとする。
2．甲及び乙は、対象データ等について、利用者からの請求に基づく利用停止又は消去（以下「利用停止等」という。）を行った場合には、利用停止等された対象データ等の項目を相手方に通知し、当該通知を受けた相手方は速やかに当該対象データ等の利用停止等を行うものとする。
3．前二項にかかわらず、対象データ等について甲又は乙が訂正等及び利用停止等を行った場合であっても、訂正等及び利用停止等を行うことが困難かつ利用者の権利利益を保護するために必要な代替措置を講じる場合については、相

手方は訂正等及び利用停止等を行わないことができる。

第15条（情報セキュリティ等）
　乙は、本契約の有効期間中、対象データ等を取扱うに当たり、漏えい、滅失、毀損等のリスクに対し、必要かつ適切な安全管理措置を講じるものとする。

第16条（対象データ等の漏えい時の対応及び責任）
１．乙は、対象データ等の漏えい、喪失、利用条件を越えた利用、加工等その他の本契約に違反する対象データ等の取扱い（以下「対象データ等の漏えい等」という。）を発見した場合、又は、対象データ等の漏えい等が合理的に疑われる場合には、直ちに甲に対してその旨を通知しなければならない。
２．前項の場合には、乙は、自己の費用と責任において、直ちに対象データ等の漏えい等の事実の有無を確認するための調査をしなければならない。当該調査によって対象データ等の漏えい等が確認された場合には、速やかにその原因を究明した上で合理的に必要となる再発防止策を策定し、甲に対して報告しなければならない。
３．前項に基づき再発防止策を報告した乙は、当該再発防止策を適切に実施するものとする。

第17条（秘密保持義務）
１．甲及び乙は、本契約に関して相手方から開示を受けた情報（但し、対象データ等を除く。以下「秘密情報」という。）を厳に秘密として保持し、これを本件目的のためのみに利用するものとし、本件目的の達成に必要な範囲内で、自己の役員・従業員又は弁護士、税理士、公認会計士その他の専門家に対して開示する場合を除き（但し、甲及び乙は、これらの者に対して秘密情報を開示する場合に、当該秘密情報の開示を受ける第三者が法律上守秘義務を負う者でないときは、当該秘密情報の取扱いについて本契約に定める秘密保持義務と同一の義務をこれらの者に負わせるものとする。）、相手方の書面による承諾なく、第三者に開示、提供、漏えいしてはならない。
２．前項の規定にかかわらず、次の各号のいずれかに該当する情報は、秘密情報にはあたらないものとする。
　(1) 相手方から開示された時点で、既に公知となっているもの
　(2) 相手方から開示された後で、自らの責に帰すべき事由によらず公知になったもの
　(3) 相手方から開示された時点で、既に自ら保有していたもの
　(4) 相手方から開示された後に、正当な権限を有する第三者から開示に関する制限なく開示されたもの
　(5) 相手方から開示された秘密情報を使用することなく自らが独自に開発・認知した情報

3．第1項の規定にかかわらず、甲及び乙は、法令、規則又は司法・行政機関等による規則若しくは規制又は司法・行政機関等により秘密情報の開示が要請される場合には、当該要請に応じるために必要な範囲で、秘密情報を開示することができる。但し、かかる場合には、秘密情報を開示しようとする当事者は、相手方に対して、事前に（但し、緊急を要する場合には、開示後速やかに）、開示する秘密情報の内容を書面により通知するものとする。
4．甲及び乙は、相手方から開示された秘密情報の返還又は破棄の要請がなされた場合には、当該要請に従い、相手方から開示された秘密情報に関する文書、電子メール、電子記憶媒体その他の物及びそれらのあらゆる形態の写しを返還又は破棄するものとする。
5．本条に基づく義務は、本契約が終了した後も〇年間存続する。

第18条（損害賠償）
1．甲及び乙は、自らの本契約の違反に起因又は関連して相手方が被った一切の損害、損失、又は費用（合理的な弁護士費用を含み、以下「損害等」という。）を、相手方に対して賠償する責任を負うものとする。
2．甲が乙に対して負う損害賠償は、債務不履行、知的財産権の侵害、不当利得、不法行為その他請求原因にかかわらず、本契約に基づく利用対価の〇ヶ月分を上限とする。
3．いずれの当事者（以下、補償を行う義務を負う当事者を「補償当事者」といい、補償を受ける当事者を「被補償当事者」という。）も、対象データ等の利用に起因又は関連して第三者との間で紛争、クレーム又は請求（以下「紛争等」という。）があった場合、これらに関する損害の補償を本条に基づき請求するときには、速やかに当該紛争等の内容を補償当事者に対して書面により通知するものとし、補償当事者は、その費用と責任で紛争等を解決する。被補償当事者は、補償当事者の事前の書面による承諾なく、紛争等につき第三者の主張を認め又は和解若しくは請求の認諾等をしてはならないものとする。

第19条（免責）
1．前条の規定にかかわらず、本契約の有効期間中において、天災地変、戦争、暴動、内乱、自然災害、停電、通信設備の事故・クラウドサービス等の外部サービスの提供の停止又は緊急メンテナンス、法令の制定改廃その他甲及び乙の責めに帰すことができない事由による本契約の全部又は一部の履行遅滞若しくは履行不能については、甲及び乙は責任を負わないものとする。
2．甲は、相手方による対象データ等の利用に関連する、又は対象データ等の利用に基づき生じた発明、考案、及び営業秘密等に関する知的財産権の利用に関連する一切の損害等に関して責任を負わないものとする。

第20条（有効期間）
本契約の有効期間は、本契約の締結日から〇年間とする。但し、当該有効期間の満了日から〇か月前までに当事者のいずれかから書面による契約終了の申し出がないときは、本契約と同一の条件で、さらに〇年間継続するものとし、以後も同様とする。

第21条（解除）
1．甲及び乙は、相手方に以下のいずれかに該当する事由が発生した場合には、何ら催告なくして、本契約を解除することができる。
　(1)　本契約の一に違反し、相当の期間を定めて催告したにもかかわらず、その違反が是正されなかった場合
　(2)　支払停止又は支払不能となった場合
　(3)　差押え、仮差押え若しくは競売の申立があった場合、又は、公租公課の滞納処分を受けた場合
　(4)　解散、事業の全部又は重要な一部の譲渡等の決議をした場合
　(5)　破産、民事再生、特別清算、会社更生手続の開始が申立てられ、又は、これに類する法的倒産手続が申立てられた場合。但し、これらの申立が債権者によりなされた場合には、裁判所がその手続開始決定をした場合（特別清算の場合には手続開始命令をした場合）とする。
2．甲は、乙に以下のいずれかに該当する事由が発生した場合には、何ら催告なくして、本契約を解除することができる。
　(1)　対象データ等の漏えい等をした場合
3．甲及び乙は、自らが、反社会的勢力（暴力団、暴力団員、暴力団員でなくなった時から5年を経過しない者、暴力団準構成員、暴力団関係企業、総会屋等、社会運動等標ぼうゴロ又は特殊知能暴力集団、その他これらに準ずる者をいう。以下同じ。）に該当しないこと、及び、反社会的勢力と以下の各号の一にでも該当する関係を有しないことを、相手方に対して表明し、保証する。甲及び乙は、相手方が反社会的勢力に該当し又は以下の各号の一に該当することが判明した場合には、何らの催告を要せず、本契約を解除することができる。
　(1)　反社会的勢力が経営を支配していると認められるとき
　(2)　反社会的勢力が経営に実質的に関与していると認められるとき
　(3)　自己、自社若しくは第三者の不正の利益を図る目的又は第三者に損害を加える目的をもってするなど、不当に反社会的勢力を利用したと認められるとき
　(4)　反社会的勢力に対して資金等を提供し又は便宜を供与するなどの関与をしていると認められるとき
　(5)　その他役員等又は経営に実質的に関与している者が、反社会的勢力と社会的に非難されるべき関係を有しているとき
4．甲又は乙が自ら又は第三者を利用して以下の各号の一に該当する行為をし

543

た場合には、相手方は、何らの催告を要せず、本契約を解除することができる。
(1) 暴力的な要求行為
(2) 法的な責任を超えた不当な要求行為
(3) 取引に関して、脅迫的な言動をし、又は暴力を用いる行為
(4) 風説を流布し、偽計若しくは威力を用いて相手方の信用を毀損し、又は、相手方の業務を妨害する行為
(5) その他前各号に準ずる行為
5．甲及び乙は、本契約に別途定める場合のほか、書面で合意することにより、本契約を解約することができる。

第22条（本契約終了後の効力）
1．本契約が有効期間の満了又は解除により終了した場合であっても、第10条第1項及び第3項、
第11条、第16条乃至第19条、本条並びに第23条乃至第27条の規定は有効に存続するものとする。
2．甲及び乙は、本契約の終了により、終了時において既に本契約に基づき発生した義務・責任又は終了前の作為・不作為に基づき終了後に発生した本契約に基づく義務・責任を免除されるものではなく、また、本契約の終了は、本契約終了後も継続することが本契約において意図されている甲及び乙の権利、義務、責任には一切影響を及ぼさないものとする。

第23条（費用）
本契約に別段の定めがある場合並びに甲及び乙が別途合意した場合を除いて、本契約の締結及び履行にかかる費用については、各自の負担とする。

第24条（譲渡禁止）
甲及び乙は、相手方の事前の書面による同意なしに、本契約、本契約上の地位又はこれらに基づく権利・義務を譲渡、移転その他処分してはならない。

第25条（準拠法）
本契約は、日本法に準拠し、日本法に従って解釈される。

第26条（紛争解決）
本契約に起因又は関連して生じた紛争（本契約の各条項の解釈に疑義が生じた場合を含む。）については、まずは甲及び乙が誠実に協議することによりその解決に当たるものとするが、かかる協議が調わない場合には、○○地方裁判所を第一審の専属的合意管轄裁判所として裁判により解決するものとする。

第 27 条（誠実協議）
　本契約に定めのない事項については、甲及び乙は、誠実に協議し、その解決に努めるものとする。

　本契約締結の証として、本書を 2 通作成し、各当事者が署名又は記名捺印の上、各自 1 通を保有する。

　20___年___月___日

　　　　　　　　　　　　　　　　　　　　甲：_____
　　　　　　　　　　　　　　　　　　　　乙：_____

別紙 1　対象データ

１．対象データ及びその利用条件

	データ名	データ項目等	対象期間	乙の利用条件
1	○○○	【機器名・センサ名等のデータを特定するに足りる情報（量、粒度を含む）】	【○年○月○日～○年○月○日】の期間に取得されたもの	【利用目的】【第三者提供（譲渡又は利用許諾）の可否】【加工等の可否】
2	○○○			

２．対象データの取得・収集方法・フォーマット
○○○○
【誰が、どのような方法で、どのデータを取得・収集するか】
【どのようなファイル形式で保存するか】

３．対象データの提供方法
【どのような仕様・手段・方法で提供・共有するか】

巻末資料

別紙2　派生データの利用条件

	データ名	対象データ	対象期間	乙の利用条件等
1	○○○	○○及び○○【別紙1を引用する等して特定する】	【○年○月○日～○年○月○日】の期間に取得されたもの	【利用目的】【第三者提供（譲渡又は利用許諾）の可否】【加工等の可否】【著作権】
2	○○○			

別紙3　契約終了時に廃棄又は消去されるデータ

	データ名	対象データ／加工データ	対象期間
1	○○○	○○【別紙1又は2を引用する等して特定する】	【○年○月○日～○年○月○日】の期間に取得されたもの
2	○○○		

●資料③

データ共有プラットフォーム
モデル利用規約

第1章　総則

第1条（利用契約の適用）
1．この［プラットフォームの名称］利用規約（以下「本規約」といいます。）は、○○○○（以下「運営者」といいます。）が運営する［プラットフォームの名称］（以下「本プラットフォーム」といいます。）を通じて提供するサービス（以下「本サービス」といいます。）の権利義務を定めるものであり、本サービスの利用に関わる一切の関係に適用されます。
2．本規約と個別の利用契約の規定が異なるときは、個別の利用契約の規定が本規約に優先して適用されるものとします。

第2条（定義）
本規約において使用される用語は、以下の意味を有するものとします。
　(1)　「本目的」とは、○○○○をいいます。
　(2)　「本利用契約」とは、第3条に定義される利用契約をいいます。
　(3)　「参加者」とは、本プラットフォームの利用のために運営者との間で本利用契約を締結し、参加者登録を行った者をいます。
　(4)　「対象データ」とは、本プラットフォームにおいて提供又は利用されるデータをいい［、これと同一性を有する加工等がなされたデータを含み］ます。
　(5)　「対象データ等」とは、対象データ及び派生データをいいます。
　(6)　「利用等」とは、利用、使用、加工等、開示、利用許諾、移転、譲渡及び処分等をいいます。
　(7)　「加工等」とは、対象データを改変、追加、削除、組合せ、分析、編集及び統合等することをいいます。
　(8)　「派生データ」とは、対象データを加工等したデータ［（但し、技術的に対象データに復元することが困難な加工等が施され、対象データと同一性が認められないものに限ります。）］をいいます。
　(9)　「知的財産権」とは、著作権、特許権、商標権、実用新案権、意匠権、半導体集積回路の回路配置に関する法律にいう回路配置利用権をいいます。
　(10)　「個人情報等」とは、個人情報の保護に関する法律（以下「個人情報保護法」といいます。）に定める個人情報、個人データ、［個人関連情報、］匿名加工情報［及び仮名加工情報］を総称したものをいいます。
　(11)　「統計データ」とは、個々の対象データを加工等して作成される派生デー

巻末資料

タのうち、対象データの集合体であって、そのデータの集合体のもつ集団的現象を数値で表し、かつ当該数値から特定の個人、法人又は団体を識別することができないものをいいます。
(12) 「改ざん」とは、事実と異なる改変を加えることをいいます。
(13) 「損害等」とは、損害、損失、費用又は支出（合理的な弁護士費用を含みます。）をいいます。
(14) 「紛争等」とは、紛争、クレーム又は請求をいいます。
(15) 「ID」とは、参加者とその他の者を識別するために用いられる符号をいいます。
(16) 「パスワード」とは、IDと組み合わせて、参加者とその他の者を識別するために用いられる符号をいいます。
(17) 「参加者設備」とは、本プラットフォームを利用するために、参加者が設置するコンピュータ、電気通信設備その他の機器及びソフトウェアをいいます。
(18) 「運営者設備」とは、本プラットフォームを提供するにあたり、運営者が設置するコンピュータ、電気通信設備その他の機器及びソフトウェアをいいます。
(19) 「法令」とは、法律、政令、規則、基準及びガイドラインをいいます。

第2章　本利用契約の締結等

第3条（本利用契約の成立及び参加者登録）
1．本プラットフォームの利用を希望する申込者は、本規約に同意した上で、運営者所定の方法により本プラットフォーム上で本サービスの利用契約（以下「本利用契約」といいます。）及び参加者登録の申込みを行うものとします。
2．運営者は、前項の申込みを受けた場合、運営者所定の審査によって、当該申込者が参加者となることを承諾したときは、当該申込者に対して、当該申込みを承諾する旨の通知を発信するものとします。
3．前項の承諾の通知を発信した時点で、運営者と当該申込者との間で本利用契約が成立し、参加者としての登録が完了します。

第4条（参加者資格）
　本プラットフォームの参加者資格は、以下のとおりとする。以下のいずれかの参加者資格を満たさないときは、運営者は参加者登録の申込みを承諾しない場合があります。
（1）過去に運営者から本利用契約若しくは本規約を解約され又は参加者登録の申込みを拒絶されたことがないこと
（2）参加者登録の申込みにおいて、申告事項に事実に反する記載又は重要な事実に関する記入漏れがないこと

(3) 本利用契約及び本規約に基づく義務の履行を怠るおそれがないこと
(4) 反社会的勢力（第27条第1項に定義されます。）に属する者又は第27条第2項各号に該当する者でないこと
(5) その他参加者登録をすることが不適当と運営者が認める事由がないこと

第5条（登録事項の変更）
1．参加者は、参加者としての登録事項に変更がある場合には、運営者所定の方法により、速やかに運営者に対して変更事項を通知しなければなりません。
2．参加者が前項に従った通知を怠ったことにより、運営者からの通知の不到達その他の事由により損害を被った場合であっても、運営者は一切責任を負わないものとします。

第6条（本プラットフォームの利用許諾）
1．運営者は、本利用契約が成立し、参加者登録を完了した参加者が、本利用契約及び本規約に定めるところに従い、本プラットフォームを利用することを許諾します。
2．参加者は、本プラットフォームを利用する際には、別途設定するID及びパスワードを用いるものとします。
3．運営者が本プラットフォーム及び本サービスの提供にあたり使用する知的財産権は、全て運営者に帰属します。
4．運営者は、本利用契約又は本規約に定めるものを除き、参加者に対して本プラットフォーム及び本サービスに係る権利に関して譲渡、許諾するものではありません。

第7条（委託）
運営者は、参加者に対する本プラットフォーム及び本サービスの提供に関して必要となる業務の全部又は一部を、本目的の範囲内で運営者の判断にて第三者に委託することができます。この場合、運営者は、委託先の情報を本プラットフォーム上で公表するとともに、委託先に当該委託業務の遂行について本利用契約及び本規約所定の運営者の義務と同等の義務を負わせるものとします。

第3章　対象データの提供等

第8条（対象データの提供）
1．参加者は、運営者が別途定める提供方法に従って、本利用契約において定める対象データを本プラットフォームにアップロードすることにより提供するものとします。なお、参加者は、当該対象データの全部又は一部を改ざんして、本プラットフォームに提供してはならないものとします。
2．参加者は、自らが提供した対象データについて、当該参加者と運営者との

間で特段の合意がない限り、運営者及び他の参加者に対して、運営者及び他の参加者が本規約に従って、本目的の範囲内で［日本国内において］非独占的に利用等すること（当該対象データを加工等することによって得られた派生データを利用等することを含みます。）について、許諾します。
3．参加者は、運営者及び他の参加者による前項に定める対象データの利用について、人格権を含む知的財産権を行使しないものとします。
4．参加者は、自らが提供する対象データの中に第三者が有していたデータ（以下「第三者データ」といいます。）が含まれる場合には、あらかじめ当該第三者に対して本規約の内容を提供し、別紙〇の書式により、当該第三者から第三者データを本規約に基づき利用し、かつ利用許諾をする権限を取得しなければならないものとします。
［5．参加者が個人情報等を含んだデータを対象データとして本プラットフォームに提供する場合又は開示を受ける場合には、参加者及び運営者は、以下の義務を負うものとします。
　(1) 個人情報等を含んだデータを対象データとして提供する参加者は、本プラットフォーム上でこれらの情報の項目を明示した上で提供する。
　(2) 参加者及び運営者は、個人情報保護法を遵守し（個人情報保護法上必要な本人からの同意の取得を含みます。）、これらの情報の管理に必要な措置を講ずる。］
［6．運営者は、対象データを提供した参加者に対して、運営者が別途定めるところに従い、データ提供料金を支払うものとします。］

第9条（対象データの保証等）
1．参加者は、運営者及び他の参加者に対して、自らが本プラットフォームに提供する対象データについて、以下に掲げる事項を、表明し、保証します。
　(1) 対象データは、適法かつ正当な権限によって取得されたものであること
　(2) 改ざんしていないこと
　(3) 法令に違反する内容を含まないこと
　(4) 公序良俗に違反する内容を含まないこと
　［(5) 対象データに個人情報等が含まれていないこと］
2．参加者は、前項に定める事項を除き、対象データの提供にあたって、、明示又は黙示の別を問わず、いかなる事項（以下に掲げる事項を含みますが、これらに限られません。）についても保証しないものとします。
　(1) 対象データの正確性
　(2) 対象データの完全性（対象データに瑕疵又はバグがないことを含みます。以下同じです。）
　(3) 対象データの安全性（対象データがウィルスに感染していないことを含みます。以下同じです。）
　(4) 対象データの有効性（対象データの本目的への適合性を含みます。以下同

じです。）
　(5)　対象データが第三者の知的財産権その他の権利を侵害しないこと
　[(6)　対象データが継続して提供されること]
3．参加者が第1項の表明保証に違反した場合、又は、以下のいずれかの事由に該当する場合には、当該参加者は、運営者、他の参加者若しくは第三者がこれにより被った損害等を補償する責任を負うものとします。
　(1)　対象データの全部又は一部を改ざんして、本プラットフォームに提供した場合
　(2)　対象データの正確性、完全性、安全性、有効性のいずれかに問題があること、又は、対象データが第三者の知的財産権その他の権利を侵害していることを、故意若しくは重大な過失により告げずに対象データを本プラットフォームに提供した場合
　(3)　対象データの正確性、完全性、安全性、有効性のいずれかに問題があること、又は、対象データが第三者の知的財産権その他の権利を侵害していることを知ったにもかかわらず、運営者に対して第12条第2項に定める通知を行わなかった場合

第10条（利用料金）
参加者は、運営者が別途定めるところに従い、本プラットフォームの利用料金を支払うものとします。

【固定料金の場合】
1．参加者は、対象データ及び派生データの利用料金として、毎月月末までに月額○円（消費税別）を運営者が指定する銀行口座に振込送金の方法によって支払うものとします。なお、振込手数料は乙の負担とします。
2．前項の対象データ及び派生データの利用の対価の計算は、月の初日から末日までを1月分として計算し、参加者による対象データの利用期間が月の一部であった場合、日割り計算によるものとします。

【従量課金の場合】
1．参加者は、対象データ及び派生データの利用料金として、運営者に対して、別紙○の1単位あたり月額○円を支払うものとします。
2．運営者は、毎月月末に参加者が利用した単位数を集計し、その単位数に応じた利用料金を翌月○日までに乙に書面（電磁的方法を含みます。以下同じです。）で通知するものとします。
3．参加者は、前項により通知された利用料金の額に消費税額を加算した金額を、前項の通知を受領した日が属する月の末日までに運営者が指定する銀行口座に振込送金の方法によって支払うものとします。なお、振込手数料は参加者の負担とします。

巻末資料

第4章　対象データ等の利用条件等

第11条（対象データ・派生データの利用条件）
1．参加者は、本目的の範囲内及び別紙〇に定める利用条件により、対象データを利用することができるものとします。但し、以下に掲げるデータについては、この限りではないものとします。
　(1)　自らが本プラットフォームに提供した対象データ
　(2)　他の参加者が本プラットフォームに提供した時点で既に保有していたデータ
　(3)　本プラットフォーム外で第三者から正当に入手したデータ
　(4)　対象データによらず、独自に収集・作成したデータ
　(5)　本利用契約及び本規約に違反することなく、かつ、本プラットフォームへの提供の前後を問わず公知となったデータ
［2．前項の利用条件に基づき対象データの加工等によって得られた派生データの作成に関して、新たに創出した著作権その他の知的財産権を受ける権利は、当該加工等を行った参加者（以下「データ加工者」といいます。）に帰属するものとし、データ加工者は当該派生データを［前項の利用条件と同様の範囲で／自由に］利用等することができるものとします。］
3．参加者は、前［二］項により認められた利用条件を超えて、対象データ［及び派生データ］を利用してはならないものとします。
［4．運営者は、本目的の範囲内において対象データを加工等することができるものとし、当該加工等により生じた派生データを、本プラットフォーム上で対象データとして提供することができるものとします。この場合には、かかる派生データに係る著作権その他の知的財産権は、運営者に帰属するものとしますが、対象データの提供に係る第8条及び第9条の規定が準用されるものとします。］

第12条（対象データの削除）
1．参加者は、対象データを本プラットフォームに提供した後は、当該対象データを本プラットフォーム上から削除することを要求する権利を有しないものとします。
2．参加者が、自らが提供した対象データの正確性、完全性、安全性、有効性のいずれかに問題があること、又は、当該対象データが第三者の知的財産権その他の権利を侵害していることを知ったときは、直ちにその具体的な内容を記載した書面で運営者に通知するものとします。
3．前項の通知を受領した場合には、運営者は速やかに当該対象データを削除するとともに、参加者に対して周知するものとします。
4．前項に定める場合のほか、運営者は、本規約又は法令に反する対象データ

の提供を発見した場合その他運営者が当該対象データを本プラットフォーム上で提供することが適切でないと判断した場合には、当該対象データを本プラットフォーム上から削除することができるものとします。
5．本条に基づいて対象データが本プラットフォーム上から削除された場合であっても、削除前になされた対象データ及び派生データの利用については、何ら影響を及ぼさないものとします。

第5章　参加者の義務等

第13条（本プラットフォーム利用のための設備・環境の設定・維持）
1．参加者は、自己の費用と責任において、運営者が定める条件にて参加者設備を設定し、参加者設備及び本プラットフォームを利用するための環境を維持するものとします。
2．参加者は、本プラットフォームを利用するにあたり、自己の責任及び費用負担において、電気通信事業者等の電気通信サービスを利用して参加者設備を本プラットフォームに接続するものとします。
3．前二項に定める参加者設備の設定・接続その他の本プラットフォーム利用のための環境に不具合がある場合、運営者は参加者に対して本プラットフォームの提供の義務を負わないものとします。

第14条（ID、パスワード［及び対象データの管理］）
1．参加者は、ID及びパスワードを第三者に開示、貸与、共有してはならず、第三者に遺漏・漏えいすることのないよう厳重に管理（パスワードの定期的な変更を含みます。）するものとします。
2．ID及びパスワードの管理不備、使用上の過誤、第三者の使用等により参加者自身又はその他の者が損害を被った場合、運営者は一切の責任を負わないものとします。
3．第三者が参加者のID及びパスワードを用いて本プラットフォームを利用した場合、当該行為は当該参加者の行為とみなされるものとし、当該参加者は、かかる利用についての対価の支払その他の債務一切を負担するものとします。また、当該行為により運営者が損害等を被った場合は、当該参加者はかかる損害等を填補するものとします。但し、運営者の故意又は過失によりID及びパスワードが第三者に利用された場合は、この限りではありません。
［4．参加者は、本プラットフォームを通じて取得した対象データ［及びその派生データ］をそれ以外のデータと明確に区別し、善良な管理者の注意義務をもって、［秘密として／営業秘密として／限定提供データとして］管理及び保管するものとします。］

巻末資料

第15条（禁止事項）
1．参加者は、本プラットフォームの利用に関して、以下の行為を行ってはならないものとします。
　(1)　運営者、他の参加者若しくは第三者の著作権、商標権等の知的財産権その他の権利を侵害する行為、又は侵害するおそれのある行為
　(2)　本プラットフォームの内容や本サービスにより利用し得る情報を改ざんする行為
　(3)　本利用契約又は本規約に違反して、第三者に本プラットフォームを利用させる行為
　(4)　法令若しくは公序良俗に違反し、又は、運営者、他の参加者若しくは第三者に不利益を与える行為
　(5)　ウィルス等の有害なコンピュータプログラム等を送信若しくは提供し、又は、不正アクセスその他本プラットフォームの使用若しくは利用に支障を与える行為
　(6)　第三者の設備等、他の本参加者の参加者設備又は運営者設備の利用若しくは運営に支障を与える行為、又は与えるおそれのある行為
　(7)　その他、運営者による本サービスの提供又は他の参加者による利用を妨げる行為
2．参加者は、前項各号のいずれかに該当する行為がなされたことを知った場合、又は該当する行為がなされるおそれがあると判断した場合には、直ちに運営者に通知するものとします。

第16条（参加者の責任等）
1．参加者は、自らの本利用契約若しくは本規約の違反に起因又は関連して、他の参加者又は運営者に損害等を与えた場合、当該損害等を補償するものとします。
2．参加者は、対象データ等の利用等に関起又は関連して、第三者との間で紛争等が生じた場合には、直ちに運営者に対して書面により通知するものとし、かつ、自己の責任及び費用負担において、当該紛争等を解決するものとします。この場合、当該対象データ等を提供した他の参加者及び運営者は、当該紛争等に合理的な範囲で協力するものとします。
3．参加者は、前項に定める紛争等に起因又は関連して、当該対象データ等を提供した他の参加者又は運営者が損害等を被った場合（但し、当該紛争等が、当該損害等を被った他の参加者又は運営者の帰責事由に基づく場合を除きます。）には、当該他の参加者又は運営者に対して、当該損害等を補償するものとします。
4．対象データ等を提供した参加者及び運営者は、他の参加者による対象データ等の利用に関連する、又は、対象データ等の利用に基づき生じた発明、考案、創作及び営業秘密等に関する知的財産権の当該他の参加者による利用等に関連

する一切の損害等又は紛争等に関して責任を負わないものとします。
5．第2項から第4項までの規定は、当該対象データ等を提供した参加者又は運営者が第9条第3項（第11条第4項において準用される場合を含みます。）に該当する場合には、適用されないものとします。
［6．本利用契約又は本規約に関して参加者が運営者の損害等に対して負う責任の範囲は、債務不履行責任、不法行為責任、その他法律上の請求原因の如何を問わず、参加者の責に帰すべき事由又は参加者の本利用契約若しくは本規約の違反が直接の原因で運営者に現実に発生した通常の損害等に限定されるものとし、その損害等の賠償額は、当該参加者が当該損害等の発生した日から遡って〇ヶ月間に運営者に対して支払った本サービスに係る利用料金の額を超えないものとします。但し、参加者に故意又は重大な過失がある場合には、本項の規定は適用されないものとします。］

第6章　運営者の義務等

第17条（プラットフォームの管理・運営）
1．運営者は、本サービスの提供期間中、法令を遵守するとともに、善良なる管理者の注意をもって本サービスを提供するものとし、同種同等のプラットフォームで利用されるのと同種同等のセキュリティを備えることにより、プラットフォームを適切に管理・運営するものとします。
2．運営者は、参加者による対象データ等の管理状況その他の本利用契約及び本規約の遵守状況について、参加者に対して、いつでも書面（メールその他の電磁的方法を含みます。）による報告を求めることができるものとします。
3．前項の報告、他の参加者からの通報又は運営者自らの調査その他の事情に基づき、運営者が参加者において本利用契約若しくは本規約の違反のおそれがあると判断した場合には、運営者は、当該参加者に対して合理的な範囲で対象データ等の管理方法、保管方法、利用等の方法その他の事項に関して是正を求めることができるものとします。
4．運営者が参加者に対して第2項の報告又は前項の是正を求めた場合には、当該参加者は、速やかにこれに応じなければならないものとします。

第18条（運営者による不保証）
1．運営者は、本プラットフォームの運営に関して、明示又は黙示の別を問わず、参加者に対していかなる事項（以下に掲げる事項を含みますが、これらに限られません。）についても保証しないものとします。
　(1)　本プラットフォームのセキュリティが完全なものであること
　(2)　本プラットフォームにバグがないこと
　(3)　本プラットフォームの利用によりウィルスに感染しないこと
　(4)　本プラットフォームの運営が中断しないこと

(5)　本プラットフォームが第三者の知的財産権を侵害しないこと
２．運営者は、本プラットフォーム上の対象データに関して、明示又は黙示の別を問わず、参加者に対していかなる事項（以下に掲げる事項を含みますが、これらに限られません。）についても保証しないものとします。
　(1)　対象データの正確性、完全性、安全性、有効性
　(2)　対象データが第三者の知的財産権その他の権利を侵害しないこと
　(3)　対象データが継続して参加者に提供されること
３．運営者は、以下のいずれかに該当する場合を除き、前二項に掲げる事項に起因する参加者の損害等について、いかなる責任も負わないものとします。
　(1)　運営者が、対象データの全部又は一部を改ざんして、本プラットフォームに提供した場合
　(2)　運営者が、対象データの正確性、完全性、安全性、有効性のいずれかに問題があること、又は、対象データが第三者の知的財産権その他の権利を侵害していることを、故意若しくは重大な過失により告げずに対象データを本プラットフォームに提供した場合
　(3)　運営者が、対象データの正確性、完全性、安全性、有効性のいずれかに問題があること、又は、対象データが第三者の知的財産権その他の権利を侵害していることを知ったにもかかわらず、第12条第4項に基づく削除を行わなかった場合

第19条（運営者設備の障害等）
１．運営者は、運営者設備について障害があることを知ったときは、遅滞なく、参加者にその旨を通知するとともに、運営者設備を修理又は復旧するよう努めます。
２．運営者は、運営者設備のうち、運営者設備に接続するために運営者が借り受けた電気通信回線に障害があることを知ったときは、当該電気通信回線を提供する電気通信事業者に修理又は復旧を指示するものとします。
３．上記のほか、本プラットフォームに不具合が生じたときは、参加者及び運営者はそれぞれ遅滞なく相手方に通知し、両者協議のうえ各自の行うべき対応措置を決定した上でそれを実施するものとします。

第20条（損害賠償の制限）
１．運営者が本サービス又は本利用契約若しくは本規約に関して参加者に対して負う責任の範囲は、債務不履行責任、不法行為責任、その他法律上の請求原因の如何を問わず、運営者の責に帰すべき事由又は運営者の本利用契約若しくは本規約の違反が直接の原因で参加者に現実に発生した通常の損害等に限定されるものとし、運営者の責に帰すことができない事由から生じた損害等、運営者の予見の有無を問わず特別の事情から生じた損害等、間接損害、逸失利益について運営者は責任を負わないものとします。

2．前項における「運営者の責に帰すことができない事由」は、以下の事由を含みますが、これらに限られません。
 (1) 天災地変、戦争、暴動、内乱、自然災害等の不可抗力
 (2) 停電、参加者設備の障害又は運営者設備までの通信設備の事故・クラウドサービス等の外部サービスの提供の停止又は緊急メンテナンス
 (3) 運営者設備からの応答時間等インターネット接続サービスの性能値に起因する損害
 (4) 善良なる管理者の注意をもってしても防御し得ない運営者設備への第三者による不正アクセス又はアタック、通信経路上での傍受
 (5) 運営者が定める手順・セキュリティ手段等を参加者が遵守しないことに起因して発生した損害
 (6) 運営者設備のうち運営者の製造に係らないソフトウェア又はハードウェアに起因して発生した損害
 (7) 法令に基づくメンテナンス
 (8) 法令の制定改廃
3．前項に基づき運営者が責任を負う場合であっても、その損害賠償の額は、当該参加者が当該損害等の発生した日から遡って〇ヶ月間に運営者に対して支払った本サービスに係る利用料金の額を超えないものとします。
4．運営者に故意又は重大な過失がある場合には、本条の規定は適用されないものとします。

第7章　対象データ等の漏えい等

第21条（対象データ等の漏えい等の場合の対応）
1．参加者は、自ら又は他の参加者による対象データ等の漏えい、喪失、本規約に違反する対象データ等の利用等（これらを総称して、以下「対象データ等の漏えい等」といいます。）を発見した場合、又は、対象データ等の漏えい等が合理的に疑われる場合には、直ちに運営者にその旨を通知しなければならないものとします。
2．運営者、前項による通知をした参加者及び当該対象データ等の漏えい等に関連する可能性のある他の参加者は、協力して対象データ等の漏えい等の事実の有無を確認し、対象データ等の漏えい等の事実が確認できた場合には、その原因を調査し、再発防止策について検討するとともに、運営者は、その概要を必要な範囲で、他の全ての参加者に対して共有するものとします。
3．前項の調査に基づき、対象データ等の漏えい等の原因が当該他の参加者にあった場合には、当該調査費用及び再発防止策の費用は、当該他の参加者の負担とします。

第8章　本プラットフォームの中断・停止及び廃止

第22条（一時的な中断及び提供停止）
1．運営者は、次の各号のいずれかに該当する場合には、参加者への事前の通知又は承諾を要することなく、本サービスの提供を中断することができるものとします。
  (1) 運営者設備の故障により保守を行う場合
  (2) 運用上又は技術上その他の理由により客観的合理的にやむを得ない場合
  (3) その他天災地変、戦争、暴動、内乱、自然災害等の不可抗力により、一定期間、本サービスを提供できない場合
2．運営者は、運営者設備の定期点検を行うため、参加者に事前に通知の上、本サービスの提供を一時的に中断することができるものとします。
3．運営者は、参加者が第15条第1項各号のいずれかに該当する場合又は参加者が本利用契約若しくは本規約に違反した場合には、参加者への事前の通知若しくは催告を要することなく、当該参加者に対する本サービスの全部又は一部の提供を停止することができるものとします。
4．運営者は、前各項に定める事由のいずれかにより本サービスを提供できなかったことに関して参加者又は第三者が損害を被った場合であっても、一切責任を負わないものとします。但し、運営者に故意又は重大な過失がある場合には、この限りではないものとします。

第23条（本サービスの廃止）
　運営者は、次の各号のいずれかに該当する場合、本サービスの全部又は一部を廃止するものとし、廃止日をもって本利用契約及び本規約を解約することができるものとします。
  (1) 廃止日の○日前までに参加者に通知した場合又は本プラットフォーム上で周知した場合
  (2) 天災地変、戦争、暴動、内乱、自然災害等の不可抗力により本サービスを提供することができなくなった場合

第9章　本規約の変更等

第24条（本規約の変更）
1．運営者は、あらかじめ○日以上の予告期間を置いて、変更後の新利用規約の内容を会員に通知し又は本プラットフォーム上で周知することにより、参加者の事前の承諾を得ることなく、本規約を随時変更することができるものとします。この場合には、参加者の利用条件その他本規約の内容は、変更後の新利用規約を本規約として適用するものとします。
2．前項の規定にかかわらず、別紙○で定める本規約の重要な変更は、参加者

［全員／の過半数／の３分の２以上］が書面により同意しなければ、効力を生じないものとします。

第10章　本利用契約及び本規約の解約等

第25条（参加者による解約）
　参加者は、解約希望日の〇日前までに運営者が定める方法により運営者に通知することにより、解約希望日をもって本利用契約及び本規約を解約することができるものとします。

第26条（運営者による解約）
　運営者は、参加者が次の各号のいずれかに該当すると判断した場合、第1号の場合を除き、参加者への事前の通知又は催告を要することなく本利用契約及び本規約を解約することができるものとします。
（1）参加者が本利用契約及び本規約に違反し、運営者がかかる違反の是正を催告した後〇日以内に是正されない場合
（2）第4条に定める参加者資格を満たさないことが判明した場合
（3）利用申込書その他通知内容等に虚偽記入又は重大な記載漏れがあった場合
（4）支払停止又は支払不能となった場合
（5）差押え、仮差押え若しくは競売の申立があった場合、又は、公租公課の滞納処分を受けた場合
（6）破産手続開始、特別清算開始、会社更生手続開始、民事再生手続開始の申立があったとき、又は、信用状態に重大な不安が生じた場合
（7）解散、事業の全部又は重要な一部の譲渡等の決議をした場合
（8）その他本利用契約及び本規約を履行することが困難となる事由が生じた場合

第27条（反社会的勢力の排除）
1．参加者及び運営者は、自らが、反社会的勢力（暴力団、暴力団員、暴力団員でなくなった時から5年を経過しない者、暴力団準構成員、暴力団関係企業、総会屋等、社会運動等標ぼうゴロ又は特殊知能暴力集団、その他これらに準ずる者をいいます。以下同じ。）に該当しないこと、及び反社会的勢力と以下の各号の一にでも該当する関係を有しないことを相手方に表明保証する。参加者及び運営者は、相手方が反社会的勢力に該当し、又は以下の各号の一に該当することが判明した場合には、何らの催告を要せず、本利用契約及び本規約を解約することができるものとします。
（1）反社会的勢力が経営を支配していると認められるとき
（2）反社会的勢力が経営に実質的に関与していると認められるとき
（3）自己、自社若しくは第三者の不正の利益を図る目的又は第三者に損害を加

える目的をもってするなど、不当に反社会的勢力を利用したと認められるとき
   (4) 反社会的勢力に対して資金等を提供し、又は便宜を供与するなどの関与をしていると認められるとき
   (5) その他役員等又は経営に実質的に関与している者が、反社会的勢力と社会的に非難されるべき関係を有しているとき
2．参加者及び運営者は、相手方が自ら又は第三者を利用して以下の各号の一に該当する行為をした場合には、何らの催告を要せず、本利用契約及び本規約を解約することができるものとします。
   (1) 暴力的な要求行為
   (2) 法的な責任を超えた不当な要求行為
   (3) 取引に関して、脅迫的な言動をし、又は暴力を用いる行為
   (4) 風説を流布し、偽計若しくは威力を用いて相手方の信用を棄損し、又は相手方の業務を妨害する行為
   (5) その他前各号に準ずる行為

第28条（解約の効果）
1．前三条に基づき運営者と一の参加者との間の本利用契約及び本規約が解約された場合であっても、当該解約は、当該参加者と運営者との間でのみで効力を有し、当該解約の効力は他の参加者には及ばないものとする。この場合において、既に当該参加者が本プラットフォームに提供した対象データ等及び運営者が対象データを加工等して作成された派生データについては影響を及ぼさないものとします。
2．参加者及び運営者は、本利用契約及び本規約が解約された時点において、未払いの提供料金又は利用料金その他の金銭債務がある場合には、当該債務の期限の利益を喪失し、直ちにこれを支払わなければならないものとします。
3．本利用契約及び本規約が終了した場合であっても、第20条、本条及び第11章の規定は有効に存続するものとします。

第11章　一般条項

第29条（秘密保持）
1．参加者及び運営者（以下「情報受領者」といいます。）は、本プラットフォームの利用に関して開示を受けた技術上又は営業上その他業務上の情報（但し、対象データ等を除きます。）のうち、運営者又は他の参加者（以下「情報開示者」といいます。）が特に秘密である旨をあらかじめ書面で指定した情報で、提供の際に秘密情報の範囲を特定し、秘密情報である旨の表示を明記した情報（以下「秘密情報」といいます。）を、情報開示者の書面による事前の承諾なく、第三者に開示又は遺漏しないものとします。但し、次の各号のいず

れかに該当する情報については、この限りではありません。
(1) 秘密保持義務を負うことなく既に保有している情報
(2) 秘密保持義務を負うことなく第三者から正当に入手した情報
(3) 情報開示者から開示を受けた情報によらず、独自に開発した情報
(4) 本利用契約及び本規約に違反することなく、かつ、受領の前後を問わず公知となった情報

2．前項の規定にかかわらず、情報受領者は、次の各号に該当する場合には、当該各号に規定される範囲で秘密情報を開示することができるものとする。
(1) 本サービスの利用又は提供に必要な範囲で秘密情報を了知する必要のある自らの役員及び従業員、並びに弁護士、公認会計士、税理士その他のアドバイザーに秘密情報の開示を行う場合。但し、被開示者が法律上守秘義務を負う者でない場合には、当該被開示者をして本規約に規定される自己の秘密保持義務と実質的に同等の義務を負わせるものとし、かつ、当該被開示者によるかかる義務の履行につき、一切の責任を負うものとします。
(2) 法令、裁判所の決定・命令、監督官庁又はそれに準ずる者（証券取引所等を含みますが、これに限られません。）の法令に基づく命令等に基づき開示を要請された場合において、当該要請に応じるために必要最小限の範囲で、秘密情報の開示を行う場合。但し、この場合には、かかる開示を行う情報受領者は、情報開示者に対して、事前に（但し、緊急を要する場合には、開示後速やかに）、当該要請の内容及び開示する秘密情報の内容を書面により通知するものとします。

3．本条に基づく義務は、本利用契約及び本規約が終了した後も○年間存続するものとします。

第30条（権利義務譲渡の禁止）
　参加者は、あらかじめ運営者の書面による承諾がない限り、本契約上の地位、本契約に基づく権利又は義務の全部又は一部を他に譲渡してはならないものとします。

第31条（準拠法及び合意管轄）
1．本契約の解釈に関する準拠法は、日本法とします。
2．参加者と運営者の間の間の本利用契約及び本規約に起因又は関連する一切の紛争は、○○地方裁判所を第一審の専属的合意管轄裁判所とします。

第32条（協議等）
　本契約に規定のない事項及び規定された項目について参加者と運営者との間で疑義が生じた場合は、両者誠意を持って協議の上解決することとします。

2021年○月○日制定

●著者略歴●

福岡真之介（ふくおか　しんのすけ）
西村あさひ法律事務所・パートナー弁護士
ニューヨーク州弁護士
1996 年　東京大学法学部卒業
1998 年　司法修習修了（50 期）
1998 年～2001 年　中島経営法律事務所勤務
2001 年～　西村あさひ法律事務所
2006 年　デューク大学ロースクール卒業（LL.M.）
2006 年～2007 年　シュルティ・ロス・アンド・ゼイベル法律事務所勤務
2007 年～2008 年　ブレーク・ドーソン法律事務所（現アシャースト）勤務
2014 年～2015 年　大阪大学大学院高等司法研究科招へい教授
＜担当＞第 1 章～第 4 章、第 7 章～第 9 章、第 12 章、おわりに
＜著書・論文＞『AI の法律』（商事法務、2020）、『IoT・AI の法律と戦略〔第 2 版〕』（商事法務、2019）、『知的財産法概説〔第 5 版〕』（弘文堂、2013）、「Licences and Insolvency: A Practical Global Guide to the Effects of Insolvency on IP Licence Agreements（Japan Chapter）」Globe Law and Business（2014）など多数。

松村　英寿（まつむら　ひでとし）
西村あさひ法律事務所弁護士
2000 年　慶應義塾大学法学部政治学科卒業
2002 年　司法修習修了（55 期）
2002 年～2004 年　牛島総合法律事務所勤務
2004 年～　西村あさひ法律事務所
2015 年　カリフォルニア大学デービス校ロースクール卒業（LL.M.）
2016 年　南カリフォルニア大学ロースクール卒業（LL.M., Graduate Certificates in Business Law and Entertainment Law）
＜担当＞第 5 章、第 6 章、第 10 章、第 11 章
＜著書・論文＞『AI の法律』（商事法務、2020）、『知的財産法概説〔第 5 版〕』（弘文堂、2013）、『会社法実務解説』（有斐閣、2011）、「The International Comparative Legal Guide to: Mergers & Acquisitions 2010（Japan Chapter）」Global Legal Group（2010）など多数。

●事項索引●

────── 欧　文 ──────

Cookie ･････････････ 276, 279, 341
DFFT ･････････････････････ 513
DMBOK ････････････････････ 26
DX ･････････････････････ 497
　──時代における企業のプライバ
　　シーガバナンス ･･･････ 508
　──推進指標 ･･････････････ 508
　──認定制度 ･･･････････ 506, 507
　──銘柄 ･･････････････････ 508
FAIR原則 ･･････････････････ 19
GDPR ･･････････････････ 301, 327
GOVERNANCE INNOVATION
　 ･････････････････････ 510
MFN条項 ･････････････････ 374
OECDプライバシーガイドライン8原則
　 ･････････････････････ 309
One IDサービス ･････････････ 334
PDCAサイクル ･･･････････････ 321

────── あ　行 ──────

アーキテクチャ ･･･････････････ 41
安全管理措置 ･･･････････････ 284
域外適用 ･･･････････････････ 312
位置情報 ･･････････ 210, 227, 277, 326
移動履歴 ･･･････････････････ 210
インサイダー取引規制 ････････ 393
インターオペラビリティ ･･････ 361
営業秘密 ･･･････････････ 37, 127
役務委託取引ガイドライン ･･････ 365
オプトアウト方式 ････････････ 234
オルタナティブ・データ ･･････ 39, 393

────── か　行 ──────

外国にある第三者 ････････････ 294
学術研究機関等 ･･･････････ 222, 253
過去データ ･･････････････････ 82
加工データ ･･････････････････ 90
加工方法等情報 ･･････････ 286, 305
仮名加工情報 ･･････････････ 265
仮名加工情報データベース等 ･･･ 269
仮名加工情報取扱事業者 ･･････ 269
カメラ画像利活用ガイドブック
　 ･･････････････････ 205, 213, 334
カルテル ･･････････････････ 369
企業結合ガイドライン ･･･ 355, 357, 385
企業結合審査 ･･････････････ 385
技術的制限手段 ･･････････････ 146
基準適合体制 ･････････ 295, 305, 310
競争減殺効果 ･･････････････ 358
競争の実質的制限 ･･･････････ 358
共同開発ガイドライン ･･･････ 363
共同利用者の範囲 ････････ 232, 346
クラウドサービス ･････ 239, 298, 306
契約不適合責任 ･･････････ 68, 107
限定提供データ ･･･････････ 37, 134
公正競争阻害性 ････････････ 358
構造化データ ･････････････････ 21
拘束条件付取引 ･････････････ 363
購買履歴 ･･････････････････ 207
個人関連情報 ･･････････････ 276
個人関連情報データベース等 ･･･ 276
個人関連情報取扱事業者 ･･････ 277
個人識別符号 ･･････････････ 211
個人情報 ･････････････････ 204
個人情報データベース等 ･･･ 203, 219
個人情報取扱事業者 ･･････････ 203
個人情報保護マネジメントシステム
　 ･････････････････････ 320
個人データ ････････････････ 219
　──の共同利用 ･･･････････ 231
　──の消去 ･･････････････ 241
　──の正確性の確保 ････････ 240

563

事項索引

──の取扱いの委託・・・・・・・・・・227
コモンズ・・・・・・・・・・・・・・・・・・・・・19
コントローラビリティ・・・・・・・・・・347

────── さ 行 ──────

最恵国待遇条項・・・・・・・・・・・・・・・・・374
削除情報等・・・・・・・・・・・ 267,273,287
識別行為・・・・・・・・・・ 257,258,262,271
識別性・・・・・・・・・・・・・・・・・・・・・・・・204
シグナリング・・・・・・・・・・・・・・・・・・・379
自己情報コントロール権・・・・・・・・325
市場支配力・・・・・・・・・・・・・・・・352,371
私的独占・・・・・・・・・・・・・・・・・・・・・・366
重要事実・・・・・・・・・・・・・・・・・・・・・・393
重要情報・・・・・・・・・・・・・・・・・・・・・・393
肖像権・・・・・・・・・・・・・・・・・・・ 213,334
情報銀行・・・・・・・・・・・・・・・・・・・・・・347
新型コロナウイルス・・・・・・・・・・・・222
スイッチングコスト・・・・・・・・・360,385
スコアリング・・・・・・・・・・・・・・・・・・214
スピルオーバー問題・・・・・・・・・・・・381
制裁金・・・・・・・・・・・・・・・・・・・・・・・・425
センシティブ情報・・・・・・ 369,380,459
ソーシャルプラグイン・・・・・・・・・・279
創作性・・・・・・・・・・・・・・・・・・・・・・・・151

────── た 行 ──────

ターゲティング広告・・・・・・・・ 214,326
第三者提供・・・・・・・・・・・・・・・・221,272
　　──の可否・・・・・・・・・・・・・・・・93
　　──時の確認・記録保存義務
　　　・・・・・・・・・・・・・・・・237,289,293
多面市場・・・・・・・・・・・・・・・・・ 356,385
端末識別子・・・・・・・・・・・・・・・・・・・・276
知的財産ガイドライン・・・・・・・358,363
著作権の制限規定・・・・・・・・・・・・・・174
著作権法30条の４・・・・・・・・・・・・・・176
著作権法47条の４・・・・・・・・・・・・・・181
著作権法47条の５・・・・・・・・・・・・・・182
提供元基準・・・・・・・・・・・・・・・・207,279

定型約款・・・・・・・・・・・・・・・・・・・487,491
データ・・・・・・・・・・・・・・・・・・・・・・・・・・・
　　──のオープン・クローズ戦略・・27
　　──の特徴・・・・・・・・・・・・・・・・・8
　　──のプラットフォーム戦略・・・・27
　　──・フォーマットの標準化戦略
　　　・・・・・・・・・・・・・・・・・・・・・・・・27
データ・オーナーシップ・・・・・・・・・14
データカタログ・・・・・・・・・・・・・・・・455
データガバナンス・・・・・・・・・・・26,447
データ構造の特許・・・・・・・・・・・・・・187
データ・ジョイントベンチャー・・・418
データ・スキーム・・・・・・・・・・・・・・407
データ戦略タスクフォース・・・・・・514
データ創出型・・・・・・・・・・・・・・・・・・47
データ提供型・・・・・・・・・・・・・・・・・・46
データと所有権・・・・・・・・・・・・・・・・13
データ取引の対価・利益分配・・・・・71
データの利用条件・・・・・・・・・・・56,93
データ品質・・・・・・・・・・・・・・・・62,107
データ・フィデューシャリー・デューティ
　　・・・・・・・・・・・・・・・・・・・・・・・・・368
データ・フリー・フロー・ウィズ・トラスト
　　・・・・・・・・・・・・・・・・・・・・・・・・・513
データベース著作物・・・・・・・・・・・・157
　　──の創作性・・・・・・・・・・・・・159
データポータビリティ・・・ 352,360,475
データ・マネージメント・・・・・・・・・24
適正な取得・・・・・・・・・・・・・・・・・・・・217
デジタルガバナンス・コード・・・・506
デジタル・カルテル・・・・・・・・・・・・375
デジタル社会形成整備法・・・・・・・・198
デジタルトランスフォーメーション
　　・・・・・・・・・・・・・・・・・・・・・・・・・497
電磁的方法・・・・・・・・・・・・・・・・・・・・272
統計情報・・・・・・・・・・・・・・・・・ 230,260
同等性認定・・・・・・・・・・・・・・・・295,301
特別補償・・・・・・・・・・・・・・・・・・・・・・436
匿名加工情報・・・・・・・・・・・・・・・・・・255
匿名加工情報データベース等・・・・256

事項索引

匿名加工情報レポート・・・・・・・ *207, 258*
トレーサビリティ・・・ *237, 288, 311, 344*

――――――― な 行 ―――――――

二次的著作物・・・・・・・・・・・・・・・・・ *173*
ネットワーク効果・・・・・・・ *352, 360, 385*

――――――― は 行 ―――――――

パーソナルデータ・・・・・・・・・・・・・ *195*
排他条件付取引・・・・・・・・・・・・・・・ *373*
破産者マップ・・・・・・・・・・・・・・・・・ *217*
派生データ・・・・・・・・・・・・・・・ *76, 96*
ハブアンドスポーク型・・・・・・ *376, 378*
ビジネス関連特許・・・・・・・・・・・・・ *190*
ビッグデータ・・・・・・・・・・・・・・・・・・・ *6*
秘密管理性要件・・・・・・・・・・・・・・・ *128*
秘密保持契約書・・・・・・・・・・・・・・・・ *45*
秘密保持条項・・・・・・・・・・・・・ *73, 116*
表明保証責任・・・・・・・・・・・・・ *68, 107*
フェアーディスクロージャールール
　・・・・・・・・・・・・・・・・・・・・・・・・・・ *393*
不正アクセス禁止法・・・・・・・・・・・ *405*
不正アクセス行為・・・・・・・・・・・・・ *405*
不適正な利用の禁止・・・・・・・・・・・ *217*
不当な取引制限・・・・・・・・・・・・・・・ *369*
プライバシー影響評価・・・・・・ *196, 329*
プライバシーガバナンスガイドブック
　・・・・・・・・・・・・・・・・・・・・・・・・・・ *332*
プライバシー権・・・・・・・ *213, 324, 334*
プライバシー・バイ・デザイン
　・・・・・・・・・・・・・・・・・・・・・ *196, 329*
プライバシーマーク・・・・・・・・・・・ *321*
プラットフォーム型・・・・・・・・・・・・ *47*

プロファイリング・・・・・・・・・・ *254, 326*
編集著作物・・・・・・・・・・・・・・・・・・・ *164*
　――の創作性・・・・・・・・・・・・・・・ *165*
包括的データ戦略・・・・・・・・・ *445, 515*
法人関係情報・・・・・・・・・・・・・・・・・ *393*
防犯カメラ・・・・・・・・・・・・・・・・・・・ *213*
ホーミング・・・・・・・・・・・・・・・ *360, 385*
保有個人データ・・・・・・・・・・・・・・・ *241*
翻案・・・・・・・・・・・・・・・・・・・・・・・・ *173*
本人の同意・・・・・・・・・・・・・・・ *224, 281*

――――――― ま 行 ―――――――

無料市場・・・・・・・・・・・・・・・・・・・・ *356*
メタデータ・・・・・・・・・・・・・・・・ *24, 455*
免責規定・・・・・・・・・・・・・・・・・・・・ *119*
黙示の同意・・・・・・・・・・・・・・・ *216, 225*

――――――― や 行 ―――――――

優越的地位の濫用・・・・・・・・・・ *364, 366*
優越的地位濫用ガイドライン・・・・・ *365*
容易照合性・・・・・・・・・・・ *204, 205, 210*
要配慮個人情報・・・・・・・・・・・・ *234, 252*

――――――― ら 行 ―――――――

利用目的・・・・・・・・・・・・・・・・・・・・ *212*
　――の特定・・・・・・・・・・・・・・・・ *214*
　――の変更・・・・・・・・・・・・・・・・ *214*
漏えい等の報告等・・・・・・・・・・・・・ *312*
ロックイン・・・・・・・・・・・・・・・ *352, 366*

――――――― わ 行 ―――――――

忘れられる権利・・・・・・・・・・・・・・・ *327*

データの法律と契約〔第2版〕

| 2019年1月30日 | 初　版第1刷発行 |
| 2021年12月20日 | 第2版第1刷発行 |

著　者　　福　岡　真之介　　松　村　英　寿

発行者　　石　川　雅　規

発行所　　㈱商　事　法　務
〒103-0025　東京都中央区日本橋茅場町3-9-10
TEL 03-5614-5643・FAX 03-3664-8844〔営業〕
TEL 03-5614-5649〔編集〕
https://www.shojihomu.co.jp/

落丁・乱丁本はお取り替えいたします。　印刷／そうめいコミュニケーションプリンティング
© 2021 Shinnosuke Fukuoka, Hidetoshi Matsumura　Printed in Japan

Shojihomu Co., Ltd.
ISBN978-4-7857-2914-1
＊定価はカバーに表示してあります。

JCOPY ＜出版者著作権管理機構　委託出版物＞
本書の無断複製は著作権法上での例外を除き禁じられています。
複製される場合は、そのつど事前に、出版者著作権管理機構
(電話03-5244-5088、FAX 03-5244-5089、e-mail: info@jcopy.or.jp)
の許諾を得てください。